LE GRAND ATLAS

DU CANADA ET DU MONDE

4e ÉDITION

AVEC LA COLLABORATION DE

Jacques Charlier
Université catholique de Louvain et Université de Paris-Sorbonne

Danielle Charlier-Vanderschraege
Haute École Galilée, Bruxelles

Rodolphe De Koninck
Université de Montréal

Guy Dorval
Université Laval

Pour toute information sur notre fonds, consultez notre site web : **www.deboeck.com**

© Noordhoff Uitgevers bv Groningen, The Netherlands, 2014

© De Boeck Éducation s.a.,
Fond Jean Pâques, 4 – 1348 louvain-la-Neuve

Diffusion et distribution au Canada :
ÉDITIONS DU RENOUVEAU PÉDAGOGIQUE INC. (ERPI)
Membre du groupe Pearson Education depuis 1989

5757, rue Cypihot
Saint-Laurent (Québec) H4S 1R3
Canada
pearsonerpi.com

Imprimé en Belgique

Dépôt légal : 2e trimestre 2014

4e édition
ISBN 978-2-7613-6694-6

Préface

Par rapport à la troisième édition de 2009, cette quatrième édition du **Grand Atlas du Canada et du monde** a été, une nouvelle fois, actualisée en profondeur. Une mise à jour aussi systématique que possible a été ainsi entreprise en fonction des données disponibles les plus récentes et des évolutions enregistrées les plus significatives. Outre ces changements parfois peu visibles mais qui confèrent toute sa valeur à l'ouvrage, des modifications de contenu significatives ont été apportées à l'occasion de huit pages supplémentaires dans l'ouvrage, dont la pagination a été portée à 209 pages. Et en tenant compte du fait que huit des pages précédentes ont fait l'objet d'une réduction de 50 %, ce sont même douze nouvelles planches qui sont proposées à nos lecteurs !

Au rayon des nouveautés, nous signalerons ainsi tout particulièrement :
- deux planches supplémentaires dans la partie consacrée au monde dans son ensemble (une seconde planche sur la mondialisation en p. 35 et une consacrée aux grandes catastrophes naturelles en p. 41) ;
- quatre pages additionnelles dans la partie canadienne, avec cette fois une attention portée aux provinces anglophones, des provinces atlantiques (p. 68) à celles de l'Ouest (p. 69) en passant par l'Ontario (pp. 66-67) ;
- une double planche relative aux risques naturels aux États-Unis voisins (pp. 76-77) ;
- quatre pages portant sur l'Asie, avec à chaque fois une planche supplémentaire sur le monde indien (p. 150), l'Asie du Sud-Ouest (p. 151), l'Asie du Sud-Est (p. 154) et la Chine (p. 162).

Par ailleurs, divers ajustements ont été opérés, avec notamment la réduction des doubles planches introductives consacrées à la population mondiale et au monde la nuit en deux pages simples, désormais présentées en vis-à-vis (aux pp. 14-15), l'introduction d'une planche relative aux transports en Europe (en p. 105, en remplacement de l'énergie en Mer du Nord) ainsi que d'une seconde planche consacrée à l'Afrique du Sud (en p. 186, en remplacement dans ce cas d'une planche qui portait sur le Nigeria). Les doubles pages d'introduction aux différents continents ont été également modifiées, avec l'apparition de cartes d'occupation des sols en regard des vues satellitaires traditionnelles, et il faut enfin signaler des réorganisations ponctuelles, en particulier pour une des deux planches consacrées au Mexique (p. 81) et pour celle relative à l'Indonésie (p. 155). Au total, ce sont donc une vingtaine de nouveautés que nous invitons nos lecteurs à découvrir en parcourant cette nouvelle édition augmentée et actualisée.

Un atlas est un produit vivant, qui se doit de refléter les évolutions, notamment politiques, du monde contemporain. Certaines risquent cependant d'être intervenues après la réalisation des cartes de cet ouvrage et elles seront alors prises en compte dans la prochaine édition. Par rapport à la précédente, la principale modification opérée est relative au Sud Soudan qui est désormais pris en compte de manière distincte. Par contre, il n'a été rendu compte de la situation particulière de la Crimée qu'au travers d'une note en page 137, actant la situation au moment de la mise sous presse de cet ouvrage. À côté de tels changements politiques majeurs au niveau des pays, il arrive aussi que des villes soient rebaptisées et l'appellation figurant dans l'ouvrage est, ici encore, celle qui était couramment en vigueur au moment de sa finalisation.

Un outil pédagogique

L'enseignement de la géographie évolue parce qu'il est vivant à l'instar de notre monde et de la perception que nous en avons. Or, les moyens modernes de communication ont, au cours de ces dernières années, autant influencé notre vision du monde qu'ils ont diffusé des quantités de plus en plus considérables d'informations. Dès lors, quoi de plus naturel que la démarche du professeur de géographie tienne compte de ces évolutions ?

L'atlas est devenu un outil de travail privilégié dans la démarche géographique. La lecture de la carte ne peut plus consister en une simple localisation de réalités ponctuelles. Elle se doit plutôt d'être une mise en ordre, une structuration personnelle à partir d'un flot ininterrompu d'informations.

Les diverses cartes thématiques constituent autant de points de départ de recherches ou d'exercices spécifiques portant sur la question géographique fondamentale Pourquoi là ? Elles permettent de jouer sur différents registres : l'**analyse détaillée** avec des cartes à grande échelle représentant, par exemple, des paysages-types marqués par l'activité humaine ou avec des documents permettant la présentation pluridimensionnelle d'un espace donné ; la **comparaison raisonnée**, sur base de cartes mono-thématiques ou encore la **synthèse** avec la présentation simultanée de cartes sur la population, les paysages agraires, l'industrie, l'urbanisation.

Qu'il s'agisse du Canada, des différents pays et continents ou du monde dans son ensemble, de nombreuses données quantitatives complètent les cartes. Que le professeur garde cependant à l'esprit qu'il ne suffit pas d'avancer des dimensions ou des tonnages pour rendre plus concrète l'approche d'un phénomène par ses élèves ; il peut, dans chaque cas, donner un sens à ces chiffres en faisant des graphiques le complément concret et dynamique des cartes. L'atlas varie à dessein les diverses formes de représentation des données, de manière à familiariser l'utilisateur à la lecture et à l'interprétation de graphiques variés.

Composition de l'atlas

Le grand Atlas du Canada et du monde propose d'abord une légende générale suivie de la page de titre et de la présente préface. Viennent ensuite la table des matières permettant de repérer rapidement la (ou les) carte(s) recherchée(s) et l'ensemble cartographique proprement dit, composé comme suit :

Recherche d'un renseignement

Pour trouver rapidement les données souhaitées, l'atlas fournit trois moyens :

• L'**index des cartes** constitue le moyen le plus simple pour rechercher un lieu. Sa double page reprend toutes les parties du monde et indique par des cadres rectangulaires sur quelle carte de l'atlas figure le lieu en question. Pour plus de clarté, le Canada est représenté à part et à une échelle supérieure sur la page de gauche du signet.

• Toutes les cartes générales et les cartes thématiques relatives à certaines régions ou grandes agglomérations sont mentionnées dans la **table des matières** dans l'ordre de leur présentation dans l'atlas. Dans les parties consacrées au Canada et aux différents pays ou continents, la répartition des cartes analytiques a un caractère systématique, des faits physiques majeurs aux principaux traits humains et économiques.

• L'**index des noms géographiques** est destiné à faciliter la recherche des éléments de la nomenclature géographique (pays, régions, localités, cours d'eau, montagnes, etc.). Les noms y sont classés par ordre alphabétique et sont suivis du numéro de la carte ou du carton où ils figurent. (quand c'est sur plusieurs cartes, c'est celle dont l'échelle est la plus grande qui est mentionnée). Les cartes générales et un certain nombre de cartons présentent des subdivisions déterminées par les méridiens et les parallèles ; ces subdivisions sont identifiées par des lettres et des chiffres indiqués en rouge en bordure du cadre, lesquels sont repris dans l'index après le numéro de la carte correspondante.

Remerciements

Les responsables de la production de cet atlas tiennent à remercier tout spécialement les nombreux enseignants œuvrant dans les collèges et universités du Québec qui ont bien voulu leur faire part de leurs conseils. Des remerciements sont aussi adressés au personnel du Département de géographie et de la cartothèque de la Bibliothèque générale de l'Université Laval, tout comme aux représentants des ministères canadiens et québécois qui ont aimablement donné suite à leurs demandes de documents.

Les auteurs
Avril 2014

2

TABLE DES MATIÈRES

Le grand Atlas du Canada et du monde

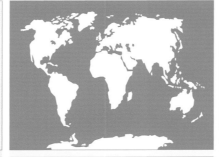

* Cartes générales

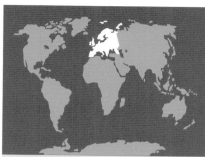

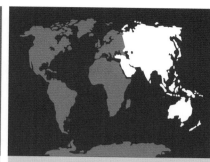

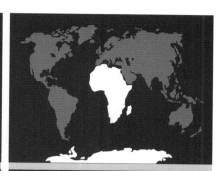

3

Amérique

Europe

Autres continents

Autres continents

* Cartes générales

A. LE SOLEIL ET LES SAISONS
A1. Les positions de la terre lors de la succession des saisons

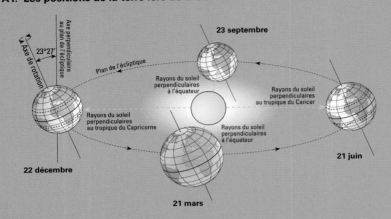

L'axe de rotation de la terre fait un angle de 23°27' avec la perpendiculaire au plan de révolution de la terre autour du soleil, dénommé écliptique. Le 21 juin, les rayons du soleil sont à la verticale (zénith) du tropique du Cancer ; c'est alors le début de l'été chez nous. Inversement, le 22 décembre, les rayons solaires sont au zénith du tropique du Capricorne ; c'est alors le début de l'hiver chez nous. Les saisons sont inversées dans les 2 hémisphères.

A2. Mouvement apparent du soleil au-dessus de l'horizon
A2a. Sous nos latitudes (51° Nord)

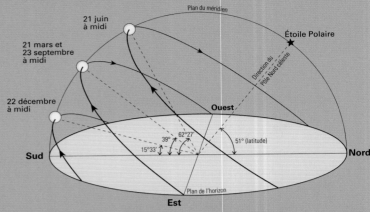

Le 21 juin, le soleil est vu partout dans l'hémisphère Nord à sa hauteur maximale sur l'horizon et il se situe alors au zénith du tropique du Cancer ; ce moment de l'année se nomme le solstice d'été. Inversement, le 22 décembre, le soleil est vu partout dans l'hémisphère Sud à sa hauteur maximale sur l'horizon et il se situe alors au zénith du tropique du Capricorne ; ce moment de l'année se nomme le solstice d'hiver.

A2b. Au pôle Nord

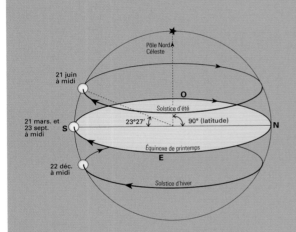

A2c. Au tropique du Cancer

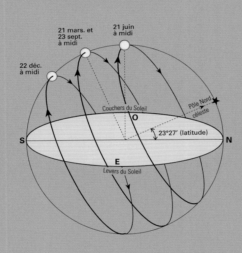

A2d. À l'Équateur

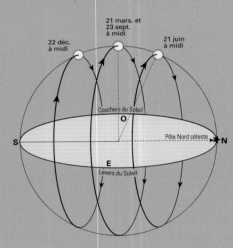

B. LE SYSTÈME SOLAIRE
B1. Disposition schématique des trajectoires des planètes

Dans ce schéma, les distances, les tailles, l'excentricité et l'inclinaison des orbites ne sont pas respectées.

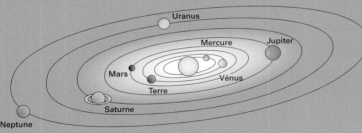

B2. Informations relatives aux planètes

	Révolution	Rotation	Satellites	Diamètre	Distance du Soleil (en U.A.)*
Mercure	88 j	59 j	0	4 900	0,4
Vénus	225 j	243 j	0	12 100	0,7
Terre	365 j	24 h56	1	12 800	1
Mars	687 j	24 h37	2	6 800	1,5
Jupiter	12 années	9 h50	15	143 000	5,2
Saturne	30 années	10 h15	18	120 500	9,5
Uranus	84 années	17 h	21	51 100	19
Neptune	165 années	16 h	8	49 500	30

* U.A = Unité Astronomique ou distance de la terre au soleil (149 600 000 km)

B3. La taille relative des planètes et du Soleil

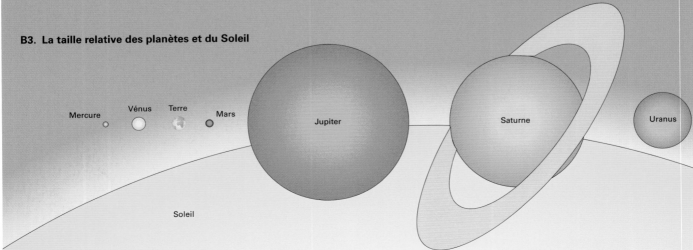

Depuis 2006, l'Union Astronomique Internationale considère que Pluton n'est plus une planète à part entière, mais une planète naine.

© Noordhoff Uitgevers

C. LA LUNE

C1. Les phases de la Lune

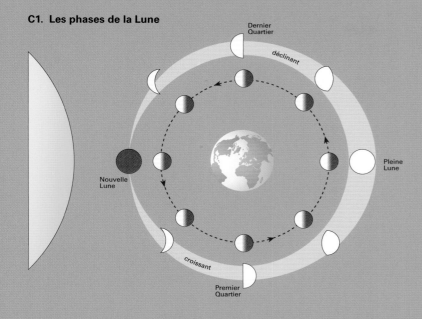

C2. Forme de l'orbite lunaire

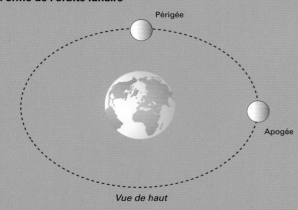

Vue de haut

L'orbite de la Lune n'est pas circulaire mais ellipsoïdale. Le point où la Lune se trouve la plus proche de la Terre se nomme Perigée et le point où elle en est la plus distance se nomme Apogée.

C3. Plan de l'orbite lunaire

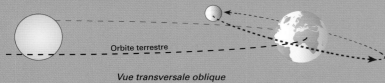

Vue transversale oblique

L'orbite terrestre et l'orbite lunaire ne se situent pas dans un même plan, mais font un angle de l'ordre de 5°.

D. LES ÉCLIPSES

D1. Le principe d'une éclipse lunaire

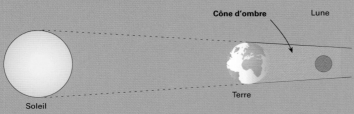

Vue transversale

D2. Le principe d'une éclipse solaire

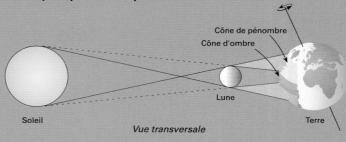

Vue transversale

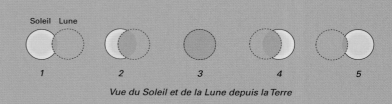

Vue du Soleil et de la Lune depuis la Terre

D3. Formes particulières d'éclipses solaires
D3a. Éclipse de soleil annulaire

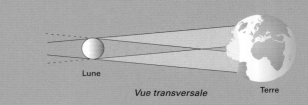

Vue transversale

Vue du Soleil et de la Lune depuis la Terre

D3b. Éclipse partielle du Soleil

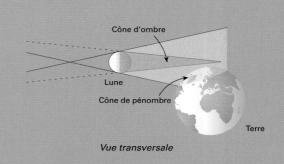

Vue transversale

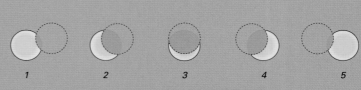

Vue du Soleil et de la Lune depuis la Terre

PROJECTIONS CARTOGRAPHIQUES

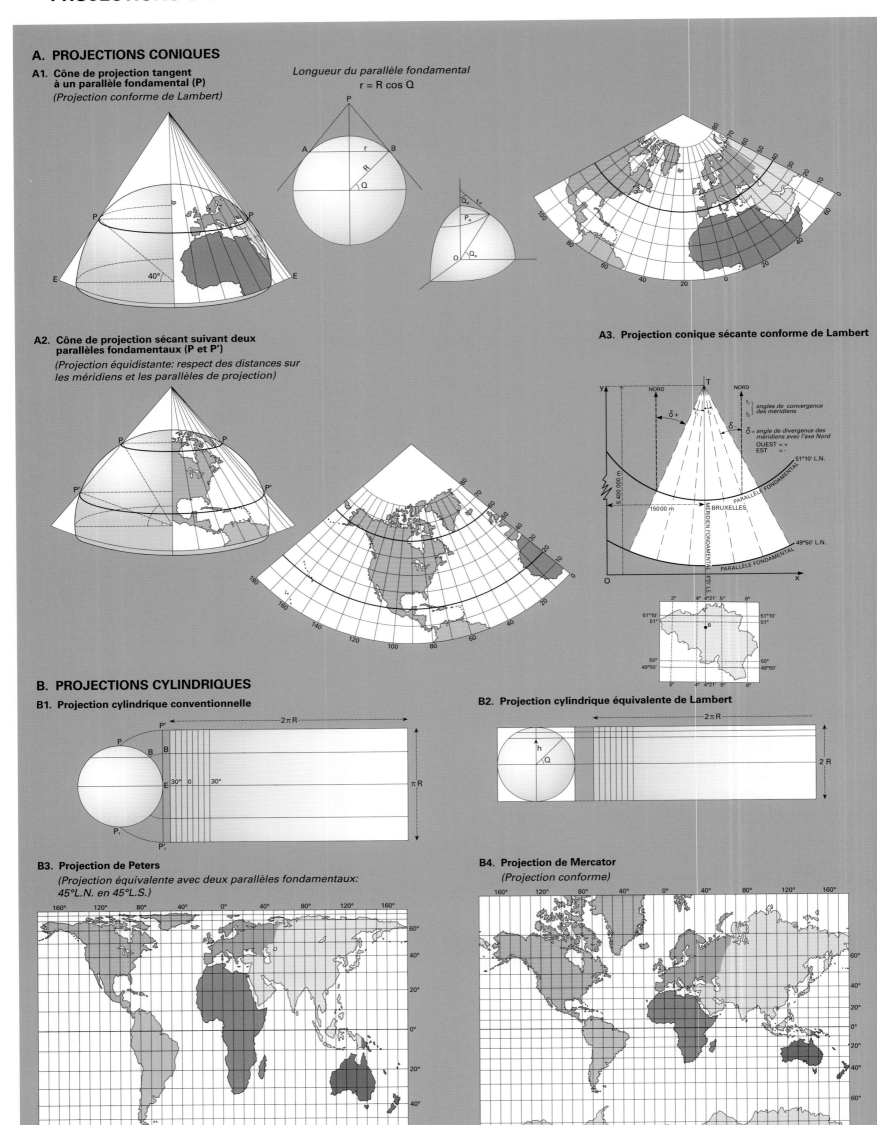

A. PROJECTIONS CONIQUES

A1. Cône de projection tangent à un parallèle fondamental (P)
(Projection conforme de Lambert)

Longueur du parallèle fondamental
$r = R \cos Q$

A2. Cône de projection sécant suivant deux parallèles fondamentaux (P et P')
(Projection équidistante: respect des distances sur les méridiens et les parallèles de projection)

A3. Projection conique sécante conforme de Lambert

B. PROJECTIONS CYLINDRIQUES

B1. Projection cylindrique conventionnelle

B2. Projection cylindrique équivalente de Lambert

B3. Projection de Peters
(Projection équivalente avec deux parallèles fondamentaux: 45°L.N. en 45°L.S.)

B4. Projection de Mercator
(Projection conforme)

© Noordhoff Uitgevers

C. PROJECTIONS AZIMUTALES

C1. Projection orthographique polaire

(Point de vue à l'infini)

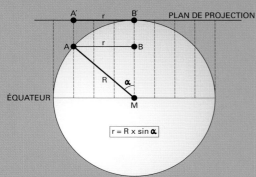

$$r = R \times \sin \alpha$$

α = complément de latitude

L'image de la carte

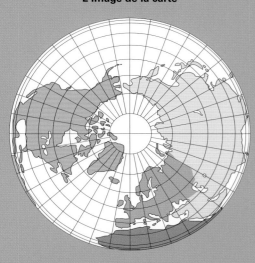

C2. Projection gnomonique ou équatoriale centrale

(Point de vue au centre du globe)

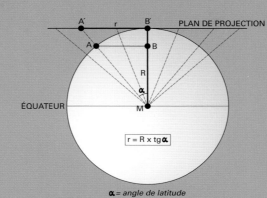

$$r = R \times tg\,\alpha$$

α = angle de latitude

L'image de la carte

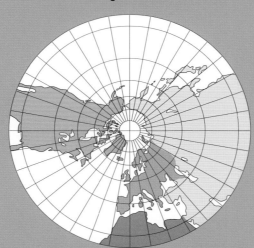

C3. Projection stéréographique équatoriale

(Point de vue à l'antipode du point de contact du plan de projection)

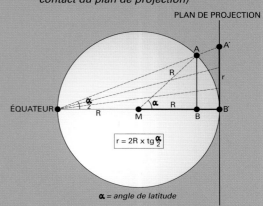

$$r = 2R \times tg\frac{\alpha}{2}$$

α = angle de latitude

L'image de la carte

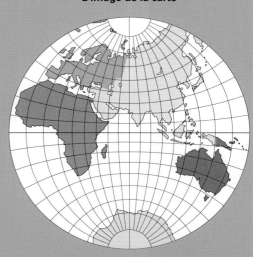

D. CANEVAS CONVENTIONNELS

D1. Projection de Mollweide - Babinet

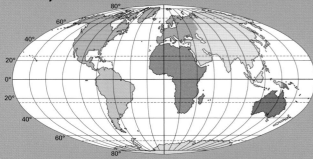

D2. Projection de Sanson - Flamsteed

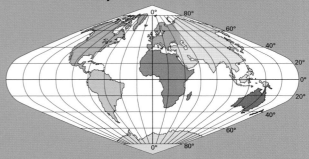

D3. Projection équivalente discontinue de Goode

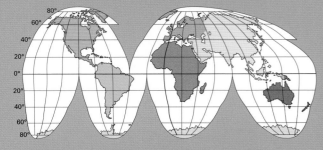

D4. Projection équivalente tétraédrique de Gregory

D6. Projection de Winkel

Les planisphères thématiques de cet atlas sont réalisés selon cette projection.

D5. Projection homalographique discontinue de Mollweide

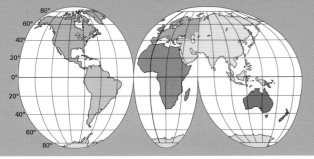

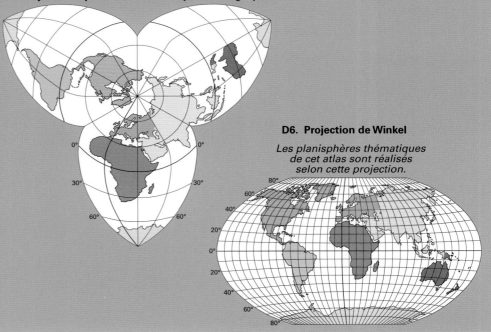

LE MONDE

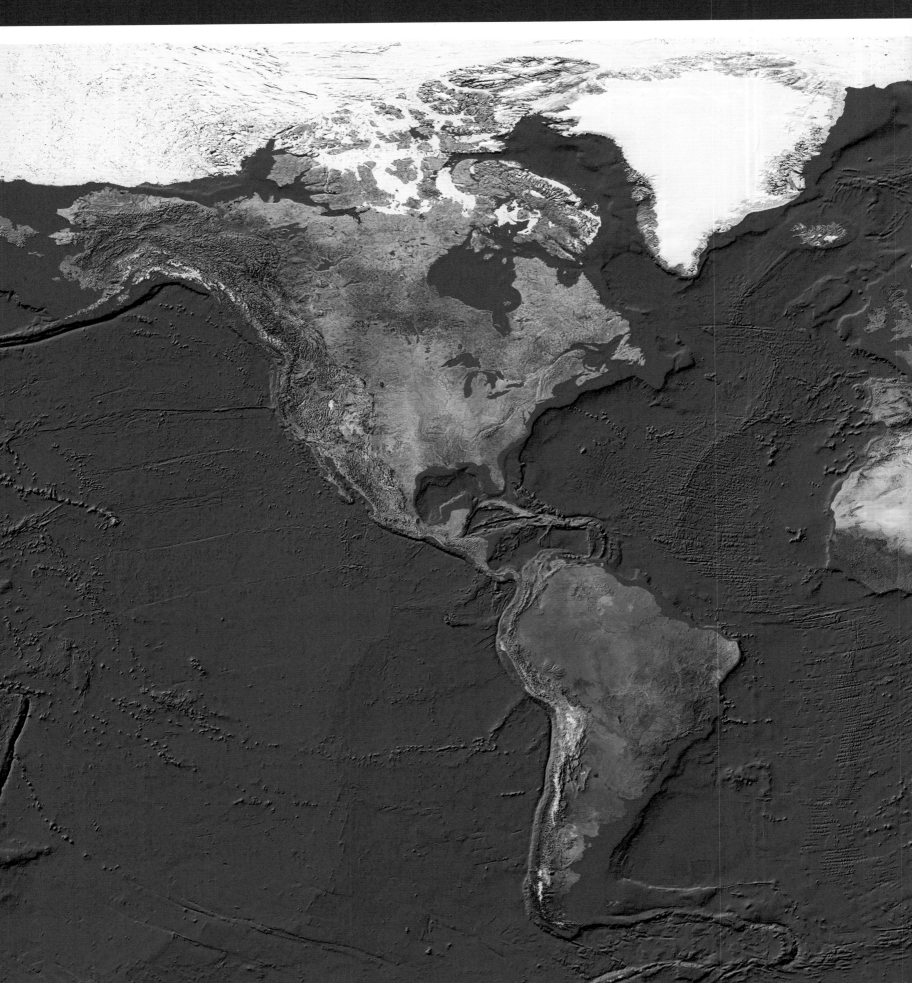

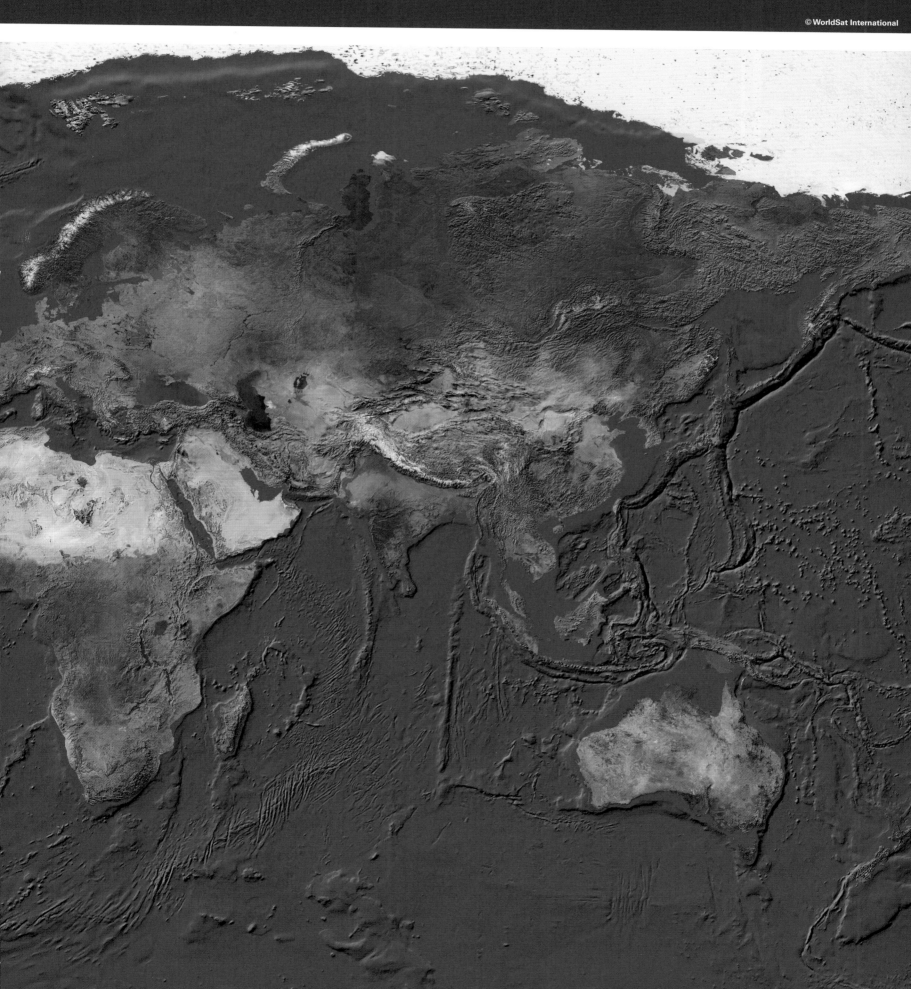

LE MONDE PHYSIQUE

Légende:
- ● Tremblement de terre important (catastrophe)
- ▲ Volcan en activité

Échelle 1:60 000 000

-8000 -6000 -4000 -2000 -200 0 200 500 1000 2000 3000 4000 5000 m

au-dessous du niveau de la mer

0 500 1000 1500 2000 2500 3000 km

20°23 30°24 40°25 50°26 60°27 70°28 80°29 90° L.E. de Gr. 110°32 120°33 130°34 140°35 150°36 160°37 170°38 180°39 170°40 160°41 150°42 140°43 130°44 120°45 110°

Glacial Arctique

Terre du Nord
Terre François-Joseph
Nouvelle-Zemble
Mer de Barents
Péninsule de Kola
Mourmansk
Mer de Kara
Îles de Nouvelle-Sibérie
Mer de Sibérie Orientale
Mer des Laptev
Péninsule de Taïmyr
Nordvik
Wrangel
Mer des Tchouktches
Dt de Béring
Bassin Canadien
Golfe d'Amundsen
Banks
Victoria
Cercle Polaire Arctique
Inuvik
Mackenzie
Alaska
Yukon
Mt McKinley 6194
Anchorage
Mt Logan 5959
Chaîne d'Alaska
Golfe d'Alaska
Kodiak
Baie de Bristol

Narodnaia 1894
Vorkouta
Estuaire de l'Ob
Ienisseï
Plaine
Plateau de Sibérie Centrale
Toungouska Inférieure
Verkhoïansk
Léna
Pobeda 3147
Mts de Verkhoïansk
Anadyr
Golfe d'Anadyr
Îles St-Laurent
Îles du Commandeur
Aléoutiennes
Î. Aléoutiennes
Îles Aléoutiennes
Fosse des Aléoutiennes
Bassin du Béring
Mer de Béring

Lac Onéga
Dvina Septentrionale
Ob
de Sibérie
Occidentale
Iekaterinbourg
Tobol
Novosibirsk
Toungouska Pierreuse
Iakoutsk
Léna
Oïmiakon
Baie de Chelekhov
Kamtchatka
Kouriles
Fosse des Kouriles
Crête de l'Empereur
Bassin du Pacifique Nord-Oriental

St-Pétersbourg
Lac Ladoga
Plaine
Volga
Moscou
Kama
Oural
Monts Oural
Irkoutsk
Angara
Lac Baïkal
Amour
Mer d'Okhotsk
Sakhaline
Amour
-7822
Fosse des Aléoutiennes

Dniepr
Don
Volgograd
Mer d'Azov
Mer Noire
Karaganda
Lac Balkach
Lac Zaïsan
Altaï
Asie
Gobi
Oulan-Bator
Songhua Jiang
Vladivostok
Sapporo
Hokkaido
Mer du Japon
Bassin du Pacifique
-10542
Fosse des Kouriles

Odessa
Caucase
5642 Elbrouz
5137 Ararat
5604 Damavand
Téhéran
Mer Caspienne
Mer d'Aral
Syr-Daria
Amou-Daria
Toshkent
Isyk-Köl
Tian Shan
Tarim
Lop Nur
Kuku Nur
Plateau de Chine du Nord
Beijing
Corée
Mer du Japon
Tokyo
Osaka
Kyushu
Honshu
Océan
Pacifique
Nord-Occidental
Îles Midway

Kizil irmak
Mts Taurus
Lac d'Urmia
Mésopotamie
Bagdad
Euphrate
Plateau d'Iran
Monts Zagros
Hindu Kuch
Hilmand
Mt K2 8611
Mts Kunlun
Plateau du Tibet
Salouen
Lhasa
Chang Jiang
Wuhan
Shanghai
Huang He
Mer Jaune
Fossé du Japon
-10595
Fosse des Bonins
Îles Bonin
-6987
Tropique du Cancer

Le Caire
Koweit
Golfe Persique
Riyad
Doubaï
G. d'Oman
Karachi
Delhi
Sutlej
Indus
Himalaya
Brahmapoutre
8848 Mt Everest
Chongqing
Plateau de Chine du Sud
Xi Jiang
Hanoi
Xianggang (Hongkong)
Formose
Îles Ryu Kyu
Mer de Chine Orientale

Arabie
Mer Rouge
Roub-al-Khali
Narmada
Gange
Godavari
Mumbai
Plateau du Deccan
Golfe du Bengale
Kolkata
Irrawaddy
Mékong
Hainan
Luçon
Manille
Arch. des Philippines
Mer des Philippines
Océan
Mariannes
Fosse des Mariannes
-11034

Nil
Albara
Golfe d'Aden
Socotra
Mer d'Oman
Bassin d'Arabie
Chennai
Îles Andaman
Laquédives
Menam
Bangkok
Isthme de Kra
Golfe de Thaïlande
Hô Chi Minh-ville
Méridionale
Fosse des Philippines
-10497
Fosse des Mariannes
Îles Marshall

Nil Bleu
Massif Éthiopien
Addis Abeba
Crête de Carlsberg
-5875
Colombo
Sri Lanka
Îles Nicobar
Mer d'Andaman
Mindanao
Micronésie
Îles Gilbert

Lac Turkana
Lac Victoria
Bassin Somali
Seychelles
Amirantes
Arch. Chagos
Maldives
Bassin Central Indien
Kuala Lumpur
Singapour
Sumatra
Dt de Malacca
Kapuas
Bornéo
Mer de Sulawesi
Sulawesi
Fosse des Palau
Mer des Moluques
Équateur
Pacifique

Plateau de l'Afrique Orientale
Kilimandjaro 5892
Crête des Mascareignes
Palembang
Mer de Java
Makassar
Jayapura
Nouvelle-Guinée
Arch. Bismarck
Îles Salomon
Tuvalu

Lac Tanganyika
Dar-es-Salam
Comores
Jakarta
Fosse de Java
Mer de Banda
Mamberamo
Digul
Fly
Nouvelle-Bretagne
Fosse de Bougainville

Lac Malawi
Beira
Madagascar
Antananarivo
Mascareignes
Maurice
Réunion
Canal de Mozambique
-6090
Petites Îles de la Sonde
-7450
Timor
Mer de Timor
Mer d'Arafura
Darwin
Golfe de Carpentarie
Nouvelle-Calédonie
Îles Santa Cruz
Nouvelles-Hébrides
Fosse des Nouvelles-Hébrides
Îles Fidji
Fidji

Limpopo
Bassin de Madagascar
Bassin du Natal
Dorsale de l'Océan Indien Central
Bassin de l'Australie Nord-Occidentale
Plateau de Kimberly
Mt Bruce 1227
Monts Mac Donnell
Alice Springs
Bassin de Mer de Corail
Corail
Tropique du Capricorne
-10800
Mer des Fidji

-5778
Crête de l'Océan Indien Occidental
Bassin de Madagascar
Bassin de l'Océan Indien Sud-Occidental
Crête K.XVIII
Perth
Bassin de l'Australie Occidentale
Grand Désert de Victoria
Lac Eyre
Brisbane
Nouvelle-Calédonie
Mer des Fidji
Îles Kermadec

-6857
Grande Baie Australienne
Adélaïde
Murray
Darling
Sydney
Mt Kosciuszko 2231
-5640
Melbourne
Mer de Tasman
Cordillère Australienne
Fosse des Kermadec
-10047

Seuil de Crozet
Kerguelen
Bassin de l'Océan Indien Sud-Oriental
Bassin de l'Océan Indien Méridional
Bassin de l'Australie Méridionale
Tasmanie
Bassin de Tasmanie
Mt Cook 3766
Nouvelle-Zélande
Auckland
Wellington
Îles Chatham

-6972
Crête des Kerguelen
-6089
Bassin Indien-Antarctique
Crête de Tasmanie
Crête de Macquarie
Îles Auckland
Îles Bounty
Îles Antipodes

Antarctique
Cercle Polaire Antarctique 66°33'
d'après Berann

30° 24 40° 25 50° 26 60° 27 70° 28 80° 29 90° 30 100° 31 110° 32 120° 33 130° 34 140° 35 150° 36 160° 37 170° 38 180° 39 170° 40 160° 41 150°

© Noordhoff Uitgevers

RUSSIE
Cercle Polaire Arctique
Anadyr
Golfe
d'Anadyr
Dt de Béring
Île St-Laurent (É.-U.)
Nome
Nunivak
Baie de Bristol
Yukon
Fairbanks
Seward Anchorage
Alaska (É.-U.)
Inuvik
Dawson
Whitehorse
Yellowknife
Golfe d'Alaska
Juneau

Mer des Tchouktches
Dt de McClure
Îles de la Reine-Élisabeth
Melville
Dt de Melville
Victoria
Golfe d'Amundsen
Somerset
Devon
Dt de Lancaster
Île de Baffin
Bassin de Foxe
Ellesmere
Qaanaaq
Alert

Groenland (Dan.)
Upernavik
Mer du Groenland

Océan

Juneau
Dawson Creek
Prince Rupert
Fort McMurray
Athabasca
Edmonton
Saskatoon
CANADA
Churchill
Nelson Churchill
Baie d'Hudson
Dt d'Hudson
Iqaluit
Dt de Davis
Nuuk
Tasiilaq
Dt du Danemark
ISLANDE
Reykjavik
Narvik
NORVÈGE Luleå

Vancouver
Victoria
Calgary
Columbia
Fraser
Seattle
Spokane
Helena
Saskatchewan
Winnipeg
Moosonee
Schefferville
Goose Bay
Sept-Îles
Mer du Labrador
Jan Mayen (Norv.)
Îles Féroé (Dan.)
Îles Shetland
Îles Orcades
Trondheim
Bergen
Oslo
SUÈDE
Stockholm
FINLANDE
Helsinki
Tallinn
ESTONIE

Portland
ÉTATS-UNIS
Billings
Bismarck
Duluth
Minneapolis-Saint Paul
Milwaukee
Québec
St-Laurent
St-John's
ROYAUME-UNI
Glasgow
Mer du Nord
DANEMARK
Copenhague
LETTONIE
Riga
LITUANIE
Vilnius

Sacramento
Snake River
Cheyenne
Denver
Omaha
Chicago
Detroit
Toronto
Ottawa
Montréal
Halifax
St-Pierre et Miquelon (Fr.)
IRLANDE
Dublin
Man.-Liv.
Birmingham
Londres
Amsterdam
P.-B.
Hambourg
Berlin
POLOGNE
BIÉLO-RUSSIE

San Francisco
San Jose
Salt Lake City
Platte River
Kansas City
Indianapolis
Cleveland
Columbus
Pittsburgh
Buffalo
Boston
Providence
New York
Philadelphie
Brux.
BEL.
ALLEMAGNE
Ruhr
RÉP. TCH.
Prague
Varsovie

Los Angeles
Las Vegas
Colorado
Arkansas
St. Louis
Ohio
Cincinnati
Louisville
Washington
Baltimore
Brest
Paris
Lux.
Munich
RÉP. TCH.
SLOVAQUIE
Kat.-Sos.
UKR.

San Diego
Tijuana
Phoenix
Tucson
Santa Fe
Oklahoma City
Red River
Mississippi
Memphis
Charlotte
Virginia Beach
Golfe de Gascogne
SUISSE/AUTR.
Vienne
HONG.
Budapest
Chisinau
ROUMANIE

Guadalupe (Mex.)
Ciudad Juárez
Hermosillo
Golfe de Californie
Dallas-Fort Worth
Birmingham
Atlanta
FRANCE
Lyon
Berne
SLOV.
Milan
Zagreb
CROATIE
Turin
B.-H.
SERBIE
Belgr.

Chihuahua
Austin
Houston
Jacksonville
Bermudes (R.-U.)
Bilbao
Marseille
Rome
ITALIE
Naples
M.K.
Sofia
BULG.
MAC.

Torréon
Durango
San Antonio
La Nouvelle-Orléans
Tampa-St Petersburg
Orlando
Porto
PORTUGAL
Madrid
Barcelone
AND
Tirana
ALB.
GRÈCE
Brous

Tropique du Cancer
MEXIQUE
Monterrey
Golfe du Mexique
Dt de Floride
Miami
Açores (Port.)
Lisbonne
ESPAGNE
Valence
Palerme
Athènes
Izmir

Îles Revillagigedo (Mex.)
Guadalajara
León
Golfe de Campeche
BAHAMAS
Nassau
La Havane
CUBA
Tanger
Rabat
Gibraltar
Alger
Tunis
TUNISIE
MALTE
Mer Méditerranée
Benghazi
Tripoli
Alexandrie
Le

Mexico
Toluca
Puebla
Veracruz
Mérida
Port-au-Prince
RÉP. DOM.
Santiago de Cuba
San Juan
Porto Rico (É.-U.)
Tanger
Casablanca
Fès
Touggourt
Gabès
El Goléa

Acapulco
GUATEMALA
Guatemala
BELIZE
Belmopan
JAMAÏQUE
Kingston
HAÏTI
Saint-Domingue
Guadeloupe (Fr.)
Sidi Ifni
Îles Canaries (Esp.)
Las Palmas
Marrakech
Béchar
MAROC
ALGÉRIE
LIBYE
ÉGYP

Clipperton (Fr.)
HONDURAS
Tegucigalpa
EL SALVADOR
San Salvador
NICARAGUA
Managua
Fort-de-France
Martinique (Fr.)
Mer des Antilles
Sahara Occidental
Fdérik

COSTA RICA
Barranquilla
Maracaibo
Caracas
Port of Spain
TRINITÉ-ET-TOBAGO
Curaçao (P.-B.)
Valencia
Nouadhibou
MAURITANIE
MALI
Tombouctou
NIGER
TCHAD
SOUD

PANAMA
Panama
Medellin
Barquisimeto
Orénoque
Nouakchott
CAP VERT
St-Louis
Sénégal
SÉNÉGAL
Bamako Niger
Niamey
Kano
Lac Tchad
Ndjamena
El Obeid

Océan
Buenaventura
Cali
COLOMBIE
Bogotá
VENEZUELA
Boa Vista
GUYANA
Georgetown
Paramaribo
SURINAM
Cayenne
Guyane Française
Praia
GAMBIE
Banjul
Dakar
GUINÉE-BISSAU
Bissau
Conakry
BURKINA FASO
Ouagadougou
Volta
Kaduna
Maiduguri
SOUDAN

Îles Galápagos (Éq.)
Équateur
Quito
ÉQUATEUR
RioNegro
Japurá
Manaus
Belém
Freetown
SIERRA LEONE
Monrovia
GUINÉE
CÔTE D'IVOIRE
Yamoussoukro
Benin
NIGERIA
Abuja
Ibadan
Lagos
BÉNIN
TOGO
Lomé
Porto Novo
CAMEROUN
RÉP. CENTRAFRICAINE
Bangui
SOUDAN DU

Équateur
Guayaquil
Iquitos
Amazone
Madeira
Tapajós
São Luís
Fortaleza
LIBERIA
Abidjan
Accra
GHANA
Kumasi
Bouaké
Bénin
Douala
Yaoundé
Uélé

Trujillo
Rio Branco
Manaus
Madeira
Tocantins
Teresina
Natal
Recife
Ascension (R.-U.)
Port Harcourt
Malabo
GUINÉE ÉQUAT.
Bata
Libreville
GABON
CONGO
Kisangani
RÉP. DÉM. DU CONGO
Kigali
RWANDA

PÉROU
Rio Negro
Porto Velho
Ucayali
Maceió
Aracajú
São Francisco
Salvador
SÃO TOMÉ ET PRÍNCIPE
Congo
Brazzaville
Kinshasa
Pointe-Noire
Cabinda (Ang.)
Matadi
Kananga
Bujumbura
BURUNDI

Pacifique
Lima
Cusco
Lac Titicaca
La Paz
Beni
Cuiabá
Brasília
Goiânia
BRÉSIL
Ste-Hélène (R.-U.)
Luanda
Mbuji-Mayi
Kasai
Lubumbashi
Kamina

Arequipa
BOLIVIE
Santa Cruz
Sucre
Cochabamba
Paraguay
Belo Horizonte
Vitória
ANGOLA
Lobito
Huambo
ZAMBIE
Ndola
Lusaka

Iquique
Pilcomayo
PARAGUAY
Campo Grande
Rio Grande
Campinas
Rio de Janeiro
Cunene
NAMIBIE
Bulawayo
ZIMBABWE

Antofagasta
Salta
PARAGUAY
Asunción
Paraná
São Paulo
Santos
Curitiba
Iguaçu
Walvis Bay
BOTSWANA
Gaborone
Pretor
Windhoek

Tropique du Capricorne
Îles Desventuradas (Chili)
San Miguel de Tucumán
Corrientes
Uruguay
Porto Alegre
Lüderitz
Johannesburg
AFRIQUE DU SUD

Sala-y-Gómez (Chili)
CHILI
Córdoba
Santa Fé
Uruguay
Orange
Vaal
Bloemfontein
LESOTHO
Maser
East London

Île de Pâques (Chili)
Valparaiso
Mendoza
Rosario
URUGUAY
Montevideo
Le Cap
Port Elizabeth

Îles Juan-Fernández (Chili)
Santiago
Buenos Aires
Rio de la Plata
Tristan du Cunha (R.-U.)

Concepción
Mar del Plata
Bahía Blanca
Gough (R.-U.)

Valdivia
Rio Negro
Atlantique

ARGENTINE

Deseado
Deseado
Îles Falkland (R.-U.) (Îles Malouines)
Géorgie du Sud

Dt de Magellan
Stanley
Géorgie du Sud et Îles Sandwich du Sud (R.-U.)
Bouvet (Norv.)

Punta Arenas
Terre de Feu
Îles Sandwich du Sud

Dt de Drake
Îles Shetland du Sud
Îles Orcades du Sud (R.-U.)

Cercle Polaire Antarctique

Agglomération de
■ 10 M d'habitants ou plus
■ 5 - 10 M d'habitants
■ 1 - 5 M d'habitants
• moins de 1 M d'habitants

Mer de Weddell

Échelle 1:60 000 000

0 500 1000 1500 2000 2500 3000 km

20° 23 30° 24 40° 25 50° 26 60° 27 70° 28 80° 29 90° L.E. de Gr. 110° 32 120° 33 130° 34 140° 35 150° 36 160° 37 170° 38 180° 39 170° 40 160° 41 150° 42 140° 43 130° 44 120° 45 110°

Glacial Arctique

Golfe d'Amundsen

B 70°

Terre du Nord

Îles de Nouvelle-Sibérie

Mer de Sibérie Orientale

Mer des Laptev

Mer des Tchouktches

Alaska (É.-U.)

Inuvik

Cercle Polaire Arctique 66° 33'

C

Mackenzie

Spitzberg (Norv.)

Terre François-Joseph

Nouvelle-Zemble

Wrangel

Pevek

Dt. de Béring

Nome

Yukon

Fairbanks

CANADA

Dawson

Mer de Barents

Mourmansk

Kolguiev

Estuaire de l'Ob

Mer de Kara

Dikson

Verkhoïansk

Kolyma

Anadyr

Golfe d'Anadyr

Île St-Laurent (É.-U.)

Anchorage

Whitehorse

60° L.N.

Arkhangelsk

Dvina Septentr.

Petchora

Vorkouta

Norilsk

Iénisseï

Toungouska Inférieure

Léna

Aldan

Magadan

Okhotsk

Nunivak

Baie de Bristol

Seward

Kodiak

Golfe d'Alaska

Lac Onega

Lac Ladoga

St-Pétersbourg

Nijni Novgorod

Perm

Ob

RUSSIE

Toungouska Pierreuse

Iakoutsk

Îles du Commandeur

Îles Pribilof (É.-U.)

Dutch Harbor

D

Moscou

Kazan

Iekaterinbourg

Tcheliabinsk

Omsk

Angara

Léna

Vitim

Mer de Béring

Îles Aléoutiennes (É.-U.)

50°

Volga

Kama

Samara

Oufa

Magnitogorsk

Novossibirsk

Krasnoïarsk

Irkoutsk

Tchita

Amour

Komsomolsk

Petropavlovsk-Kamtchatski

Dniepr

Voronej

Saratov

Oural

Orsk

Novokouznetsk

Lac Baïkal

Amour

UKRAINE

Kharkiv

KAZAKHSTAN

Karaghandy

Lac Zaïssan

Oulan-Bator

Qiqihar

Khabarovsk

Joujno-Sakhalinsk

E 40°

Odessa

Donetsk

Rostov

Volgograd

Atyraou

Semeï

Selenga

MONGOLIE

Songhua Jiang

Harbin

Vladivostok

Sapporo

Kouriles

GÉORGIE

Astrakhan

Mer Caspienne

Mer d'Aral

Bichkek

Almaty

Ysyk-Köl

Ürümqi

Changchun

Jilin

Anshan

Mer Noire

Mer d'Azov

OUZBÉKISTAN

KIRGHIZISTAN

Baotou

Datong

Beijing

Shenyang

CORÉE DU N.

Pyongyang

JAPON

F

Istanbul

ARMÉNIE

Erevan

Baki

AZER-BAIDJAN

TURKMÉNISTAN

Turkmenbaşi

Achgabat

Toshkent

TADJIKISTAN

Douchanbe

Tarim

Lop Nur

Yinchuan

Taiyuan

Tianjin

Shijiazhuang

Dalian

Séoul

CORÉE DU S.

Daegu

Osaka-Kobe

Kyoto

Honshu

Sendai

Tokyo

Océan

Ankara

TURQUIE

Konya

Tabriz

Lac d'Urmia

AFGHANISTAN

Kaboul

Kuku Nur

Lanzhou

Huang He

Jinan

Zhengzhou

Qingdao

Kita-Kyushu

Hiroshima

Nagoya

CHYPRE

LIB.

Beyrouth

Mossoul

Téhéran

Qom

IRAN

Mechhed

Islamabad

Rawalpindi

Srinagar

Xi'an

Luoyang

Xuzhou

Fukuoka

30°

ISRAËL

Tel-Aviv

Amman

JORDANIE

Bagdad

IRAK

Ispahan

Kandahar

Lahore

Faisalabad

Lhasa

CHINE

Chengdu

Wuhan

Nanjing

Shanghai

Îles Nampo (Jap.)

Jérusalem

Damas

SYRIE

Basra

Ahvaz

Kerman

Multan

Sutlej

Ludhiana

Brahmapoutre

Chang Jiang

Hefei

Hangzhou

Îles Ryu Kyu (Jap.)

Océan

KOWEIT

Koweit

Zahedan

PAKISTAN

Indus

New Delhi

Kanpur

Kathmandou

NÉPAL

BHOUTAN

Shillong

Chongqing

Changsha

Nanchang

Xiamen

Taibei

Naha

Îles Bonin (Jap.)

Tropique du Cancer 23° 27'

G

Aqaba

BAHR.

QATAR

Dammam

Riyad

Doha

Abou Dhabi

E.A.U.

Mascate

Hyderabad

Jaipur

Allahabad

Varanasi

Patna

Dhaka

BANGLA-DESH

Guiyang

Kunming

Xi Jiang

Guangzhou

Shen-zhen

TAIWAN

Gaoxiong

Îles Daito

Îles Volcano (Jap.)

Médine

ARABIE SAOUDITE

Golfe Persique

Ahmadabad

Indore

Bhopal

Nagpur

Kolkata

Chittagong

MYANMAR (BIRMANIE)

Mandalay

Luang Prabang

Hanoi

Xianggang (Hongkong)

20°

La Mecque

OMAN

Karachi

G. d'Oman

Surat

Vadodara

INDE

Godavari

Vishakhapatnam

Nay Pyi Taw

Irrawaddy

Vientiane

LAOS

Mer

Djedda

Rajkot

Solapur

Puna

Golfe du Bengale

Yangon

THAÏLANDE

Bangkok

Hué

VIÊT-NAM

de Chine

Luçon

Wadi Halfa

Port Soudan

ÉRYTHRÉE

Asmara

Sanaa

YÉMEN

Mumbai

Hyderabad

Bengaluru

Chennai

Da Nang

CAMBODGE

Phnom Penh

Méridionale

Manille

Marianne (É.-U.)

Wake (É.-U.)

Assouan

Aden

Golfe d'Aden

Socotra (Yémen)

Laquédives (Inde)

Coimbatore

Madurai

Îles Andaman (Inde)

Mer d'Andaman

Hô Chi Minh-ville

Cebu

Guam (É.-U.)

Bikini

ÎLES

10°

DJIBOUTI

Djibouti

Kochi

Thiruvananthapuram

SRI LANKA

Colombo

Îles Nicobar (Inde)

Golfe de Thaïlande

Mindanao

Davao

PHILIPPINES

MICRONÉSIE

Carolines

Jaluit

MARSHALL

Malakal

Juba

Addis Abeba

ÉTHIOPIE

SOMALIE

Muqdisho

Malé

MALDIVES

Sri Jayewardenapura Kotte

Medan

Kuala Lumpur

Bandar Seri Begawan

BRUNEI

Mer de Célèbes

Manado

PALAU

Pacifique

Équateur

I

OUGANDA

Kampala

KENYA

Nairobi

Lac Victoria

Mombasa

SEYCHELLES

Victoria

Territoire Britannique de l'Océan Indien

Diego Garcia

MALAYSIA

Putrajaya

Singapour

Padang

Pontianak

Sumatra

Kapuas

Bornéo

Sulawesi

Makassar

Jayapura

Arch. Bismarck

Rabaul

NAURU

KIRIBATI

0°

Dodoma

Pemba

Zanzibar

Dar-es-Salam

Amirantes (Seych.)

Palembang

Bandar Lampung

Mer de Java

Banjarmasin

Mer de Banda

Mamberamo

PAPOUASIE NOUVELLE-GUINÉE

ÎLES SALOMON

TUVALU

TANZANIE

Aldabra (Seych.)

Îles Farquhar (Seych.)

Jakarta

Bandung

Java

Semarang

Surabaya

INDONÉSIE

Mer de Corail

Dili

TIMOR OR.

Merauke

Fly

Port Moresby

Honiara

Îles Santa Cruz

Lac Malawi

Lilongwe

COMORES

Moroni

Mayotte (Fr.)

Îles Agalega (Maurice)

Îles Christmas (Austr.)

Darwin

Golfe de Carpentarie

10°

K

MALAWI

Tete

Zomba

Îles Cargados Carajos (Maurice)

Océan

Cairns

VANUATU

FIDJI

Harare

MOZAMBIQUE

MADAGASCAR

Toamasina

Antananarivo

MAURICE

Port Louis

Réunion (Fr.)

Indien

Mount Isa

Alice Springs

Nouvelle-Calédonie (Fr.)

Port Vila

Suva

Îles Loyauté (Fr.)

20°

Maputo

Mbabane

SWAZILAND

Canal de Mozambique

Nouvelle-Amsterdam

St-Paul

Geraldton

AUSTRALIE

Lac Eyre

Brisbane

Tropique du Capricorne 23° 27'

TONGA

Mer des Fidji

L

Durban

Perth

Augusta

Grande Baie Australienne

Darling

Murray

Adélaïde

Sydney

Canberra

30°

Îles du Pr.-Édouard (Afr. du Sud)

Îles Crozet

Terres Australes et Antarctiques Françaises

Kerguelen

Melbourne

Tasmanie

Hobart

Mer de Tasman

Île du Nord

NOUVELLE-ZÉLANDE

Auckland

Wellington

Îles Kermadec (N.-Z.)

40°

M

Îles MacDonald

Heard

Île Heard et Îles McDonald (Austr.)

Île du Sud

Christchurch

Dunedin

Stewart

Îles Chatham (N.-Z.)

Îles Bounty (N.-Z.)

N

Îles Macquarie (Austr.)

Campbell (N.-Z.)

Îles Auckland (N.-Z.)

Îles Antipodes (N.-Z.)

50° L.S.

Cercle Polaire Antarctique 66° 33'

O

Antarctique

30° 24 40° 25 50° 26 60° 27 70° 28 80° 29 90° 30 100° 31 110° 32 120° 33 130° 34 140° 35 150° 36 160° 37 170° 38 180° 39 170° 40 160° 41 150°

© Noordhoff Uitgevers

LE MONDE POPULATION

Échelle 1 : 90 000 000

Océan Glacial Arctique

Océan Pacifique

Océan Atlantique

Océan Indien

Océan Pacifique

Cercle Polaire Arctique

Tropique du Cancer

Équateur

Tropique du Capricorne

Cercle Polaire Antarctique

Tokyo 30
Osaka
Séoul 19
Nanjing 5
Shanghai
Taipei 6
Beijing
Tianjin 6
Wuhan
Chongqing
Guangzhou
Shenzhen
Hongkong 7
Manille 21
Surabaya 5
Jakarta 28
Bandung 7
Chennai
Dhaka
Kolkata
Hyderabad 8
Chennai 9
Hô Chi Minh-ville 6
Kuala Lumpur
Singapour 5
Yangon
Bangkok 12
Lahore
Delhi 25
Mumbai 18
Pune 5
Bangalore 9
Karachi
Ahmadabad
Téhéran 8
Bagdad
Riyad 5
Moscou
Istanbul 13
Le Caire 16
Khartoum
Kinshasa
Johannesburg
Londres
Paris
Madrid
Lagos 10
Ibadan
Abidjan 6
New York 18
Philadelphie 5
Chicago 9
Miami 5
Mexico 18
Los Angeles 15
Bogotá
Lima 8
Rio de Janeiro 11
São Paulo 16
Buenos Aires
Santiago 5

Répartition de la population (2011)

- 500 000 habitants
- ● 13 Agglomérations urbaines
  (Le chiffre indique la population
  de l'agglomération en millions)

© Noordhoff Uitgevers

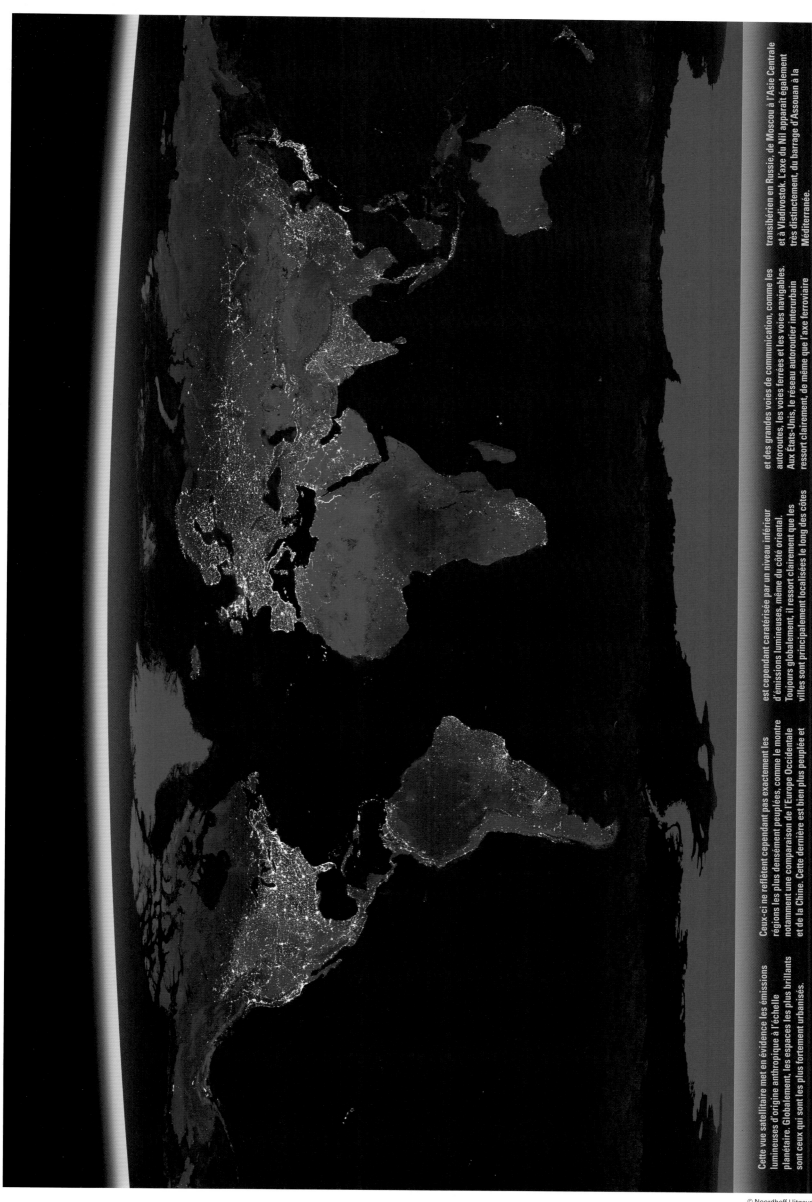

LE MONDE LA NUIT

Cette vue satellitaire met en évidence les émissions lumineuses d'origine anthropique à l'échelle planétaire. Globalement, les espaces les plus brillants sont ceux qui sont les plus fortement urbanisés.

Ceux-ci ne reflètent cependant pas exactement les régions les plus densément peuplées, comme le montre notamment une comparaison de l'Europe Occidentale et de la Chine. Cette dernière est bien plus peuplée et est cependant caratérisée par un niveau inférieur d'émissions lumineuses, même du côté oriental. Toujours globalement, il ressort clairement que les villes sont principalement localisées le long des côtes et des grandes voies de communication, comme les autoroutes, les voies ferrées et les voies navigables. Aux États-Unis, le réseau autoroutier interurbain ressort clairement, de même que l'axe ferroviaire transsibérien en Russie, de Moscou à l'Asie Centrale et à Vladivostok. L'axe du Nil apparaît également très distinctement, du barrage d'Assouan à la Méditerranée.

© Noordhoff Uitgevers

15

LA TERRE GÉOLOGIE

Échelle 1 : 200 000 000

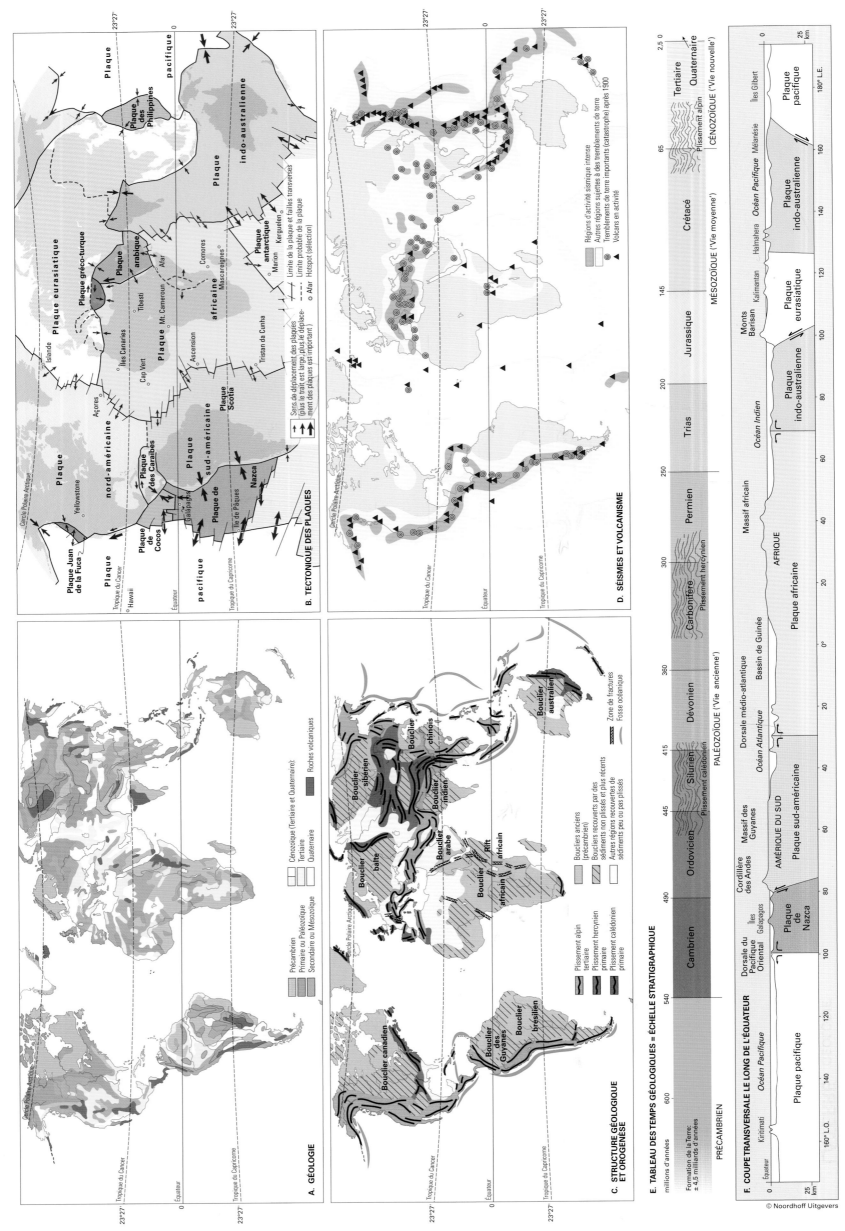

A. GÉOLOGIE

Précambrien
Primaire ou Paléozoïque
Secondaire ou Mésozoïque
Cénozoïque (Tertiaire et Quaternaire):
Tertiaire
Quaternaire
Roches volcaniques

B. TECTONIQUE DES PLAQUES

Sens de déplacement des plaques (plus le trait est large, plus le déplacement des plaques est important)

Limite de la plaque et failles transverses
Limite probable de la plaque
Afar ○ Hotspot (sélection)

C. STRUCTURE GÉOLOGIQUE ET OROGENESE

Plissement alpin tertiaire
Plissement hercynien primaire
Plissement calédonien primaire

Boucliers anciens (précambrien)
Boucliers recouverts par des sédiments non plissés et plus récents
Autres régions recouvertes de sédiments peu ou pas plissés

Zone de fractures
Fosse océanique

D. SÉISMES ET VOLCANISME

Régions d'activité sismique intense
Autres régions sujettes à des tremblements de terre
○ Tremblements de terre importants (catastrophe) après 1900
▲ Volcans en activité

E. TABLEAU DES TEMPS GÉOLOGIQUES = ÉCHELLE STRATIGRAPHIQUE

millions d'années

PRÉCAMBRIEN		PALÉOZOÏQUE ('Vie ancienne')						MÉSOZOÏQUE ('Vie moyenne')				CÉNOZOÏQUE ('Vie nouvelle')	
Cambrien	Ordovicien	Silurien	Dévonien	Carbonifère	Permien	Trias	Jurassique	Crétacé	Tertiaire	Quaternaire

Formation de la Terre: ± 4,5 milliards d'années

Plissement calédonien
Plissement hercynien
Plissement alpin

F. COUPE TRANSVERSALE LE LONG DE L'ÉQUATEUR

LA TERRE GÉOLOGIE

Échelle 1 : 200 000 000

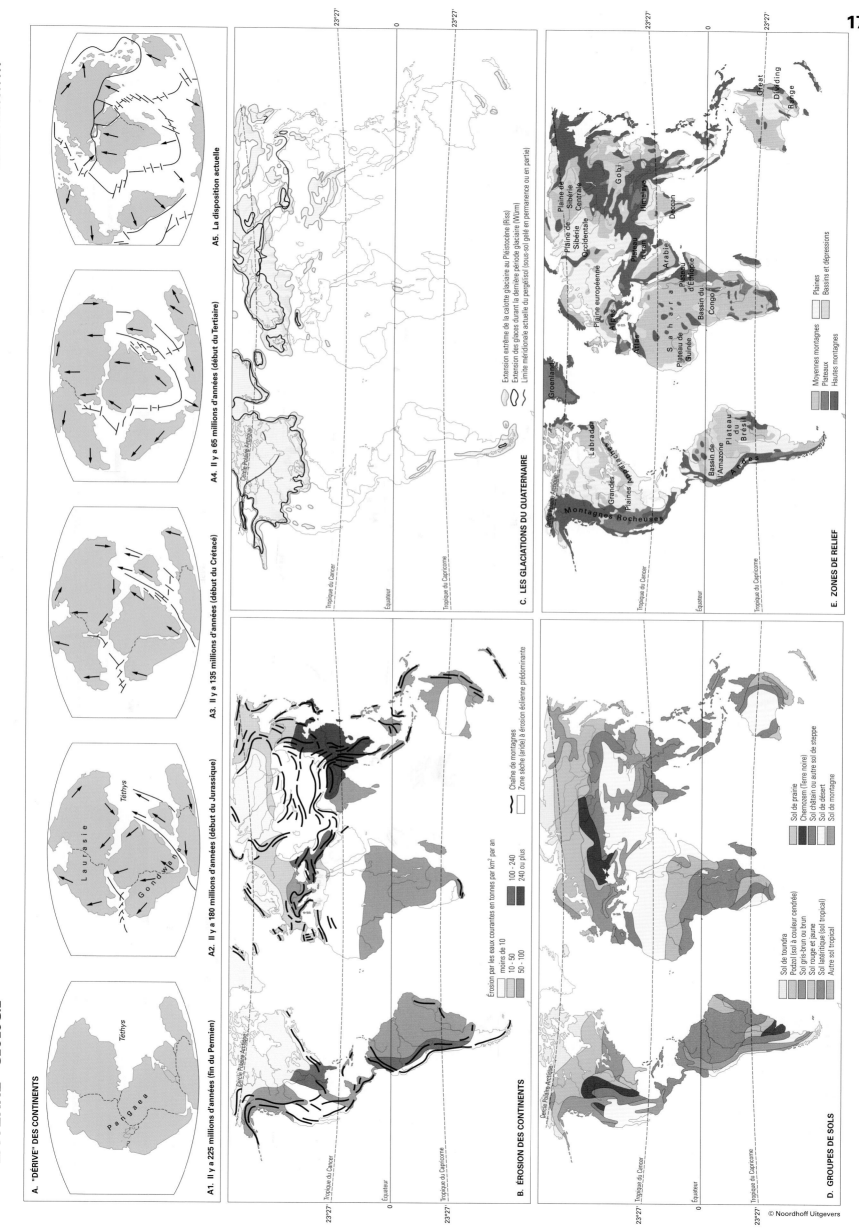

A. "DÉRIVE" DES CONTINENTS

Téthys

Pangaea

A1. Il y a 225 millions d'années (fin du Permien)

Laurasie

Téthys

Gondwana

A2. Il y a 180 millions d'années (début du Jurassique)

A3. Il y a 135 millions d'années (début du Crétacé)

A4. Il y a 65 millions d'années (début du Tertiaire)

A5. La disposition actuelle

B. ÉROSION DES CONTINENTS

Érosion par les eaux courantes en tonnes par km² par an

- moins de 10
- 10 - 50
- 50 - 100
- 100 - 240
- 240 ou plus

— Chaîne de montagnes

Zone sèche (aride) à érosion éolienne prédominante

C. LES GLACIATIONS DU QUATERNAIRE

Extension extrême de la calotte glaciaire au Pléistocène (Riss)

Extension des glaces durant la dernière période glaciaire (Würm)

Limite méridionale actuelle du pergélisol (sous-sol gelé en permanence ou en partie)

Groenland

Labrador

Plaine de Sibérie Occidentale

Plaine de Sibérie Centrale

Gobi

Plaine européenne

Alpes

Atlas

Plateau d'Iran

Himalaya

Déccan

Great Dividing Range

Sahara

Arabie

Plateau d'Éthiopie

Plateau de Guinée

Bassin du Congo

Grandes Plaines

Montagnes Rocheuses

Andes

Bassin de l'Amazone

Plateau du Brésil

D. GROUPES DE SOLS

- Sol de toundra
- Podzol (sol à couleur cendrée)
- Sol gris-brun ou brun
- Sol rouge et jaune
- Sol latéritique (sol tropical)
- Autre sol tropical
- Sol de prairie
- Chernozem (Terre noire)
- Sol châtain ou autre sol de steppe
- Sol de désert
- Sol de montagne

E. ZONES DE RELIEF

- Plaines
- Bassins et dépressions
- Moyennes montagnes
- Plateaux
- Hautes montagnes

Cercle Polaire Arctique

Tropique du Cancer

Équateur

Tropique du Capricorne

23°27'

0

23°27'

© Noordhoff Uitgevers

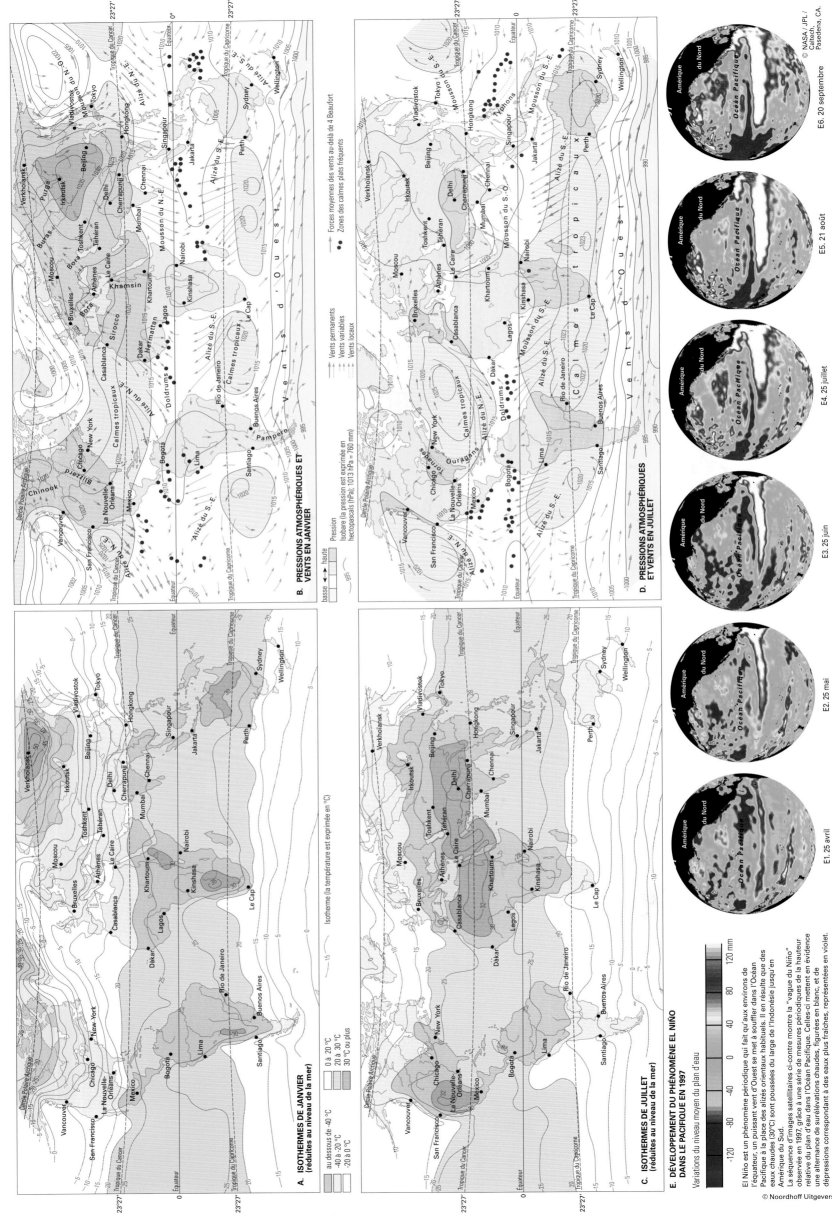

LA TERRE CLIMAT

Échelle 1 : 200 000 000

A. ISOTHERMES DE JANVIER
(réduites au niveau de la mer)

- au dessous de -40 °C
- -40 à 20 °C
- -20 à 0 °C
- 0 à 20 °C
- 20 à 30 °C
- 30 °C ou plus

-15 — Isotherme (la température est exprimée en °C)

B. PRESSIONS ATMOSPHÉRIQUES ET VENTS EN JANVIER

Pression
- basse
- haute

995 — Isobare (la pression est exprimée en hectopascals (hPa); 1013 hPa = 760 mm)

→ Vents permanents
↑ Vents variables
⇢ Vents locaux

• Forces moyennes des vents au-delà de 4 Beaufort
• Zones des calmes plats fréquents

C. ISOTHERMES DE JUILLET
(réduites au niveau de la mer)

D. PRESSIONS ATMOSPHÉRIQUES ET VENTS EN JUILLET

E. DÉVELOPPEMENT DU PHÉNOMÈNE EL NIÑO DANS LE PACIFIQUE EN 1997

Variations du niveau moyen du plan d'eau

-120 -80 -40 0 40 80 120 mm

El Niño est un phénomène périodique qui fait qu'aux environs de l'équateur, un puissant vent d'Ouest se met à souffler dans l'Océan Pacifique à la place des alizés orientaux habituels. Il en résulte que les eaux chaudes (30°C) sont poussées du large de l'Indonésie jusqu'en Amérique du Sud.
La séquence d'images satellitaires ci-contre montre la "vague du Niño" observée en 1997, grâce à une série de mesures périodiques de la hauteur relative du plan d'eau dans l'Océan Pacifique. Celles-ci mettent en évidence une alternance de surélévations chaudes, figurées en blanc, et de dépressions correspondant à des eaux plus fraîches, représentées en violet.

E1. 25 avril
E2. 25 mai
E3. 25 juin
E4. 25 juillet
E5. 21 août
E6. 20 septembre

© NASA/JPL/Caltech, Pasedena, CA.

© Noordhoff Uitgevers

LA TERRE CLIMAT

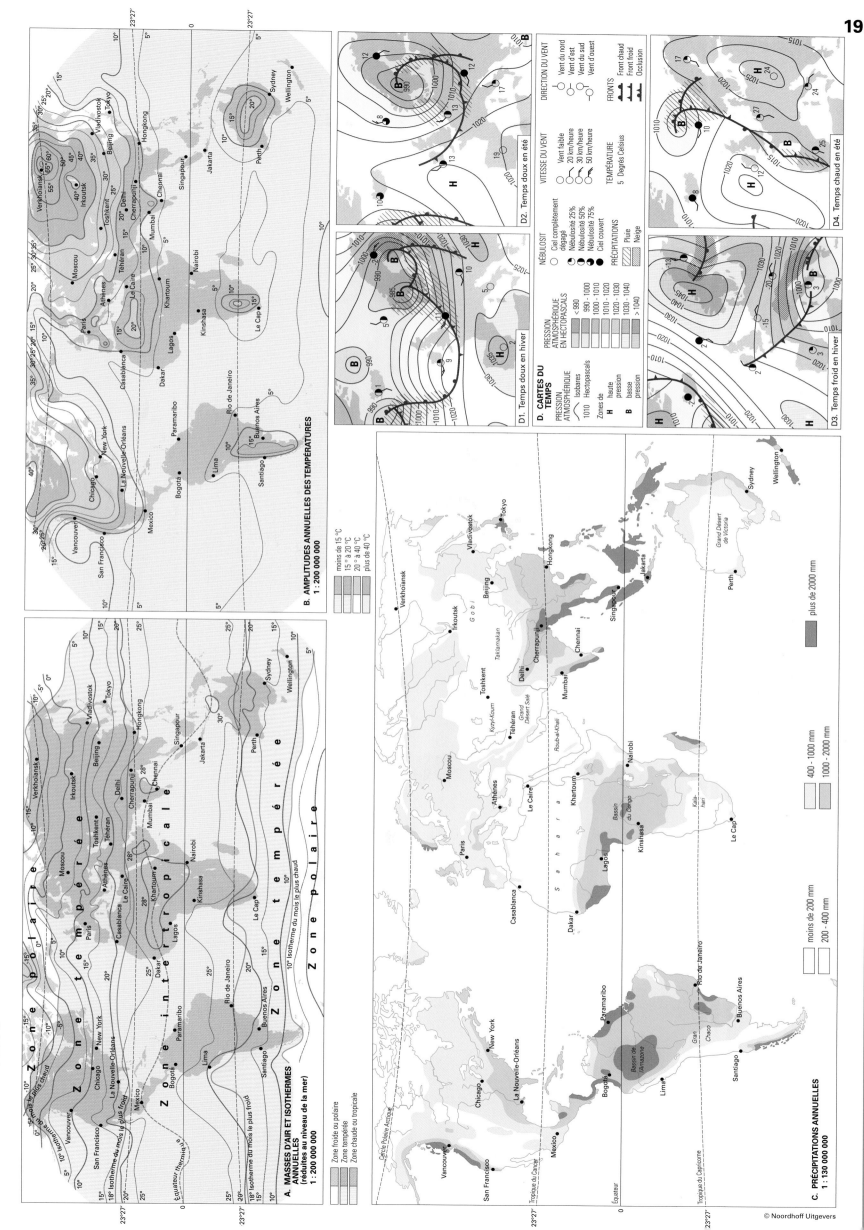

A. MASSES D'AIR ET ISOTHERMES ANNUELLES
(réduites au niveau de la mer)
1 : 200 000 000

Zone intertropicale
Zone tempérée
Zone polaire

18° Isotherme du mois le plus froid
10° Isotherme du mois le plus chaud

Zone froide ou polaire
Zone tempérée
Zone chaude ou tropicale

B. AMPLITUDES ANNUELLES DES TEMPÉRATURES
ANNUELLES
1 : 200 000 000

moins de 15 °C
15° à 20 °C
20° à 40 °C
plus de 40 °C

C. PRÉCIPITATIONS ANNUELLES
1 : 130 000 000

moins de 200 mm
200 - 400 mm
400 - 1000 mm
1000 - 2000 mm
plus de 2000 mm

D. CARTES DU TEMPS

D1. Temps doux en hiver
D2. Temps doux en été
D3. Temps froid en hiver
D4. Temps chaud en été

PRESSION
ATMOSPHÉRIQUE
1010 Isobares
Hectopascals
Zones de H haute pression
B basse pression

PRESSION
ATMOSPHÉRIQUE
EN HECTOPASCALS
< 990
990 - 1000
1000 - 1010
1010 - 1020
1020 - 1030
1030 - 1040
> 1040

NÉBULOSITÉ
Ciel complètement dégagé
Nébulosité 25%
Nébulosité 50%
Nébulosité 75%
Ciel couvert

PRÉCIPITATIONS
Pluie
Neige

DIRECTION DU VENT
Vent du nord
Vent d'est
Vent du sud
Vent d'ouest

VITESSE DU VENT
Vent faible
20 km/heure
30 km/heure
50 km/heure

TEMPÉRATURE
5 Degrés Celsius

FRONTS
Front chaud
Front froid
Occlusion

© Noordhoff Uitgevers

LA TERRE CLIMAT

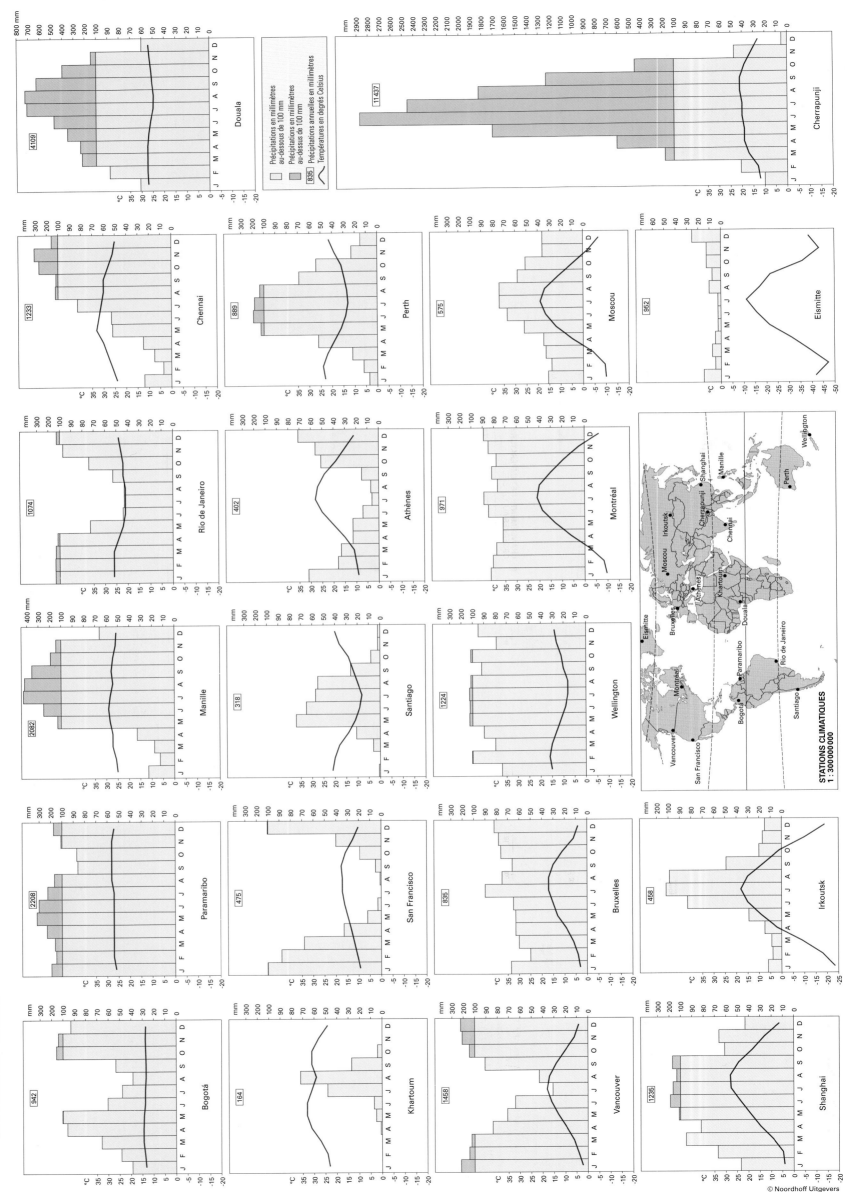

STATIONS CLIMATIQUES
1 : 300000000

Précipitations en millimètres au-dessous de 100 mm
Précipitations en millimètres au-dessus de 100 mm
835 Précipitations annuelles en millimètres
Températures en degrés Celsius

Douala 4109
Cherrapunji 11437
Chennai 1233
Perth 889
Moscou 575
Eismitte 952
Rio de Janeiro 1074
Athènes 402
Montréal 971
Manille 2082
Santiago 318
Wellington 1224
Paramaribo 2208
San Francisco 475
Bruxelles 835
Irkoutsk 458
Bogotá 942
Khartoum 164
Vancouver 1458
Shanghai 1235

© Noordhoff Uitgevers

LA TERRE   MODIFICATIONS CLIMATIQUES

Échelle 1 : 200 000 000

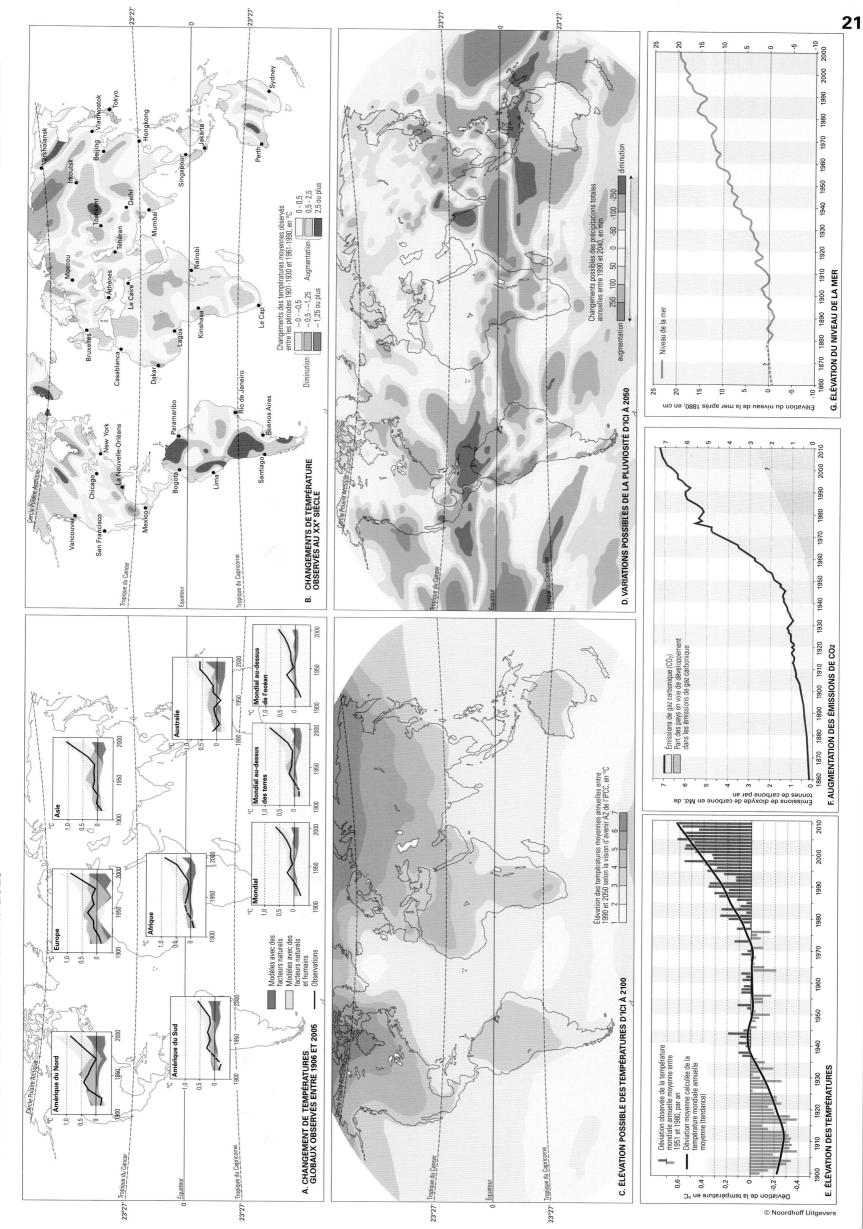

A. CHANGEMENT DE TEMPÉRATURES GLOBAUX OBSERVÉS ENTRE 1906 ET 2005

Modèles avec des facteurs naturels
Modèles avec des facteurs naturels et humains
Observations

Amérique du Nord
Amérique du Sud
Europe
Afrique
Asie
Australie
Mondial au-dessus des terres
Mondial au-dessus de l'océan
Mondial

B. CHANGEMENTS DE TEMPÉRATURE OBSERVÉS AU XXᵉ SIÈCLE

Changements des températures moyennes observés entre les périodes 1901-1930 et 1961-1990, en °C

Augmentation
0 - 0,5
0,5 - 2,5
2,5 ou plus

Diminution
0 - 0,5
0,5 - 1,25
1,25 ou plus

C. ÉLÉVATION POSSIBLE DES TEMPÉRATURES D'ICI À 2100

Élévation des températures moyennes annuelles entre 1990 et 2050 selon la vision d'avenir A2 de l'IPCC, en °C

1 2 3 4 5 6 7

D. VARIATIONS POSSIBLES DE LA PLUVIOSITÉ D'ICI À 2050

Changements possibles des précipitations totales annuelles entre 1990 et 2040, en mm

augmentation
250 100 50 0 -50 -100 -250
diminution

E. ÉLÉVATION DES TEMPÉRATURES

Déviation observée de la température mondiale annuelle moyenne entre 1951 et 1980, par an
Déviation moyenne calculée de la température mondiale annuelle moyenne (tendance)

Déviation de la température en °C

F. AUGMENTATION DES ÉMISSIONS DE CO₂

Émissions de gaz carbonique (CO_2)
Part des pays en voie de développement dans les émissions de gaz carbonique

Émissions de dioxyde de carbone en Md. de tonnes de carbone par an

G. ÉLÉVATION DU NIVEAU DE LA MER

Niveau de la mer

Élévation du niveau de la mer après 1880, en cm

LA TERRE TYPES DE CLIMATS / COURANTS MARINS

Échelle 1 : 200 000 000

Projection de Winkel

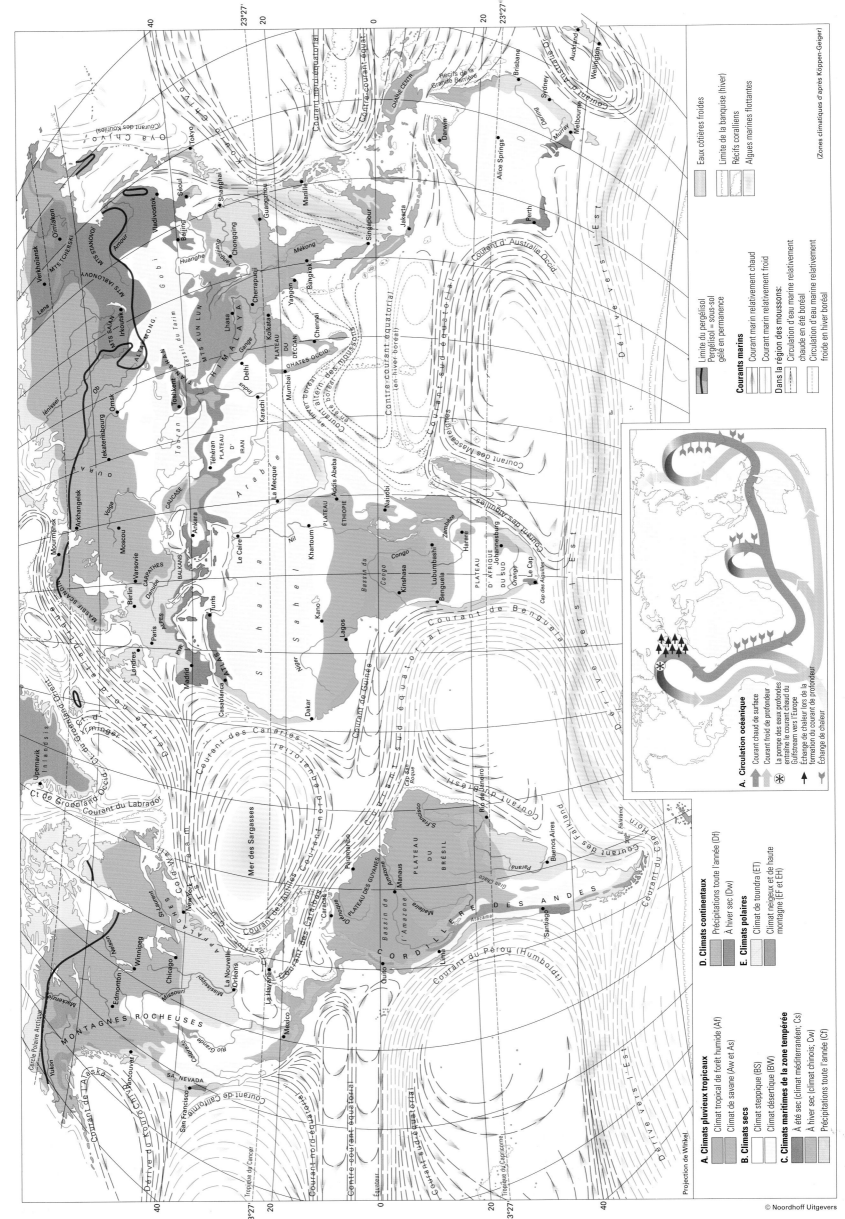

A. Climats pluvieux tropicaux
- Climat tropical de forêt humide (Af)
- Climat de savane (Aw et As)

B. Climats secs
- Climat steppique (BS)
- Climat désertique (BW)

C. Climats maritimes de la zone tempérée
- À été sec (climat méditerranéen; Cs)
- À hiver sec (climat chinois; Cw)
- Précipitations toute l'année (Cf)

D. Climats continentaux
- Précipitations toute l'année (Df)
- À hiver sec (Dw)

E. Climats polaires
- Climat de toundra (ET)
- Climat neigeux et de haute montagne (EF et EH)

- Limite du pergélisol
- Pergélisol = sous-sol gelé en permanence

Courants marins
- Eaux côtières froides
- Limite de la banquise (hiver)
- Récifs coralliens
- Algues marines flottantes

- Courant marin relativement chaud
- Courant marin relativement froid

Dans la région des moussons:
- Circulation d'eau marine relativement chaude en été boréal
- Circulation d'eau marine relativement froide en hiver boréal

A. Circulation océanique
- Courant chaud de surface
- Courant froid de profondeur

La pompe des eaux profondes entraîne le courant chaud du Gulfstream vers l'Europe
- ✳ Échange de chaleur lors de la formation du courant de profondeur
- ↑ Échange de chaleur

(Zones climatiques d'après Köppen-Geiger)

© Noordhoff Uitgevers

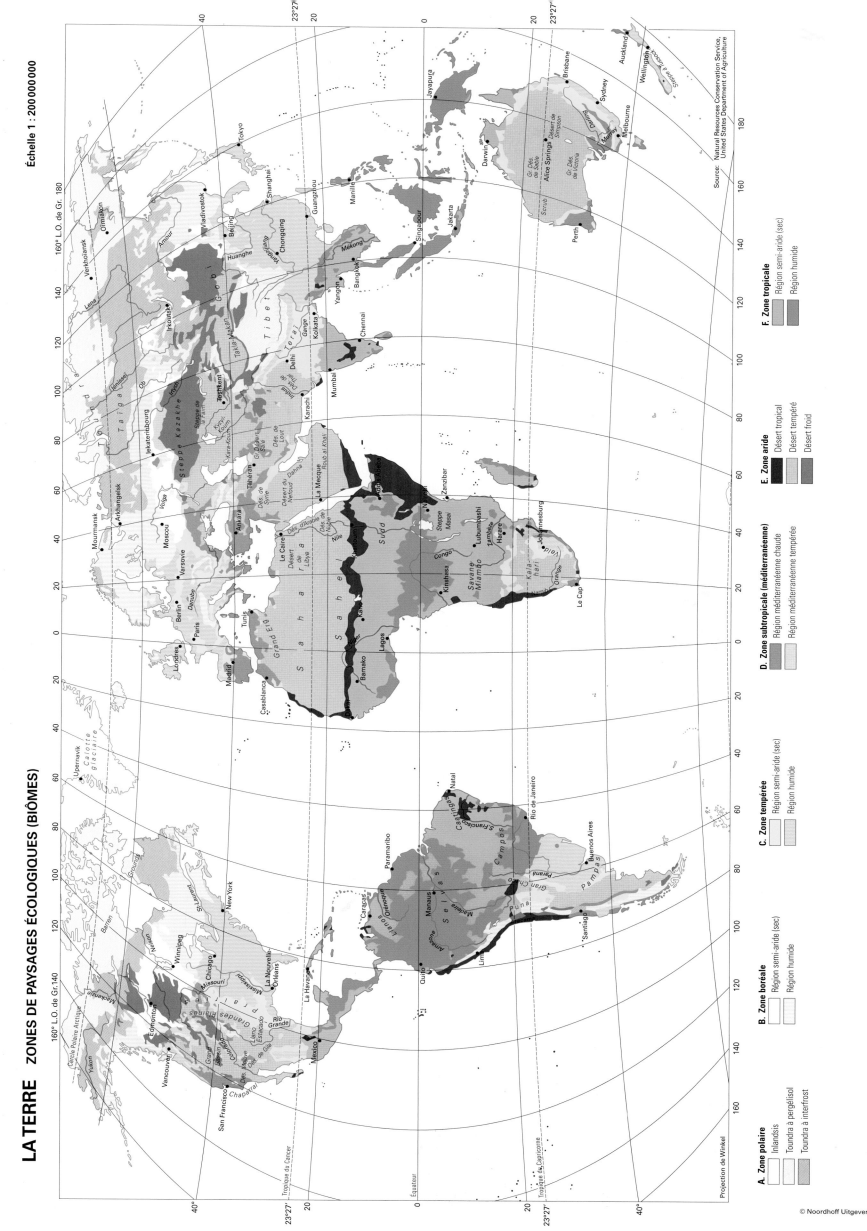

LA TERRE ZONES DE PAYSAGES ÉCOLOGIQUES (BIOMES)

Échelle 1 : 200000000

Projection de Winkel

Source: Natural Resources Conservation Service,
United States Department of Agriculture

A. Zone polaire
- Inlandsis
- Toundra à pergélisol
- Toundra à interfrost

B. Zone boréale
- Région semi-aride (sec)
- Région humide

C. Zone tempérée
- Région semi-aride (sec)
- Région humide

D. Zone subtropicale (méditerranéenne)
- Région méditerranéenne chaude
- Région méditerranéenne tempérée

E. Zone aride
- Désert tropical
- Désert tempéré
- Désert froid

F. Zone tropicale
- Région semi-aride (sec)
- Région humide

© Noordhoff Uitgevers

LA TERRE   LES ZONES DE CULTURE SUR LE GLOBE

Échelle 1 : 90 000 000

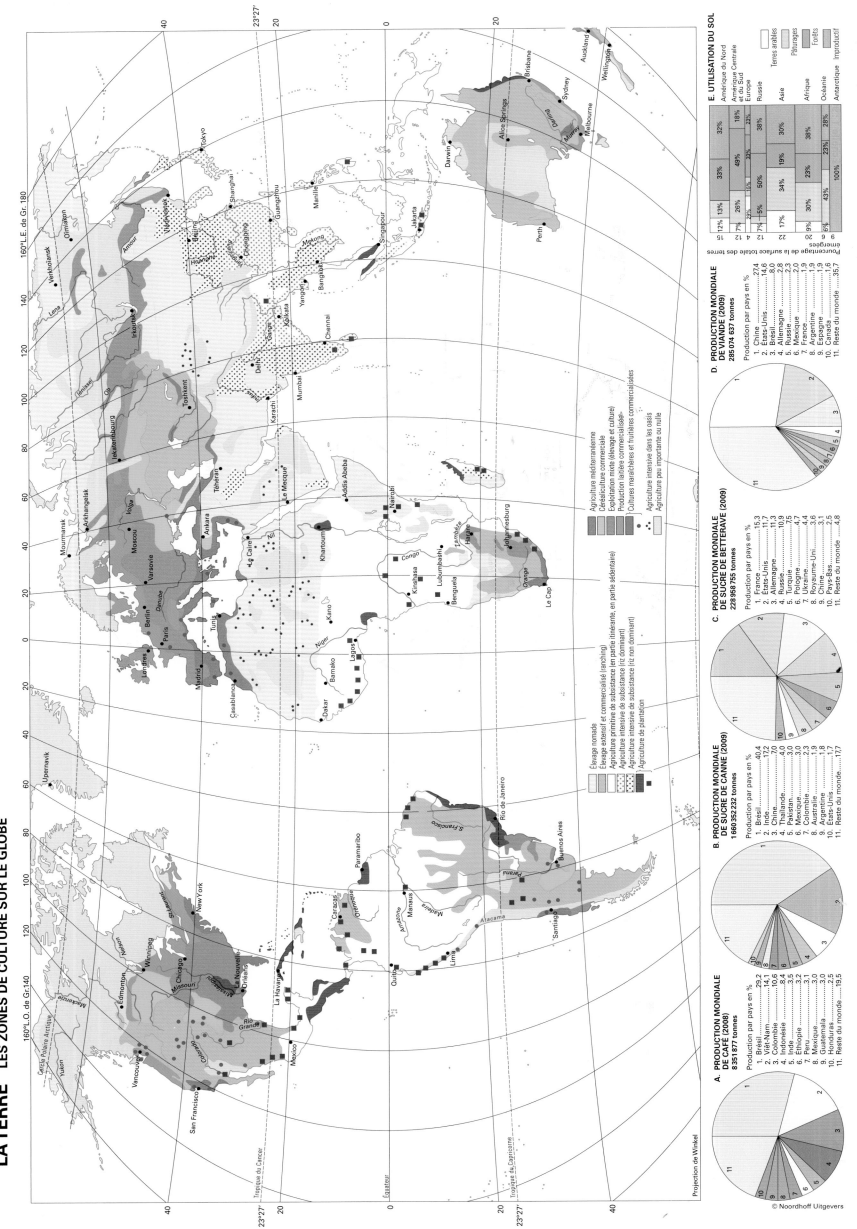

Élevage nomade
Élevage extensif et commercialisé (ranching)
Agriculture primitive de subsistance (en partie itinérante, en partie sédentaire)
Agriculture intensive de subsistance (riz dominant)
Agriculture intensive de subsistance (riz non dominant)
Agriculture de plantation

Agriculture méditerranéenne
Céréaliculture commerciale
Exploitation mixte (élevage et culture)
Production laitière commercialisée
Cultures maraîchères et fruitières commercialisées

Agriculture intensive dans les oasis
Agriculture peu ou non importante ou nulle

Projection de Winkel

© Noordhoff Uitgevers

A. PRODUCTION MONDIALE DE CAFÉ (2008)
8 351 877 tonnes

Production par pays en %

1. Brésil 29,2
2. Viêt-Nam 14,1
3. Colombie 10,6
4. Indonésie 8,4
5. Inde 3,5
6. Éthiopie 3,2
7. Peru 3,1
8. Mexique 3,0
9. Guatemala 3,0
10. Honduras 2,5
11. Reste du monde 19,5

B. PRODUCTION MONDIALE DE SUCRE DE CANNE (2009)
1 660 352 232 tonnes

Production par pays en %

1. Brésil 40,4
2. Inde 17,2
3. Chine 7,0
4. Thaïlande 4,0
5. Pakistan 3,0
6. Mexique 3,0
7. Colombie 2,3
8. Australie 1,9
9. Argentine 1,8
10. États-Unis 1,7
11. Reste du monde 17,7

C. PRODUCTION MONDIALE DE SUCRE DE BETTERAVE (2009)
228 958 755 tonnes

Production par pays en %

1. France 15,3
2. États-Unis 11,7
3. Allemagne 11,3
4. Russie 10,9
5. Turquie 7,5
6. Pologne 4,7
7. Ukraine 4,4
8. Royaume-Uni 3,6
9. Chine 3,1
10. Pays-Bas 2,5
11. Reste du monde 4,8

D. PRODUCTION MONDIALE DE VIANDE (2009)
285 074 637 tonnes

Production par pays en %

1. Chine 27,4
2. États-Unis 14,6
3. Brésil 8,0
4. Allemagne 2,8
5. Russie 2,3
6. Mexique 2,0
7. France 1,9
8. Argentine 1,9
9. Espagne 1,9
10. Canada 1,6
11. Reste du monde 35,7

E. UTILISATION DU SOL

Terres arables
Pâturages
Forêts
Improductif

Pourcentage de la surface totale des terres émergées

Amérique du Nord	12%	13%	33%	32%
Amérique Centrale et du Sud	7%	26%	49%	18%
Europe	23%	33%		23%
Russie	7%	15%	50%	38%
Asie	17%	34%	19%	30%
Afrique	9%	30%	23%	38%
Océanie	6%	43%	23%	28%
Antarctique		100%		

15 12 9 6

LA TERRE   AGRICULTURE

Échelle 1 : 90000000

Projection de Winkel

Cercle Polaire Arctique

Tropique du Cancer

23°27'

Équateur

Tropique du Capricorne

23°27'

160°L.O.de.Gr.140

160°L.E.de.Gr.180

États-Unis

60
333
10
91
20
5

Canada
27
10
5
4
1

Amérique Latine
21
28
100
16
95
18

Europe
160
4
72
69
11

Ex-U.R.S.S.
120
18
68
24

Afrique
26
25
57
18
28

Asie du Sud et du Sud-Ouest
131
199
24
50
10
12

Asie de l'Est et du Sud-Est
118
418
205
83
17

Australie et Nouvelle-Zélande
21
22

Chaque point représente
100.000 tonnes
Blé
Riz
Maïs

Transport maritime de:
Blé
Riz
Soja

Prises ou production en
millions de tonnes (2009)
200
100
50
25
10

Blé
Riz
Maïs

Pommes de terre
Soja
Poisson

A. PRODUCTION MONDIALE DE BLÉ (2009) 685 308 672 tonnes

Production par pays en %
1. Chine 16,8
2. Inde 11,8
3. Russie 9,0
4. États-Unis 8,8
5. France 5,6
6. Canada 3,9
7. Allemagne 3,7
8. Pakistan 3,5
9. Australie 3,2
10. Ukraine 1,8
11. Reste du monde 30,7

B. PRODUCTION MONDIALE DE RIZ (2009) 685 236 586 tonnes

Production par pays en %
1. Chine 28,7
2. Inde 19,5
3. Indonésie 9,4
4. Bangladesh 7,0
5. Viêt-Nam 5,7
6. Myanmar 4,8
7. Thaïlande 4,6
8. Philippines 2,4
9. Brésil 1,9
10. Japon 1,5
11. Reste du monde 14,6

C. PRODUCTION MONDIALE DE MAÏS (2009) 819 000 000 tonnes

Production par pays en %
1. États-Unis 40,7
2. Chine 20,0
3. Brésil 6,3
4. Mexique 2,5
5. Indonésie 2,2
6. Inde 2,0
7. France 1,9
8. Argentine 1,6
9. Afrique du Sud 1,5
10. Ukraine 1,3
11. Reste du monde 20,2

D. PRODUCTION MONDIALE DE SOYA (2009) 222 932 004 tonnes

Production par pays en %
1. États-Unis 41,0
2. Brésil 25,7
3. Argentine 13,9
4. Chine 6,7
5. Inde 4,5
6. Paraguay 1,7
7. Canada 1,6
8. Bolivie 0,7
9. Ukraine 0,5
10. Uruguay 0,5
11. Reste du monde 3,2

E. PRODUCTION MONDIALE DE POMMES DE TERRE (2009) 329 964 470 tonnes

Production par pays en %
1. Chine 22,2
2. Inde 10,4
3. Russie 9,4
4. Ukraine 6,0
5. États-Unis 5,9
6. Allemagne 3,5
7. Pologne 2,9
8. France 2,5
9. Pays-Bas 2,2
10. Biélorussie 2,2
11. Reste du monde 33,0

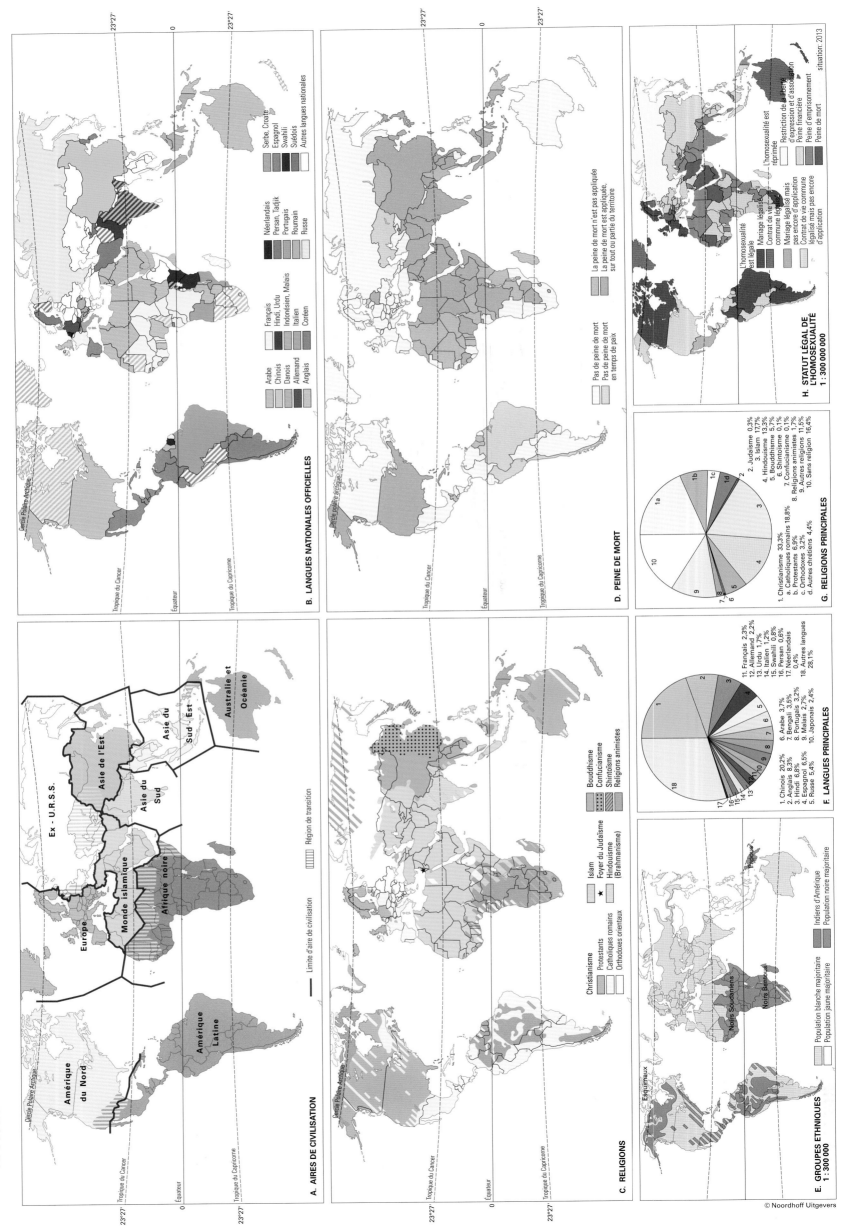

LA TERRE   POPULATION

Échelle 1 : 200 000 000

A. AIRES DE CIVILISATION

Ex - U.R.S.S.

Amérique du Nord

Europe

Asie de l'Est

Monde islamique

Asie du Sud

Afrique noire

Asie du Sud - Est

Amérique Latine

Australie et Océanie

— Limite d'aire de civilisation

||||| Région de transition

B. LANGUES NATIONALES OFFICIELLES

Arabe
Chinois
Danois
Allemand
Anglais

Français
Hindi, Urdu
Indonésien, Malais
Italien
Coréen

Néerlandais
Persan, Tadjik
Portugais
Roumain
Russe

Serbe, Croate
Espagnol
Swahili
Suédois
Autres langues nationales

C. RELIGIONS

Christianisme
Protestants
Catholiques romains
Orthodoxes orientaux

Islam
★ Foyer du Judaïsme
Hindouisme (Brahmanisme)

Bouddhisme
Confucianisme
Shintoïsme
Religions animistes

D. PEINE DE MORT

Pas de peine de mort
Pas de peine de mort en temps de paix

La peine de mort n'est pas appliquée
La peine de mort n'est pas appliquée, sur tout ou partie du territoire

E. GROUPES ETHNIQUES
1 : 300 000

Esquimaux

Indiens d'Amérique

Noirs Soudaniens

Noirs Bantou

Papous

Population blanche majoritaire
Population jaune majoritaire

Population indienne d'Amérique
Population noire majoritaire

F. LANGUES PRINCIPALES

1. Chinois 20,2%
2. Anglais 8,3%
3. Hindi 6,8%
4. Espagnol 6,5%
5. Russe 5,4%
6. Arabe 3,7%
7. Bengali 3,5%
8. Portugais 3,2%
9. Malais 2,7%
10. Japonais 2,4%
11. Français 2,3%
12. Allemand 2,2%
13. Urdu 1,7%
14. Italien 1,2%
15. Swahili 0,8%
16. Persan 0,6%
17. Néerlandais 0,4%
18. Autres langues 28,1%

G. RELIGIONS PRINCIPALES

1. Christianisme 33,3%
   a. Catholiques romains 18,8%
   b. Protestants 6,9%
   c. Orthodoxes 3,2%
   d. Autres chrétiens 4,4%
2. Judaïsme 0,3%
3. Islam 17,7%
4. Hindouisme 13,3%
5. Bouddhisme 5,7%
6. Shintoïsme 0,1%
7. Confucianisme 0,1%
8. Religions animistes 1,7%
9. Autres religions 11,5%
10. Sans religion 16,4%

H. STATUT LÉGAL DE L'HOMOSEXUALITÉ
1 : 300 000 000

L'homosexualité est légale
Mariage légalisé
Contrat de vie commune légalisé
Mariage légalisé mais pas encore d'application
Contrat de vie commune légalisé mais pas encore d'application

L'homosexualité est réprimée
Restriction de la liberté d'expression et d'association
Peine financière
Peine d'emprisonnement
Peine de mort

situation : 2013

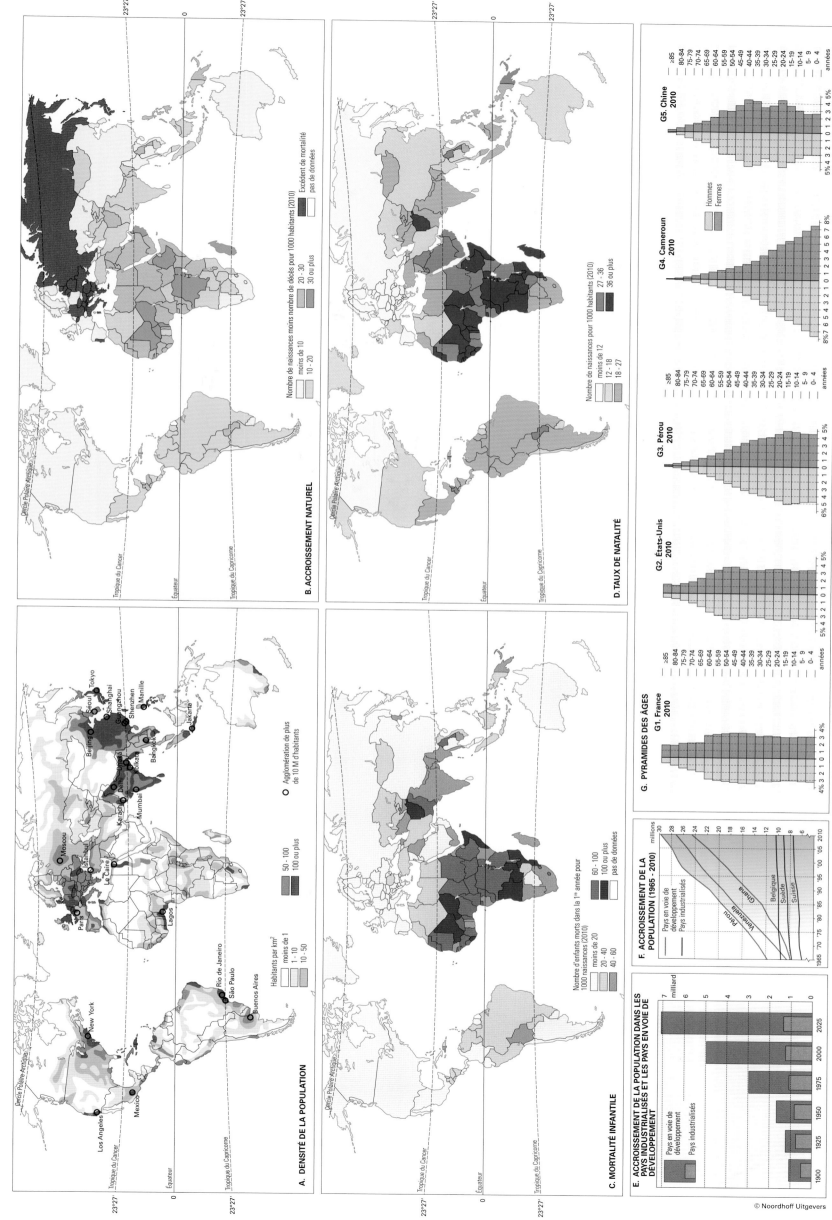

LA TERRE POPULATION

Échelle 1 : 200 000 000

27

A. DENSITÉ DE LA POPULATION

Habitants par km²
- moins de 1
- 1 - 10
- 10 - 50
- 50 - 100
- 100 ou plus

○ Agglomération de plus de 10 M d'habitants

B. ACCROISSEMENT NATUREL

Nombre de naissances moins nombre de décès pour 1000 habitants (2010)
- moins de 10
- 10 - 20
- 20 - 30
- 30 ou plus

Excédent de mortalité
pas de données

C. MORTALITÉ INFANTILE

Nombre d'enfants morts dans la 1ʳᵉ année pour 1000 naissances (2010)
- moins de 20
- 20 - 40
- 40 - 60
- 60 - 100
- 100 ou plus
- pas de données

D. TAUX DE NATALITÉ

Nombre de naissances pour 1000 habitants (2010)
- moins de 12
- 12 - 18
- 18 - 27
- 27 - 36
- 36 ou plus

E. ACCROISSEMENT DE LA POPULATION DANS LES PAYS INDUSTRIALISÉS ET LES PAYS EN VOIE DE DÉVELOPPEMENT

- Pays en voie de développement
- Pays industrialisés

F. ACCROISSEMENT DE LA POPULATION (1965 - 2010)

- Pays en voie de développement
- Pays industrialisés

Pérou, Venezuela, Ghana, Belgique, Suède, Suisse

G. PYRAMIDES DES ÂGES

G1. France 2010
G2. États-Unis 2010
G3. Pérou 2010
G4. Cameroun 2010
G5. Chine 2010

Hommes
Femmes

© Noordhoff Uitgevers

LA TERRE POPULATION / URBANISATION

Échelle 1 : 200 000 000

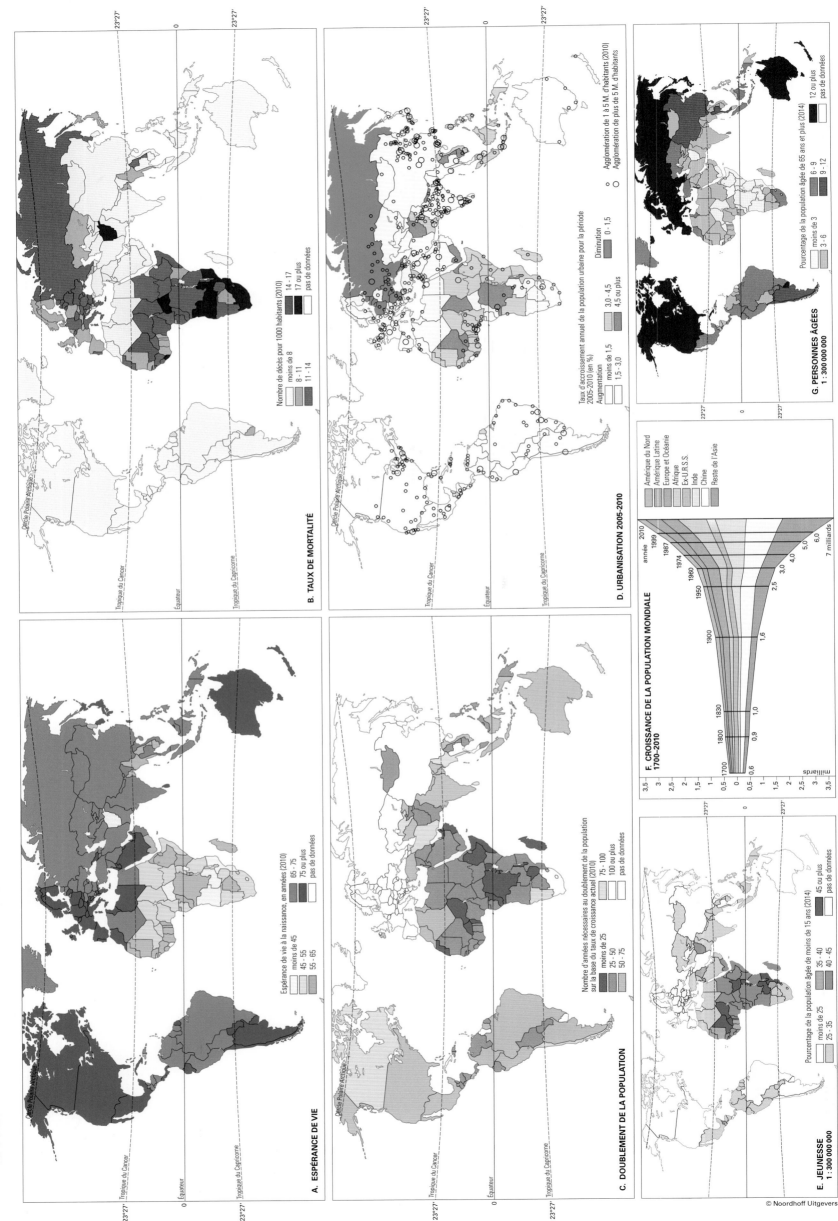

A. ESPÉRANCE DE VIE

Espérance de vie à la naissance, en années (2010)
- moins de 45
- 45 - 55
- 55 - 65
- 65 - 75
- 75 ou plus
- pas de données

B. TAUX DE MORTALITÉ

Nombre de décès pour 1000 habitants (2010)
- moins de 8
- 8 - 11
- 11 - 14
- 14 - 17
- 17 ou plus
- pas de données

C. DOUBLEMENT DE LA POPULATION

Nombre d'années nécessaires au doublement de la population sur la base du taux de croissance actuel (2010)
- moins de 25
- 25 - 50
- 50 - 75
- 75 - 100
- 100 ou plus
- pas de données

D. URBANISATION 2005-2010

Taux d'accroissement annuel de la population urbaine pour la période 2005-2010 (en %)
Augmentation
- moins de 1,5
- 1,5 - 3,0
- 3,0 - 4,5
- 4,5 ou plus
Diminution
- 0 - 1,5

- Agglomération de 1 à 5 M. d'habitants (2010)
- Agglomération de plus de 5 M. d'habitants

E. JEUNESSE
1 : 300 000 000

Pourcentage de la population âgée de moins de 15 ans (2014)
- moins de 25
- 25 - 35
- 35 - 40
- 40 - 45
- 45 ou plus
- pas de données

F. CROISSANCE DE LA POPULATION MONDIALE 1700-2010

- Amérique du Nord
- Amérique Latine
- Europe et Océanie
- Afrique
- Ex-U.R.S.S.
- Inde
- Chine
- Reste de l'Asie

G. PERSONNES ÂGÉES
1 : 300 000 000

Pourcentage de la population âgée de 65 ans et plus (2014)
- moins de 3
- 3 - 6
- 6 - 9
- 9 - 12
- 12 ou plus
- pas de données

LA TERRE URBANISATION

Échelle 1 : 200 000 000

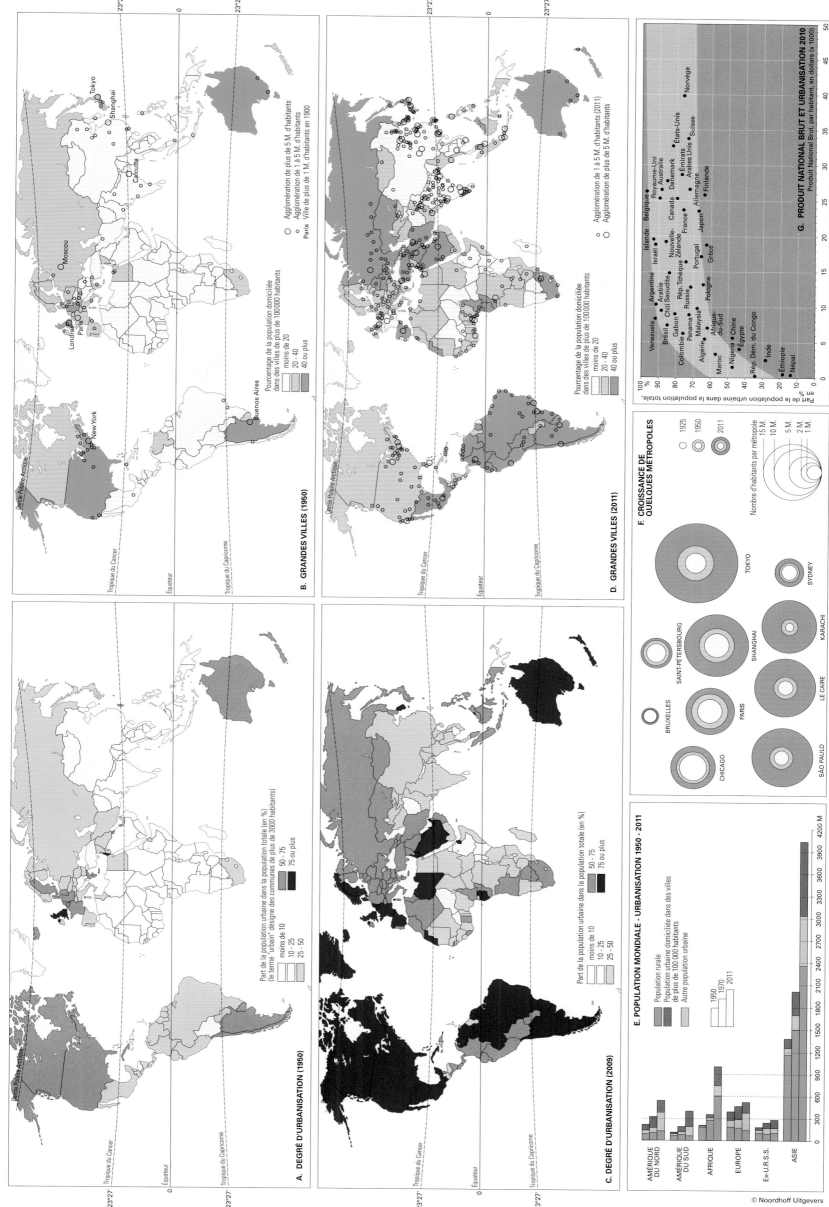

A. DEGRÉ D'URBANISATION (1950)

Part de la population urbaine dans la population totale (en %)
(le terme "urbain" désigne des communes de plus de 3000 habitants)
- moins de 10
- 10 - 25
- 25 - 50
- 50 - 75
- 75 ou plus

B. GRANDES VILLES (1950)

- Agglomération de plus de 5 M. d'habitants
- Agglomération de 1 à 5 M. d'habitants
- Paris · Ville de plus de 1 M. d'habitants en 1900

Pourcentage de la population domiciliée
dans des villes de plus de 100 000 habitants
- moins de 20
- 20 - 40
- 40 ou plus

C. DEGRÉ D'URBANISATION (2009)

Part de la population urbaine dans la population totale (en %)
- moins de 10
- 10 - 25
- 25 - 50
- 50 - 75
- 75 ou plus

D. GRANDES VILLES (2011)

- Agglomération de 1 à 5 M. d'habitants (2011)
- Agglomération de plus de 5 M. d'habitants

Pourcentage de la population domiciliée
dans des villes de plus de 100 000 habitants
- moins de 20
- 20 - 40
- 40 ou plus

E. POPULATION MONDIALE - URBANISATION 1950 - 2011

- Population rurale
- Population urbaine domiciliée dans des villes de plus de 100 000 habitants
- Autre population urbaine

1950 · 1970 · 2011

AMÉRIQUE DU NORD · AMÉRIQUE DU SUD · AFRIQUE · EUROPE · Ex-U.R.S.S. · ASIE

F. CROISSANCE DE QUELQUES MÉTROPOLES

1925 · 1950 · 2011

Nombre d'habitants par métropole
15 M. · 10 M. · 5 M. · 2 M. · 1 M.

BRUXELLES · CHICAGO · SAINT-PÉTERSBOURG · PARIS · SÃO PAULO · TOKYO · SHANGHAI · LE CAIRE · SYDNEY · KARACHI

G. PRODUIT NATIONAL BRUT ET URBANISATION 2010

Produit National Brut, par habitant, en dollars (x 1000)

Part de la population urbaine dans la population totale, en %

Islande · Belgique · Royaume-Uni · Australie · Danemark · Canada · Norvège · États-Unis · Émirats Arabes Unis · Suisse · France · Allemagne · Israël · Nouvelle Zélande · Rép. Tchèque · Japon · Finlande · Portugal · Grèce · Argentine · Arabie · Russie · Pologne · Venezuela · Brésil · Chili · Colombie · Panama · Malaysia · Afrique-du-Sud · Gabon · Maroc · Algérie · Nigéria · Chine · Egypte · Rép. Dém. du Congo · Inde · Ethiopie · Népal

LA TERRE ÉNERGIE

Échelle 1 : 200 000 000

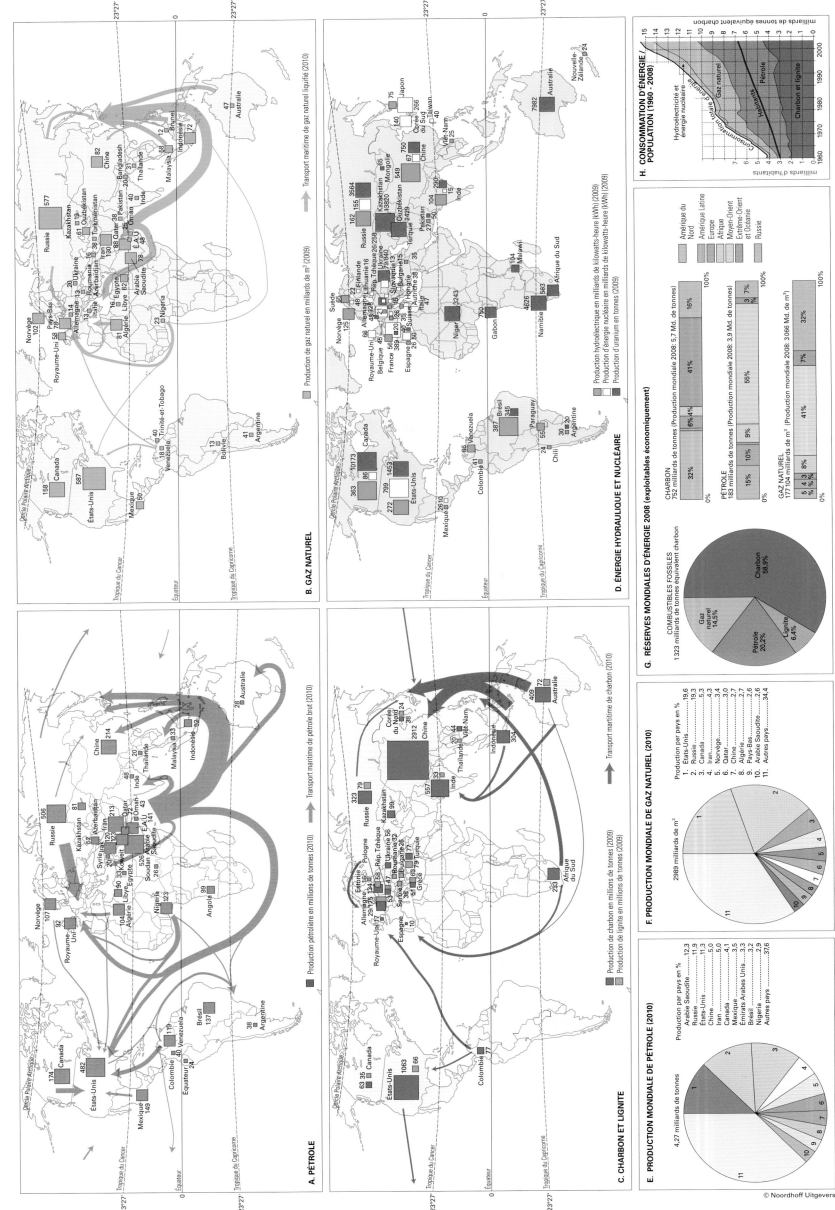

A. PÉTROLE

Production pétrolière en millions de tonnes (2010)

Transport maritime de pétrole brut (2010)

B. GAZ NATUREL

Production de gaz naturel en milliards de m³ (2009)

Transport maritime de gaz naturel liquéfié (2010)

C. CHARBON ET LIGNITE

Production de charbon en millions de tonnes (2009)
Production de lignite en millions de tonnes (2009)

Transport maritime de charbon (2010)

D. ÉNERGIE HYDRAULIQUE ET NUCLÉAIRE

Production hydroélectrique en milliards de kilowatts-heure (kWh) (2009)
Production d'énergie nucléaire en milliards de kilowatts-heure (kWh) (2009)
Production d'uranium en tonnes (2009)

E. PRODUCTION MONDIALE DE PÉTROLE (2010)

4,27 milliards de tonnes

Production par pays en %
1. Arabie Saoudite 12,3
2. Russie 11,9
3. États-Unis 11,3
4. Chine 5,0
5. Iran 5,0
6. Canada 4,1
7. Mexique 3,5
8. Émirats Arabes Unis 3,3
9. Brésil 3,2
10. Nigéria 2,9
11. Autres pays 37,6

F. PRODUCTION MONDIALE DE GAZ NATUREL (2010)

2989 milliards de m³

Production par pays en %
1. États-Unis 19,6
2. Russie 19,3
3. Canada 5,3
4. Iran 4,3
5. Norvège 3,4
6. Qatar 3,4
7. Chine 3,0
8. Algérie 2,7
9. Pays-Bas 2,6
10. Arabie Saoudite 2,6
11. Autres pays 34,4

G. RÉSERVES MONDIALES D'ÉNERGIE 2008 (exploitables économiquement)

COMBUSTIBLES FOSSILES
1323 milliards de tonnes équivalent charbon

- Charbon 58,9%
- Lignite 6,4%
- Pétrole 20,2%
- Gaz naturel 14,5%

CHARBON
752 milliards de tonnes (Production mondiale 2008: 5,7 Md. de tonnes)

PÉTROLE
183 milliards de tonnes (Production mondiale 2008: 3,9 Md. de tonnes)

GAZ NATUREL
177 104 milliards de m³ (Production mondiale 2008: 3 066 Md. de m³)

Amérique du Nord
Amérique Latine
Europe
Afrique
Moyen-Orient
Extrême-Orient et Océanie
Russie

H. CONSOMMATION D'ÉNERGIE / POPULATION (1960 - 2008)

© Noordhoff Uitgevers

LA TERRE ÉNERGIE / MINES

Échelle 1 : 200 000 000

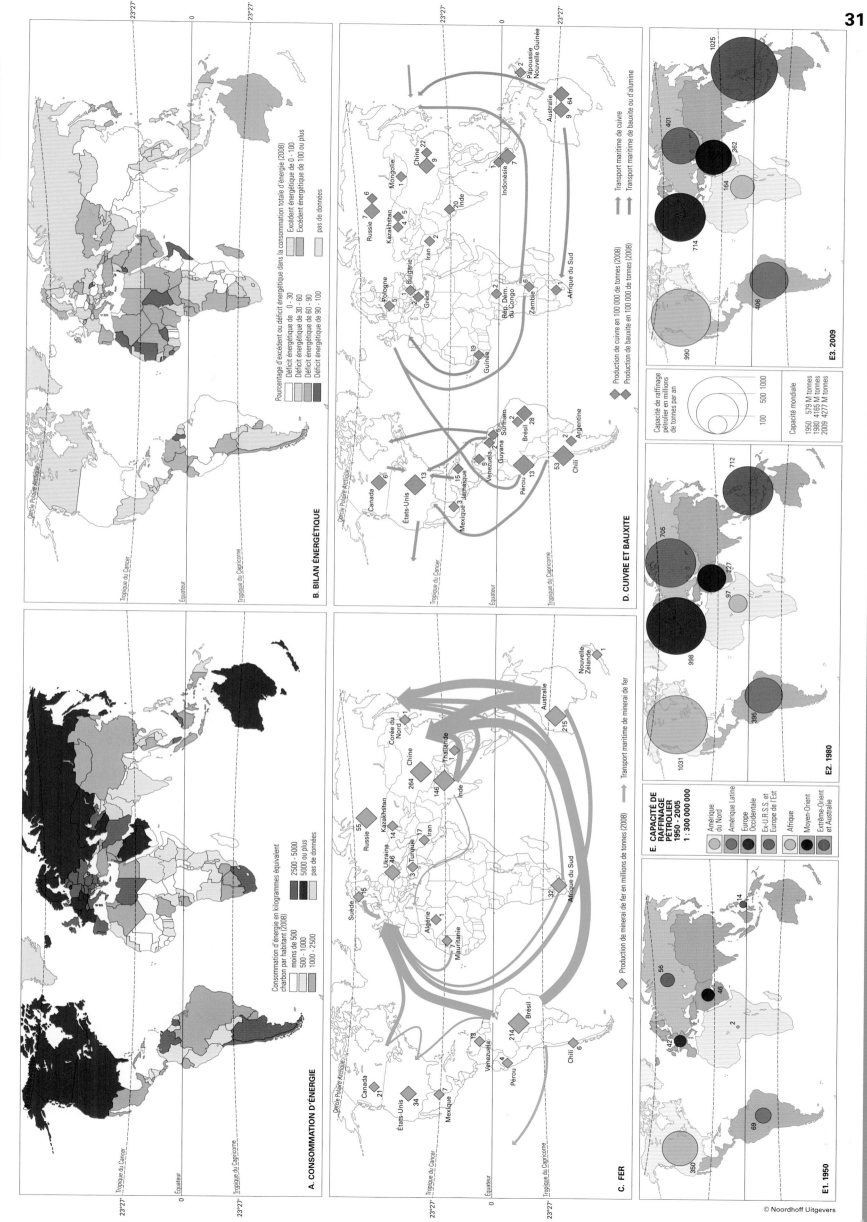

A. CONSOMMATION D'ÉNERGIE

Consommation d'énergie en kilogrammes équivalent charbon par habitant (2008)
- moins de 500
- 500 - 1000
- 1000 - 2500
- 2500 - 5000
- 5000 ou plus
- pas de données

B. BILAN ÉNERGÉTIQUE

Pourcentage d'excédent ou déficit énergétique dans la consommation totale d'énergie (2008)
- Déficit énergétique de 0 - 30
- Déficit énergétique de 30 - 60
- Déficit énergétique de 60 - 90
- Déficit énergétique de 90 - 100
- Excédent énergétique de 0 - 100
- Excédent énergétique de 100 ou plus
- pas de données

C. FER

→ Production de minerai de fer en millions de tonnes (2008)
→ Transport maritime de minerai de fer

D. CUIVRE ET BAUXITE

→ Transport maritime de cuivre
→ Transport maritime de bauxite ou d'alumine

◆ Production de cuivre en 100 000 de tonnes (2008)
◆ Production de bauxite en 100 000 de tonnes (2008)

E. CAPACITÉ DE RAFFINAGE PÉTROLIER 1950 - 2005
1 : 300 000 000
- Amérique du Nord
- Amérique Latine
- Europe Occidentale
- Ex-U.R.S.S. et Europe de l'Est
- Afrique
- Moyen-Orient
- Extrême-Orient et Australie

Capacité de raffinage pétrolier en millions de tonnes par an

Capacité mondiale
1950	579 M tonnes
1980	4165 M tonnes
2009	4277 M tonnes

E1. 1950
E2. 1980
E3. 2009

© Noordhoff Uitgevers

LA TERRE INDUSTRIE

Échelle 1 : 200 000 000

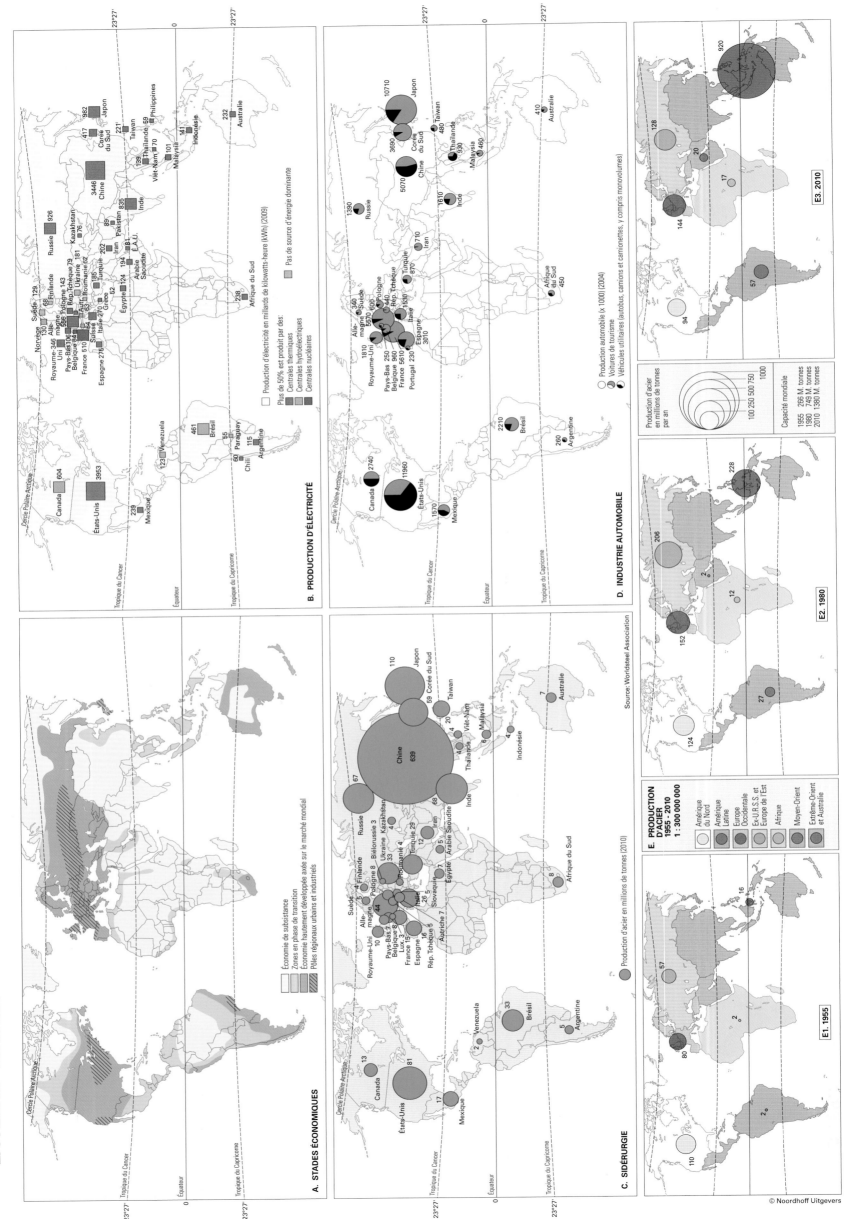

A. STADES ÉCONOMIQUES

Économie de subsistance
Zones en phase de transition
Économie hautement développée axée sur le marché mondial
Pôles régionaux urbains et industriels

B. PRODUCTION D'ÉLECTRICITÉ

Production d'électricité en milliards de kilowatts-heure (kWh) (2009)

Plus de 50% est produit par des:
Centrales thermiques
Centrales hydroélectriques
Centrales nucléaires

Pas de source d'énergie dominante

C. SIDÉRURGIE

Production d'acier en millions de tonnes (2010)

Source: Worldsteel Association

D. INDUSTRIE AUTOMOBILE

Production automobile (x 1000) (2004)
Voitures de tourisme
Véhicules utilitaires (autobus, camions et camionnettes, y compris monovolumes)

E. PRODUCTION D'ACIER 1955 - 2010
1 : 300 000 000

Amérique du Nord
Amérique Latine
Europe Occidentale
Ex-U.R.S.S. et Europe de l'Est
Afrique
Moyen-Orient
Extrême-Orient et Australie

Production d'acier en millions de tonnes par an

Capacité mondiale
1955 266 M. tonnes
1980 749 M. tonnes
2010 1380 M. tonnes

E1. 1955   E2. 1980   E3. 2010

© Noordhoff Uitgevers

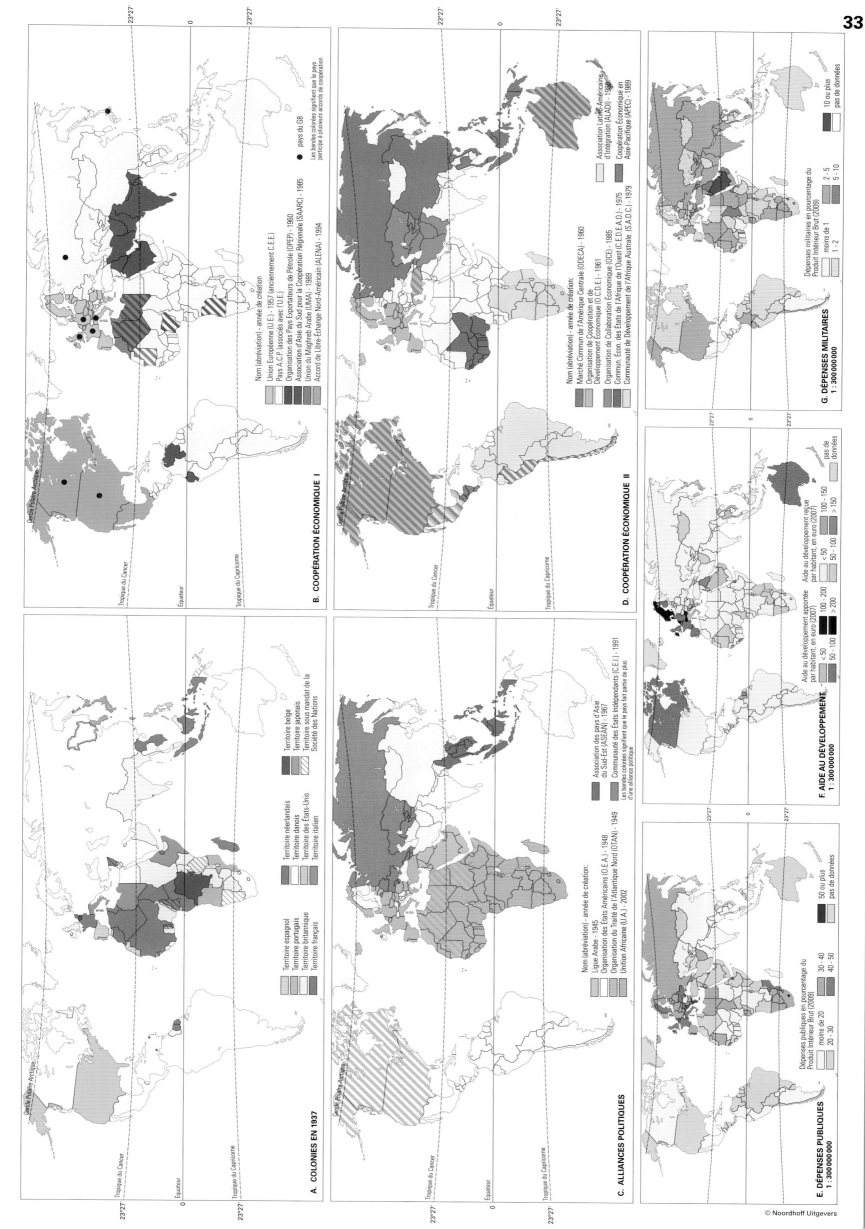

LA TERRE POLITIQUE

Échelle 1 : 200 000 000

33

A. COLONIES EN 1937

Territoire espagnol
Territoire portugais
Territoire britannique
Territoire français
Territoire néerlandais
Territoire danois
Territoire des États-Unis
Territoire italien
Territoire belge
Territoire japonais
Territoire sous mandat de la Société des Nations

B. COOPÉRATION ÉCONOMIQUE I

Nom (abréviation) - année de création :
Union Européenne (U.E.) - 1957 (anciennement C.E.E.)
Pays A.C.P. (associés avec l'U.E.)
Organisation des Pays Exportateurs de Pétrole (OPEP) - 1960
Association d'Asie du Sud pour la Coopération Régionale (SAARC) - 1985
Union du Maghreb Arabe (UMA) - 1989
Accord de Libre-Échange Nord-Américain (ALENA) - 1994
● pays du G8
Les bandes colorées signifient que le pays participe à plusieurs accords de coopération

C. ALLIANCES POLITIQUES

Nom (abréviation) - année de création :
Ligue Arabe - 1945
Organisation des États Américains (O.E.A.) - 1948
Organisation du Traité de l'Atlantique Nord (OTAN) - 1949
Union Africaine (U.A.) - 2002
Association des pays d'Asie du Sud-Est (ASEAN) - 1967
Communauté des États Indépendants (C.E.I.) - 1991
Les bandes colorées signifient que le pays fait partie de plus d'une alliance politique

D. COOPÉRATION ÉCONOMIQUE II

Nom (abréviation) - année de création :
Marché Commun de l'Amérique Centrale (ODECA) - 1960
Organisation de Coopération et de Développement Économique (O.C.D.E.) - 1961
Organisation de Collaboration Économique (OCE) - 1985
Commun. Écon. des États de l'Afrique de l'Ouest (C.E.D.E.A.O.) - 1975
Communauté de Développement de l'Afrique Australe (S.A.D.C.) - 1979
Association Latino-Américaine d'Intégration (ALADI) - 1980
Coopération Économique en Asie-Pacifique (APEC) - 1989

E. DÉPENSES PUBLIQUES
1 : 300 000 000

Dépenses publiques en pourcentage du Produit Intérieur Brut (2009)
moins de 20
20 - 30
30 - 40
40 - 50
50 ou plus
pas de données

F. AIDE AU DÉVELOPPEMENT
1 : 300 000 000

Aide au développement apportée par habitant, en euro (2007)
< 50
50 - 100
100 - 200
> 200
Aide au développement reçue par habitant, en euro (2007)
< 50
50 - 100
100 - 150
> 150
pas de données

G. DÉPENSES MILITAIRES
1 : 300 000 000

Dépenses militaires en pourcentage du Produit Intérieur Brut (2009)
moins de 1
1 - 2
2 - 5
5 - 10
10 ou plus
pas de données

Cercle Polaire Arctique
Tropique du Cancer
Équateur
Tropique du Capricorne

23°27'   0   23°27'

© Noordhoff Uitgevers

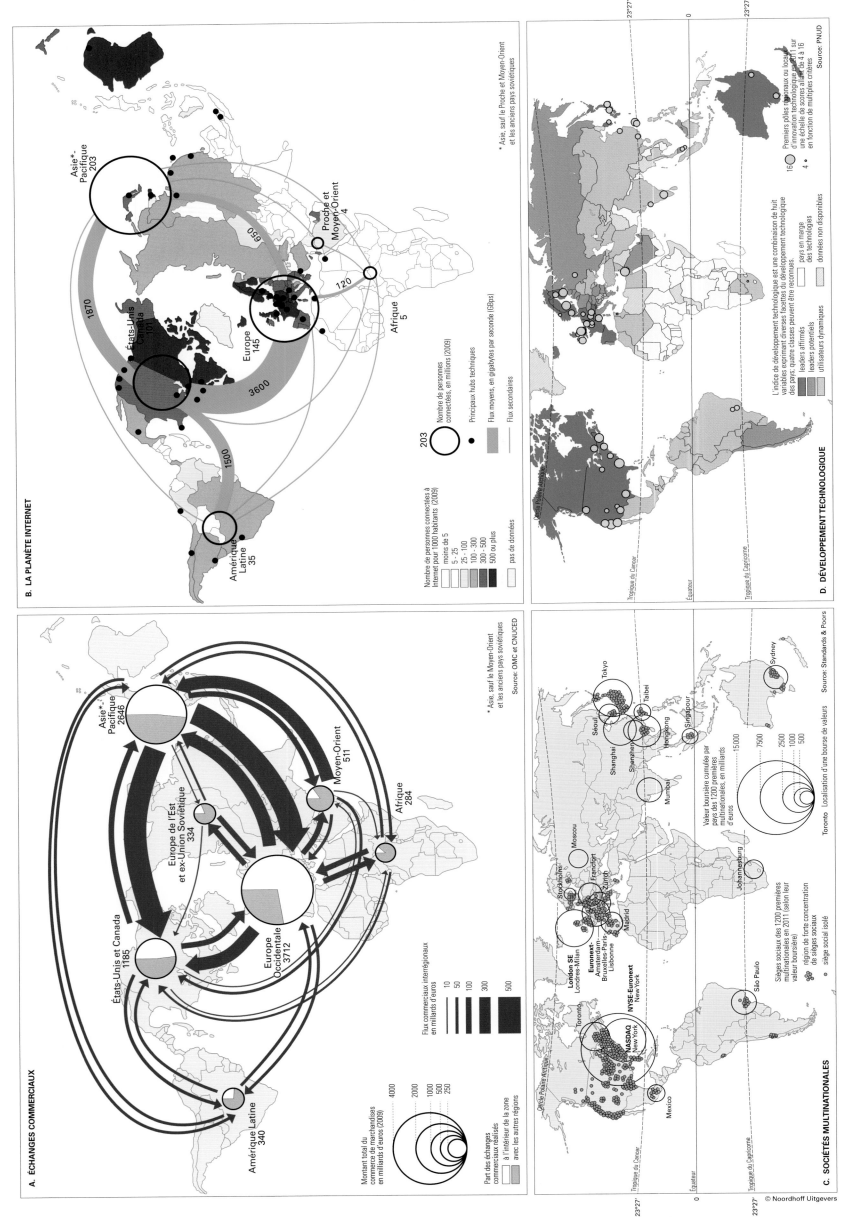

LA TERRE MONDIALISATION

A. ÉCHANGES COMMERCIAUX

Asie*-
Pacifique
2646

Europe de l'Est
et ex-Union Soviétique
334

Moyen-Orient
511

États-Unis et Canada
1185

Europe
Occidentale
3712

Afrique
284

Amérique Latine
340

Flux commerciaux interrégionaux
en milliards d'euros
10
50
100
300
500

Montant total du
commerce de marchandises
en milliards d'euros (2009)
4000
2000
1000
500
250

Part des échanges
commerciaux réalisés
à l'intérieur de la zone
avec les autres régions

*Asie, sauf le Moyen-Orient
et les anciens pays soviétiques

Source: OMC et CNUCED

B. LA PLANÈTE INTERNET

Asie*-
Pacifique
203

États-Unis
Canada
191

Proche et
Moyen-Orient
4

Europe
145

Afrique
5

Amérique
Latine
35

659

1870

3600

1500

120

Nombre de personnes
connectées, en millions (2009)

203   Nombre de personnes
connectées, en millions (2009)

•   Principaux hubs techniques

Flux moyens, en gigabytes par seconde (GBps)

Flux secondaires

Nombre de personnes connectées à
Internet pour 1000 habitants (2009)
moins de 5
5 - 25
25 - 100
100 - 300
300 - 500
500 ou plus
pas de données

*Asie, sauf le Proche et Moyen-Orient
et les anciens pays soviétiques

C. SOCIÉTÉS MULTINATIONALES

Toronto
NASDAQ
New York
NYSE-Euronext
New York
São Paulo
Mexico
London SE
Londres-Milan
Euronext-
Amsterdam-
Bruxelles-Paris-
Lisbonne
Stockholm
Francfort
Zürich
Madrid
Moscou
Johannesburg
Mumbai
Shanghai
Shenzhen
Taibei
Hongkong
Singapour
Séoul
Tokyo
Sydney

Valeur boursière cumulée par
pays des 1200 premières multinationales,
en milliards
d'euros
15000
7500
2500
1000
500

Sièges sociaux des 1200 premières
multinationales en 2011 (selon leur
valeur boursière)
région de forte concentration
de sièges sociaux
Toronto   Localisation d'une bourse de valeurs
siège social isolé

Source: Standards & Poors

D. DÉVELOPPEMENT TECHNOLOGIQUE

L'indice de développement technologique est une combinaison de huit
variables exprimant diverses facettes du développement technologique
des pays; quatre classes peuvent être reconnues.
leaders affirmés
leaders potentiels
utilisateurs dynamiques
pays en marge
des technologies
données non disponibles

16 ●   Premiers pôles régionaux ou locaux
d'innovation technologique en 2011 sur
une échelle de scores allant de 4 à 16
4 ●   en fonction de multiples critères

Source: PNUD

Cercle Polaire Arctique
Tropique du Cancer
Équateur
Tropique du Capricorne
23°27'
23°27'
0

© Noordhoff Uitgevers

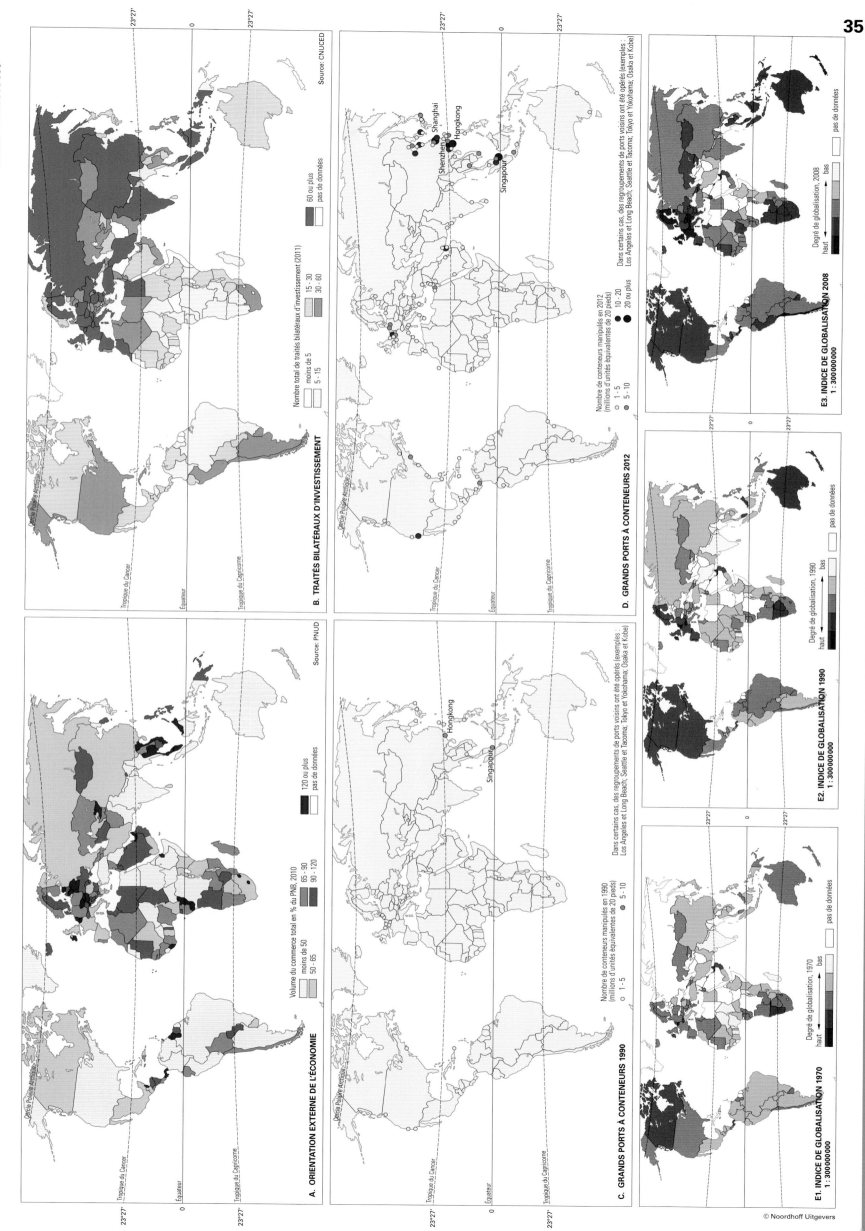

LA TERRE MONDIALISATION

Échelle 1 : 200 000 000

35

A. ORIENTATION EXTERNE DE L'ÉCONOMIE

Volume du commerce total en % du PNB, 2010

- moins de 50
- 50 - 65
- 65 - 90
- 90 - 120
- 120 ou plus
- pas de données

Source: PNUD

B. TRAITÉS BILATÉRAUX D'INVESTISSEMENT

Nombre total de traités bilatéraux d'investissement (2011)

- moins de 5
- 5 - 15
- 15 - 30
- 30 - 60
- 60 ou plus
- pas de données

Source: CNUCED

C. GRANDS PORTS À CONTENEURS 1990

Hongkong

Singapour

Nombre de conteneurs manipulés en 1990
(millions d'unités équivalentes de 20 pieds)

- 1 - 5
- 5 - 10

Dans certains cas, des regroupements de ports voisins ont été opérés (exemples :
Los Angeles et Long Beach; Seattle et Tacoma; Tokyo et Yokohama; Osaka et Kobe).

D. GRANDS PORTS À CONTENEURS 2012

Shanghai
Shenzhen
Hongkong
Singapour

Nombre de conteneurs manipulés en 2012
(millions d'unités équivalentes de 20 pieds)

- 1 - 5
- 5 - 10
- 10 - 20
- 20 ou plus

Dans certains cas, des regroupements de ports voisins ont été opérés (exemples :
Los Angeles et Long Beach; Seattle et Tacoma; Tokyo et Yokohama; Osaka et Kobe).

E1. INDICE DE GLOBALISATION 1970
1 : 300 000 000

Degré de globalisation, 1970

- haut
- bas
- pas de données

E2. INDICE DE GLOBALISATION 1990
1 : 300 000 000

Degré de globalisation, 1990

- haut
- bas
- pas de données

E3. INDICE DE GLOBALISATION 2008
1 : 300 000 000

Degré de globalisation, 2008

- haut
- bas
- pas de données

Cercle Polaire Arctique
Tropique du Cancer
Équateur
Tropique du Capricorne

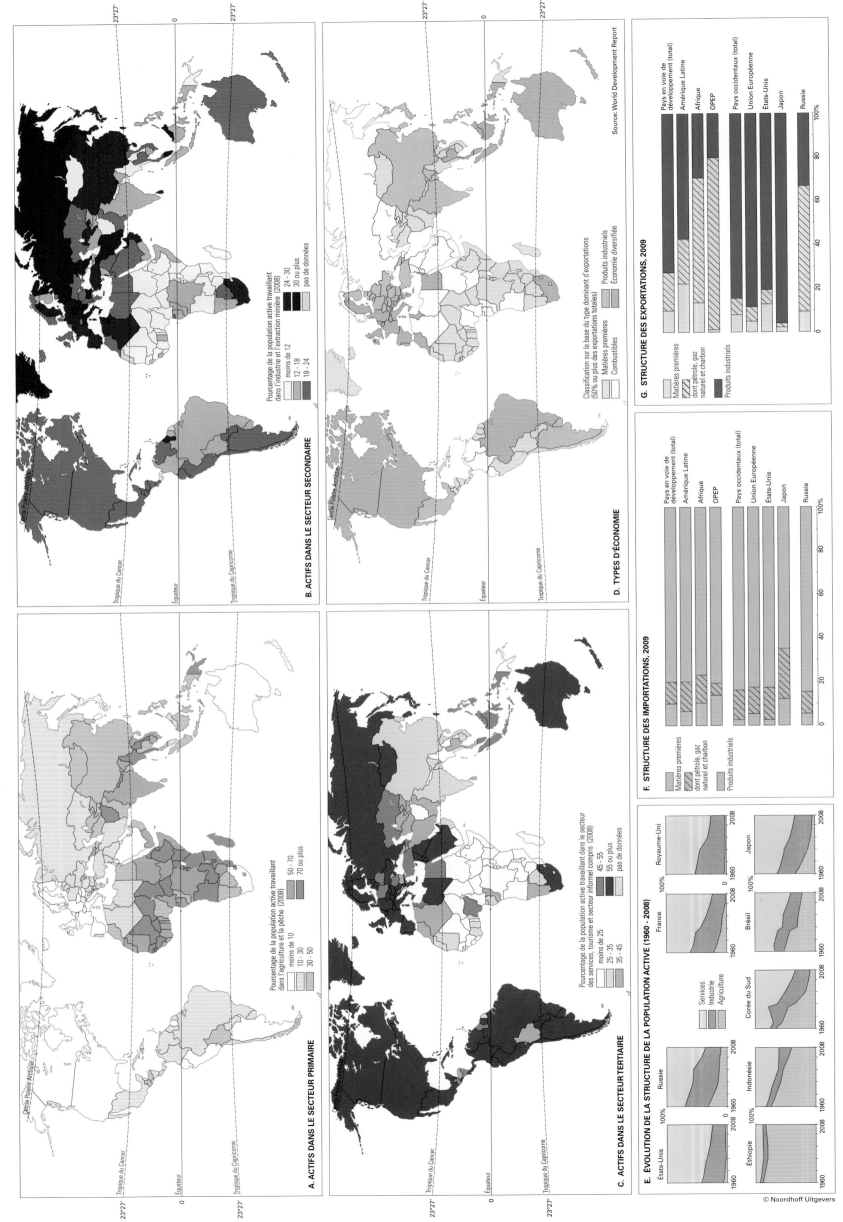

Échelle 1 : 200 000 000

LA TERRE — DÉVELOPPEMENT

A. ACTIFS DANS LE SECTEUR PRIMAIRE

Pourcentage de la population active travaillant dans l'agriculture et la pêche (2008)
- moins de 10
- 10 - 30
- 30 - 50
- 50 - 70
- 70 ou plus

B. ACTIFS DANS LE SECTEUR SECONDAIRE

Pourcentage de la population active travaillant dans l'industrie et l'extraction minière (2008)
- moins de 12
- 12 - 18
- 18 - 24
- 24 - 30
- 30 ou plus
- pas de données

C. ACTIFS DANS LE SECTEUR TERTIAIRE

Pourcentage de la population active travaillant dans le secteur des services, tourisme et secteur informel compris (2008)
- moins de 25
- 25 - 35
- 35 - 45
- 45 - 55
- 55 ou plus
- pas de données

D. TYPES D'ÉCONOMIE

Classification sur la base du type dominant d'exportations (50% ou plus des exportations totales)
- Matières premières
- Combustibles
- Produits industriels
- Économie diversifiée

Source: World Development Report

E. ÉVOLUTION DE LA STRUCTURE DE LA POPULATION ACTIVE (1960 - 2008)

États-Unis, Russie, France, Royaume-Uni, Brésil, Japon, Éthiopie, Indonésie, Corée du Sud

- Services
- Industrie
- Agriculture

F. STRUCTURE DES IMPORTATIONS, 2009

Pays en voie de développement (total), Amérique Latine, Afrique, OPEP, Pays occidentaux (total), Union Européenne, États-Unis, Japon, Russie

- Matières premières
- dont pétrole, gaz naturel et charbon
- Produits industriels

G. STRUCTURE DES EXPORTATIONS, 2009

Pays en voie de développement (total), Amérique Latine, Afrique, OPEP, Pays occidentaux (total), Union Européenne, États-Unis, Japon, Russie

- Matières premières
- dont pétrole, gaz naturel et charbon
- Produits industriels

© Noordhoff Uitgevers

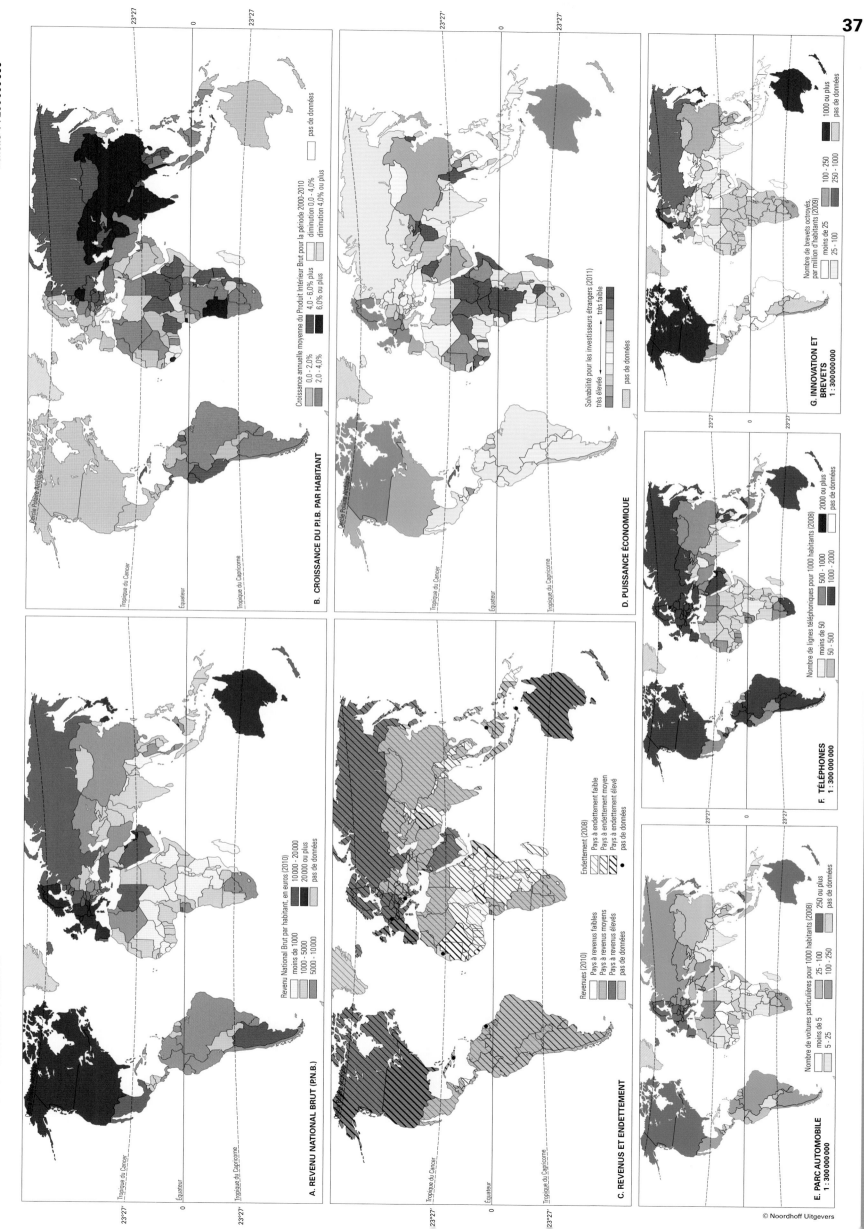

LA TERRE DÉVELOPPEMENT

Échelle 1 : 200 000 000

37

© Noordhoff Uitgevers

A. REVENU NATIONAL BRUT (P.N.B.)

Revenu National Brut par habitant, en euros (2010)
- moins de 1000
- 1000 - 5000
- 5000 - 10000
- 10000 - 20000
- 20000 ou plus
- pas de données

B. CROISSANCE DU P.I.B. PAR HABITANT

Croissance annuelle moyenne du Produit Intérieur Brut pour la période 2000-2010
- 0,0 - 2,0%
- 2,0 - 4,0%
- 4,0 - 6,0% plus
- 6,0% ou plus
- diminution 0,0 - 4,0%
- diminution 4,0% ou plus
- pas de données

C. REVENUS ET ENDETTEMENT

Revenus (2010)
- Pays à revenus faibles
- Pays à revenus moyens
- Pays à revenus élevés
- pas de données

Endettement (2008)
- Pays à endettement faible
- Pays à endettement moyen
- Pays à endettement élevé
- pas de données

D. PUISSANCE ÉCONOMIQUE

Solvabilité pour les investisseurs étrangers (2011)
très élevée → très faible
- pas de données

E. PARC AUTOMOBILE
1 : 300 000 000

Nombre de voitures particulières pour 1000 habitants (2008)
- moins de 5
- 5 - 25
- 25 - 100
- 100 - 250
- 250 ou plus
- pas de données

F. TÉLÉPHONES
1 : 300 000 000

Nombre de lignes téléphoniques pour 1000 habitants (2008)
- moins de 50
- 50 - 500
- 500 - 1000
- 1000 - 2000
- 2000 ou plus
- pas de données

G. INNOVATION ET BREVETS
1 : 300 000 000

Nombre de brevets octroyés, par million d'habitants (2009)
- moins de 25
- 25 - 100
- 100 - 250
- 250 - 1000
- 1000 ou plus
- pas de données

Cercle Polaire Arctique
Tropique du Cancer
Équateur
Tropique du Capricorne
23°27'
0
23°27'

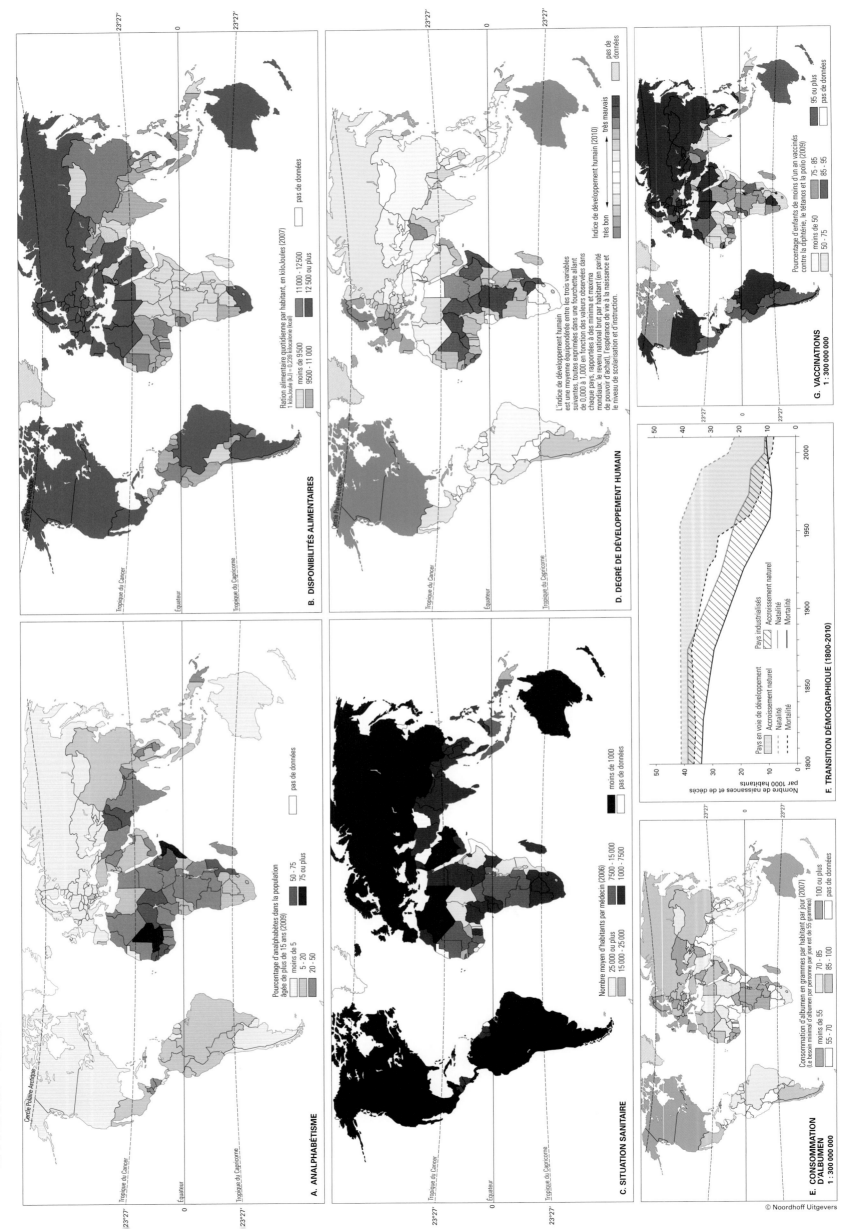

Échelle 1 : 200 000 000

LA TERRE DÉVELOPPEMENT

A. ANALPHABÉTISME

Pourcentage d'analphabètes dans la population
âgée de plus de 15 ans (2009)

- moins de 5
- 5 - 20
- 20 - 50
- 50 - 75
- 75 ou plus
- pas de données

B. DISPONIBILITÉS ALIMENTAIRES

Ration alimentaire quotidienne par habitant, en kiloJoules (2007)
1 kiloJoule (kJ) = 0,239 kilocalorie (kcal)

- moins de 9500
- 9500 - 11 000
- 11 000 - 12 500
- 12 500 ou plus
- pas de données

C. SITUATION SANITAIRE

Nombre moyen d'habitants par médecin (2006)

- 25 000 ou plus
- 15 000 - 25 000
- 7500 - 15 000
- 1000 - 7500
- moins de 1000
- pas de données

D. DEGRÉ DE DÉVELOPPEMENT HUMAIN

Indice de développement humain (2010)

très bon ← → très mauvais

pas de données

L'indice de développement humain
est une moyenne équipondérée entre les trois variables
suivantes, toutes exprimées dans une fourchette allant
de 0,000 à 1,000 en fonction des valeurs observées dans
chaque pays, rapportées à des minima et maxima
mondiaux : le revenu national brut par habitant (en parité
de pouvoir d'achat), l'espérance de vie à la naissance et
le niveau de scolarisation et d'instruction.

E. CONSOMMATION D'ALBUMEN
1 : 300 000 000

Consommation d'albumen en grammes par habitant par jour (2007)
(Le besoin minimal d'albumen par personne par jour est de 55 grammes)

- moins de 55
- 55 - 70
- 70 - 85
- 85 - 100
- 100 ou plus
- pas de données

F. TRANSITION DÉMOGRAPHIQUE (1800-2010)

Nombre de naissances et de décès par 1000 habitants

Pays en voie de développement
- Accroissement naturel
- Natalité
- Mortalité

Pays industrialisés
- Accroissement naturel
- Natalité
- Mortalité

G. VACCINATIONS
1 : 300 000 000

Pourcentage d'enfants de moins d'un an vaccinés
contre la diphtérie, le tétanos et la polio (2009)

- moins de 50
- 50 - 75
- 75 - 85
- 85 - 95
- 95 ou plus
- pas de données

© Noordhoff Uitgevers

LA TERRE DÉVELOPPEMENT

Échelle 1 : 200 000 000

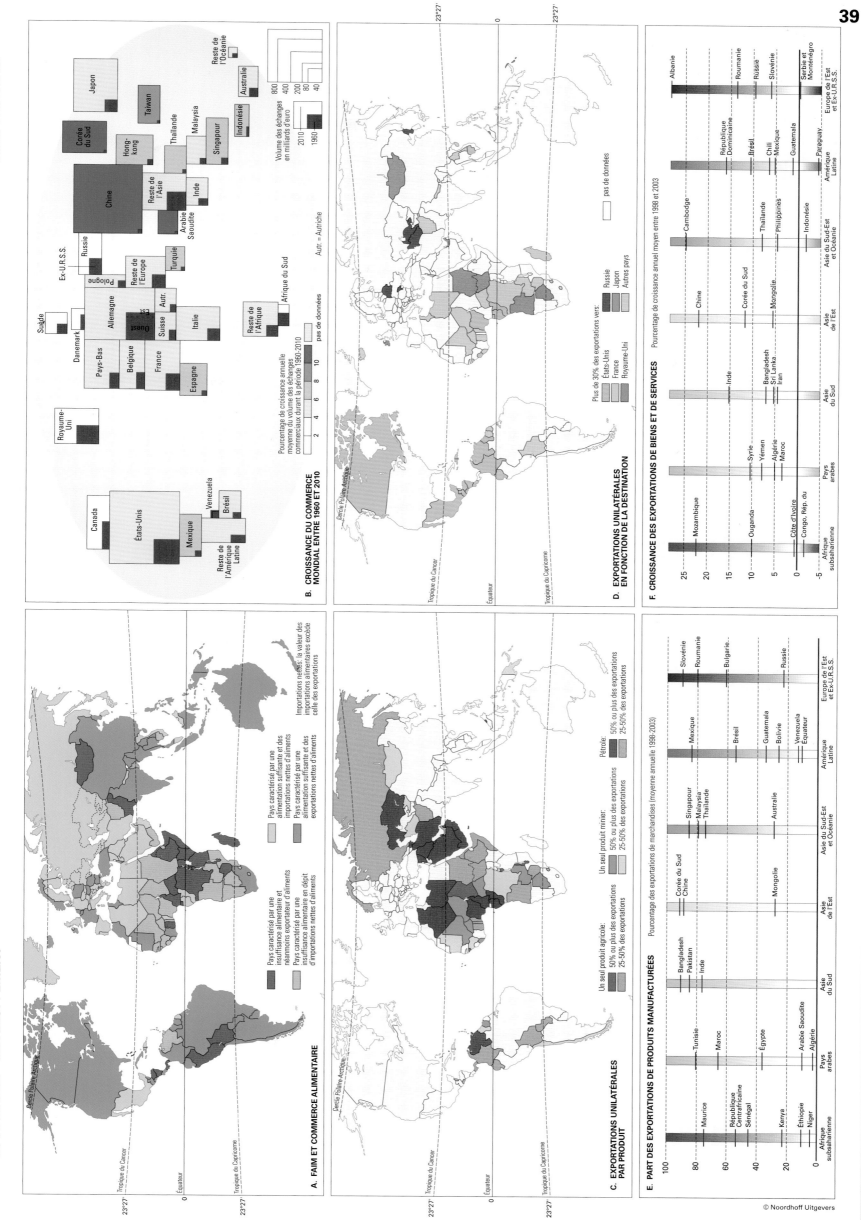

A. FAIM ET COMMERCE ALIMENTAIRE

Pays caractérisé par une insuffisance alimentaire et des importations nettes d'aliments

Pays caractérisé par une alimentation suffisante et des importations nettes d'aliments

Pays caractérisé par une alimentation suffisante et des néanmoins exportateur d'aliments

Importations nettes: la valeur des importations alimentaires excède celle des exportations

Insuffisance alimentaire en dépit d'importations nettes d'aliments

B. CROISSANCE DU COMMERCE MONDIAL ENTRE 1960 ET 2010

Volume des échanges en milliards d'euro

2010   1960

800
400
200
80
40

Autr. = Autriche

Pourcentage de croissance annuelle moyenne du volume des échanges commerciaux durant la période 1960-2010

2 4 6 8 10

pas de données

C. EXPORTATIONS UNILATÉRALES PAR PRODUIT

Un seul produit agricole:
50% ou plus des exportations
25-50% des exportations

Un seul produit minier:
50% ou plus des exportations
25-50% des exportations

Pétrole:
50% ou plus des exportations
25-50% des exportations

D. EXPORTATIONS UNILATÉRALES EN FONCTION DE LA DESTINATION

Plus de 30% des exportations vers:
Russie
Japon
États-Unis
France
Royaume-Uni
Autres pays

pas de données

E. PART DES EXPORTATIONS DE PRODUITS MANUFACTURÉES

Pourcentage des exportations de marchandises (moyenne annuelle 1998-2003)

F. CROISSANCE DES EXPORTATIONS DE BIENS ET DE SERVICES

Pourcentage de croissance annuel moyen entre 1998 et 2003

© Noordhoff Uitgevers

LA TERRE TOURISME

Échelle 1 : 90 000 000

Projection de Winkel

© Noordhoff Uitgevers

Légende

Littoraux touristiques
Métropoles et villes à fonctions touristiques
Métropoles touristiques
Villes "touristifiées"

Tourisme de sports d'hiver
Tourisme montagnard estival
Principale zone de croisières
Zone de croisières secondaire

Croisières fluviales
Grands sites culturels visités
Grands sites naturels visités
Trek

Voir carte 55A pour Europe tourisme
Voir carte 116E pour Asie du Sud-Est tourisme

A. ÉVOLUTION DU NOMBRE DE DÉPARTS INTERNATIONAUX, PAR GRANDES RÉGIONS

millions de touristes

Moyen-Orient
Europe
Asie et Pacifique
Amériques
Afrique

1950 1955 1960 1965 1970 1975 1980 1982 1984 1986 1988 1990 1992 1994 1996 1998 2000 2002 2004

B. ARRIVÉES ET SORTIES DE TOURISTES INTERNATIONAUX EN 2003

Sorties de touristes internationaux (x 1000 personnes)

Arrivées de touristes internationaux (x 1000 personnes)

États avec le plus de sorties touristiques:
Allemagne, Royaume-Uni, États-Unis, Pologne, Rép. Tchèque, Malaysia, Canada (C), Pays-Bas (P), Ukraine (U), Hongrie (H), Japon (J), Suède (S), Belgique (B)

États avec le plus d'arrivées touristiques:
France, Espagne, Italie, Chine, Autriche, Mexique, Turquie (Tu), Thaïlande (Th)

C. PART DU TOURISME DANS LE RNB DE QUELQUES ÉTATS

%

Japon, Brésil, États-Unis, Chine, Russie, Canada, Pérou, Royaume-Uni, France, Italie, Pays-Bas, Australie, Afrique du Sud, Irlande, Suisse, Espagne, Turquie, Égypte, Autriche, Thaïlande, Tunisie, Maroc, Bulgarie, Chypre, Maurice, Malte, Croatie, Seychelles, Maldives

LA TERRE CATASTROPHES NATURELLES

Échelle 1 : 90 000 000

Projection de Winkel

© Noordhoff Uitgevers

Pays et régions (étiquettes de la carte)

RUSSIE, JAPON, CORÉE DU NORD, CORÉE DU SUD, TAIWAN, PHILIPPINES, CHINE, MYANMAR, THAÏLANDE, VIÊT-NAM, BANGLADESH, NÉPAL, INDE, SRI LANKA, INDONÉSIE, PAPUASIE-NOUVELLE-GUINÉE, AUSTRALIE, NOUVELLE-ZÉLANDE, KAZAKHSTAN, OUZB., TADJ., TURKMEN., AFGHANI-STAN, PAKISTAN, IRAN, OMAN, YEMEN, ARABIE SAOUDITE, TURQUIE, GRÈCE, ITALIE, ROUM., POLOGNE, RÉP. TCHÈQUE, DUITSL., P.-B., ISLANDE, MAROC, ALGÉRIE, NIGER, NIGERIA, BÉNIN, BURKINA FASO, SIERRA LEONE, CAMEROUN, SOUDAN, OUGANDA, ANGOLA, MOZAM-BIQUE, NAMIBIE, CANADA, ÉTATS-UNIS, MEXIQUE, GUATEMALA, EL SALVADOR, HONDURAS, NICARAGUA, BELIZE, CUBA, JAMAÏQUE, HAÏTI, RÉP. DOMINICAINE, Porto Rico (É.-U.), St-Martin (P.-B./Fr.), Guadeloupe (Fr.), Montserrat (R.-U.), Martinique (Fr.), GRENADE, VENEZUELA, COLOMBIE, ÉQUATEUR, PÉROU, BRÉSIL, PARAGUAY, ARGENTINE, CHILI

Événements identifiés sur la carte

- Tohoku 2011
- Kanto 1923
- Tangshan 1976
- Haiyuan 1920
- Sichuan 2008
- Shantou 1922
- Aceh 2004
- Cachemire 2005
- Gujarat 2001
- Bam 2003
- Izmit 1999
- Messine 1908
- Vajont 1963 (glissement de terrain)
- Inondation de la mer du Nord 1953 (P.-B.)
- Agadir 1960
- Lac Nyos 1986 (éruption limnique)
- Mont Pelée 1902
- Okeechobee 1928
- Tri-State 1925
- Katrina 2005
- Mexico 1985
- Nevado del Ruiz 1985 (lahar)
- Vargas 1999
- Ancash 1970 (tremblement de terre + avalanche)
- Valdivia 1960

Légende — GRANDES CATASTROPHES NATURELLES POSTÉRIEURES À 1900

éruption volcanique / tsunami (associé à un tremblement de terre) / tremblement de terre (provoquant ou pas un tsunami)

nombre de victimes décédées :
- moins de 1000 *
- 1000 - 10 000
- 10 000 - 50 000
- 50 000 - 100 000
- 100 000 - 500 000
- 500 000 ou plus

inondation consécutive à des fortes pluies ou à une tempête en mer

cyclone (typhon, ouragan)

tornade

tempête de neige

avalanche

* sélection d'événements associés à de gros dégâts matériels

A. TREMBLEMENTS DE TERRE

Les plus grands tremblements de terre depuis 1900

L'intensité d'un tremblement de terre est mesurée sur l'échelle de Richter.

Période	
1900-1930	
1930-1960	
1960-1990	
1990-2012	

Échelle de Richter — 8 8,6 8,8 9 9,2 9,5

- Valdivia, Chili (1960)
- Aceh, Indonésie (2004)
- Alaska, États-Unis (1964)
- Kamtchatka, Russie (1952)
- Tohoku, Japon (2011)
- Concepción, Chili (2010)
- Littoral, Équateur/Colombie (1906)
- Kouriles, Russie (1958)
- Alaska, États-Unis (1965)
- Alaska, États-Unis (1957)

échelle logarithmique

B. VICTIMES DE CATASTROPHES NATURELLES

nombre de victimes (estimation) : 0 100 200 300 400 500 600 700 3500 (x1000)

Tremblement de terre	
Cyclone	
Inondation	
Tsunami	

- Huang He, Chine (1931)
- Bhola, Bangladesh (1970)
- Port-au-Prince, Haïti (2010)
- Tangshan, Chine (1976)
- Haiyuan, Chine (1920)
- Aceh, Indonésie (et Sri Lanka, Inde, Thaïlande) (2010)
- Achgabat, Turkménistan (1948)
- Zhumadian, Chine (1975)
- Kanto, Japon (1923)
- Chittagong, Bangladesh (1991)

C. INDICE D'EXPLOSIVITÉ VOLCANIQUE

Cet indice mesure l'ampleur des émissions volcaniques, sur base du tephra éjecté et de la hauteur de la colonne éruptive. On trouvera ci-contre des exemples relatifs aux différents niveaux de l'indice, allant de 1 (modéré) à 8 (apocalyptique).

Indice d'explosivité volcanique — 0 1 2 3 4 5 6 7 8

- Yellowstone, É.-U. *
- Toba, Indonésie **
- Santorini, Grèce (1640 avant JC)
- Tambora, Indonésie (1815)
- Krakatau, Indonésie (1883)
- Vésuve, Italie (79 après JC)
- Eyjafjallajökull, Islande (2010)
- Nevado del Ruiz, Colombie (1985)
- White Island, Nouvelle-Zélande (2001)
- Nyiragongo, Rép. Dém. du Congo (2002)

* (il y a 640 000 ans)
** (il y a 73 000 ans)

Cercle Polaire Arctique — Tropique du Cancer — Équateur — Tropique du Capricorne

LA TERRE ENVIRONNEMENT

Échelle 1 : 200 000 000

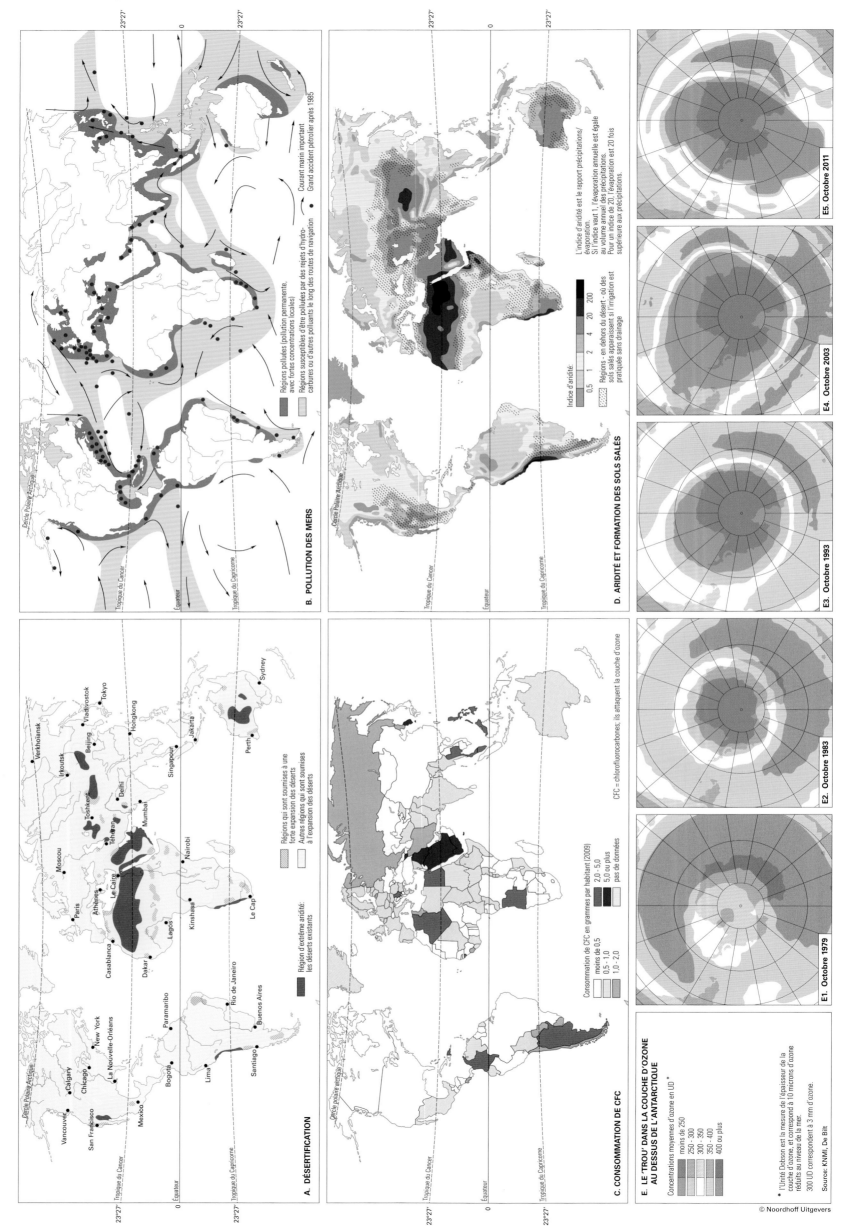

A. DÉSERTIFICATION

Région d'extrême aridité:
les déserts existants

Régions qui sont soumises à une
forte expansion des déserts

Autres régions qui sont soumises
à l'expansion des déserts

B. POLLUTION DES MERS

Régions polluées (pollution permanente,
avec fortes concentrations locales)

Régions susceptibles d'être polluées par des rejets d'hydro-
carbures ou d'autres polluants le long des routes de navigation

Courant marin important

Grand accident pétrolier après 1985

C. CONSOMMATION DE CFC

Consommation de CFC en grammes par habitant (2009)

moins de 0,5

0,5 - 1,0

1,0 - 2,0

2,0 - 5,0

5,0 ou plus

pas de données

CFC = chlorofluorocarbones; ils attaquent la couche d'ozone

D. ARIDITÉ ET FORMATION DES SOLS SALÉS

Indice d'aridité:

0,5

1

2

4

20

200

Régions - en dehors du désert - où des
sols salés apparaissent si l'irrigation est
supérieure aux précipitations.

L'indice d'aridité est le rapport précipitations/
évaporation.
Si l'indice vaut 1, l'évaporation annuelle est égale
au volume annuel des précipitations.
Pour un indice de 20, l'évaporation est 20 fois
supérieure aux précipitations.

**E. LE 'TROU' DANS LA COUCHE D'OZONE
AU DESSUS DE L'ANTARCTIQUE**

Concentrations moyennes d'ozone en UD *

moins de 250

250 - 300

300 - 350

350 - 400

400 ou plus

* l'Unité Dobson est la mesure de l'épaisseur de la
couche d'ozone, et correspond à 10 microns d'ozone
réduits au niveau de la mer.
300 UD correspondent à 3 mm d'ozone.

Source: KNMI, De Bilt

E1. Octobre 1979

E2. Octobre 1983

E3. Octobre 1993

E4. Octobre 2003

E5. Octobre 2011

© Noordhoff Uitgevers

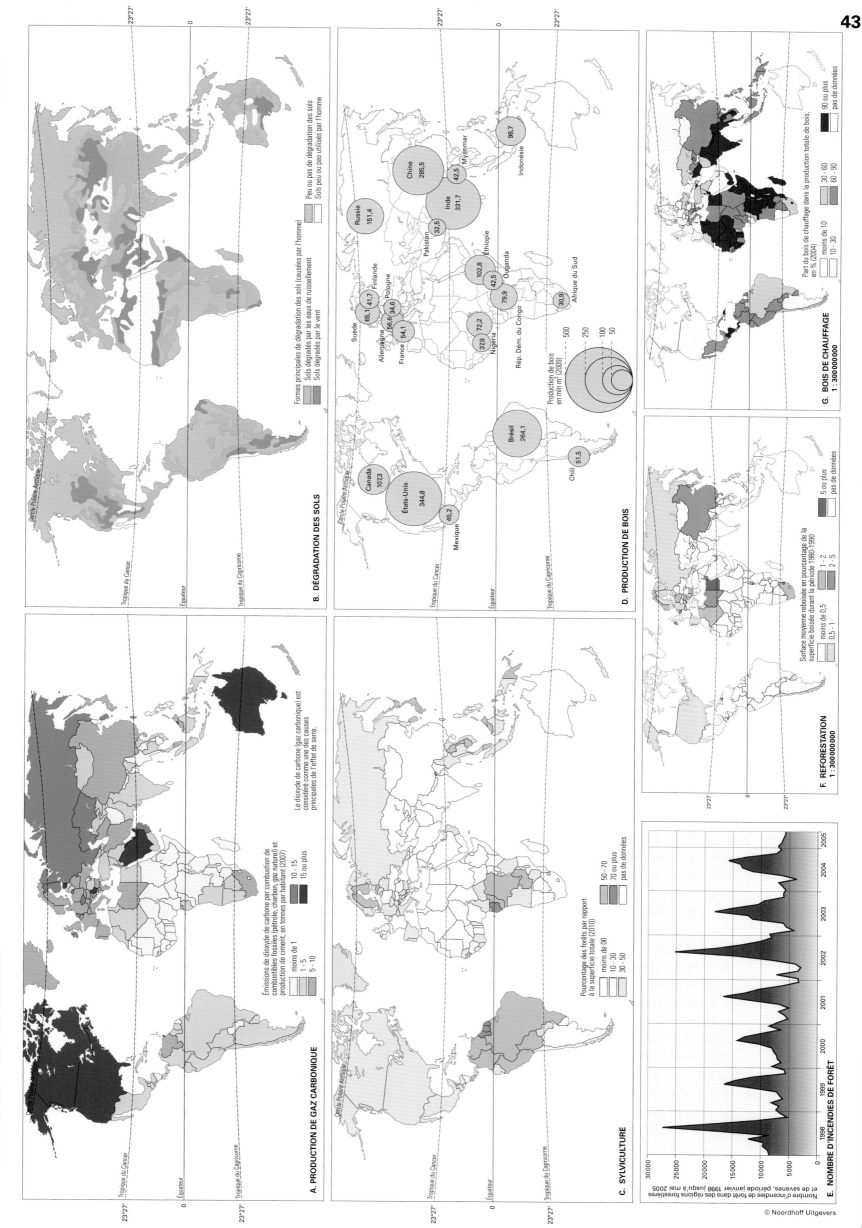

LA TERRE ENVIRONNEMENT

Échelle 1 : 200 000 000

43

A. PRODUCTION DE GAZ CARBONIQUE

Émissions de dioxyde de carbone par combustion de combustibles fossiles (pétrole, charbon, gaz naturel) et production de ciment, en tonnes par habitant (2007)

- moins de 1
- 1 - 5
- 5 - 10
- 10 - 15
- 15 ou plus

Le dioxyde de carbone (gaz carbonique) est considéré comme une des causes principales de l'effet de serre.

B. DÉGRADATION DES SOLS

Formes principales de dégradation des sols (causées par l'homme)

- Sols dégradés par les eaux de ruissellement
- Sols dégradés par le vent
- Peu ou pas de dégradation des sols
- Sols peu ou pas utilisés par l'homme

Production de bois en mln m³ (2009)
500 250 100 50

Russie 151,4
Chine 285,5
Myanmar 42,5
Indonésie 98,7
Inde 331,7
Pakistan 32,5
Éthiopie
Ouganda 102,8
42,5
Afrique du Sud 30,9
Rép. Dém. du Congo 79,9
Nigéria 72,2
37,9
France 54,1
Allemagne 56,6
Pologne 34,6
Finlande 65,1
Suède 41,7
Canada 107,3
États-Unis 344,8
Mexique 45,2
Brésil 264,1
Chili 51,5

C. SYLVICULTURE

Pourcentage des forêts par rapport à la superficie totale (2010)

- moins de 00
- 10 - 30
- 30 - 50
- 50 - 70
- 70 ou plus
- pas de données

D. PRODUCTION DE BOIS

E. NOMBRE D'INCENDIES DE FORÊT

Nombre d'incendies de forêt dans des régions forestières et de savanes, période janvier 1998 jusqu'à mai 2005

F. REFORESTATION
1 : 300 000 000

Surface moyenne reboisée en pourcentage de la superficie boisée durant la période 1980-1990

- moins de 0,5
- 0,5 - 1
- 1 - 2
- 2 - 5
- 5 ou plus
- pas de données

G. BOIS DE CHAUFFAGE
1 : 300 000 000

Part du bois de chauffage dans la production totale de bois, en % (2004)

- moins de 10
- 10 - 30
- 30 - 60
- 60 - 90
- 90 ou plus
- pas de données

© Noordhoff Uitgevers

AMÉRIQUE DU NORD ET CENTRALE

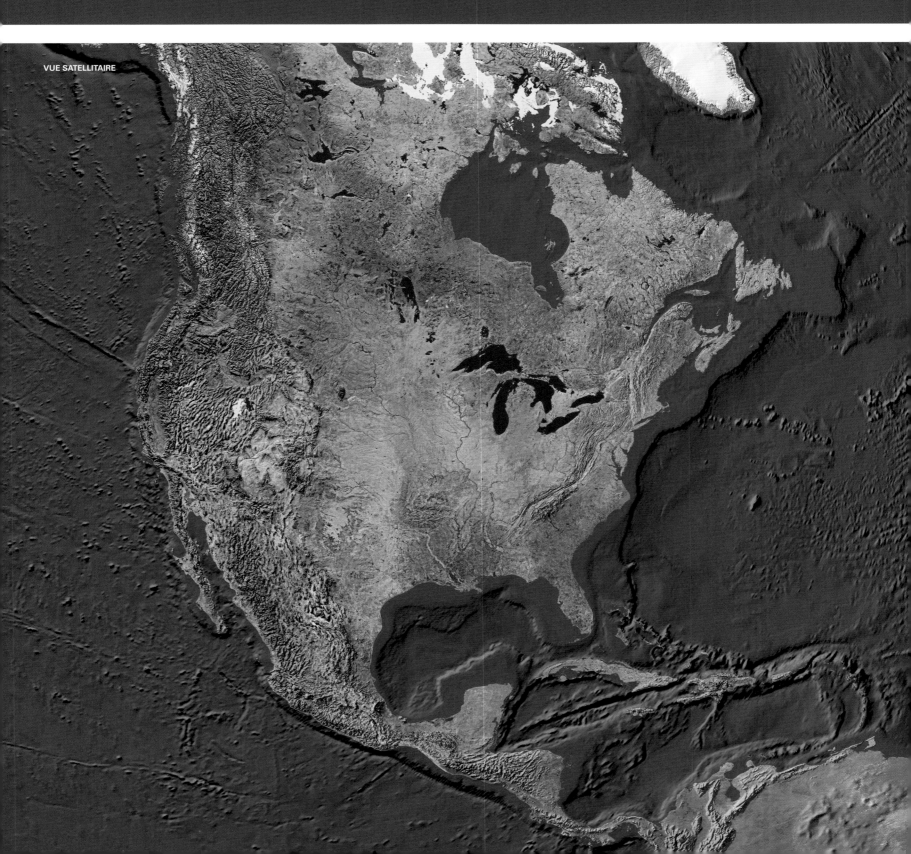

VUE SATELLITAIRE

PAYSAGES NATURELS ET AGRICOLES

- Improductif
- Toundra
- Taiga
- Forêt subtropicale humide
- Autres forêts
- Herbages
- Savane
- Steppe et herbages extensifs
- Désert et semi-désert
- Terres de culture
- Marécages et sols tourbeux
- Grands centres urbains

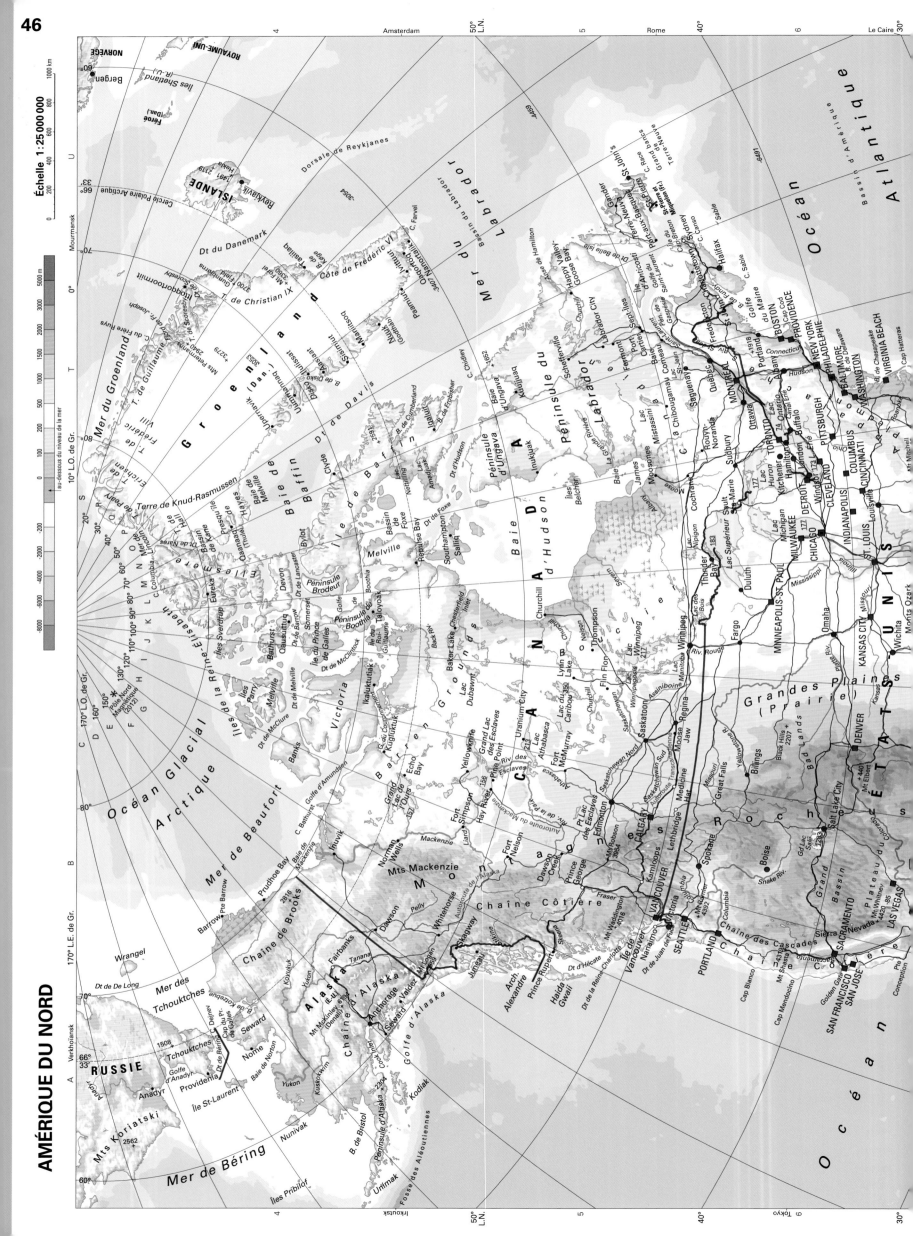

A. DIVISIONS POLITIQUES
1 : 75 000 000

Habitants en 2013
(x 1 000 000)
1. Guatemala   14,3
2. Belize   0,3
3. Honduras   8,4
4. El Salvador   6,1
5. Nicaragua   5,8
6. Costa Rica   4,7
7. Haïti   9,9
8. Rép. Dominicaine   10,2
9. Porto Rico   3,6

Groenland 0,1
CANADA 34,5
ÉTATS-UNIS 316,4
MEXIQUE 118,8
BAHAMAS 0,3
CUBA 11
JAMAÏQUE 2,9
Guatemala 1 · 2 Belize
San Salvador 4 · 3 · 7 Haïti
Guatemala · 5 Managua
Saint-Domingue 8 · 9

Nuuk
Ottawa
Washington
La Havane
Kingston
Belmopan
Tegucigalpa
Managua
Port-au-Prince
Mexico

B. ISOTHERMES ET PRÉCIPITATIONS DE JANVIER
1 : 75 000 000

Précipitations
- moins de 25 mm
- 25 - 50 mm
- 50 - 100 mm
- 100 - 200 mm
- 200 - 300 mm
- 300 mm ou plus
— Isotherme (réduite au niveau de la mer)

C. ISOTHERMES ET PRÉCIPITATIONS DE JUILLET
1 : 75 000 000

Précipitations
- moins de 25 mm
- 25 - 50 mm
- 50 - 100 mm
- 100 - 200 mm
- 200 - 300 mm
- 300 mm ou plus
— Isotherme (réduite au niveau de la mer)

Projection azimutale équivalente

© Noordhoff Uitgevers

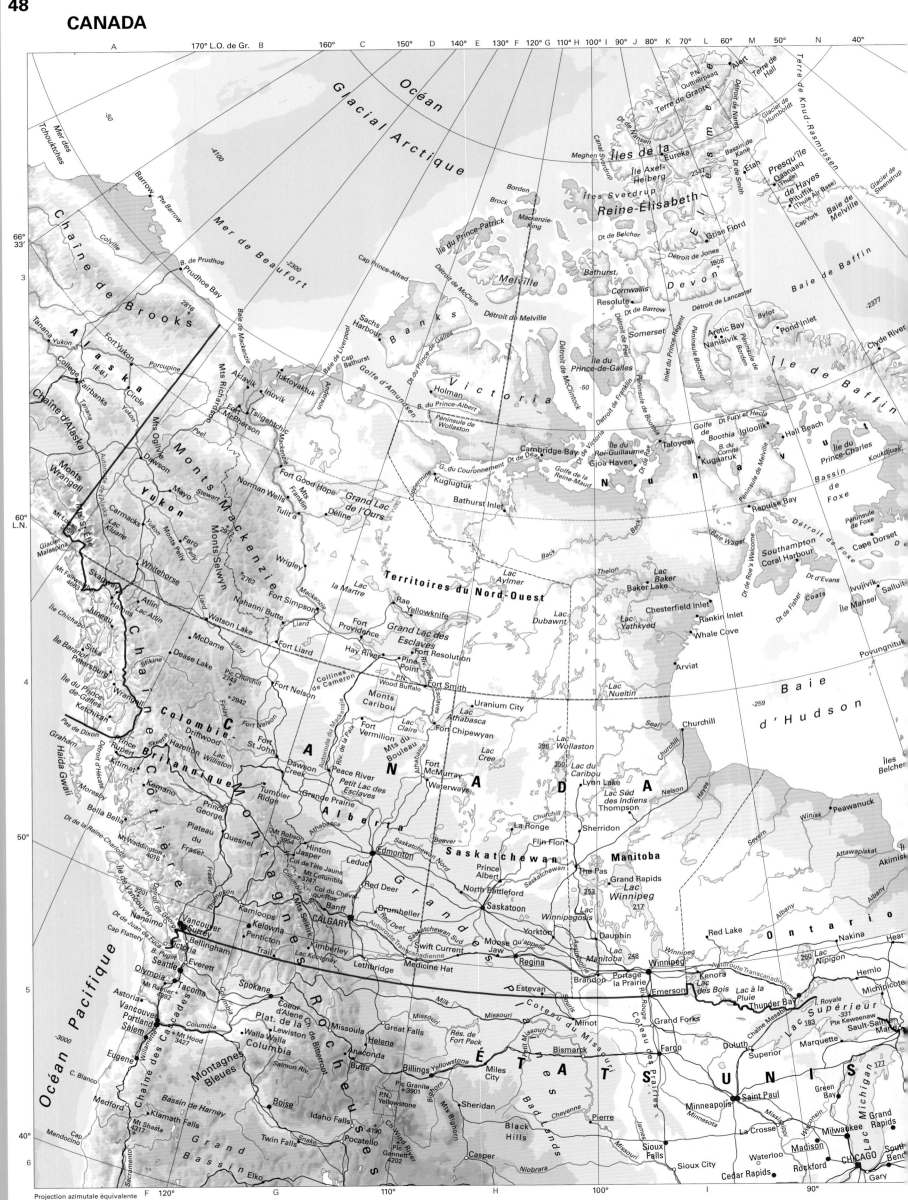

Projection azimutale équivalente

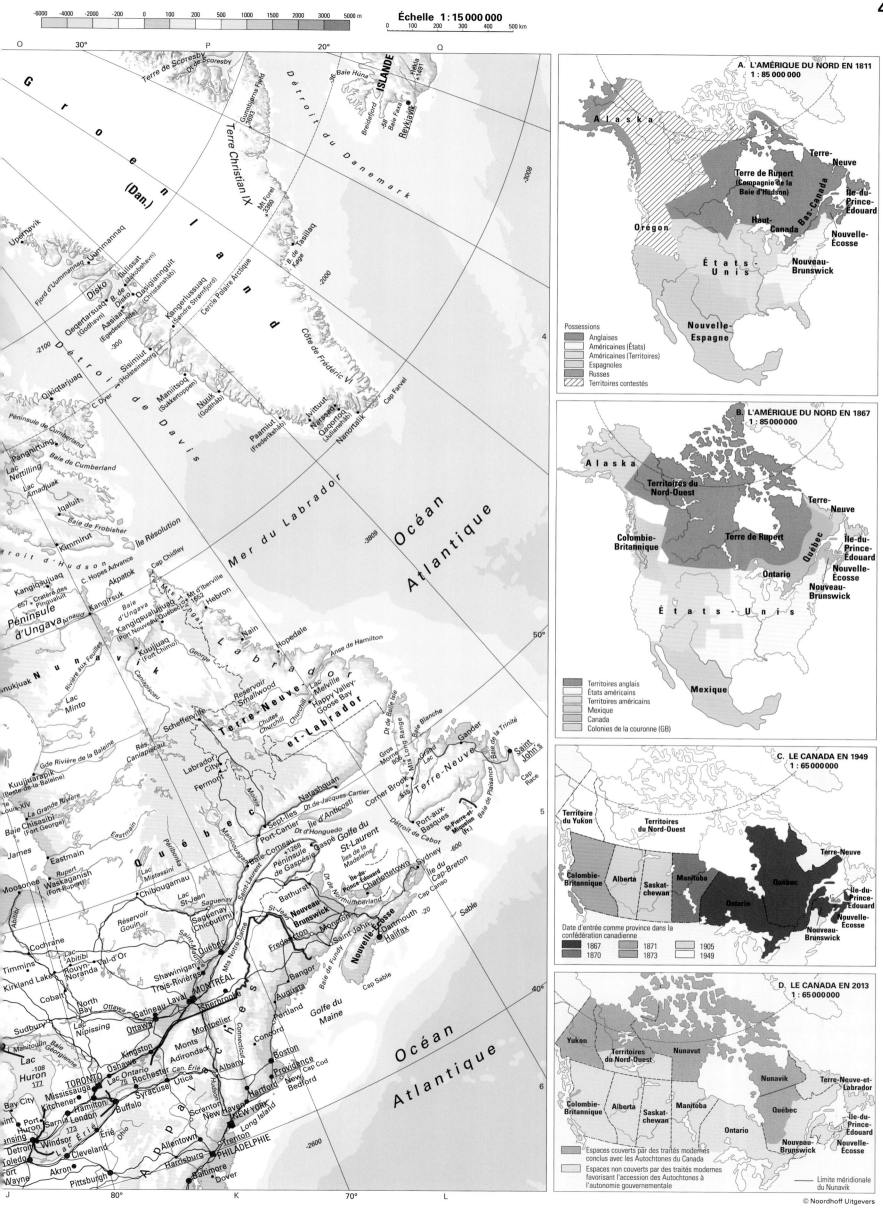

Échelle 1 : 15 000 000

0 100 200 300 400 500 km

A. L'AMÉRIQUE DU NORD EN 1811
1 : 85 000 000

Alaska
Terre de Rupert
(Compagnie de la
Baie d'Hudson)
Terre-
Neuve
Île-du-
Prince-
Édouard
Oregon
Haut-
Canada
Bas-Canada
Nouvelle-
Écosse
États-
Unis
Nouveau-
Brunswick
Nouvelle-
Espagne

Possessions
Anglaises
Américaines (États)
Américaines (Territoires)
Espagnoles
Russes
Territoires contestés

B. L'AMÉRIQUE DU NORD EN 1867
1 : 85 000 000

Alaska
Territoires du Nord-Ouest
Terre-
Neuve
Colombie-
Britannique
Terre de Rupert
Québec
Île-du-
Prince-
Édouard
Ontario
Nouvelle-
Écosse
Nouveau-
Brunswick
États - Unis
Mexique

Territoires anglais
États américains
Territoires américains
Mexique
Canada
Colonies de la couronne (GB)

C. LE CANADA EN 1949
1 : 65 000 000

Territoire
du Yukon
Territoires
du Nord-Ouest
Terre-Neuve
Colombie-
Britannique
Alberta
Saskat-
chewan
Manitoba
Québec
Ontario
Île-du-
Prince-
Édouard
Nouveau-
Brunswick
Nouvelle-
Écosse

Date d'entrée comme province dans la
confédération canadienne
1867   1871   1905
1870   1873   1949

D. LE CANADA EN 2013
1 : 65 000 000

Yukon
Territoires
du Nord-Ouest
Nunavut
Nunavik
Terre-Neuve-et-
Labrador
Colombie-
Britannique
Alberta
Saskat-
chewan
Manitoba
Québec
Ontario
Île-du-
Prince-
Édouard
Nouveau-
Brunswick
Nouvelle-
Écosse

Espaces couverts par des traités modernes
conclus avec les Autochtones du Canada
Espaces non couverts par des traités modernes
favorisant l'accession des Autochtones à
l'autonomie gouvernementale
Limite méridionale
du Nunavik

© Noordhoff Uitgevers

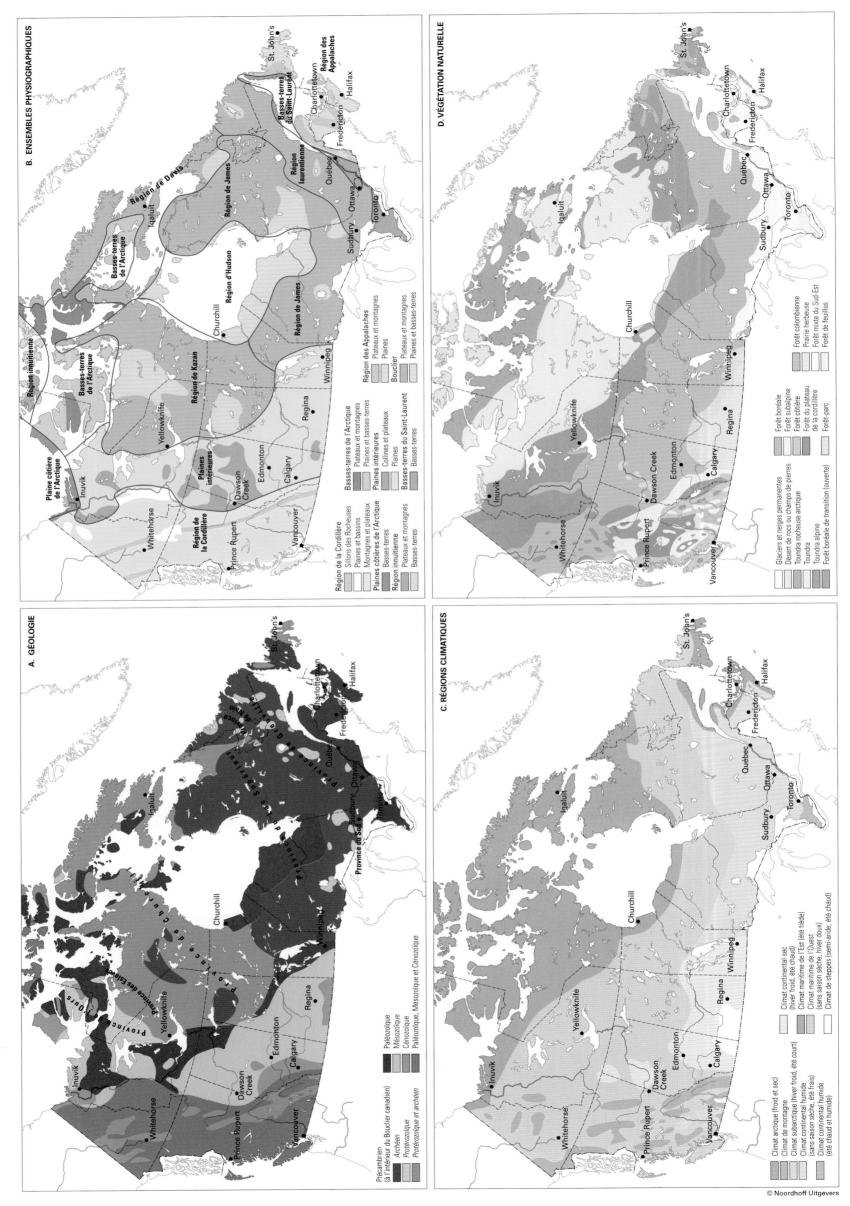

CANADA MILIEU PHYSIQUE

Échelle 1 : 36 000 000

A. GÉOLOGIE

Précambrien
(à l'intérieur du Bouclier canadien)

Archéen
Protérozoïque
Protérozoïque et archéen

Paléozoïque
Mésozoïque
Cénozoïque
Paléozoïque, Mésozoïque et Cénozoïque

B. ENSEMBLES PHYSIOGRAPHIQUES

Région de la Cordillère
Sillons des Rocheuses
Plaines et bassins
Montagnes et plateaux
Basses-terres

Région innuitienne
Plaines côtières de l'Arctique
Montagnes et plateaux
Basses-terres

Basses-terres de l'Arctique
Plateaux et montagnes
Plaines et basses-terres

Plaines intérieures
Collines et plateaux
Plaines

Basses-terres du Saint-Laurent
Basses-terres

Région des Appalaches
Plateaux et montagnes
Plaines

Bouclier
Plateaux et montagnes
Plaines et basses-terres

C. RÉGIONS CLIMATIQUES

Climat arctique (froid et sec)
Climat de montagne
Climat subarctique (hiver froid, été court)
Climat continental humide
(sans saison sèche, été frais)
Climat continental humide
(été chaud et humide)

Climat continental sec
(hiver froid et sec)
Climat maritime de l'Est (été tiède)
Climat maritime de l'Ouest
(sans saison sèche, hiver doux)
Climat de steppes (semi-aride, été chaud)

D. VÉGÉTATION NATURELLE

Glaciers et neiges permanentes
Désert de rocs ou champs de pierres
Toundra rocheuse arctique
Toundra
Toundra alpine
Forêt boréale de transition (ouverte)

Forêt boréale
Forêt subalpine
Forêt côtière
Forêt du plateau
de la cordillère
Forêt-parc

Forêt colombienne
Prairie herbeuse
Forêt mixte du Sud-Est
Forêt de feuillus

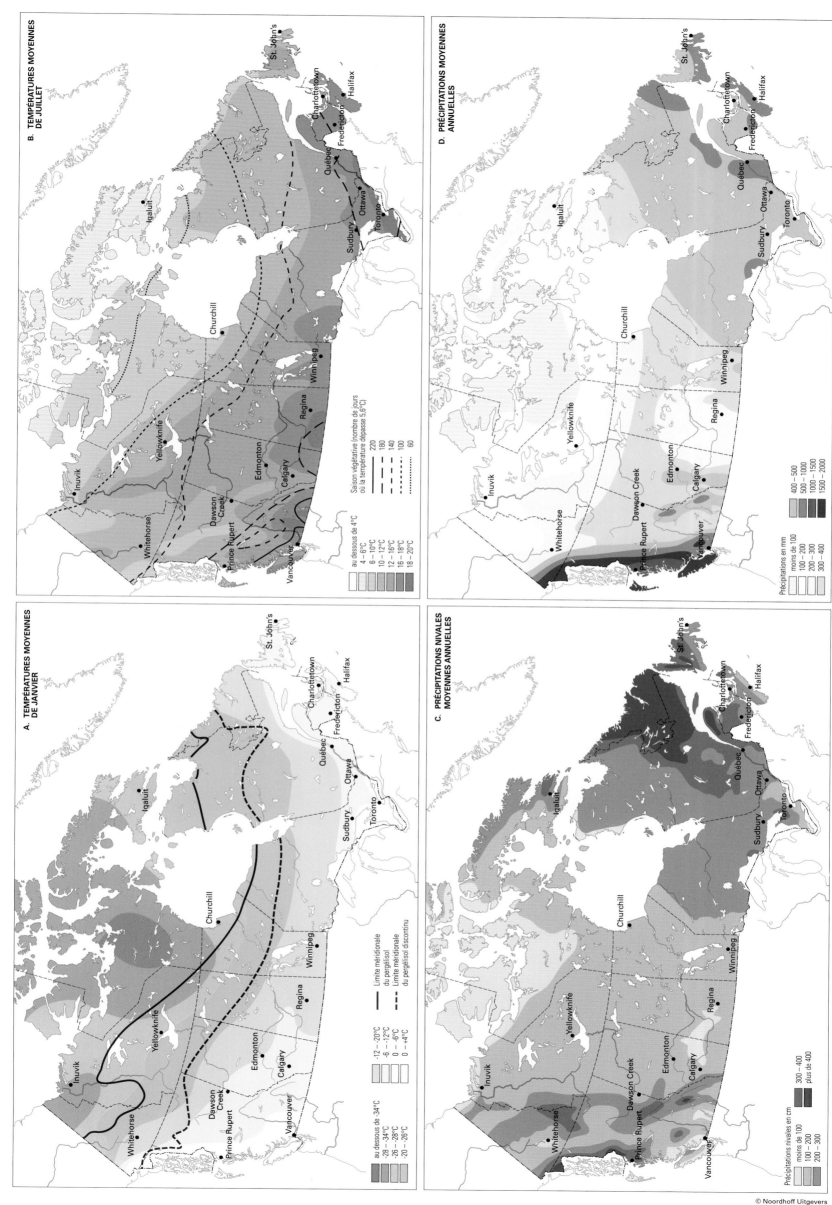

CANADA CLIMAT

Échelle 1 : 36 000 000

A. TEMPÉRATURES MOYENNES DE JANVIER

au dessous de -34°C
-28 – -34°C
-26 – -28°C
-20 – -26°C

Limite méridionale du pergélisol
Limite méridionale du pergélisol discontinu

-12 – -20°C
-6 – -12°C
0 – -6°C
0 – +4°C

B. TEMPÉRATURES MOYENNES DE JUILLET

au dessous de 4°C
4 – 6°C
6 – 10°C
10 – 12°C
12 – 16°C
16 – 18°C
18 – 20°C

Saison végétative (nombre de jours où la température dépasse 5,6°C)
220
180
140
100
60

C. PRÉCIPITATIONS NIVALES MOYENNES ANNUELLES

Précipitations nivales en cm
moins de 100
100 – 200
200 – 300
300 – 400
plus de 400

D. PRÉCIPITATIONS MOYENNES ANNUELLES

Précipitations en mm
moins de 100
100 – 200
200 – 300
300 – 400
400 – 500
500 – 1000
1000 – 1500
1500 – 2000

© Noordhoff Uitgevers

CANADA POPULATION

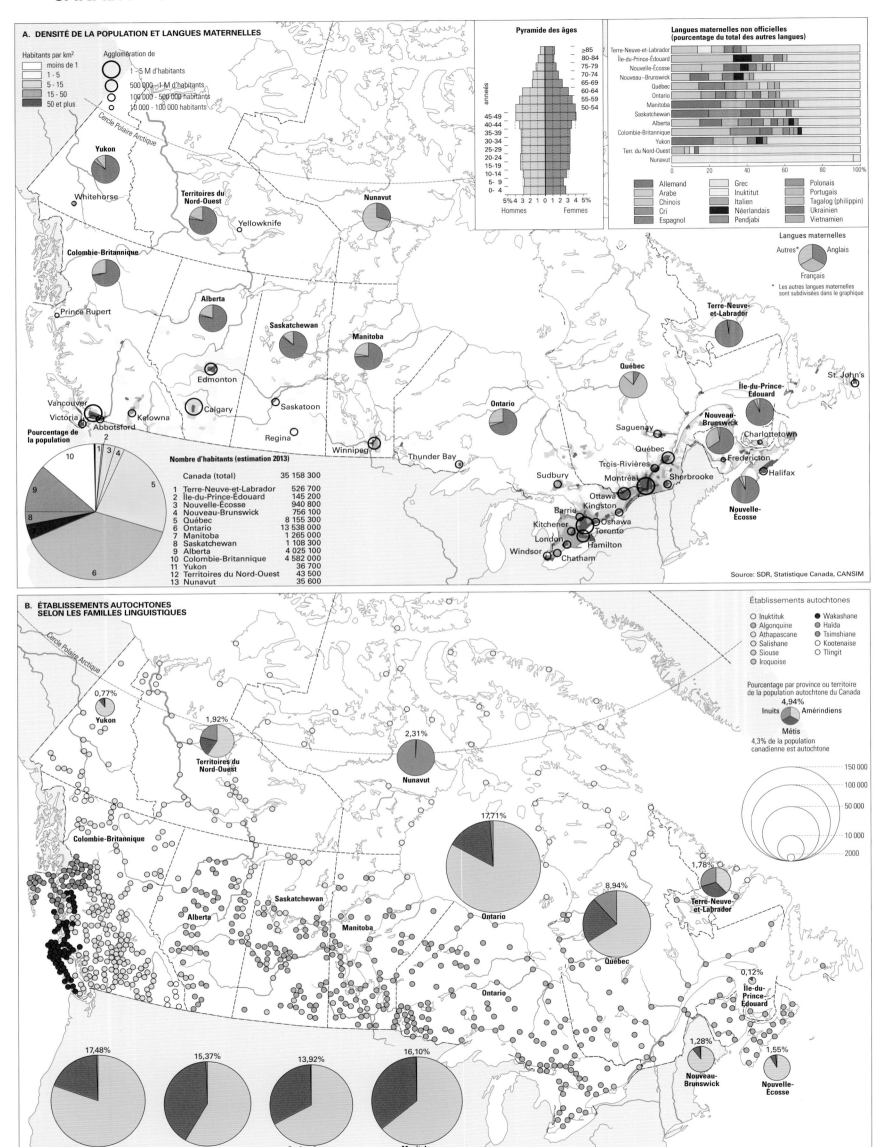

A. DENSITÉ DE LA POPULATION ET LANGUES MATERNELLES

Habitants par km²
- moins de 1
- 1 - 5
- 5 - 15
- 15 - 50
- 50 et plus

Agglomération de
- 1 - 5 M d'habitants
- 500 000 - 1 M d'habitants
- 100 000 - 500 000 habitants
- 10 000 - 100 000 habitants

Pyramide des âges

≥85
80-84
75-79
70-74
65-69
60-64
55-59
50-54
45-49
40-44
35-39
30-34
25-29
20-24
15-19
10-14
5- 9
0- 4

années

5% 4 3 2 1 0 1 2 3 4 5%
Hommes   Femmes

Langues maternelles non officielles
(pourcentage du total des autres langues)

Terre-Neuve-et-Labrador
Île-du-Prince-Édouard
Nouvelle-Écosse
Nouveau--Brunswick
Québec
Ontario
Manitoba
Saskatchewan
Alberta
Colombie-Britannique
Yukon
Terr. du Nord-Ouest
Nunavut

0   20   40   60   80   100%

Allemand	Grec	Polonais
Arabe	Inuktitut	Portugais
Chinois	Italien	Tagalog (philippin)
Cri	Néerlandais	Ukrainien
Espagnol	Pendjabi	Vietnamien

Langues maternelles

Autres*   Anglais

Français

* Les autres langues maternelles
sont subdivisées dans le graphique

Cercle Polaire Arctique

Yukon
Whitehorse

Territoires du Nord-Ouest
Yellowknife

Nunavut

Colombie-Britannique

Prince Rupert

Alberta
Edmonton

Saskatchewan
Saskatoon

Manitoba

Terre-Neuve-et-Labrador

Québec

St. John's

Île-du-Prince-Édouard

Nouveau-Brunswick
Charlottetown

Saguenay

Fredericton

Vancouver
Victoria
Abbotsford
Kelowna

Calgary

Québec
Trois-Rivières

Halifax

Regina

Ontario

Montréal
Sherbrooke

Nouvelle-Écosse

Winnipeg

Thunder Bay

Sudbury

Ottawa
Kingston

Barrie

Kitchener
London
Windsor
Chatham

Oshawa
Toronto
Hamilton

Pourcentage de la population

Nombre d'habitants (estimation 2013)

Canada (total)		35 158 300
1	Terre-Neuve-et-Labrador	526 700
2	Île-du-Prince-Édouard	145 200
3	Nouvelle-Écosse	940 800
4	Nouveau-Brunswick	756 100
5	Québec	8 155 300
6	Ontario	13 538 000
7	Manitoba	1 265 000
8	Saskatchewan	1 108 300
9	Alberta	4 025 100
10	Colombie-Britannique	4 582 000
11	Yukon	36 700
12	Territoires du Nord-Ouest	43 500
13	Nunavut	35 600

Source: SDR, Statistique Canada, CANSIM

B. ÉTABLISSEMENTS AUTOCHTONES SELON LES FAMILLES LINGUISTIQUES

Établissements autochtones
- Inuktituk
- Algonquine
- Athapascane
- Salishane
- Siouse
- Iroquoise
- Wakashane
- Haïda
- Tsimshiane
- Kootenaise
- Tlingit

Pourcentage par province ou territoire de la population autochtone du Canada

4,94%
Inuits   Amérindiens

Métis

4,3% de la population canadienne est autochtone

150 000
100 000
50 000
10 000
2000

Cercle Polaire Arctique

Yukon 0,77%

Territoires du Nord-Ouest 1,92%

Nunavut 2,31%

Colombie-Britannique

Ontario 17,71%

Québec 8,94%

Terre-Neuve-et-Labrador 1,78%

Saskatchewan

Alberta

Manitoba

Ontario

Île-du-Prince-Édouard 0,12%

Nouveau-Brunswick 1,28%

Nouvelle-Écosse 1,55%

Colombie-Britannique 17,48%

Alberta 15,37%

Saskatchewan 13,92%

Manitoba 16,10%

© Noordhoff Uitgevers

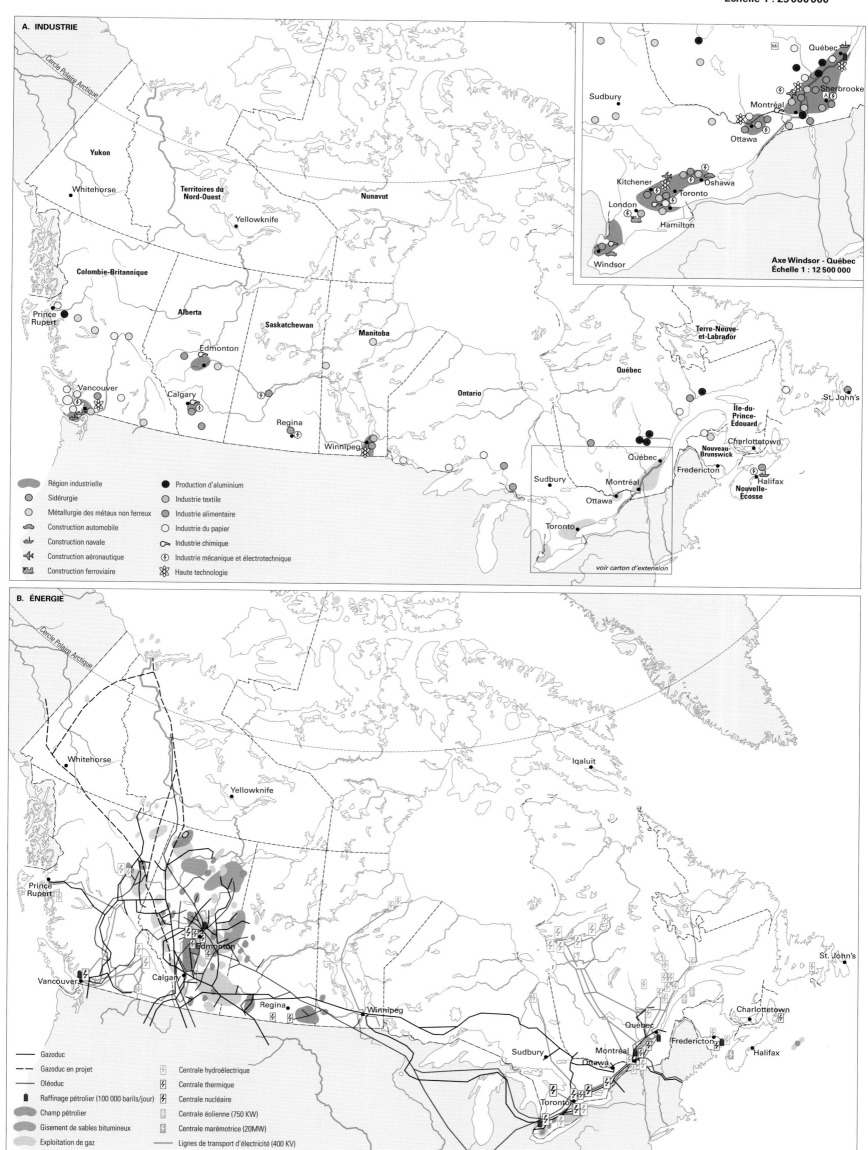

A. INDUSTRIE

Cercle Polaire Arctique

Yukon

Whitehorse

Territoires du Nord-Ouest

Nunavut

Yellowknife

Colombie-Britannique

Prince Rupert

Alberta

Saskatchewan

Manitoba

Edmonton

Vancouver

Calgary

Regina

Winnipeg

Ontario

Sudbury

Ottawa

Montréal

Toronto

Québec

Terre-Neuve-et-Labrador

St. John's

Île-du-Prince-Édouard

Charlottetown

Nouveau-Brunswick

Fredericton

Halifax

Nouvelle-Écosse

voir carton d'extension

Axe Windsor - Québec
Échelle 1 : 12 500 000

Sudbury

Québec

Montréal

Ottawa

Sherbrooke

Kitchener

Oshawa

Toronto

London

Hamilton

Windsor

⬤	Région industrielle	⬤	Production d'aluminium
⬤	Sidérurgie	⬤	Industrie textile
⬤	Métallurgie des métaux non ferreux	⬤	Industrie alimentaire
	Construction automobile	○	Industrie du papier
	Construction navale		Industrie chimique
	Construction aéronautique	⚡	Industrie mécanique et électrotechnique
	Construction ferroviaire	✳	Haute technologie

B. ÉNERGIE

Cercle Polaire Arctique

Whitehorse

Yellowknife

Iqaluit

Prince Rupert

Edmonton

Calgary

Vancouver

Regina

Winnipeg

Sudbury

Montréal

Ottawa

Québec

Fredericton

Halifax

Charlottetown

St. John's

Toronto

——	Gazoduc		
- - -	Gazoduc en projet	⚡	Centrale hydroélectrique
——	Oléoduc	⚡	Centrale thermique
■	Raffinage pétrolier (100 000 barils/jour)	⚡	Centrale nucléaire
	Champ pétrolier	⚡	Centrale éolienne (750 KW)
	Gisement de sables bitumineux	⚡	Centrale marémotrice (20MW)
	Exploitation de gaz	——	Lignes de transport d'électricité (400 KV)

© Noordhoff Uitgevers

CANADA ÉCONOMIE

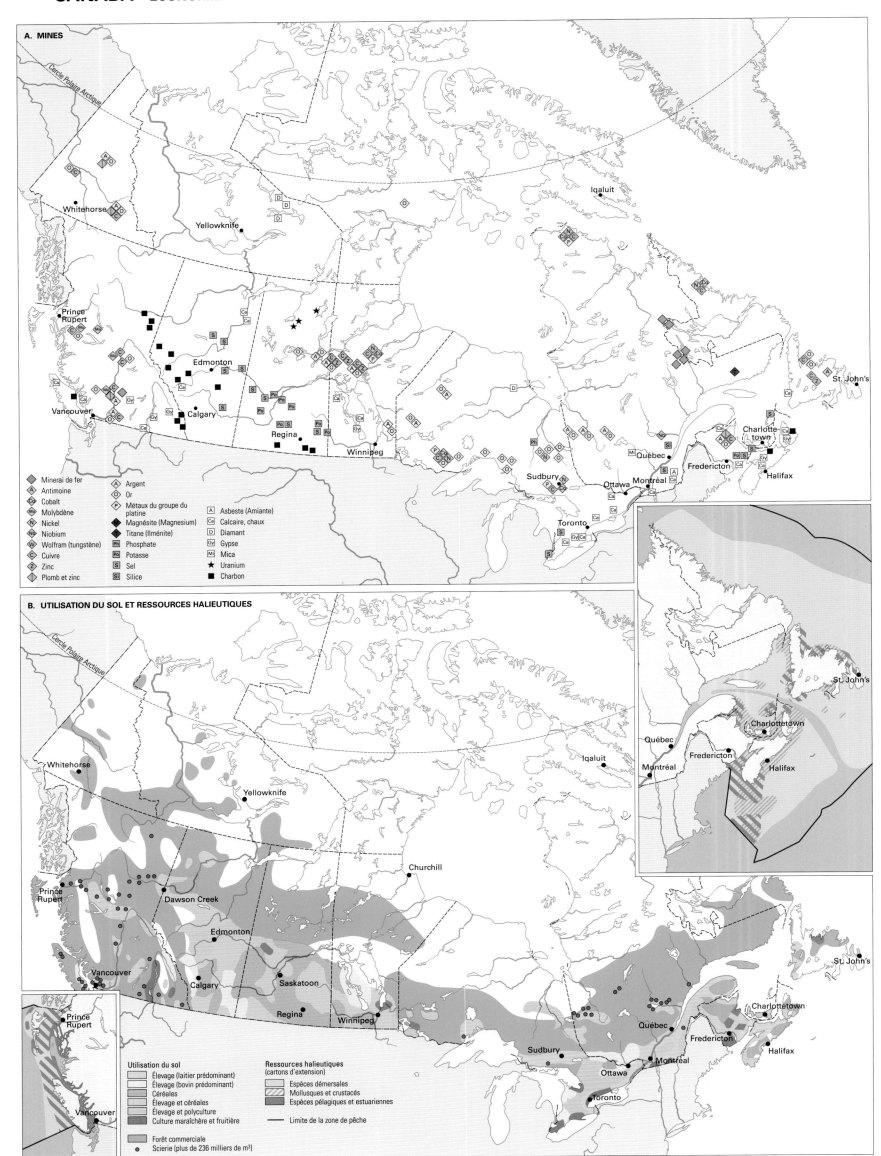

A. MINES

Cercle Polaire Arctique

Whitehorse
Yellowknife
Iqaluit
Prince Rupert
Edmonton
Calgary
Regina
Winnipeg
Vancouver
Sudbury
Toronto
Ottawa
Montréal
Québec
Fredericton
Charlotte-town
Halifax
St. John's

	Minerai de fer		Argent
	Antimoine		Or
	Cobalt		Métaux du groupe du platine
	Molybdène		
	Nickel		Magnésite (Magnesium)
	Niobium		Titane (Ilménite)
	Wolfram (tungstène)		
	Cuivre		
	Zinc		
	Plomb et zinc		

	Asbeste (Amiante)
Ca	Calcaire, chaux
D	Diamant
Gy	Gypse
Mi	Mica
Ph	Phosphate
Po	Potasse
S	Sel
Si	Silice
★	Uranium
■	Charbon

B. UTILISATION DU SOL ET RESSOURCES HALIEUTIQUES

Cercle Polaire Arctique

Whitehorse
Yellowknife
Iqaluit
Churchill
Prince Rupert
Dawson Creek
Edmonton
Calgary
Saskatoon
Regina
Winnipeg
Vancouver
Sudbury
Québec
Ottawa
Montréal
Fredericton
Charlottetown
Halifax
St. John's
Toronto

St. John's
Charlottetown
Québec
Fredericton
Montréal
Halifax

Prince Rupert
Vancouver

Utilisation du sol
- Élevage (laitier prédominant)
- Élevage (bovin prédominant)
- Céréales
- Élevage et céréales
- Élevage et polyculture
- Culture maraîchère et fruitière
- Forêt commerciale
- • Scierie (plus de 236 milliers de m³)

Ressources halieutiques
(cartons d'extension)
- Espèces démersales
- Mollusques et crustacés
- Espèces pélagiques et estuariennes
- — Limite de la zone de pêche

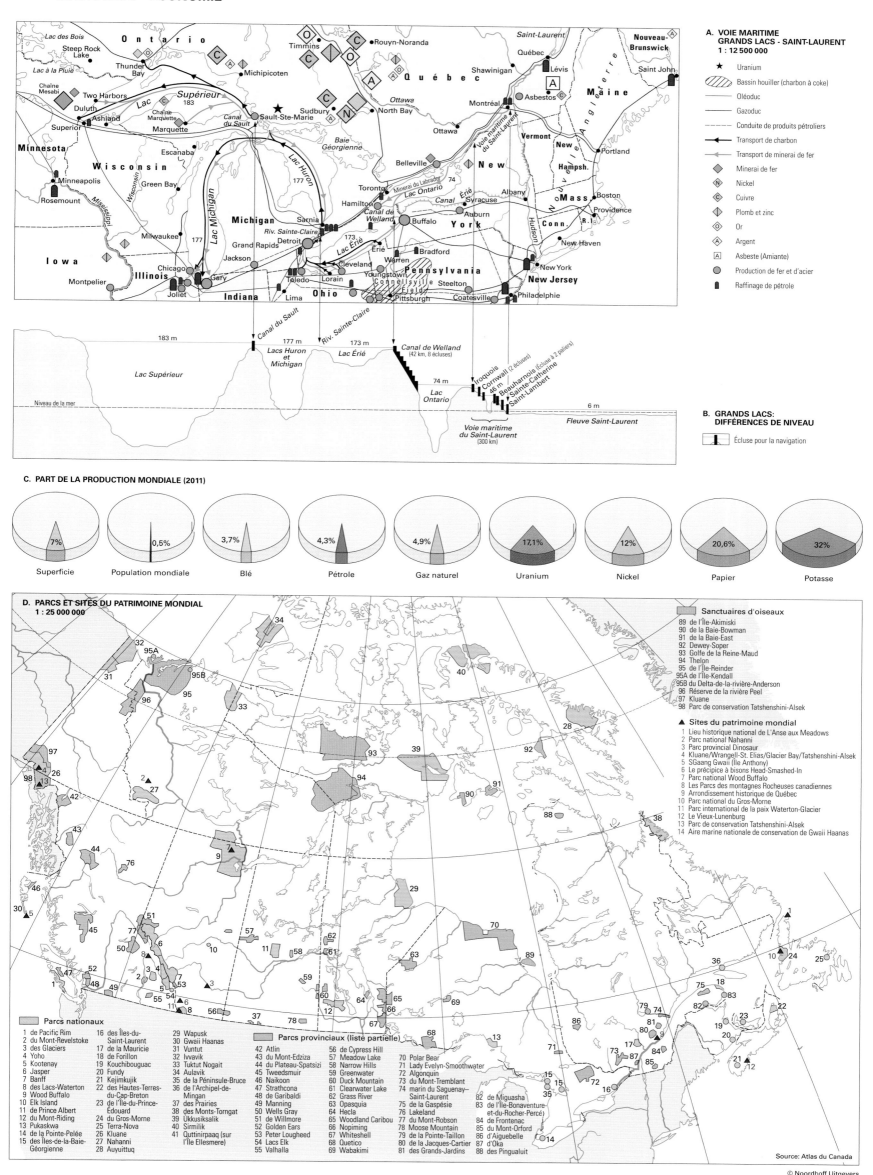

CANADA COMMUNICATIONS

Échelle 1 : 25 000 000

A. TRANSPORT AÉRIEN ET MARITIME

- —— Ligne aérienne
- Aéroport international
- • Aérodrome
- Port

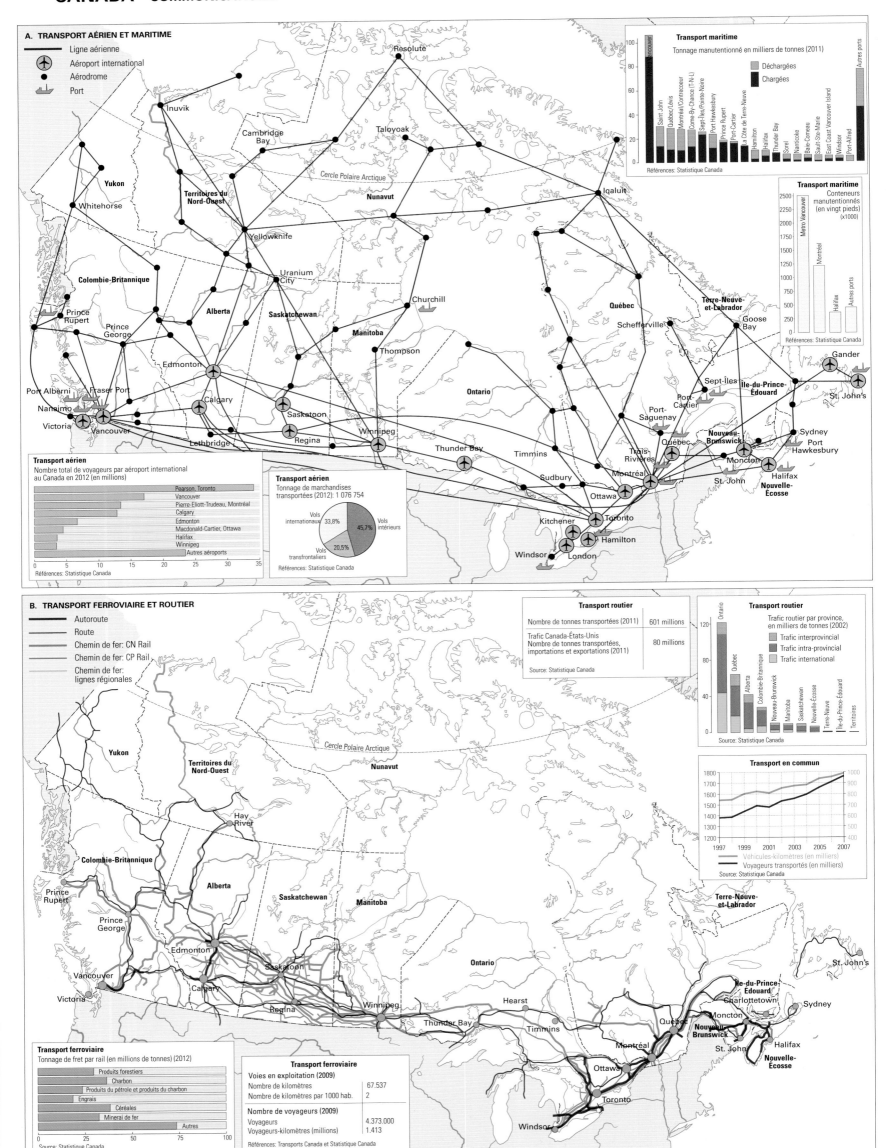

Transport maritime
Tonnage manutentionné en milliers de tonnes (2011)
- Déchargées
- Chargées
Références: Statistique Canada

Transport maritime
Conteneurs manutentionnés (en vingt pieds) (x1000)
Références: Statistique Canada

Transport aérien
Nombre total de voyageurs par aéroport international au Canada en 2012 (en millions)
- Pearson, Toronto
- Vancouver
- Pierre-Elliott-Trudeau, Montréal
- Calgary
- Edmonton
- Macdonald-Cartier, Ottawa
- Halifax
- Winnipeg
- Autres aéroports
Références: Statistique Canada

Transport aérien
Tonnage de marchandises transportées (2012): 1 076 754
- Vols internationaux 33,8%
- Vols intérieurs 45,7%
- Vols transfrontaliers 20,5%
Références: Statistique Canada

B. TRANSPORT FERROVIAIRE ET ROUTIER

- —— Autoroute
- —— Route
- —— Chemin de fer: CN Rail
- —— Chemin de fer: CP Rail
- —— Chemin de fer: lignes régionales

Transport routier

Nombre de tonnes transportées (2011)	601 millions
Trafic Canada-États-Unis Nombre de tonnes transportées, importations et exportations (2011)	80 millions

Source: Statistique Canada

Transport routier
Trafic routier par province, en milliers de tonnes (2002)
- Trafic interprovincial
- Trafic intra-provincial
- Trafic international
Source: Statistique Canada

Transport en commun
- Véhicules-kilomètres (en milliers)
- Voyageurs transportés (en milliers)
Source: Statistique Canada

Transport ferroviaire
Tonnage de fret par rail (en millions de tonnes) (2012)
- Produits forestiers
- Charbon
- Produits du pétrole et produits du charbon
- Engrais
- Céréales
- Minerai de fer
- Autres
Source: Statistique Canada

Transport ferroviaire

Voies en exploitation (2009)	
Nombre de kilomètres	67.537
Nombre de kilomètres par 1000 hab.	2
Nombre de voyageurs (2009)	
Voyageurs	4.373.000
Voyageurs-kilomètres (millions)	1.413

Références: Transports Canada et Statistique Canada

© Noordhoff Uitgevers

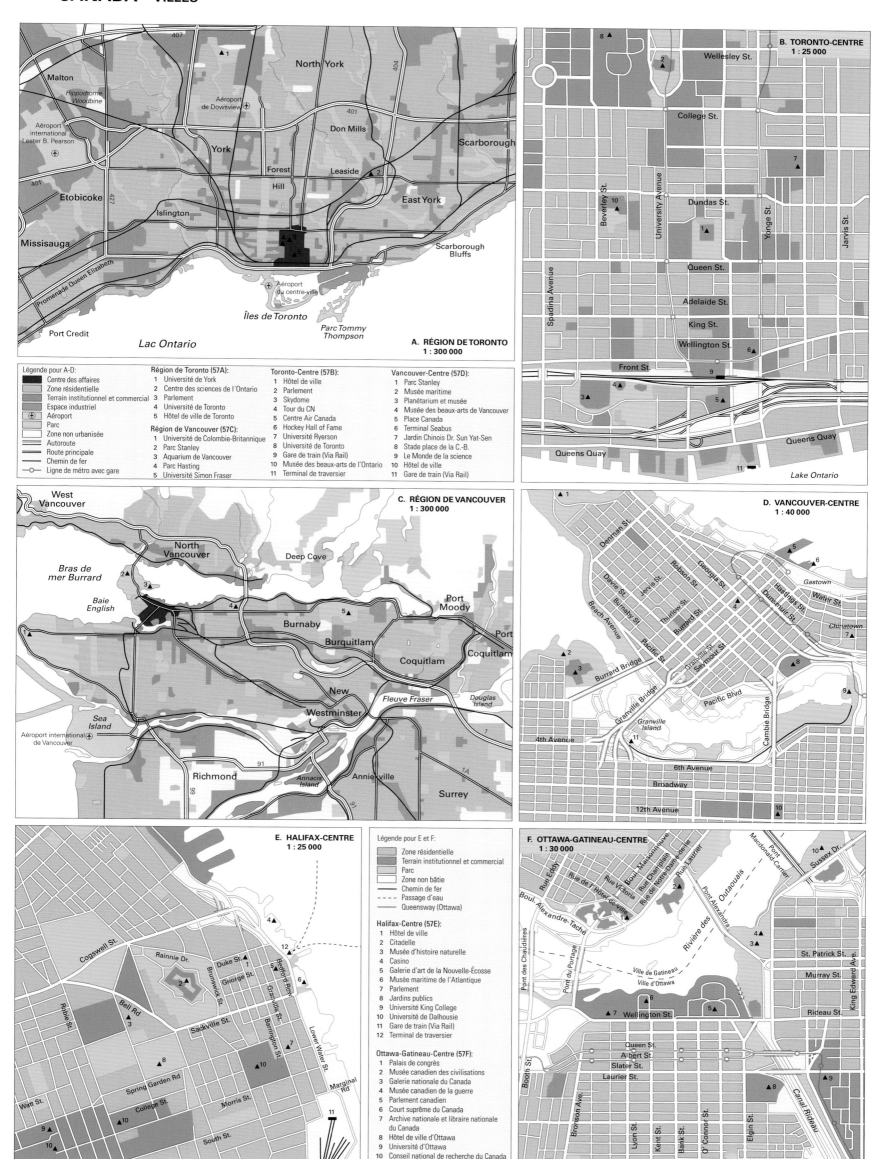

A. RÉGION DE TORONTO
1 : 300 000

North York
Malton
Hippodrome Woodbine
Aéroport de Dowsview
Don Mills
Scarborough
Aéroport international Lester B. Pearson
York
Forest Hill
Leaside
East York
Etobicoke
Islington
Missisauga
Scarborough Bluffs
Promenade Queen Elizabeth
Aéroport du centre-ville
Port Credit
Îles de Toronto
Parc Tommy Thompson
Lac Ontario

B. TORONTO-CENTRE
1 : 25 000

Wellesley St.
College St.
Beverley St.
Spadina Avenue
University Avenue
Dundas St.
Yonge St.
Jarvis St.
Queen St.
Adelaide St.
King St.
Wellington St.
Front St.
Queens Quay
Queens Quay
Lake Ontario

Légende pour A-D:
- ■ Centre des affaires
- Zone résidentielle
- Terrain institutionnel et commercial
- Espace industriel
- ⊕ Aéroport
- Parc
- Zone non urbanisée
- Autoroute
- Route principale
- Chemin de fer
- ○— Ligne de métro avec gare

Région de Toronto (57A):
1 Université de York
2 Centre des sciences de l'Ontario
3 Parlement
4 Université de Toronto
5 Hôtel de ville de Toronto

Région de Vancouver (57C):
1 Université de Colombie-Britannique
2 Parc Stanley
3 Aquarium de Vancouver
4 Parc Hasting
5 Université Simon Fraser

Toronto-Centre (57B):
1 Hôtel de ville
2 Parlement
3 Skydome
4 Tour du CN
5 Centre Air Canada
6 Hockey Hall of Fame
7 Université Ryerson
8 Université de Toronto
9 Gare de train (Via Rail)
10 Musée des beaux-arts de l'Ontario
11 Terminal de traversier

Vancouver-Centre (57D):
1 Parc Stanley
2 Musée maritime
3 Planétarium et musée
4 Musée des beaux-arts de Vancouver
5 Place Canada
6 Terminal Seabus
7 Jardin Chinois Dr. Sun Yat-Sen
8 Stade place de la C.-B.
9 Le Monde de la science
10 Hôtel de ville
11 Gare de train (Via Rail)

C. RÉGION DE VANCOUVER
1 : 300 000

West Vancouver
North Vancouver
Deep Cove
Bras de mer Burrard
Baie English
Port Moody
Burnaby
Burquitlam
Coquitlam
Port Coquitlam
New Westminster
Fleuve Fraser
Douglas Island
Sea Island
Aéroport international de Vancouver
Richmond
Annacis Island
Annieville
Surrey

D. VANCOUVER-CENTRE
1 : 40 000

Denman St.
Davie St.
Jervis St.
Robson St.
Georgia St.
Hastings St.
Gastown
Water St.
Beach Avenue
Burnaby St.
Thurlow St.
Burrard St.
Dunsmuir St.
Chinatown
Pacific St.
Granville St.
Seymour St.
Burrard Bridge
Granville Bridge
Granville Island
Pacific Blvd
Cambie Bridge
4th Avenue
6th Avenue
Broadway
12th Avenue

E. HALIFAX-CENTRE
1 : 25 000

Cogswell St.
Rainnie Dr.
Duke St.
Bedford Row
Brunswick St.
George St.
Robie St.
Bell Rd
Granville St.
Barrington St.
Spring Garden Rd
Sackville St.
Lower Water St.
Watt St.
College St.
Morris St.
South St.
Marginal Rd

Légende pour E et F:
- Zone résidentielle
- Terrain institutionnel et commercial
- Parc
- Zone non bâtie
- Chemin de fer
- Passage d'eau
- Queensway (Ottawa)

Halifax-Centre (57E):
1 Hôtel de ville
2 Citadelle
3 Musée d'histoire naturelle
4 Casino
5 Galerie d'art de la Nouvelle-Écosse
6 Musée maritime de l'Atlantique
7 Parlement
8 Jardins publics
9 Université King College
10 Université de Dalhousie
11 Gare de train (Via Rail)
12 Terminal de traversier

Ottawa-Gatineau-Centre (57F):
1 Palais de congrès
2 Musée canadien des civilisations
3 Galerie nationale du Canada
4 Musée canadien de la guerre
5 Parlement canadien
6 Court suprême du Canada
7 Archive nationale et libraire nationale du Canada
8 Hôtel de ville d'Ottawa
9 Université d'Ottawa
10 Conseil national de recherche du Canada

F. OTTAWA-GATINEAU-CENTRE
1 : 30 000

Rue Eddy
Rue Victoria
Rue de l'Hôtel de ville
Boul. Maisonneuve
Rue Champlain
Rue de Notre-Dame-de-l'Île
Rue Laurier
Boul. Alexandre-Taché
Pont des Chaudières
Pont du Portage
Pont Alexandra
Pont Macdonald-Cartier
Pont du Outaouais
Rivière des Outaouais
Ville de Gatineau
Ville d'Ottawa
Sussex Dr.
St. Patrick St.
Murray St.
Rideau St.
Wellington St.
Booth St.
Bronson Ave.
Lyon St.
Kent St.
Bank St.
O'Connor St.
Elgin St.
King Edward Ave.
Canal Rideau
Queen St.
Albert St.
Slater St.
Laurier St.

QUÉBEC

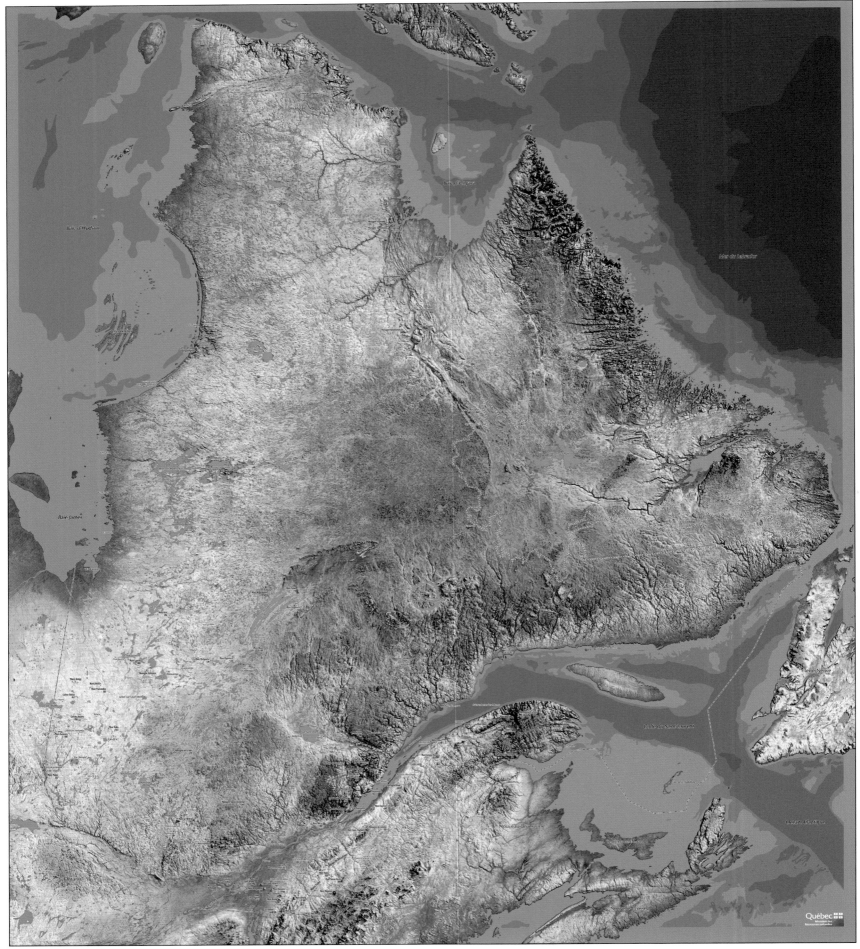

Source : Ex. Le Québec en relief. Gouvernement du Québec.
Ministère des Ressources naturelles. Photocartothèque québécoise.

800 à 1700 m	350 à 500 m	0 à 60 m
600 à 800 m	200 à 350 m	0 à −100 m −100 à −200 m −200 à −500 m −500 à −1000 m −1000 à −2000 m −2000 à −3000 m −3000 m et moins
500 à 600 m	60 à 200 m	

Projection : conique conforme de Lambert
Ellipsoïde : NAD83 - GRS 1980
Méridien central : − 63°30'00" W

Latitude de référence : 44°00'00" N
1er parallèle standard : 46°00'00" N
2e parallèle standard : 60°00'00" N

L'image est issue de l'intégration de deux types d'information : une mosaïque de 313 modèles numériques d'altitude à l'échelle 1/250 000 illustrant par des couleurs le relief global ; puis, une mosaïque des données radar du satellite RADARSAT ajoutant le microrelief, particulièrement dans les basses terres. Les corrections géométriques de la mosaïque RADARSAT ont été effectuées à partir de la Base de données géographiques et administratives (BDGAN) à l'échelle 1/1 000 000 de la Direction générale de l'information géographique.

Échelle 1:9 000 000

0   100   200   300   400 km

-4000 -2000 -200 0 100 200 500 1000 1500 m

A. ÎLES DE LA MADELEINE
1 : 1 750 000

62° L.O. de Gr.

Île Brion

Grosse-Île
Leslie
Old-Harry
Pointe-aux-Loups
Grande-Entrée
47° 30' L.N.
Fatima
Cap-aux-Meules
L'Étang-du-Nord
Gros-Cap
Havre-aux-Maisons
Étang-des-Caps
Bassin
Île d'Entrée
Havre-Aubert
Montréal
Souris (Île-du-P.-É.)

Principal map labels

Baie d'Hudson, Baie d'Ungava, Mer du Labrador, Péninsule d'Ungava, Nunavik, Nord-du-Québec, Québec, Labrador, Terre-Neuve, Nouveau-Brunswick, Nouvelle-Écosse, Île-du-Prince-Édouard, Golfe du Saint-Laurent, Ontario, ÉTATS-UNIS

Projection conique

© Noordhoff Uitgevers

B. AMÉNAGEMENT DE LA BAIE-JAMES
1 : 7 500 000

- ■ Petite centrale thermique
- Centrale hydroélectrique en service
- Centrale hydroélectrique en chantier ou en projet
- Réservoir réalisé
- Réservoir à réaliser
- Limite du complexe réalisé
- Limite du complexe à réaliser ou en projet

Baie d'Hudson

Complexe "GRANDE"

Grande-Baleine-1, Grande-Baleine-2, Grande-Baleine-3
Réservoir Bienville
Laforge-2
Laforge-1
La Grande 1
La Grande-2A, La Grande-4
Robert-Bourassa, La Grande-3
Complexe "LA GRANDE" 1978-1985
Réservoir E.O.L.
Nord-du-Québec
Complexe "NBR"

Baie James

Ontario / Québec

C. AMÉNAGEMENT DE LA CÔTE-NORD
1 : 7 500 000

Hart-Jauné
Réservoir Manicouagan
Romaine-4
Romaine-3
Manic-5
Manic-5-PA
Sainte-Marguerite-3
Romaine-2
Romaine-1
Pointe-Noire
Sept-Îles
Havre-Saint-Pierre
Outardes-4, Manic-3
Outardes-3, Manic-2
Bersimis-1, McCormick, Manic-1
Bersimis-2, Outardes-2
Saint-Laurent

Centrale hydroélectrique
- ⚡ 1000 MW ou plus
- ⚡ moins de 1000 MW
- Limite des bassins hydrographiques

QUÉBEC MILIEU PHYSIQUE

Échelle 1 : 25 000 000

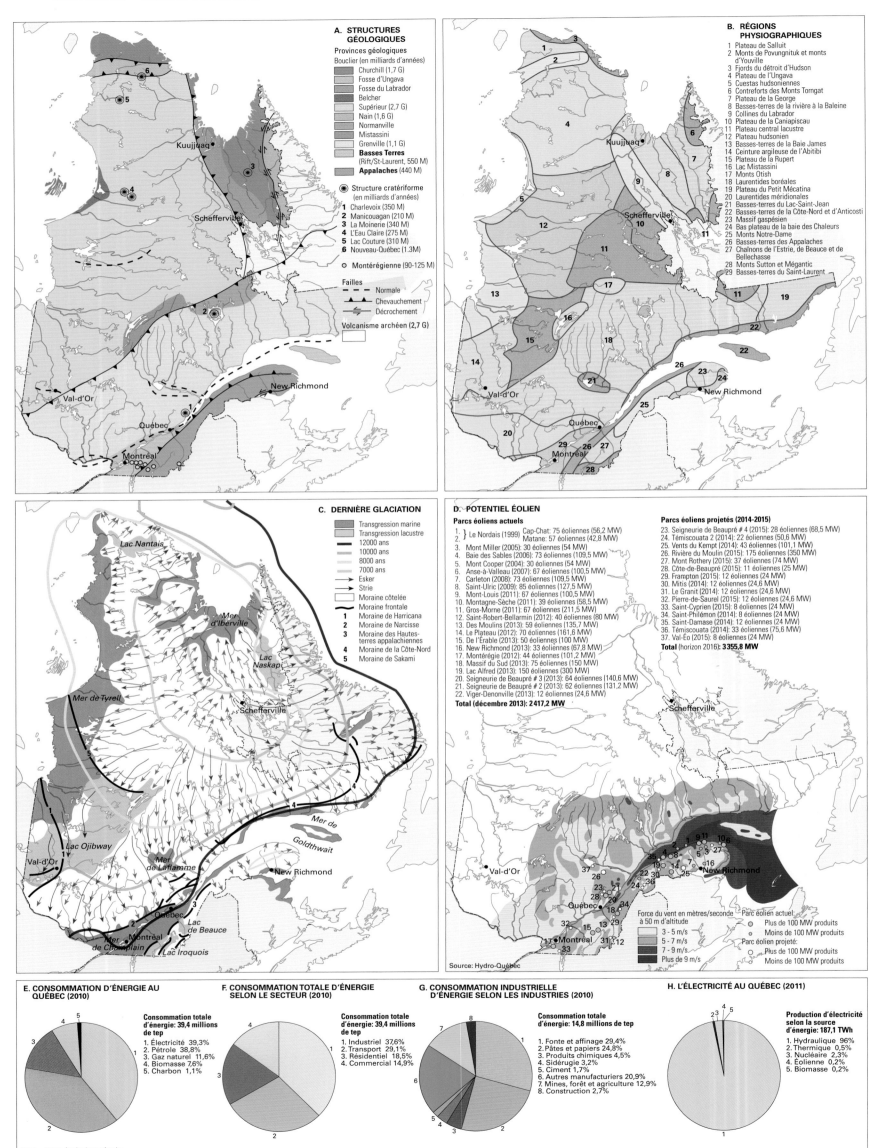

A. STRUCTURES GÉOLOGIQUES

Provinces géologiques
Bouclier (en milliards d'années)
- Churchill (1,7 G)
- Fosse d'Ungava
- Fosse du Labrador
- Belcher
- Supérieur (2,7 G)
- Nain (1,6 G)
- Normanville
- Mistassini
- Grenville (1,1 G)
- **Basses Terres** (Rift/St-Laurent, 550 M)
- **Appalaches** (440 M)

Structure cratériforme (en milliards d'années)
1 Charlevoix (350 M)
2 Manicouagan (210 M)
3 La Moinerie (340 M)
4 L'Eau Claire (275 M)
5 Lac Couture (310 M)
6 Nouveau-Québec (1.3M)
○ Montérégienne (90-125 M)

Failles
- - - Normale
- ▲▲▲ Chevauchement
- ⇆ Décrochement

Volcanisme archéen (2,7 G)

B. RÉGIONS PHYSIOGRAPHIQUES

1 Plateau de Salluit
2 Monts de Povungnituk et monts d'Youville
3 Fjords du détroit d'Hudson
4 Plateau de l'Ungava
5 Cuestas hudsoniennes
6 Contreforts des Monts Torngat
7 Plateau de la George
8 Basses-terres de la rivière à la Baleine
9 Collines du Labrador
10 Plateau de la Caniapiscau
11 Plateau central lacustre
12 Plateau hudsonien
13 Basses-terres de la Baie James
14 Ceinture argileuse de l'Abitibi
15 Plateau de la Rupert
16 Lac Mistassini
17 Monts Otish
18 Laurentides boréales
19 Plateau du Petit Mécatina
20 Laurentides méridionales
21 Basses-terres du Lac-Saint-Jean
22 Basses-terres de la Côte-Nord et d'Anticosti
23 Massif gaspésien
24 Bas plateau de la baie des Chaleurs
25 Monts Notre-Dame
26 Basses-terres des Appalaches
27 Chaînons de l'Estrie, de Beauce et de Bellechasse
28 Monts Sutton et Mégantic
29 Basses-terres du Saint-Laurent

C. DERNIÈRE GLACIATION

- Transgression marine
- Transgression lacustre
- 12000 ans
- 10000 ans
- 8000 ans
- 7000 ans
- → Esker
- → Strie
- Moraine côtelée
- Moraine frontale
1 Moraine de Harricana
2 Moraine de Narcisse
3 Moraine des Hautes-terres appalachiennes
4 Moraine de la Côte-Nord
5 Moraine de Sakami

D. POTENTIEL ÉOLIEN

Parcs éoliens actuels
1 } Le Nordais (1999) Cap-Chat: 75 éoliennes (56,2 MW)
2 } Matane: 57 éoliennes (42,8 MW)
3 Mont Miller (2005): 30 éoliennes (54 MW)
4 Baie des Sables (2006): 73 éoliennes (109,5 MW)
5 Mont Cooper (2004): 30 éoliennes (54 MW)
6 Anse-à-Valleau (2007): 67 éoliennes (100,5 MW)
7 Carleton (2008): 73 éoliennes (109,5 MW)
8 Saint-Ulric (2009): 85 éoliennes (127,5 MW)
9 Mont-Louis (2011): 67 éoliennes (100,5 MW)
10 Montagne-Sèche (2011): 39 éoliennes (58,5 MW)
11 Gros-Morne (2011): 67 éoliennes (211,5 MW)
12 Saint-Robert-Bellarmin (2012): 40 éoliennes (80 MW)
13 Des Moulins (2013): 59 éoliennes (135,7 MW)
14 Le Plateau (2012): 70 éoliennes (161,6 MW)
15 De l'Érable (2013): 50 éoliennes (100 MW)
16 New Richmond (2013): 33 éoliennes (67,8 MW)
17 Montérégie (2012): 44 éoliennes (101,2 MW)
18 Massif du Sud (2013): 75 éoliennes (150 MW)
19 Lac Alfred (2013): 150 éoliennes (300 MW)
20 Seigneurie de Beaupré # 3 (2013): 64 éoliennes (140,6 MW)
21 Seigneurie de Beaupré # 2 (2013): 62 éoliennes (131,2 MW)
22 Viger-Denonville (2013): 12 éoliennes (24,6 MW)
Total (décembre 2013): 2 417,2 MW

Parcs éoliens projetés (2014-2015)
23 Seigneurie de Beaupré # 4 (2015): 28 éoliennes (68,5 MW)
24 Témiscouata 2 (2014): 22 éoliennes (50,6 MW)
25 Vents du Kempt (2014): 43 éoliennes (101,1 MW)
26 Rivière du Moulin (2015): 175 éoliennes (350 MW)
27 Mont Rothery (2015): 37 éoliennes (74 MW)
28 Côte-de-Beaupré (2015): 11 éoliennes (25 MW)
29 Frampton (2015): 12 éoliennes (24 MW)
30 Mitis (2014): 12 éoliennes (24,6 MW)
31 Le Granit (2014): 12 éoliennes (24,6 MW)
32 Pierre-de-Saurel (2015): 12 éoliennes (24,6 MW)
33 Saint-Cyprien (2015): 8 éoliennes (24 MW)
34 Saint-Philémon (2014): 8 éoliennes (24 MW)
35 Saint-Damase (2014): 12 éoliennes (24 MW)
36 Témiscouata (2014): 33 éoliennes (75,6 MW)
37 Val-Éo (2015): 8 éoliennes (24 MW)
Total (horizon 2016): 3 355,8 MW

Source: Hydro-Québec

Force du vent en mètres/seconde à 50 m d'altitude
- 3 - 5 m/s
- 5 - 7 m/s
- 7 - 9 m/s
- Plus de 9 m/s

Parc éolien actuel:
- ● Plus de 100 MW produits
- ○ Moins de 100 MW produits
Parc éolien projeté:
- ● Plus de 100 MW produits
- ○ Moins de 100 MW produits

E. CONSOMMATION D'ÉNERGIE AU QUÉBEC (2010)

Consommation totale d'énergie: 39,4 millions de tep
1. Électricité 39,3%
2. Pétrole 38,8%
3. Gaz naturel 11,6%
4. Biomasse 7,6%
5. Charbon 1,1%

F. CONSOMMATION TOTALE D'ÉNERGIE SELON LE SECTEUR (2010)

Consommation totale d'énergie: 39,4 millions de tep
1. Industriel 37,6%
2. Transport 29,1%
3. Résidentiel 18,5%
4. Commercial 14,9%

G. CONSOMMATION INDUSTRIELLE D'ÉNERGIE SELON LES INDUSTRIES (2010)

Consommation totale d'énergie: 14,8 millions de tep
1. Fonte et affinage 29,4%
2. Pâtes et papiers 24,8%
3. Produits chimiques 4,5%
4. Sidérurgie 3,2%
5. Ciment 1,7%
6. Autres manufacturiers 20,9%
7. Mines, forêt et agriculture 12,9%
8. Construction 2,7%

H. L'ÉLECTRICITÉ AU QUÉBEC (2011)

Production d'électricité selon la source d'énergie: 187,1 TWh
1. Hydraulique 96%
2. Thermique 0,5%
3. Nucléaire 2,3%
4. Éolienne 0,2%
5. Biomasse 0,2%

1 tep = tonne équivalent pétrole

E/H Source: Institut de la statistique du Québec   F/G Source: Ministère des Ressources naturelles, de la Faune et des Parcs

© Noordhoff Uitgevers

QUÉBEC CLIMAT

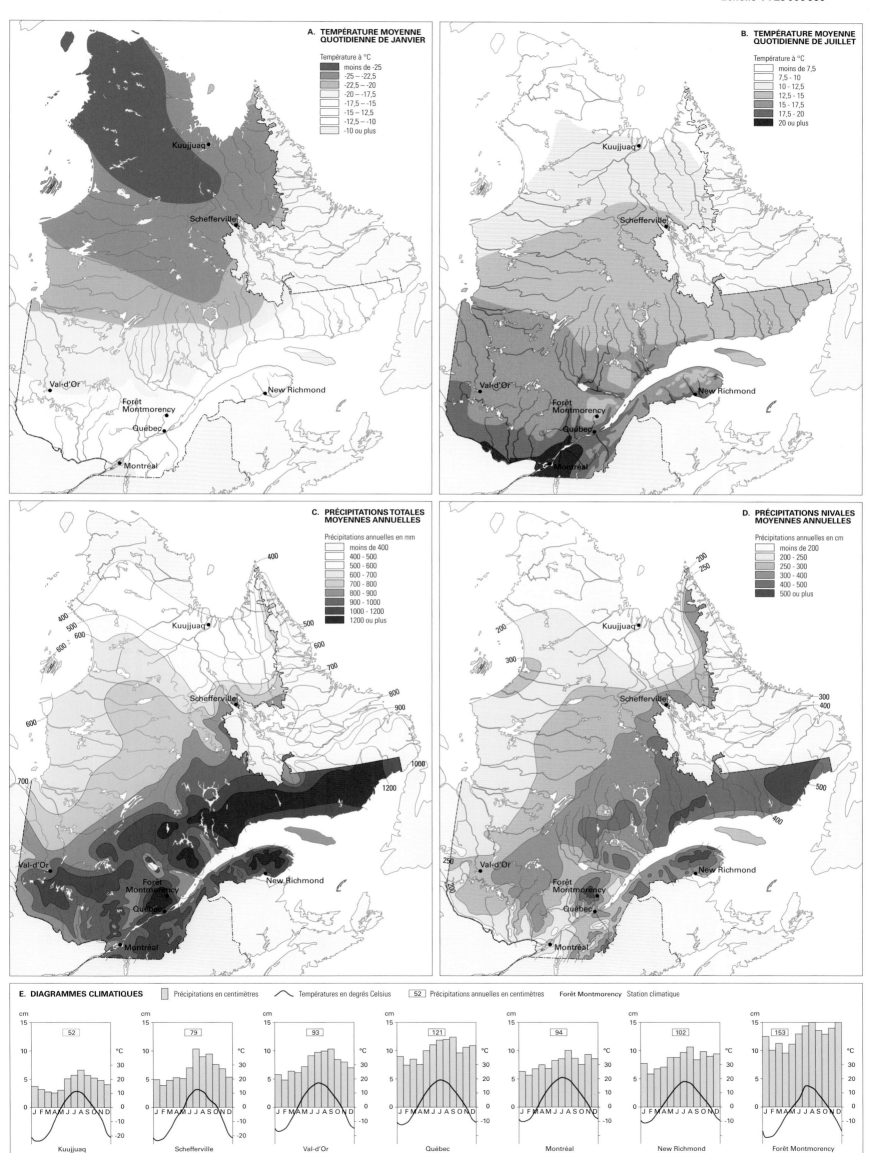

A. TEMPÉRATURE MOYENNE QUOTIDIENNE DE JANVIER

Température à °C
- moins de -25
- -25 – -22,5
- -22,5 – -20
- -20 – -17,5
- -17,5 – -15
- -15 – -12,5
- -12,5 – -10
- -10 ou plus

B. TEMPÉRATURE MOYENNE QUOTIDIENNE DE JUILLET

Température à °C
- moins de 7,5
- 7,5 - 10
- 10 - 12,5
- 12,5 - 15
- 15 - 17,5
- 17,5 - 20
- 20 ou plus

C. PRÉCIPITATIONS TOTALES MOYENNES ANNUELLES

Précipitations annuelles en mm
- moins de 400
- 400 - 500
- 500 - 600
- 600 - 700
- 700 - 800
- 800 - 900
- 900 - 1000
- 1000 - 1200
- 1200 ou plus

D. PRÉCIPITATIONS NIVALES MOYENNES ANNUELLES

Précipitations annuelles en cm
- moins de 200
- 200 - 250
- 250 - 300
- 300 - 400
- 400 - 500
- 500 ou plus

E. DIAGRAMMES CLIMATIQUES Précipitations en centimètres   Températures en degrés Celsius   52 Précipitations annuelles en centimètres   Forêt Montmorency Station climatique

Kuujjuaq — 52

Schefferville — 79

Val-d'Or — 93

Québec — 121

Montréal — 94

New Richmond — 102

Forêt Montmorency — 153

© Noordhoff Uitgevers

QUÉBEC MILIEU PHYSIQUE / ÉCONOMIE

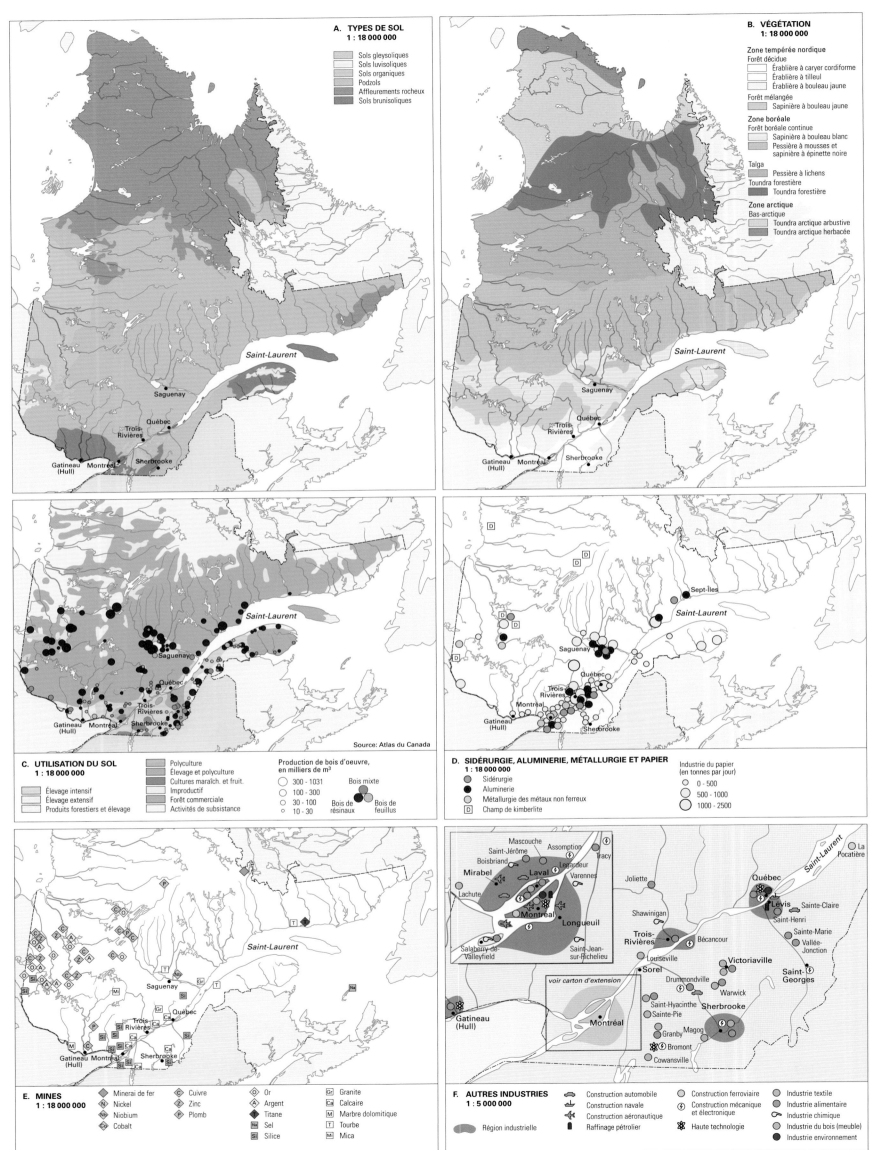

A. TYPES DE SOL
1 : 18 000 000

- Sols gleysoliques
- Sols luvisoliques
- Sols organiques
- Podzols
- Affleurements rocheux
- Sols brunisoliques

B. VÉGÉTATION
1 : 18 000 000

Zone tempérée nordique
Forêt décidue
- Érablière à caryer cordiforme
- Érablière à tilleul
- Érablière à bouleau jaune

Forêt mélangée
- Sapinière à bouleau jaune

Zone boréale
Forêt boréale continue
- Sapinière à bouleau blanc
- Pessière à mousses et sapinière à épinette noire

Taïga
- Pessière à lichens
Toundra forestière
- Toundra forestière

Zone arctique
Bas-arctique
- Toundra arctique arbustive
- Toundra arctique herbacée

Source: Atlas du Canada

C. UTILISATION DU SOL
1 : 18 000 000

- Élevage intensif
- Élevage extensif
- Produits forestiers et élevage
- Polyculture
- Élevage et polyculture
- Cultures maraîch. et fruit.
- Improductif
- Forêt commerciale
- Activités de subsistance

Production de bois d'oeuvre, en milliers de m³
- 300 - 1031
- 100 - 300
- 30 - 100
- 10 - 30

Bois mixte
Bois de résineux
Bois de feuillus

D. SIDÉRURGIE, ALUMINERIE, MÉTALLURGIE ET PAPIER
1 : 18 000 000

- Sidérurgie
- Aluminerie
- Métallurgie des métaux non ferreux
- D Champ de kimberlite

Industrie du papier (en tonnes par jour)
- 0 - 500
- 500 - 1000
- 1000 - 2500

E. MINES
1 : 18 000 000

- Minerai de fer
- N Nickel
- Nb Niobium
- Co Cobalt
- C Cuivre
- Z Zinc
- P Plomb
- O Or
- A Argent
- Titane
- Na Sel
- Si Silice
- Gr Granite
- Ca Calcaire
- Marbre dolomitique
- T Tourbe
- Mi Mica

F. AUTRES INDUSTRIES
1 : 5 000 000

- Construction automobile
- Construction navale
- Construction aéronautique
- Raffinage pétrolier
- Construction ferroviaire
- Construction mécanique et électronique
- Haute technologie
- Région industrielle
- Industrie textile
- Industrie alimentaire
- Industrie chimique
- Industrie du bois (meuble)
- Industrie environnement

voir carton d'extension

© Noordhoff Uitgevers

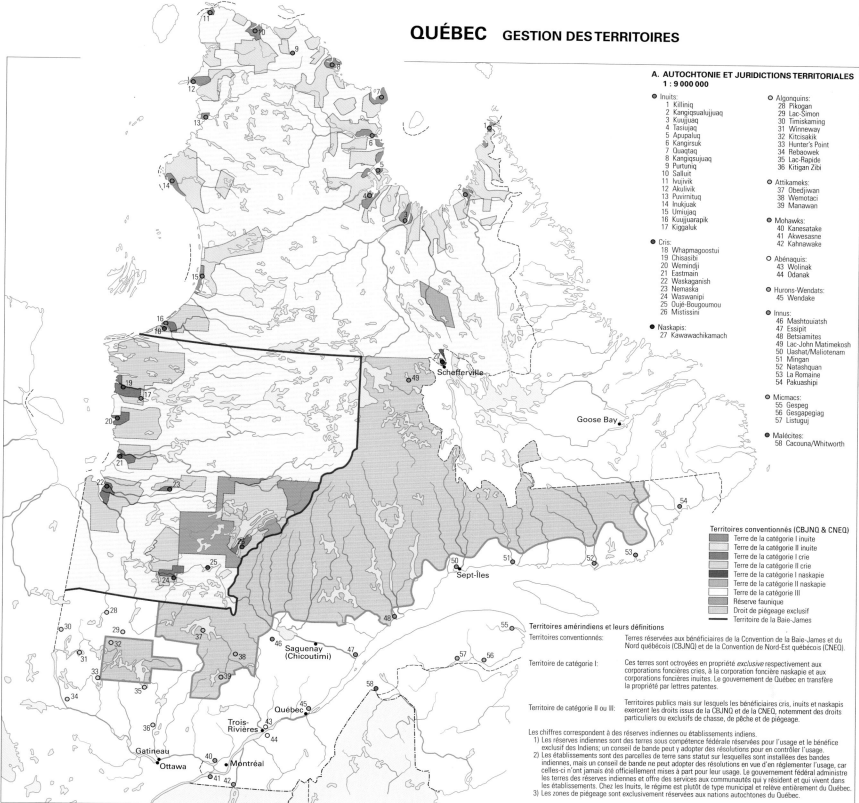

A. AUTOCHTONIE ET JURIDICTIONS TERRITORIALES
1 : 9 000 000

Inuits:
1. Killiniq
2. Kangiqsualujjuaq
3. Kuujjuaq
4. Tasiujaq
5. Apupaluq
6. Kangirsuk
7. Quaqtaq
8. Kangiqsujuaq
9. Purtuniq
10. Salluit
11. Ivujivik
12. Akulivik
13. Puvirnituq
14. Inukjuak
15. Umiujaq
16. Kuujjuarapik
17. Kiggaluk

Cris:
18. Whapmagoostui
19. Chisasibi
20. Wemindji
21. Eastmain
22. Waskaganish
23. Nemaska
24. Waswanipi
25. Oujé-Bougoumou
26. Mistissini

Naskapis:
27. Kawawachikamach

Algonquins:
28. Pikogan
29. Lac-Simon
30. Timiskaming
31. Winneway
32. Kitcisakik
33. Hunter's Point
34. Rebaowek
35. Lac-Rapide
36. Kitigan Zibi

Attikameks:
37. Obedjiwan
38. Wemotaci
39. Manawan

Mohawks:
40. Kanesatake
41. Akwesasne
42. Kahnawake

Abénaquis:
43. Wolinak
44. Odanak

Hurons-Wendats:
45. Wendake

Innus:
46. Mashtouiatsh
47. Essipit
48. Betsiamites
49. Lac-John Matimekosh
50. Uashat/Maliotenam
51. Mingan
52. Natashquan
53. La Romaine
54. Pakuashipi

Micmacs:
55. Gespeg
56. Gesgapegiag
57. Listuguj

Malécites:
58. Cacouna/Whitworth

Territoires conventionnés (CBJNQ & CNEQ)
- Terre de la catégorie I inuite
- Terre de la catégorie II inuite
- Terre de la catégorie I crie
- Terre de la catégorie II crie
- Terre de la catégorie I naskapie
- Terre de la catégorie II naskapie
- Terre de la catégorie III
- Réserve faunique
- Droit de piégeage exclusif
- Territoire de la Baie-James

Territoires amérindiens et leurs définitions

Territoires conventionnés: Terres réservées aux bénéficiaires de la Convention de la Baie-James et du Nord québécois (CBJNQ) et de la Convention de Nord-Est québécois (CNEQ).

Territoire de catégorie I: Ces terres sont octroyées en propriété *exclusive* respectivement aux corporations foncières cries, à la corporation foncière naskapie et aux corporations foncières inuites. Le gouvernement de Québec en transfère la propriété par lettres patentes.

Territoire de catégorie II ou III: Territoires publics mais sur lesquels les bénéficiaires cris, inuits et naskapis exercent les droits issus de la CBJNQ et de la CNEQ, notamment des droits particuliers ou exclusifs de chasse, de pêche et de piégeage.

Les chiffres correspondent à des réserves indiennes ou établissements indiens.
1) Les réserves indiennes sont des terres sous compétence fédérale réservées pour l'usage et le bénéfice exclusif des Indiens; un conseil de bande peut y adopter des résolutions pour en contrôler l'usage.
2) Les établissements sont des parcelles de terre sans statut sur lesquelles sont installées des bandes indiennes, mais un conseil de bande ne peut adopter des résolutions en vue d'en réglementer l'usage, car celles-ci n'ont jamais été officiellement mises à part pour leur usage. Le gouvernement fédéral administre les terres des réserves indiennes et offre des services aux communautés qui y résident et qui vivent dans les établissements. Chez les Inuits, le régime est plutôt de type municipal et relève entièrement du Québec.
3) Les zones de piégeage sont exclusivement réservées aux nations autochtones du Québec.

B. SUPERFICIE DES TERRES RÉSERVÉES AUX AUTOCHTONES

Nations	Superficie (km²)
Total	14 786,5
Non conventionnées	746,4
Abénaquis	6,8
Algonquins	208,0
Attikameks	49,8
Hurons-Wendats	1,1
Innus (Montagnais)	295,1
Malécites	1,7
Micmacs	41,4
Mohawks	142,5
Conventionnées	14 040,1
Cris	5 551,7
Inuits	8 162,1
Naskapis	326,3

C. POPULATIONS AUTOCHTONES AU QUÉBEC (2012)

	Nombre de communautés	Nombre total de résidents	Nombre total
Total	56	69 900	98 731
Populations amérindiennes	41	59 471	87 091
Abénaquis	2	411	2 577
Algonquins	9	6 090	11 026
Attikameks	3	5 877	7 032
Cris	9	15 281	17 483
Hurons-Wendats	1	1 494	3 845
Innus (Montagnais)	9	12 152	18 820
Malécites	1	0	1 102
Micmacs	3	2 758	5 727
Mohawks	3	14 551	18 185
Naskapis	1	857	1 170
Indiens inscrits mais non associés à une nation			124
Population inuite	15	10 429	11 640
Inuits	15	10 429	11 640

D. POPULATIONS AYANT DÉCLARÉ UNE IDENTITÉ AUTOCHTONE (2006)
selon la langue maternelle, par province et territoires

	Canada	Québec
Population autochtone totale	1 172 790	108 425
Total des réponses uniques	1 155 795	106 685
Anglais	851 500	11 665
Français	96 745	55 560
Langues non-officielles:	207 555	39 460
- Langues autochtones	207 205	39 425
- Cri	77 970	13 225
- Ojibway	24 025	25
- Montagnais-Naskapi	10 535	8 935
- Micmac	7 310	565
- Atikamekw	5 135	5 130
- Inuktitut	31 925	9 535
- Autres langues autochtones	50 660	2 010
Total des réponses multiples	22 040	2 680
Anglais et langue autochtone	10 915	340
Français et langue autochtone	815	405
Anglais, Français et langue autochtone	215	60

E. AUTOCHTONES ET STATUT PERSONNEL (2001)
Population de 15 ans et plus, selon l'état matrimonial légal, en pourcentage de la population totale

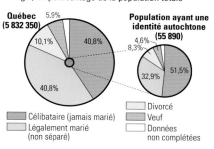

Québec (5 832 350): 40,8%, 40,8%, 10,1%, 5,9%

Population ayant une identité autochtone (55 890): 51,5%, 32,9%, 8,3%, 4,6%

- Célibataire (jamais marié)
- Légalement marié (non séparé)
- Divorcé
- Veuf
- Données non complétées

F. AUTOCHTONES ET ÉDUCATION AU QUÉBEC (2006)
Population totale de 15 ans et plus, selon le niveau scolaire atteint

Total de la population n'ayant pas une origine autochtone: 6 143 965

Total de la population ayant une origine autochtone unique: 40 525

Legende
- Niveau inférieur au certificat d'études secondaires
- Certificat d'études secondaires seulement
- Diplôme collégial
- Grade universitaire complété

(Le pourcentage manquant représente ceux qui ont obtenu une formation partielle ou en voie d'être complétée)

G. AUTOCHTONES ET EMPLOI AU QUÉBEC (2006)
Population totale de 15 ans et plus, selon le secteur d'activité

Population ayant une origine autochtone (80 910)
45,2%	15,6%	39,2%

Population n'ayant pas une origine autochtone (6 103 575)
58,1%	6,9%	35,0%

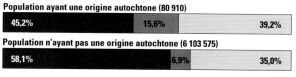

Personnes occupées	Chômeurs	
Population active		Population inactive

Schefferville, Goose Bay, Sept-Îles, Saguenay (Chicoutimi), Québec, Trois-Rivières, Gatineau, Ottawa, Montréal

QUÉBEC TOURISME

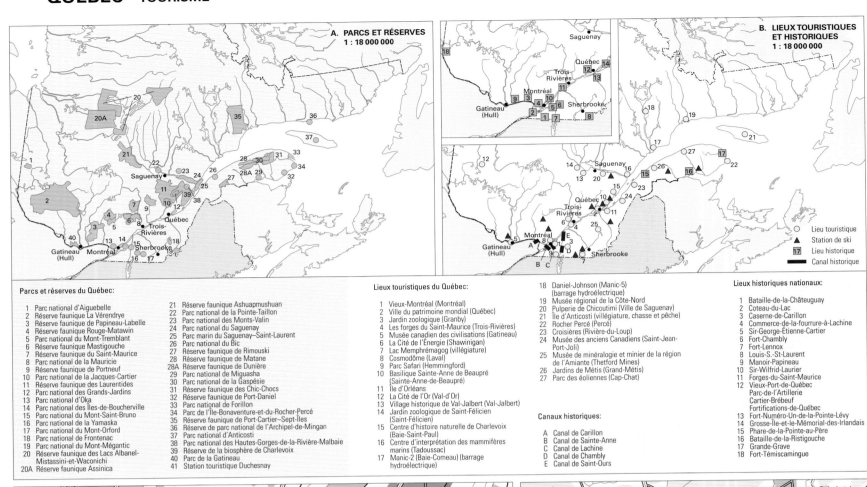

A. PARCS ET RÉSERVES 1 : 18 000 000

B. LIEUX TOURISTIQUES ET HISTORIQUES 1 : 18 000 000

○ Lieu touristique
▲ Station de ski
17 Lieu historique
▬ Canal historique

Parcs et réserves du Québec:

1 Parc national d'Aiguebelle
2 Réserve faunique La Vérendrye
3 Réserve faunique de Papineau-Labelle
4 Réserve faunique Rouge-Matawin
5 Parc national du Mont-Tremblant
6 Réserve faunique Mastigouche
7 Réserve faunique du Saint-Maurice
8 Parc national de la Mauricie
9 Réserve faunique de Portneuf
10 Réserve faunique de la Jacques-Cartier
11 Réserve faunique des Laurentides
12 Réserve faunique des Grands-Jardins
13 Parc national d'Oka
14 Parc national des Îles-de-Boucherville
15 Parc national du Mont-Saint-Bruno
16 Parc national de la Yamaska
17 Parc national du Mont-Orford
18 Parc national de Frontenac
19 Parc national du Mont-Mégantic
20 Réserve faunique des Lacs Albanel-Mistassini-et-Waconichi
20A Réserve faunique Assinica

21 Réserve faunique Ashuapmushuan
22 Parc national de la Pointe-Taillon
23 Parc national des Monts-Valin
24 Parc national du Saguenay
25 Parc marin du Saguenay–Saint-Laurent
26 Parc national du Bic
27 Réserve faunique de Rimouski
28 Réserve faunique de Matane
28A Réserve faunique de Dunière
29 Parc national de Miguasha
30 Parc national de la Gaspésie
31 Réserve faunique des Chic-Chocs
32 Réserve faunique de Port-Daniel
33 Parc national de Forillon
34 Parc de l'Île-Bonaventure-et-du-Rocher-Percé
35 Réserve faunique de Port-Cartier–Sept-Îles
36 Réserve de parc national de l'Archipel-de-Mingan
37 Parc national d'Anticosti
38 Réserve de parc national des Hautes-Gorges-de-la-Rivière-Malbaie
39 Réserve de la biosphère de Charlevoix
40 Parc de la Gatineau
41 Station touristique Duchesnay

Lieux touristiques du Québec:

1 Vieux-Montréal (Montréal)
2 Ville du patrimoine mondial (Québec)
3 Jardin zoologique (Granby)
4 Les forges du Saint-Maurice (Trois-Rivières)
5 Musée canadien des civilisations (Gatineau)
6 La Cité de l'Énergie (Shawinigan)
7 Lac Memphrémagog (villégiature)
8 Cosmodôme (Laval)
9 Parc Safari (Hemmingford)
10 Basilique Sainte-Anne de Beaupré (Sainte-Anne-de-Beaupré)
11 Île d'Orléans
12 La Cité de l'Or (Val-d'Or)
13 Village historique de Val-Jalbert (Val-Jalbert)
14 Jardin zoologique de Saint-Félicien (Saint-Félicien)
15 Centre d'histoire naturelle de Charlevoix (Baie-Saint-Paul)
16 Centre d'interprétation des mammifères marins (Tadoussac)
17 Manic-2 (Baie-Comeau) (barrage hydroélectrique)

18 Daniel-Johnson (Manic-5) (barrage hydroélectrique)
19 Musée régional de la Côte-Nord
20 Pulperie de Chicoutimi (Ville de Saguenay)
21 Île d'Anticosti (villégiature, chasse et pêche)
22 Rocher Percé (Percé)
23 Croisières (Rivière-du-Loup)
24 Musée des anciens Canadiens (Saint-Jean-Port-Joli)
25 Musée de minéralogie et minier de la région de l'Amiante (Thetford Mines)
26 Jardins de Métis (Grand-Métis)
27 Parc des éoliennes (Cap-Chat)

Canaux historiques:

A Canal de Carillon
B Canal de Sainte-Anne
C Canal de Lachine
D Canal de Chambly
E Canal de Saint-Ours

Lieux historiques nationaux:

1 Bataille-de-la-Châteauguay
2 Coteau-du-Lac
3 Caserne-de-Carillon
4 Commerce-de-la-fourrure-à-Lachine
5 Sir-George-Étienne-Cartier
6 Fort-Chambly
7 Fort-Lennox
8 Louis-S.-St-Laurent
9 Manoir-Papineau
10 Sir-Wilfrid-Laurier
11 Forges-du-Saint-Maurice
12 Vieux-Port-de-Québec
Parc-de-l'Artillerie
Cartier-Brébeuf
Fortifications-de-Québec
13 Fort-Numéro-Un-de-la-Pointe-Lévy
14 Grosse-Île-et-le-Mémorial-des-Irlandais
15 Phare-de-la-Pointe-au-Père
16 Bataille-de-la-Ristigouche
17 Grande-Grave
18 Fort-Témiscamingue

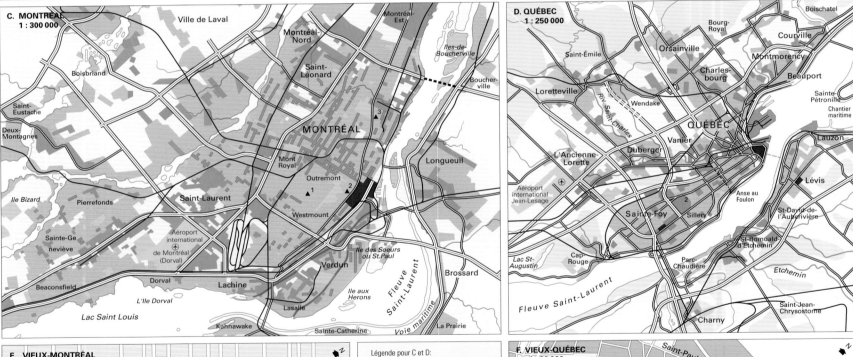

C. MONTRÉAL 1 : 300 000

D. QUÉBEC 1 : 250 000

Légende pour C et D:

■ Centre des affaires
Zone résidentielle
Terrain institutionnel et commercial
Espace industriel
⊕ Aéroport
+ Aérodrome
Parc
Forêt
Zone non urbanisée
Chemin de fer
Route principale
Autoroute
▲ Bâtiment remarquable

Québec:
1 Citadelle
2 Université Laval

Montréal:
1 Université de Montréal
2 Université McGill
3 Stade Olympique

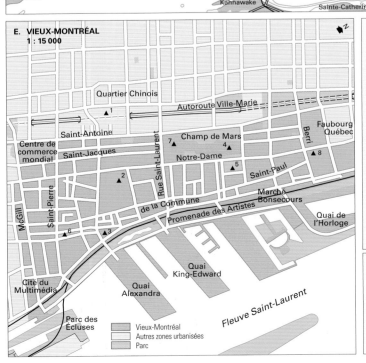

E. VIEUX-MONTRÉAL 1 : 15 000

Légende pour E:

Vieux-Montréal:
1 Palais des congrès de Montréal
2 Basilique Notre-Dame
3 Musée d'archéologie et d'histoire
4 Hôtel de ville
5 Musée Château-Ramesay
6 Centre d'histoire de Montréal
7 Palais de justice
8 École Nationale du Cirque

Vieux-Montréal
Autres zones urbanisées
Parc

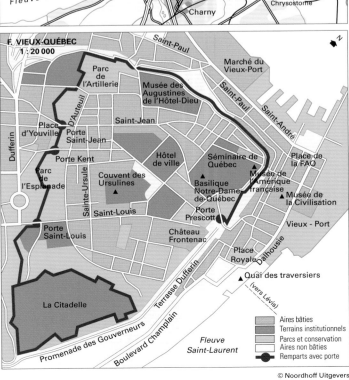

F. VIEUX-QUÉBEC 1 : 20 000

Aires bâties
Terrains institutionnels
Parcs et conservation
Aires non bâties
Remparts avec porte

QUÉBEC POPULATION

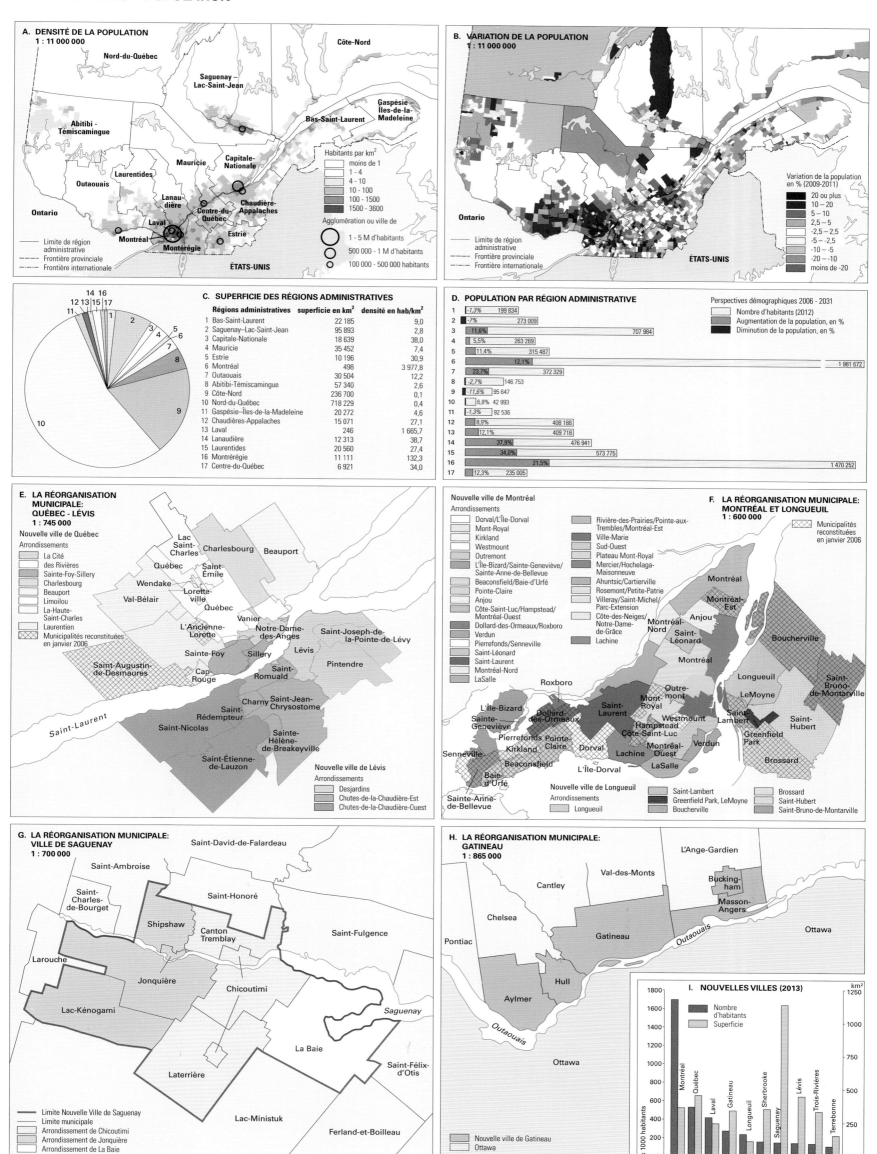

A. DENSITÉ DE LA POPULATION
1 : 11 000 000

Nord-du-Québec

Côte-Nord

Abitibi-Témiscamingue

Saguenay–Lac-Saint-Jean

Gaspésie–Îles-de-la-Madeleine

Mauricie

Bas-Saint-Laurent

Capitale-Nationale

Laurentides

Outaouais

Lanau-dière

Centre-du-Québec

Chaudière-Appalaches

Ontario

Laval

Montréal

Montérégie

Estrie

ÉTATS-UNIS

Habitants par km²
moins de 1
1 - 4
4 - 10
10 - 100
100 - 1500
1500 - 3600

Agglomération ou ville de
1 - 5 M d'habitants
500 000 - 1 M d'habitants
100 000 - 500 000 habitants

Limite de région administrative
Frontière provinciale
Frontière internationale

B. VARIATION DE LA POPULATION
1 : 11 000 000

Ontario

ÉTATS-UNIS

Variation de la population en % (2009-2011)
20 ou plus
10 - 20
5 - 10
2,5 - 5
-2,5 - 2,5
-5 - -2,5
-10 - -5
-20 - -10
moins de -20

Limite de région administrative
Frontière provinciale
Frontière internationale

C. SUPERFICIE DES RÉGIONS ADMINISTRATIVES

Régions administratives	superficie en km²	densité en hab/km²
1 Bas-Saint-Laurent	22 185	9,0
2 Saguenay–Lac-Saint-Jean	95 893	2,8
3 Capitale-Nationale	18 639	38,0
4 Mauricie	35 452	7,4
5 Estrie	10 196	30,9
6 Montréal	498	3 977,8
7 Outaouais	30 504	12,2
8 Abitibi-Témiscamingue	57 340	2,6
9 Côte-Nord	236 700	0,1
10 Nord-du-Québec	718 229	0,4
11 Gaspésie–Îles-de-la-Madeleine	20 272	4,6
12 Chaudières-Appalaches	15 071	27,1
13 Laval	246	1 665,7
14 Lanaudière	12 313	38,7
15 Laurentides	20 560	27,4
16 Montrérégie	11 111	132,3
17 Centre-du-Québec	6 921	34,0

D. POPULATION PAR RÉGION ADMINISTRATIVE

Perspectives démographiques 2006 - 2031
Nombre d'habitants (2012)
Augmentation de la population, en %
Diminution de la population, en %

1	-1,3%	199 834
2	-7%	273 009
3	11,6%	707 984
4	5,5%	263 269
5	11,4%	315 487
6	12,1%	1 981 672
7	23,7%	372 329
8	-2,7%	146 753
9	-11,6%	95 647
10	6,8%	42 993
11	-1,3%	92 536
12	8,9%	408 188
13	12,1%	409 718
14	37,9%	476 941
15	34,0%	573 775
16	21,5%	1 470 252
17	12,3%	235 005

E. LA RÉORGANISATION MUNICIPALE: QUÉBEC - LÉVIS
1 : 745 000

Nouvelle ville de Québec
Arrondissements
La Cité des Rivières
Sainte-Foy-Sillery
Charlesbourg
Beauport
Limoilou
La-Haute-Saint-Charles
Laurentien
Municipalités reconstituées en janvier 2006

Lac Saint-Charles
Charlesbourg
Beauport
Québec
Saint-Émile
Wendake
Lorette-ville
Val-Bélair
Québec
Vanier
L'Ancienne-Lorette
Notre-Dame-des-Anges
Saint-Joseph-de-la-Pointe-de-Lévy
Sainte-Foy
Sillery
Lévis
Saint-Augustin-de-Desmaures
Cap-Rouge
Saint-Romuald
Pintendre
Charny
Saint-Jean-Chrysostome
Saint-Rédempteur
Saint-Nicolas
Sainte-Hélène-de-Breakeyville
Saint-Étienne-de-Lauzon

Saint-Laurent

Nouvelle ville de Lévis
Arrondissements
Desjardins
Chutes-de-la-Chaudière-Est
Chutes-de-la-Chaudière-Ouest

F. LA RÉORGANISATION MUNICIPALE: MONTRÉAL ET LONGUEUIL
1 : 600 000

Nouvelle ville de Montréal
Arrondissements
Dorval/L'Île-Dorval
Mont-Royal
Kirkland
Westmount
Outremont
L'Île-Bizard/Sainte-Geneviève/Sainte-Anne-de-Bellevue
Beaconsfield/Baie-d'Urfé
Pointe-Claire
Anjou
Côte-Saint-Luc/Hampstead/Montréal-Ouest
Dollard-des-Ormeaux/Roxboro
Verdun
Pierrefonds/Senneville
Saint-Léonard
Saint-Laurent
Montréal-Nord
LaSalle

Rivière-des-Prairies/Pointe-aux-Trembles/Montréal-Est
Ville-Marie
Sud-Ouest
Plateau Mont-Royal
Mercier/Hochelaga-Maisonneuve
Ahuntsic/Cartierville
Rosemont/Petite-Patrie
Villeray/Saint-Michel/Parc-Extension
Côte-des-Neiges/Notre-Dame-de-Grâce
Lachine

Municipalités reconstituées en janvier 2006

Montréal
Montréal-Est
Anjou
Montréal-Nord
Saint-Léonard
Montréal
Boucherville
Outre-mont
Longueuil
LeMoyne
Saint-Bruno-de-Montarville
Roxboro
Saint-Laurent
Mont-Royal
Westmount
Saint-Lambert
Saint-Hubert
L'Île-Bizard
Dollard-des-Ormeaux
Hampstead
Côte-Saint-Luc
Greenfield Park
Sainte-Geneviève
Pierrefonds
Pointe-Claire
Montréal-Ouest
Verdun
Brossard
Senneville
Kirkland
Dorval
Lachine
LaSalle
Beaconsfield
L'Île-Dorval
Baie-d'Urfé
Sainte-Anne-de-Bellevue

Nouvelle ville de Longueuil
Arrondissements
Longueuil
Saint-Lambert
Greenfield Park, LeMoyne
Boucherville
Brossard
Saint-Hubert
Saint-Bruno-de-Montarville

G. LA RÉORGANISATION MUNICIPALE: VILLE DE SAGUENAY
1 : 700 000

Saint-David-de-Falardeau
Saint-Ambroise
Saint-Charles-de-Bourget
Saint-Honoré
Shipshaw
Canton Tremblay
Saint-Fulgence
Larouche
Jonquière
Chicoutimi
Lac-Kénogami
Saguenay
La Baie
Laterrière
Saint-Félix-d'Otis
Lac-Ministuk
Ferland-et-Boilleau

Limite Nouvelle Ville de Saguenay
Limite municipale
Arrondissement de Chicoutimi
Arrondissement de Jonquière
Arrondissement de La Baie

H. LA RÉORGANISATION MUNICIPALE: GATINEAU
1 : 865 000

L'Ange-Gardien
Val-des-Monts
Cantley
Buckingham
Chelsea
Masson-Angers
Pontiac
Gatineau
Ottawa
Outaouais
Hull
Aylmer
Outaouais
Ottawa

Nouvelle ville de Gatineau
Ottawa

I. NOUVELLES VILLES (2013)

Nombre d'habitants
Superficie

× 1000 habitants
km²

Montréal
Québec
Laval
Gatineau
Longueuil
Sherbrooke
Saguenay
Lévis
Trois-Rivières
Terrebonne

© Noordhoff Uitgevers

ONTARIO

Échelle 1:9 000 000

-200 0 100 200 500 1000 1500 m

0 100 200 300 400 km

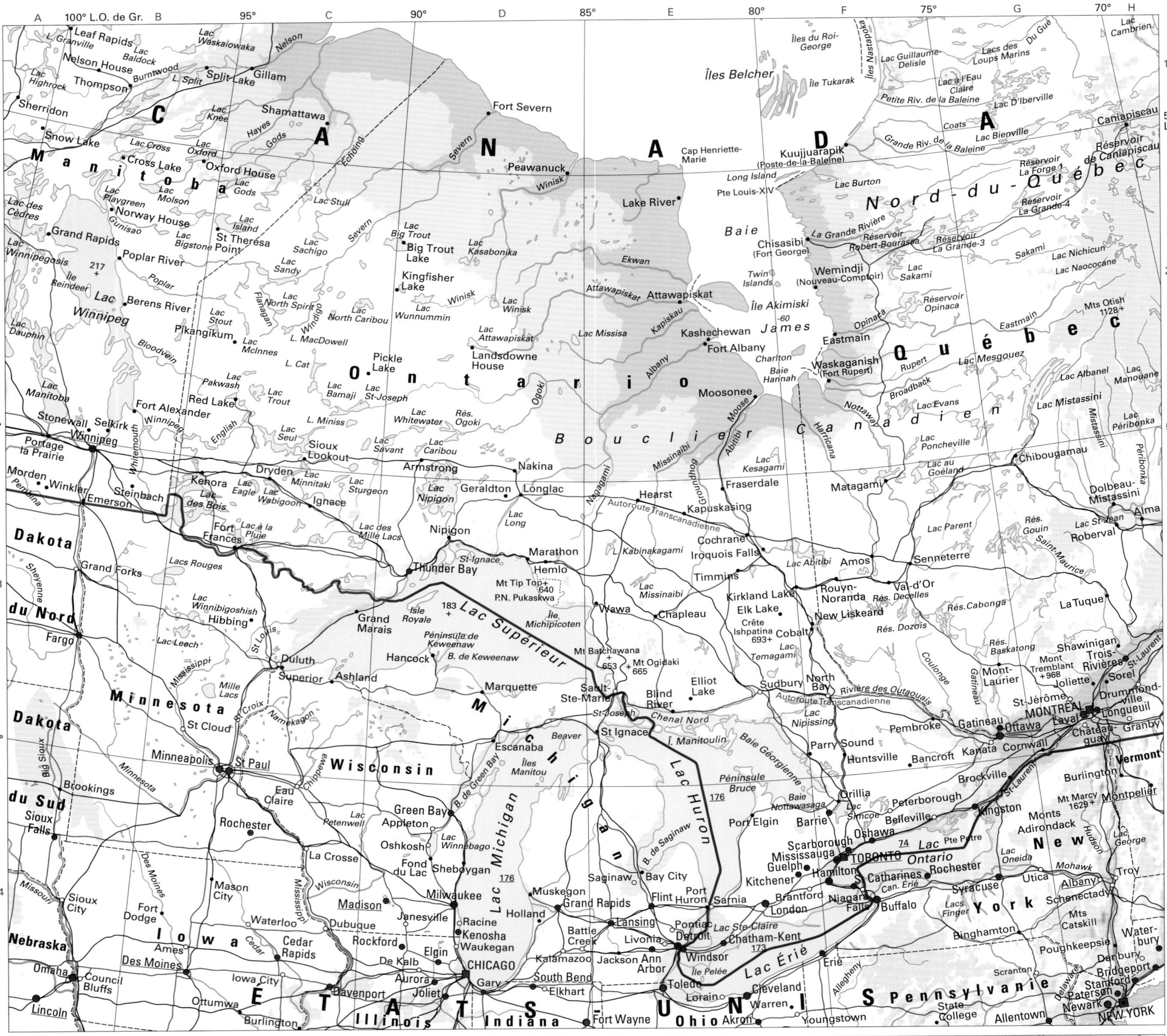

A. VARIATION DE LA POPULATION
1 : 18 000 000

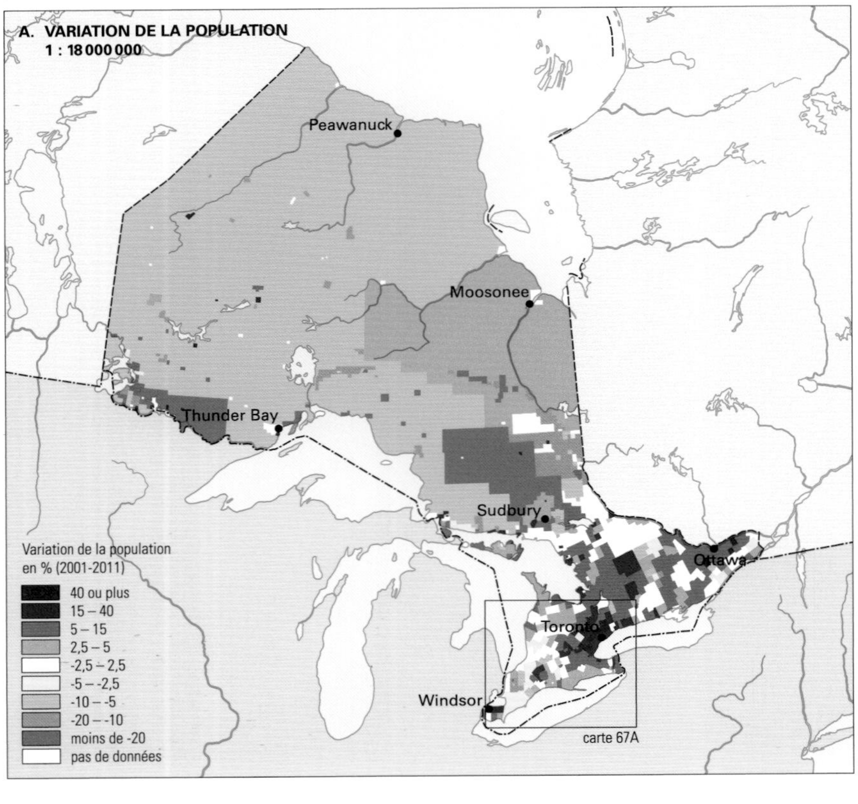

Variation de la population
en % (2001-2011)

- 40 ou plus
- 15 – 40
- 5 – 15
- 2,5 – 5
- -2,5 – 2,5
- -5 – -2,5
- -10 – -5
- -20 – -10
- moins de -20
- pas de données

carte 67A

B. ÉNERGIES ALTERNATIVES
1 : 18 000 000

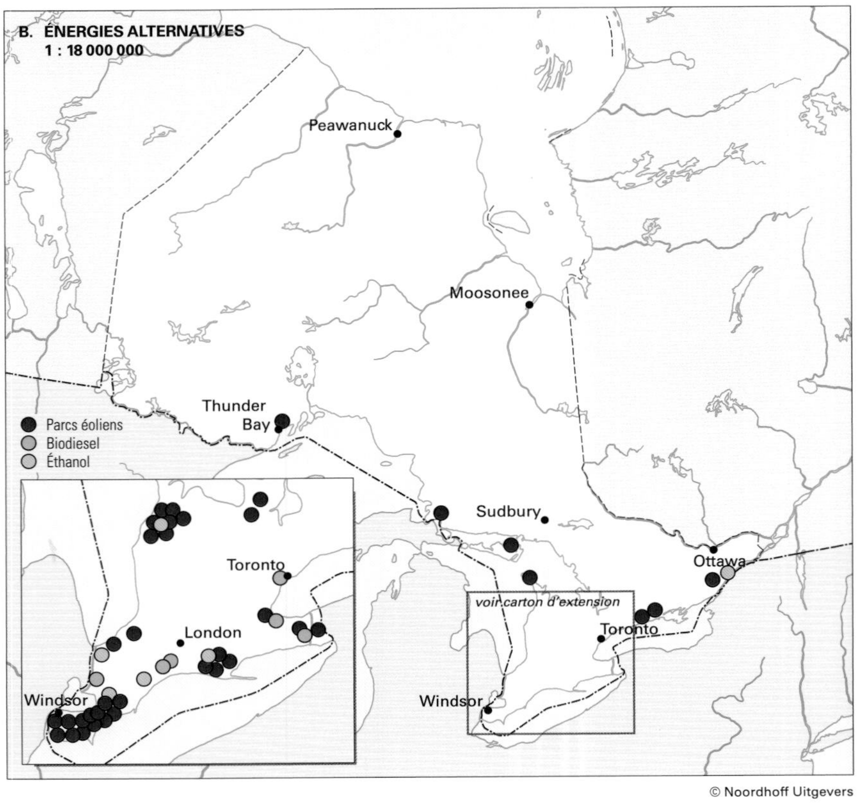

- Parcs éoliens
- Biodiesel
- Éthanol

voir carton d'extension

© Noordhoff Uitgevers

ONTARIO GOLDEN HORSESHOE

Échelle 1 : 2 000 000

0 100 200 500 1000 m

0 20 40 60 80 100 km

Carte principale (Golden Horseshoe)

Tobermory · C. Hurd · Escarpement du Niagara · Cabot Head · Parry Sound · Huntsville · Lac Kawagama · Hautes-terres d'Haliburton · Madawaska

P.N. de la Péninsule-Bruce · Baie Géorgienne · C. Croker · Lac Joseph · Lac Rosseau · Lac des Baies · Bracebridge · Haliburton · Denbigh · Bancroft · Lac Weslemkoon

Lac Huron · Wiarton · Owen Sound · Lac Muskoka · Gravenhurst · Minden · Lac Chandos

Sauble Beach · Meaford · Baie Nottawasaga · Penetanguishene · Midland · Port McNicoll · Wabashene · Washago · Orillia · C A N A D A · Kaladar

Southampton · Thornbury · Collingwood · Wasaga Beach · Lac Couchiching · Lac Balsam · Cobocook · Lac Stoney · Lac Kasshabog · Marmora · Madoc

Port Elgin · Owen Sound · Escarpement du Niagara · Springhurst Beach · Barrie · Lac Simcoe · Sutton · Fenelon Falls · Lacs Kawartha · Lakefield · Havelock · Campbellford

Paisley · Chesley · Markdale · Flesherton · Blue Mountains 541 · Alliston · Alcona · Keswick · Lindsay · Lac Scugog · Peterborough · Hastings · Trent · Frankford · Belleville · Napanee

Kincardine · Walkerton · Hanover · Durham · Shelburne · Bradford · Newmarket · Aurora · Port Perry · Lac Rice · Cobourg · Trenton · Baie de Quinte · Amherst

Pte Clark · Wingham · Mount Forest · Orangeville · Oak Ridges · Markham · Whitby · Oshawa · Newcastle · Port Hope · Brighton · Prince-Édouard · Picton

Goderich · Listowel · Arthur · Fergus · Caledon Village · Bolton · Vaughan · Richmond Hill · Ajax · Bowmanville · Wellington · Pte Prince-Édouard

Clinton · Seaforth · Mitchell · Waterloo · Kitchener · Guelph · Georgetown · Brampton · Woodbridge · Mississauga · TORONTO · Lac Ontario

Bayfield · New Hamburg · Stratford · Cambridge · Milton · Port Credit · Oakville · Burlington

Grand Bend · Exeter · Saint Marys · Nith · Dundas · Hamilton · Hamilton Harbour · Niagara-on-the-Lake · Olcott · Rochester

Parkhill · Woodstock · Ingersoll · Brantford · Caledonia · Grimsby · Niagara · Saint Catharines · Niagara Falls · Medina · Albion · Greece · Irondequoit · Wolcott

London · Komoka · Tillsonburg · Simcoe · Jarvis · Welland · North Tonawanda · Brockport · Brighton · Lyons

Strathroy · Glencoe · Saint Thomas · Nanticoke · Selkirk · Dunnville · Long Beach · Port Colborne · Fort Erie · Tonawanda · Cheektowaga · Batavia · Canandaigua · Waterloo · Seneca Falls

West Lorne · Port Burwell · Baie Long Point · Long Point · Buffalo · Lackawanna · West Seneca · ÉTATS-UNIS · Geneseo · Geneva

Long Point · Dunkirk · Hamburg · East Aurora · Warsaw · Lac Canandaigua · Penn Yan · Lac Cayuga

Lac Érié · Fredonia · Gowanda · Arcade · N e w Y o r k · Dansville · Lac Seneca · Watkins Glen

A. VARIATION DE LA POPULATION
1 : 5 000 000

Barrie · Kingston · Oshawa · Toronto · Kitchener · Hamilton · London · Niagara Falls · Chatham

Variation de la population en % (2001-2011)

- 40,1 – 1090,0
- 15,1 – 40,0
- 5,1 – 15,0
- 2,6 – 5,0
- -2,4 – 2,5
- -4,9 – -2,5
- -9,9 – -5,0
- -19,9 – -10,0
- -100,0 – -20,0
- pas de données

B. PERSONNES NÉES À L'ÉTRANGER
1 : 5 000 000

Barrie · Oshawa · Toronto · Kitchener · Hamilton · London · Niagara Falls · Chatham

Pourcentage de personnes nées à l'étranger sur la population totale de 2006

- 0 – 3
- 4 – 7
- 8 – 10
- 11 – 20
- 21 – 30
- plus de 30

C. LIEUX TOURISTIQUES ET HISTORIQUES
1 : 5 000 000

Kingston · Barrie · Oshawa · Toronto · Kitchener · Hamilton · London · Chatham

○ Lieu touristique
▢ Lieu historique national

Lieux touristiques :

1. Tobermory (croisière, villégiature)
2. Phare de Kincardine
3. Phare de Pointe Clark
4. Musée du patrimoine de Lambton (Grand Bend)
5. London (Brasserie Labatt, Musée d'archéologie)
6. St Thomas (Musée du comté d'Elgin, Musée ferroviaire)
7. Phare historique et Musée de la marine de Port Burwell
8. Musée et temple de la renommée du baseball canadien (St Marys)
9. Stratford (Galerie Stratford, Festival Shakespeare)
10. Centre d'interprétation de l'histoire mennonite (St Jacobs)
11. Waterloo (Musée des sciences de la terre, Galerie de la céramique et du verre)
12. Arboretum (Guelph)
13. Musée de la région de Waterloo (Kitchener)
14. Parc African Lion Safari (Cambridge)
15. Musée du tabac et centre du patrimoine de Delhi
16. Centre d'arts Norfolk à Lynn Wood (Simcoe)
17. Musée de la marine de Port Dover
18. Musée historique et maritime de Port Colborne
19. Safari Niagara (Stevensville)
20. Vieux Fort Érié
21. Musée de Welland
22. Niagara Falls (Chutes du Niagara, Marineland, Musée Queen Victoria)
23. Parc Queenstown (Queenston)
24. Niagara-on-the-lake (villégiature, Festival Shaw)
25. St. Catharines (Centre culturel Rodman Hall de l'université Brock, Centre d'observation de l'écluse n° 3 sur le canal Welland)
26. Musée historique de Jordan (Lincoln)
27. Musée du patrimoine des avions de guerre canadiens (Hamilton)
28. Jardins botaniques royaux (Burlington)
29. Oakville (Temple de la renommée et Musée du golf canadien, Galeries d'Oakville)
30. Musée de la Maison Bradley (Mississauga)
31. Collection McMichael d'art canadien (Kleinburg)
32. Toronto (Tour du Cn, Temple de la renommée du hockey)
33. Brampton (Parc aquatique Wild Water Kingdom, Complexe du partimoine Pell)
34. Galerie d'art Tom Thomson (Owen Sound)
35. Croisière des 30 000 îles (Parry Sound)
36. Village des pionniers de Muskoka
37. Bracebridge (croisière, village du Père Noël)
38. Musée du patrimoine de Hasting-Nord (Bancroft)
39. Musée Moulin-d'Ohara (Madoc)
40. Maison Allan MacPherson et parcs (Napanee)
41. Parc partrimonial Macaulay (Picton)
42. Wellington (Musée partrimonial de Wellington, villégiature)
43. Musée national de l'aviation militaire du Canada (Trenton)
44. Musée ferroviaire de Brighton
45. Musée canadien des pompiers (Port Hope)
46. Peterborough (Musée canadien du canot, Musée et village des pionniers Lang)
47. Bobcaygeon (villégiature)
48. Parc des fauves (Orono)
49. Centrale nucléaire de Darlington (Bowmanville)
50. Oshawa (Musée canadien de l'automobile, Parkwood domaine R.S. McLaughlin)
51. Musée de Markham (Markham)
52. Musée historique, village et archives de la côte Scugog (Port Perry)
53. Musée du village de Georgina (Keswick)
54. Barrie (croisière, musée)
55. Orilia (Monument à Champlain, croisière)
56. Aventures dans les grottes panoramiques (Collingwood)
57. Wasaga Beach (villégiature)
58. Midland (Saint-Marie-au-Pays-des-Hurons, Sanctuaire des martyrs canadiens)

Lieux historiques nationaux :

1. Maison Banting (London)
2. Annadale (Tillsonburg)
3. Woodside (Kitchener)
4. Château de Kilbride (Baden)
5. Chiefswood et Manoir Bell (Brantford)
6. Dundurn (Hamilton)
7. Fort York (Toronto)
8. Glanmore (Belleville)
9. Temple de Sharon
10. Musée Leacock (Orillia)
11. Île Nancy (Wasaga Beach)

Pour les parcs nationaux, consulter la page 55.

© Noordhoff Uitgevers

PROVINCES DE L'ATLANTIQUE

-6000 -4000 -2000 -200 0 100 200 500 1000 1500 m

Échelle 1 : 9 000 000
0 100 200 300 400 km

Carte principale (labels)

Baie d'Ungava
Mer du Labrador
Québec
Labrador
Terre-Neuve
Golfe du Saint-Laurent
Océan Atlantique
Nouveau-Brunswick
Nouvelle-Écosse
Île-du-Prince-Édouard
Île du Cap-Breton
MAINE
ÉTATS-UNIS

Lac Faribault, Riv. aux Feuilles, Lac Le Moyne, Riv. aux Mélèzes, Du Gué, Riv. à la Baleine, Kangiqsualujjuaq (Port Nouveau-Québec), Kuujjuaq (Fort Chimo), Koksoak, Lac Chakonipau, Lac Otelnuk, Lac Tudor, Koroc, Mts Torngat, P.N. des Monts-Torngat, Mont Caubvick +1652, Baie Saglek, Mont Qarqaaluk 1069+, Hebron, Okak, Caniapiscau, Réservoir de Caniapiscau, Lac Attikamagen, Schefferville, Rés. Smallwood, Naskaupi, Chutes Churchill, Churchill Falls, Happy Valley-Goose Bay, North West River, Lac Melville, Labrador City, Fermont, Wabush, Lac Joseph, Lac Achouanipi, Lac Aticonac, Monts Groulx 1104+, Réservoir Manicouagan, Sainte-Marguerite, Mingan, Lac-Allard, Lac Musquaro, Harrington Harbour, Pointe-Noire, Sept-Îles, Port-Cartier, Havre Saint-Pierre, Natashquan, Détroit de Jacques-Cartier, Port-Menier, Île d'Anticosti, Baie-Comeau, Forestville, Ste-Anne-des-Monts, Matane, Gaspé, Péninsule de Gaspésie, P.N. de Forillon, Amqui, Rimouski, New Richmond, Carleton-sur-Mer, Rivière-du-Loup, Matapédia, Campbellton, Caraquet, Shippagan, Lamèque, Bathurst, Baie Miramichi, Edmundston, Grand Falls, Miramichi, Mt Carlton 820+, P.N. Kouchibouguac, Bouctouche, Shediac, Moncton, Summerside, Chéticamp, Inverness, Baddeck, Sydney, Glace Bay, Port Hawkesbury, Fredericton, St John, Sussex, Amherst, Antigonish, New Glasgow, Sherbrooke, Truro, Wolfville, Dartmouth, Digby, Mahone Bay, Halifax, Bridgewater, Yarmouth, Liverpool, P.N. Kejimkujik, Bangor, Nain, Voisey's Bay, Natuashish, Hopedale, Postville, Makkovik, Rigolet, Cartwright, Port Hope Simpson, Mary's Harbour, Blanc-Sablon, Saint-Augustin, Forteau, St Barbe, St Anthony, L'Anse aux Meadows, Roddickton, Port-au-Choix, Baie Verte, Rocky Harbour, Gros-Morne, Springdale, Twillingate, Leading Tickles, Deer Lake, Bishop's Falls, Grand Falls-Windsor, Gander, Gloverton, Corner Brook, Buchans, Stephenville, St George's, St Alban's, Clarenville, Bonavista, Bay De Verde, Burgeo, Grand Bank, Marystown, Burin, Placentia, St John's, Ferryland, Trepassey, Saint-Pierre-et-Miquelon (France)

A. VARIATION DE LA POPULATION
1 : 18 000 000

Variation de la population en % (2001-2011)
- 40,1 – 1090,0
- 15,1 – 40,0
- 5,1 – 15,0
- 2,6 – 5,0
- -2,4 – 2,5
- -4,9 – -2,5
- -9,9 – -5,0
- -19,9 – -10,0
- -100,0 – -20,0
- pas de données

Hebron, Happy Valley-Goose Bay, Saint John's, Fredericton, Charlottetown, Halifax

B. ÉNERGIES ALTERNATIVES
1 : 18 000 000

Hebron, Happy Valley-Goose Bay, Saint John's, Fredericton, Charlotte-town, Halifax

- ● Parcs éoliens
- ● Marémotrice
- ○ Éthanol

C. LIEUX TOURISTIQUES ET HISTORIQUES
1 : 18 000 000

Lieux touristiques:
1 Réserve écologique des îles Gannet
2 District historique de Battle Harbour
3 Observation d'Iceberg (St Antony)
4 Parc National de Gros Morne
5 Corner Brook
6 Marble Moutain (villégiature et ski)
7 Péninsule de Port-au-Port
8 Insectarium de Terre-Neuve (Reidville)
9 Observation d'Iceberg (Twillingate)
10 Centre d'interprétation du saumon d'Atlantique (Grand Falls-Windsor)
11 Musée de l'aviation de l'Atlantique-Nord (Gander)
12 Site de John Cabot (Bonavista)
13 District historique de Port Union
14 Village historique de Trinity
15 Centre d'interprétation de Fortune Head
16 Site Béothuk de Blaketown et site Dorset de l'île Dildo
17 Saint-John's
18 Colonie d'Avalon (Ferryland)
19 Réserve faunique d'Avalon
20 Réserve faunique Bay du Nord
21 Réserve faunique Middle Ridge
22 Chéticamp (croisière aux baleines)
23 Ingonish (villégiature)
24 Sydney
25 Musée des mineurs (Glace Bay)
26 Village pittoresque de Sherbrooke
27 Centre culturel des Noirs de la Nouvelle-Écosse (Dartmouth)
28 Halifax (citadelle, Musée canadien de l'immigration, Musée maritime de l'Atlantique)
29 Phare de Peggy's Cove
30 Village historique de Mahone Bay
31 Lunenberg (Patrimoine mondial)
32 Musée et archives du comté de Yarmouth
33 West Port (croisière aux baleines)
34 Musée de la ferme (New Ross)
35 Musée de l'industrie (Stellarton)
36 Musée des pêches de Basin Head (Souris)
37 Édifices patrimoniaux Wyatt (Summerside)
38 Aquarium et centre marin du Nouveau-Brunswick (Shippagan)
39 Village historique de Caraquet
40 Village historique de Kings Landing
41 Fredericton
42 Parc international Roosevelt-Campobello (île Cambello) et Lieu historique internationale de l'île Sainte-Croix
43 Musée du Nouveau-Brunswick (Saint John)
44 Centre d'interprétation des marées Hopewell Rock (Hopewell Cape)
45 Côte magnétique (Moncton)
46 Shediac (villégiature)
47 Le pays de la Sagouine et Éco-centre Irving de la dune (Bouctouche)
48 Musée historique de Madawaska (Edmundston)

Lieux historiques nationaux:
1 Mission de Hopedale
2 Red Bay
3 L'Anse aux Meadows
4 Port-au-Choix
5 Castell Hill
6 Signal Hill
7 Phare de Cap Spear
8 Forterresse de Louisbourg
9 Alexander-Graham-Bell (Baddeck)
10 Musée de la société patrimoniale des loyalistes noirs (Shelburne)
11 Port-Royal
12 Fort Anne (Annapolis Royal)
13 Gran Pré
14 Province House (Charlottetown)
15 Port-La-Joye-Fort-Amherst (Rocky point)
16 Green Gables (L.-M.-Montgomery)
17 Construction-Navale-à-l'île-Beaubears (Miamichi)

Pour les parcs nationaux, consulter la page 55

- ○ Lieu touristique
- ■ Lieu historique national

D. AQUACULTURE
1 : 18 000 000

- ● Pétoncles
- ● Huîtres
- ● Moules
- ○ Saumon
- △ Plantes marines
- □ Établissement d'éducation et de recherche en aquaculture et pêcherie

1 Moncton
2 Fredericton
3 Wolfville
4 Truro
5 Halifax
6 Sydney
7 Charlottetown
8 Bay d'Espoir
9 St. John's

© Noordhoff Uitgevers

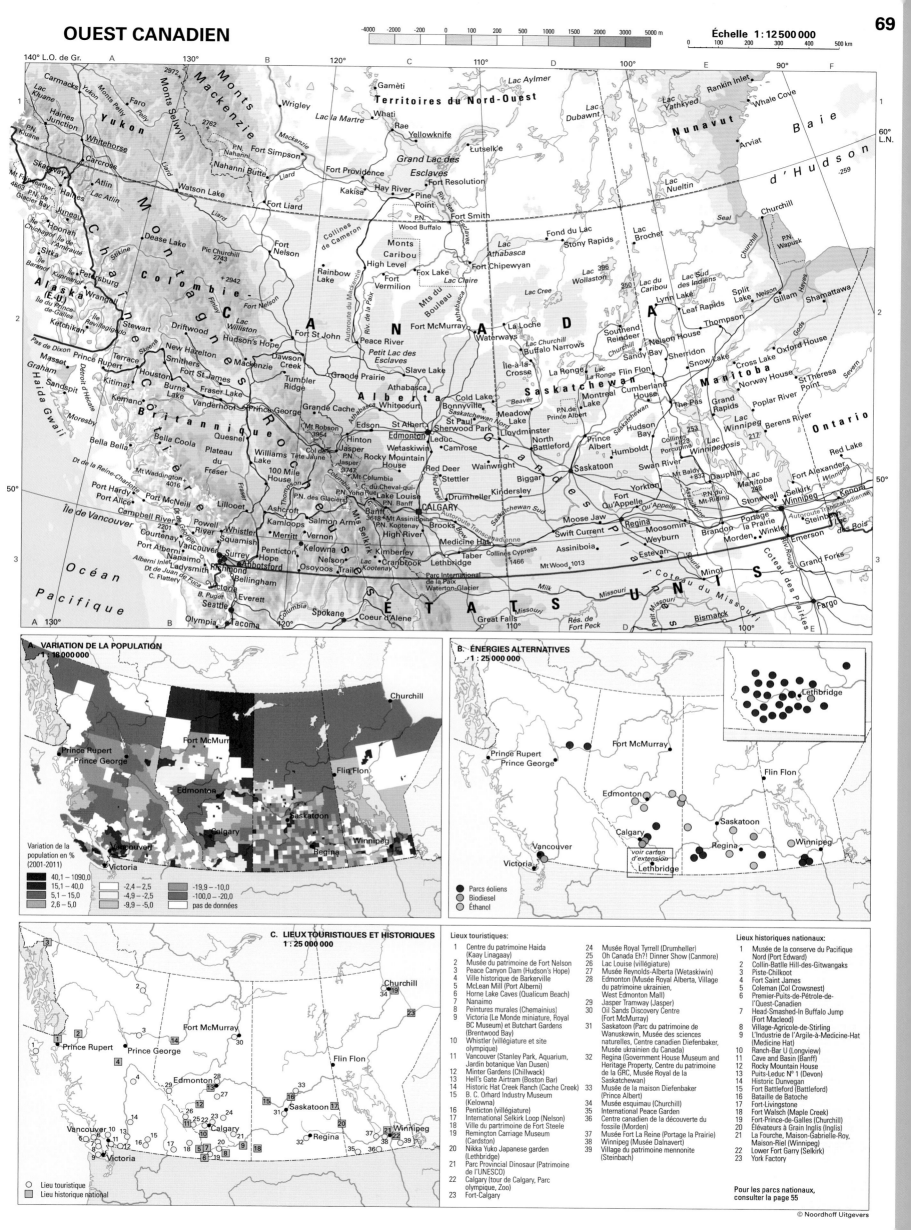

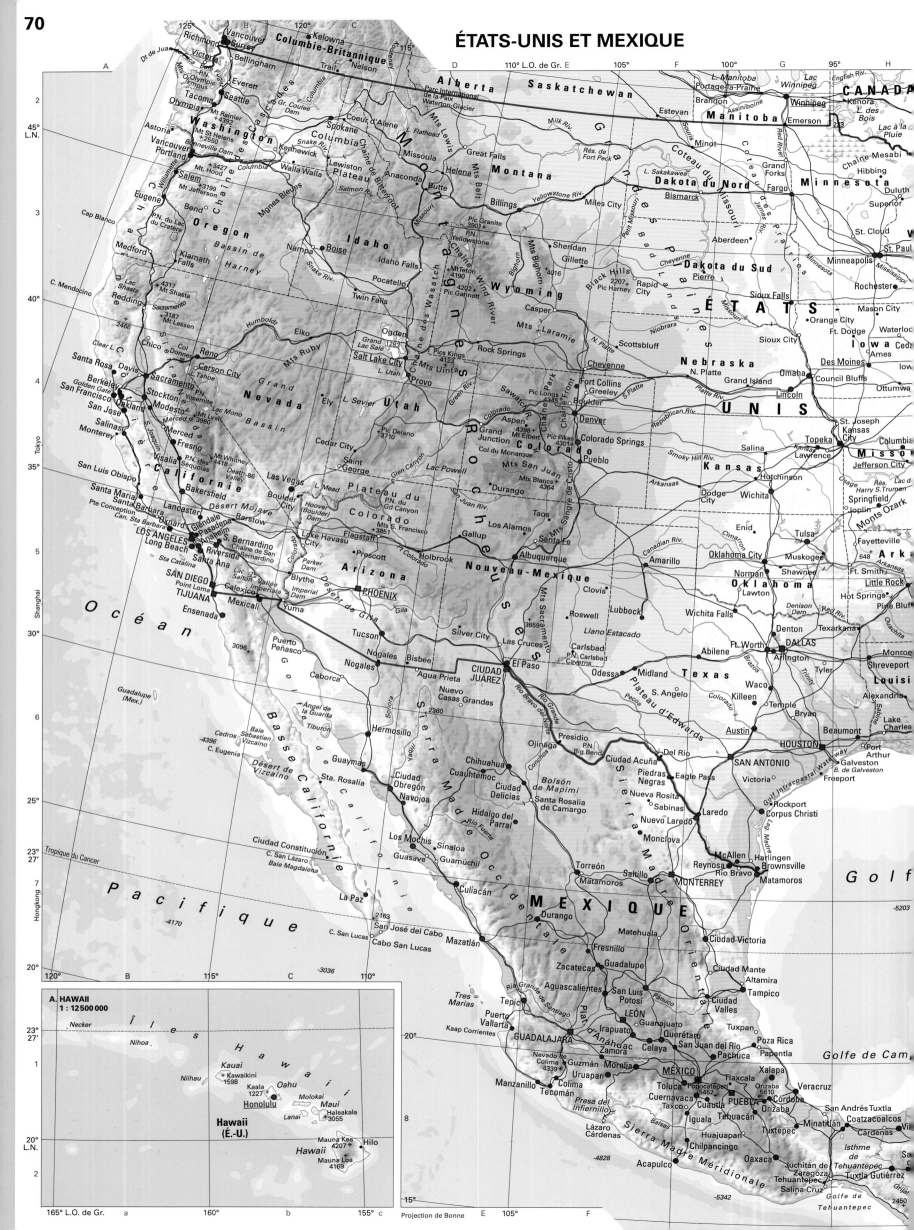

ÉTATS-UNIS ET MEXIQUE

A. HAWAII
1 : 12 500 000

Hawaii
(É.-U.)

Projection de Bonne

Échelle 1 : 12 500 000

-8000 -6000 -4000 -2000 -200 0 100 200 500 1000 1500 2000 3000 m
au-dessous du niveau de la mer

B. EXPANSION DU TERRITOIRE DES ÉTATS-UNIS
1 : 70 000 000

B1. 4 juillet 1776: Déclaration d'Indépendance

- Territoire des 13 États initiaux en 1776
- Frontière internationale en 1776
- Frontière d'État en 1776

B2. 3 septembre 1783: reconnaissance de l'Indépendance

- Les É.-U. en 1783
- Frontière internationale en 1783
- Frontière d'État en 1783
- Cédé par la Grande Bretagne en 1783
- Zone contestée depuis 1783

B3. 1791-1812

- Les É.-U. avant 1791
- Frontière internationale en 1783
- Frontière d'État en 1783
- Vermont admis comme État (1791)
- Achat de la Louisiane à la France (1803)
- Zone contestée depuis 1783

B4. 1818-1846

- Les É.-U. avant 1818
- Frontière internationale en 1846
- Frontière d'État en 1846
- Cédé par les É.-U. (1818-1821)
- Cédé par la Grande-Bretagne (1818)
- Achat de la Floride à l'Espagne (1819)
- Texas admis comme État (1845)
- Territoire de l'Oregon (1818 condominium anglo-américain; 1846 adhésion aux É.-U.)

B5. 1848-1853

- Les É.-U. avant 1848
- Cédé par le Mexique (1848)
- Achat du Mexique (1853)
- Frontière internationale en 1853
- Frontière d'État en 1853

Expansion du territoire des États-Unis après 1853:
1867 Achat de l'Alaska à la Russie
1898 Cession de Porto Rico et Guam par l'Espagne; annexion d'Hawaii
1898-1946 Philippines
1900 Samoa Américaine
1903-1979 Zone du Canal de Panamá
1917 Achat des Îles Vierges au Danemark
1947 Mandat des Îles du Pacifique (au nom des Nations-Unies)

© Noordhoff Uitgevers

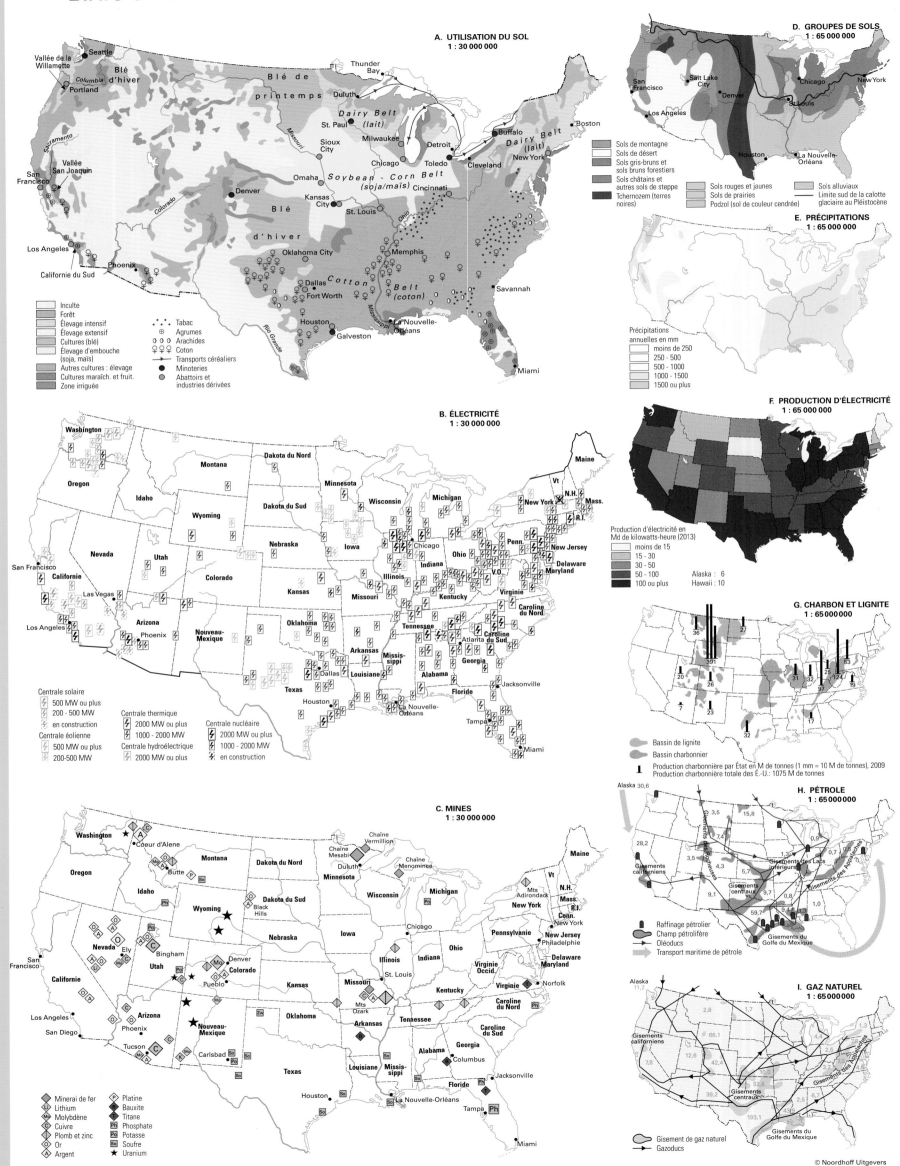

A. UTILISATION DU SOL
1 : 30 000 000

Inculte
Forêt
Élevage intensif
Élevage extensif
Cultures (blé)
Élevage d'embouche (soja, maïs)
Autres cultures : élevage
Cultures maraîch. et fruit.
Zone irriguée

Tabac
Agrumes
Arachides
Coton
Transports céréaliers
Minoteries
Abattoirs et industries dérivées

D. GROUPES DE SOLS
1 : 65 000 000

Sols de montagne
Sols de désert
Sols gris-bruns et sols bruns forestiers
Sols châtains et autres sols de steppe
Tchernozem (terres noires)
Sols rouges et jaunes
Sols de prairies
Podzol (sol de couleur cendrée)
Sols alluviaux
Limite sud de la calotte glaciaire au Pléistocène

E. PRÉCIPITATIONS
1 : 65 000 000

Précipitations annuelles en mm
moins de 250
250 - 500
500 - 1000
1000 - 1500
1500 ou plus

B. ÉLECTRICITÉ
1 : 30 000 000

Centrale solaire
500 MW ou plus
200 - 500 MW
en construction
Centrale éolienne
500 MW ou plus
200-500 MW
Centrale thermique
2000 MW ou plus
1000 - 2000 MW
Centrale hydroélectrique
2000 MW ou plus
Centrale nucléaire
2000 MW ou plus
1000 - 2000 MW
en construction

F. PRODUCTION D'ÉLECTRICITÉ
1 : 65 000 000

Production d'électricité en Md de kilowatts-heure (2013)
moins de 15
15 - 30
30 - 50
50 - 100
100 ou plus
Alaska : 6
Hawaii : 10

G. CHARBON ET LIGNITE
1 : 65 000 000

Bassin de lignite
Bassin charbonnier
Production charbonnière par État en M de tonnes (1 mm = 10 M de tonnes), 2009
Production charbonnière totale des É.-U.: 1075 M de tonnes

C. MINES
1 : 30 000 000

Minerai de fer
Lithium
Molybdène
Cuivre
Plomb et zinc
Or
Argent
Platine
Bauxite
Titane
Phosphate
Potasse
Soufre
Uranium

H. PÉTROLE
1 : 65 000 000

Alaska 30,6
Raffinage pétrolier
Champ pétrolifère
Oléoducs
Transport maritime de pétrole

I. GAZ NATUREL
1 : 65 000 000

Alaska 11,2
Gisement de gaz naturel
Gazoducs

© Noordhoff Uitgevers

ÉTATS-UNIS

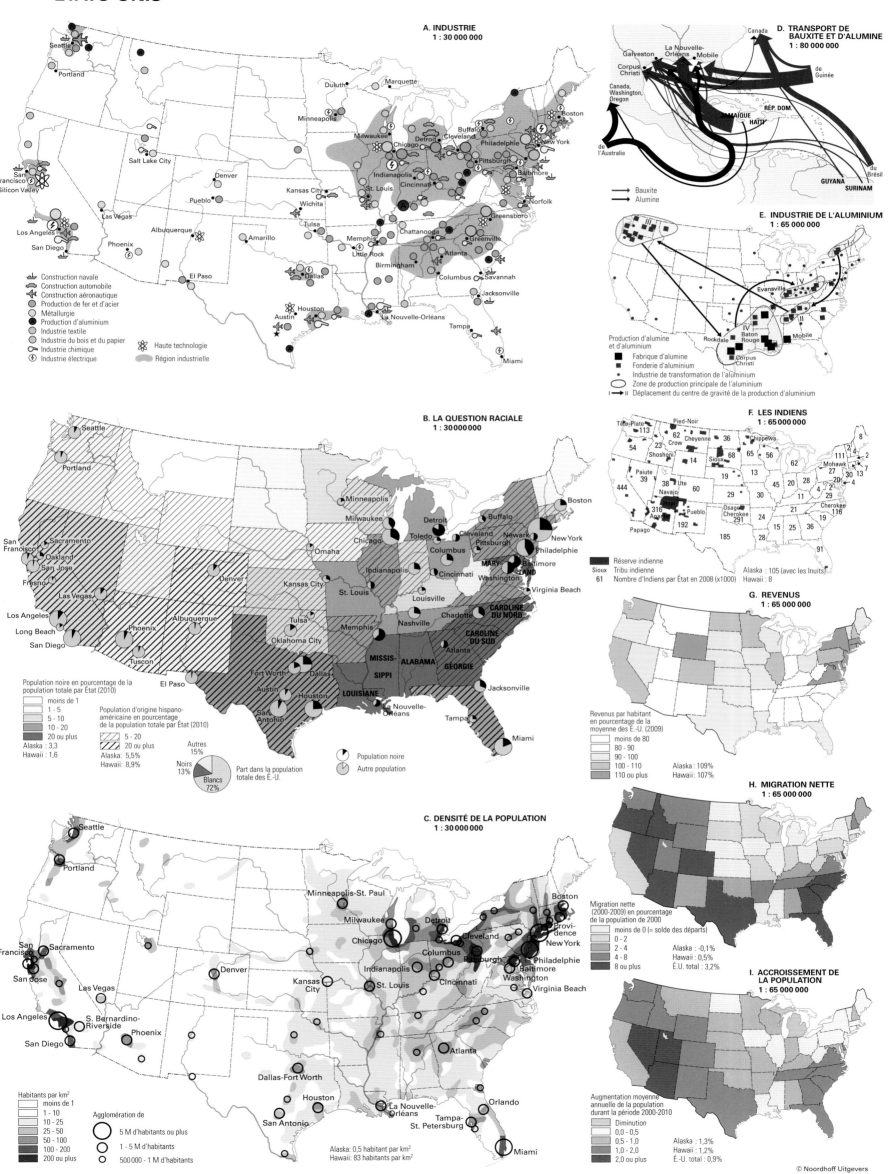

ÉTATS-UNIS

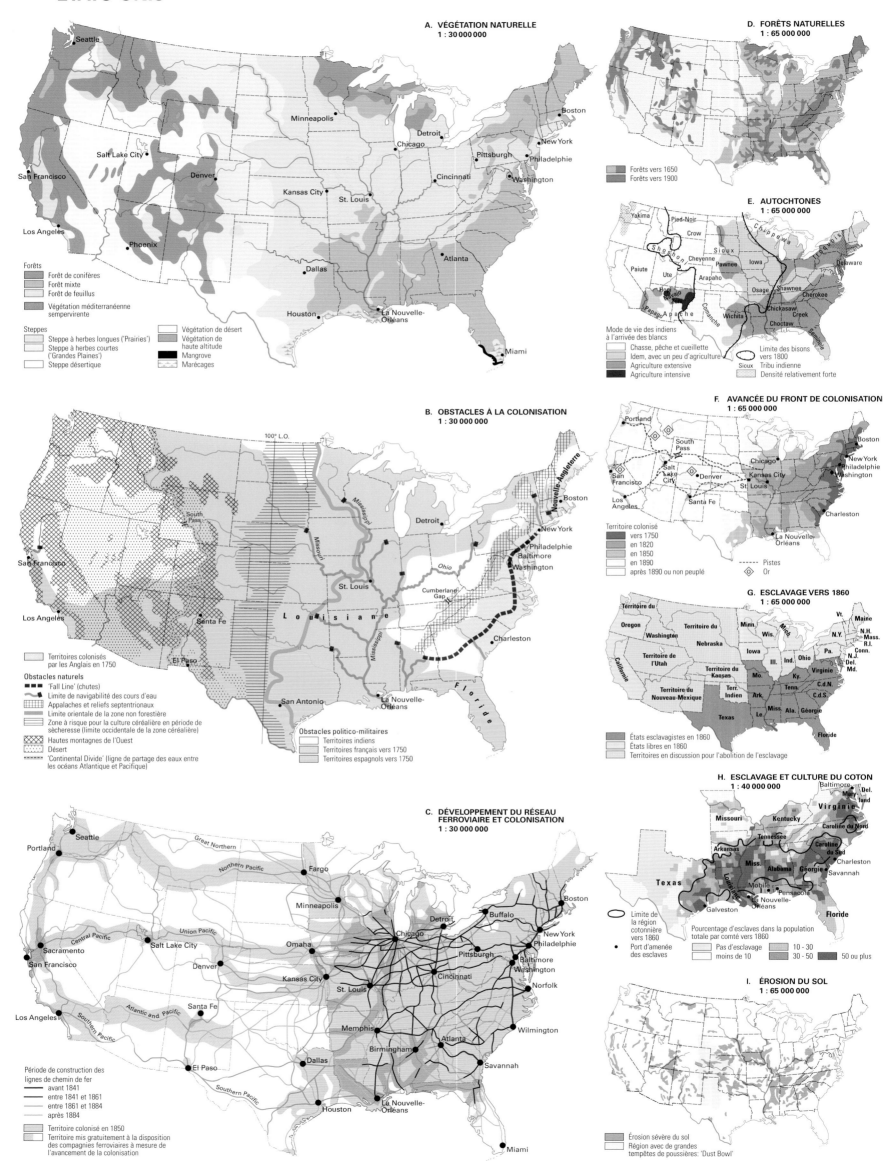

A. VÉGÉTATION NATURELLE
1 : 30 000 000

Forêts
- Forêt de conifères
- Forêt mixte
- Forêt de feuillus
- Végétation méditerranéenne sempervirente

Steppes
- Steppe à herbes longues ('Prairies')
- Steppe à herbes courtes ('Grandes Plaines')
- Steppe désertique
- Végétation de désert
- Végétation de haute altitude
- Mangrove
- Marécages

B. OBSTACLES À LA COLONISATION
1 : 30 000 000

100° L.O.

- Territoires colonisés par les Anglais en 1750

Obstacles naturels
- 'Fall Line' (chutes)
- Limite de navigabilité des cours d'eau
- Appalaches et reliefs septentrionaux
- Limite orientale de la zone non forestière
- Zone à risque pour la culture céréalière en période de sècheresse (limite occidentale de la zone céréalière)
- Hautes montagnes de l'Ouest
- Désert
- 'Continental Divide' (ligne de partage des eaux entre les océans Atlantique et Pacifique)

Obstacles politico-militaires
- Territoires indiens
- Territoires français vers 1750
- Territoires espagnols vers 1750

C. DÉVELOPPEMENT DU RÉSEAU FERROVIAIRE ET COLONISATION
1 : 30 000 000

Période de construction des lignes de chemin de fer
- avant 1841
- entre 1841 et 1861
- entre 1861 et 1884
- après 1884

- Territoire colonisé en 1850
- Territoire mis gratuitement à la disposition des compagnies ferroviaires à mesure de l'avancement de la colonisation

D. FORÊTS NATURELLES
1 : 65 000 000

- Forêts vers 1650
- Forêts vers 1900

E. AUTOCHTONES
1 : 65 000 000

Mode de vie des indiens à l'arrivée des blancs
- Chasse, pêche et cueillette
- Idem, avec un peu d'agriculture
- Agriculture extensive
- Agriculture intensive
- Limite des bisons vers 1800
- Sioux Tribu indienne
- Densité relativement forte

F. AVANCÉE DU FRONT DE COLONISATION
1 : 65 000 000

Territoire colonisé
- vers 1750
- en 1820
- en 1850
- en 1890
- après 1890 ou non peuplé
- Pistes
- Or

G. ESCLAVAGE VERS 1860
1 : 65 000 000

- États esclavagistes en 1860
- États libres en 1860
- Territoires en discussion pour l'abolition de l'esclavage

H. ESCLAVAGE ET CULTURE DU COTON
1 : 40 000 000

- Limite de la région cotonnière vers 1860
- Port d'amenée des esclaves

Pourcentage d'esclaves dans la population totale par comté vers 1860
- Pas d'esclavage
- moins de 10
- 10 - 30
- 30 - 50
- 50 ou plus

I. ÉROSION DU SOL
1 : 65 000 000

- Érosion sévère du sol
- Région avec de grandes tempêtes de poussières: 'Dust Bowl'

MÉGALOPOLES

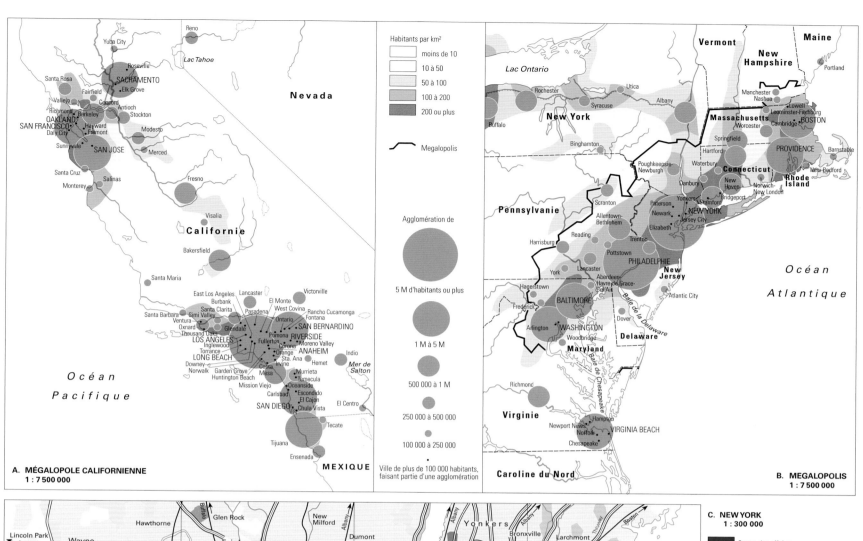

Habitants par km²

- moins de 10
- 10 à 50
- 50 à 100
- 100 à 200
- 200 ou plus

— Megalopolis

Agglomération de

- 5 M d'habitants ou plus
- 1 M à 5 M
- 500 000 à 1 M
- 250 000 à 500 000
- 100 000 à 250 000
- Ville de plus de 100 000 habitants, faisant partie d'une agglomération

A. MÉGALOPOLE CALIFORNIENNE
1 : 7 500 000

B. MEGALOPOLIS
1 : 7 500 000

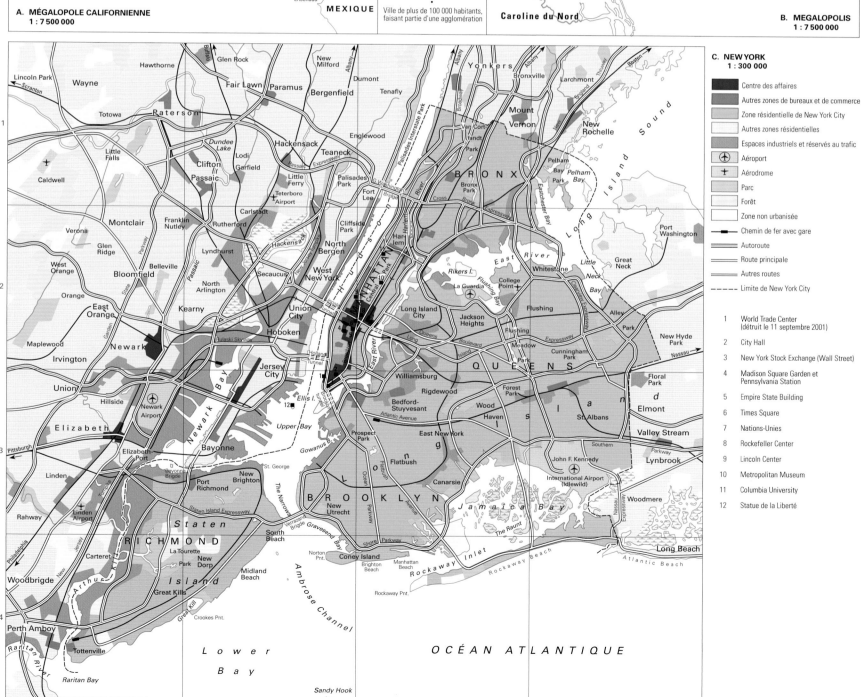

C. NEW YORK
1 : 300 000

- Centre des affaires
- Autres zones de bureaux et de commerce
- Zone résidentielle de New York City
- Autres zones résidentielles
- Espaces industriels et réservés au trafic
- ✈ Aéroport
- + Aérodrome
- Parc
- Forêt
- Zone non urbanisée
- Chemin de fer avec gare
- Autoroute
- Route principale
- Autres routes
- Limite de New York City

1. World Trade Center (détruit le 11 septembre 2001)
2. City Hall
3. New York Stock Exchange (Wall Street)
4. Madison Square Garden et Pennsylvania Station
5. Empire State Building
6. Times Square
7. Nations-Unies
8. Rockefeller Center
9. Lincoln Center
10. Metropolitan Museum
11. Columbia University
12. Statue de la Liberté

© Noordhoff Uitgevers

ÉTATS-UNIS RISQUES NATURELS

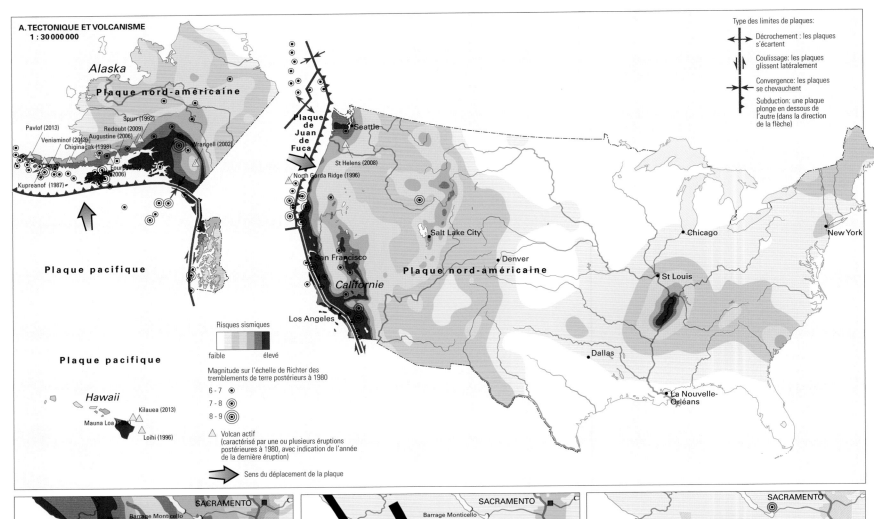

A. TECTONIQUE ET VOLCANISME
1 : 30 000 000

Alaska
Plaque nord-américaine

Spurr (1992)
Redoubt (2009)
Pavlof (2013)
Augustine (2006)
Veniaminof (2013)
Chiginagak (1998)
Wrangell (2002)
Four Peaks (2006)
Kupreanof (1987)

Plaque pacifique

Plaque de Juan de Fuca

Seattle

St Helens (2008)
North Gorda Ridge (1996)

Salt Lake City
San Francisco
Californie
Denver

Plaque nord-américaine

Chicago
New York
St Louis

Los Angeles

Dallas

La Nouvelle-Orléans

Plaque pacifique

Hawaii

Kilauea (2013)
Mauna Loa (1984)
Loihi (1996)

Type des limites de plaques:

Décrochement : les plaques s'écartent

Coulissage: les plaques glissent latéralement

Convergence: les plaques se chevauchent

Subduction : une plaque plonge en dessous de l'autre (dans la direction de la flèche)

Risques sismiques
faible — élevé

Magnitude sur l'échelle de Richter des tremblements de terre postérieurs à 1980
6 - 7
7 - 8
8 - 9

Volcan actif (caractérisé par une ou plusieurs éruptions postérieures à 1980, avec indication de l'année de la dernière éruption)

Sens du déplacement de la plaque

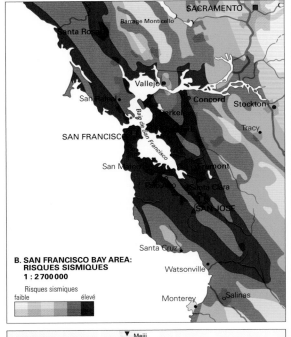

B. SAN FRANCISCO BAY AREA: RISQUES SISMIQUES
1 : 2 700 000

SACRAMENTO
Barrage Monticello
Santa Rosa
Vallejo
San Rafael
Concord
Stockton
Berkeley
SAN FRANCISCO
Tracy
San Mateo
Fremont
Santa Clara
SAN JOSE
Santa Cruz
Watsonville
Monterey
Salinas

Risques sismiques
faible — élevé

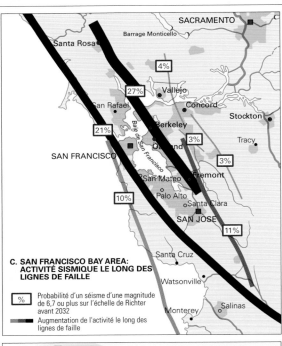

C. SAN FRANCISCO BAY AREA: ACTIVITÉ SISMIQUE LE LONG DES LIGNES DE FAILLE

SACRAMENTO
Barrage Monticello
Santa Rosa
4%
27%
Vallejo
San Rafael
Concord
21%
Berkeley
3%
SAN FRANCISCO
Stockton
Oakland
Tracy
San Mateo
3%
Fremont
10%
Palo Alto
Santa Clara
SAN JOSE
11%
Santa Cruz
Watsonville
Monterey
Salinas

% Probabilité d'un séisme d'une magnitude de 6,7 ou plus sur l'échelle de Richter avant 2032

Augmentation de l'activité le long des lignes de faille

D. SAN FRANCISCO BAY AREA: SÉISMES HISTORIQUES
1 : 2 700 000

SACRAMENTO
Santa Rosa
Napa
Vacaville
Petaluma
Vallejo
San Rafael
Antioch
Concord
Stockton
Golden Gate
Berkeley
Oakland
Livermore
SAN FRANCISCO (7,9 sur l'échelle de Richter, 1906)
Hayward
Pleasanton
San Mateo
Fremont
Palo Alto
Santa Clara
SAN JOSE
Santa Cruz
Gilroy
Monterey
Salinas
Watsonville

Magnitude sur l'échelle de Richter des tremblements de terre postérieurs à 1800
5 - 6
6 - 7
7 - 8

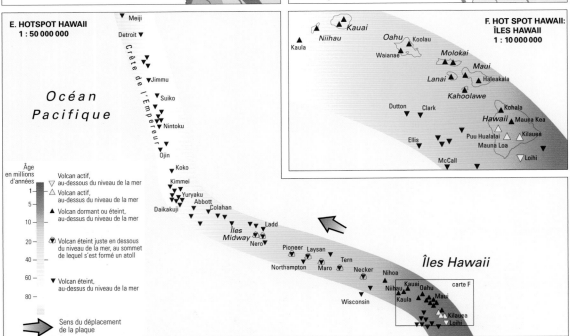

E. HOTSPOT HAWAII
1 : 50 000 000

Meiji
Detroit
Océan Pacifique
Jimmu
Suiko
Nintoku
Crête de l'Empereur
Ojin
Koko
Kimmei
Yuryaku
Abbott
Colahan
Daikakuji
Ladd
Îles Midway
Nero
Pioneer
Laysan
Northampton
Maro
Tern
Necker
Nihoa
Niihau
Kauai Oahu
Maui
Wisconsin
Kaula
Kilauea
Loihi
Îles Hawaii
carte F

Âge en millions d'années
1
5
10
20
40
60
80

Volcan actif, au-dessous du niveau de la mer
Volcan actif, au-dessus du niveau de la mer
Volcan dormant ou éteint, au-dessus du niveau de la mer
Volcan éteint juste en dessous du niveau de la mer, au sommet de lequel s'est formé un atoll
Volcan éteint, au-dessus du niveau de la mer

Sens du déplacement de la plaque

F. HOT SPOT HAWAII: ÎLES HAWAII
1 : 10 000 000

Kauai
Niihau
Kaula
Oahu
Koolau
Waianae
Molokai
Maui
Lanai
Haleakala
Kahoolawe
Dutton
Clark
Kohala
Hawaii
Mauna Kea
Ellis
Puu Hualalai
Kilauea
Mauna Loa
McCall
Loihi

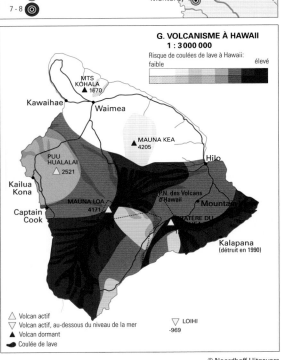

G. VOLCANISME À HAWAII
1 : 3 000 000

Risque de coulées de lave à Hawaii:
faible — élevé

MTS KOHALA 1670
Kawaihae
Waimea
MAUNA KEA 4205
Kailua Kona
PUU HUALALAI 2521
Hilo
Captain Cook
MAUNA LOA 4171
P.N. des Volcans d'Hawaii
Mountain
CRATÈRE DU
Kalapana (détruit en 1990)

Volcan actif
Volcan actif, au-dessous du niveau de la mer
Volcan dormant
Coulée de lave

LOIHI -969

© Noordhoff Uitgevers

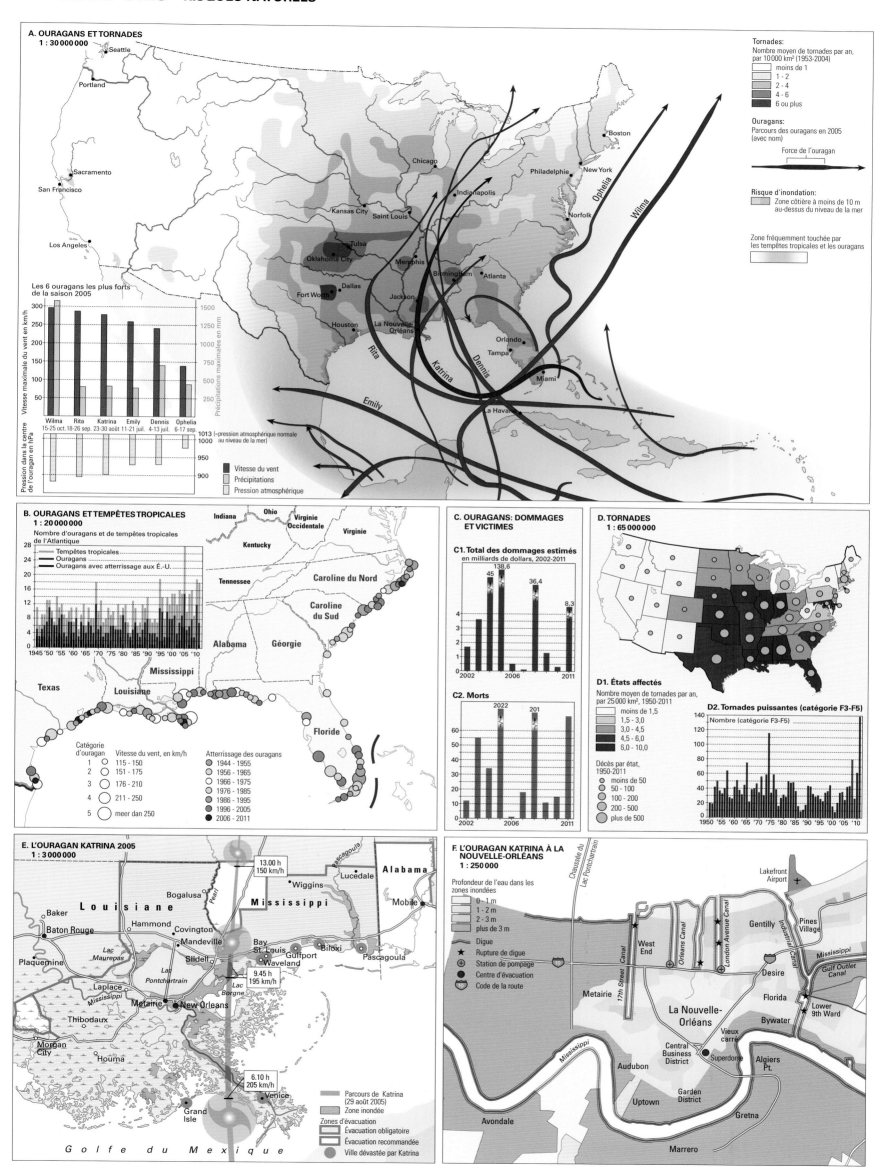

A. OURAGANS ET TORNADES
1 : 30 000 000

Les 6 ouragans les plus forts
de la saison 2005

Wilma 15-25 oct. | Rita 18-26 sep. | Katrina 23-30 août | Emily 11-21 juil. | Dennis 4-13 juil. | Ophelia 6-17 sep.

Vitesse maximale du vent en km/h
Précipitations maximales en mm
Pression dans le centre de l'ouragan en hPa
1013 (=pression atmosphérique normale au niveau de la mer)

Vitesse du vent
Précipitations
Pression atmosphérique

Tornades:
Nombre moyen de tornades par an, par 10 000 km² (1953-2004)
moins de 1
1 - 2
2 - 4
4 - 6
6 ou plus

Ouragans:
Parcours des ouragans en 2005 (avec nom)
Force de l'ouragan

Risque d'inondation:
Zone côtière à moins de 10 m au-dessus du niveau de la mer

Zone fréquemment touchée par les tempêtes tropicales et les ouragans

B. OURAGANS ET TEMPÊTES TROPICALES
1 : 20 000 000

Nombre d'ouragans et de tempêtes tropicales de l'Atlantique
Tempêtes tropicales
Ouragans
Ouragans avec atterrissage aux É.-U.

Catégorie d'ouragan | Vitesse du vent, en km/h
1 | 115 - 150
2 | 151 - 175
3 | 176 - 210
4 | 211 - 250
5 | meer dan 250

Atterrissage des ouragans
1944 - 1955
1956 - 1965
1966 - 1975
1976 - 1985
1986 - 1995
1996 - 2005
2006 - 2011

C. OURAGANS: DOMMAGES ET VICTIMES

C1. Total des dommages estimés
en milliards de dollars, 2002-2011
138,6
45
36,4
8,3

C2. Morts
2022
201

D. TORNADES
1 : 65 000 000

D1. États affectés
Nombre moyen de tornades par an, par 25 000 km², 1950-2011
moins de 1,5
1,5 - 3,0
3,0 - 4,5
4,5 - 6,0
6,0 - 10,0

Décès par état, 1950-2011
moins de 50
50 - 100
100 - 200
200 - 500
plus de 500

D2. Tornades puissantes (catégorie F3-F5)
Nombre (catégorie F3-F5)

E. L'OURAGAN KATRINA 2005
1 : 3 000 000

13.00 h
150 km/h

9.45 h
195 km/h

6.10 h
205 km/h

Golfe du Mexique

Parcours de Katrina (29 août 2005)
Zone inondée
Zones d'évacuation
Évacuation obligatoire
Évacuation recommandée
Ville dévastée par Katrina

F. L'OURAGAN KATRINA À LA NOUVELLE-ORLÉANS
1 : 250 000

Profondeur de l'eau dans les zones inondées
0 - 1 m
1 - 2 m
2 - 3 m
plus de 3 m
Digue
Rupture de digue
Station de pompage
Centre d'évacuation
Code de la route

NOUVELLE-ANGLETERRE ET FLORIDE

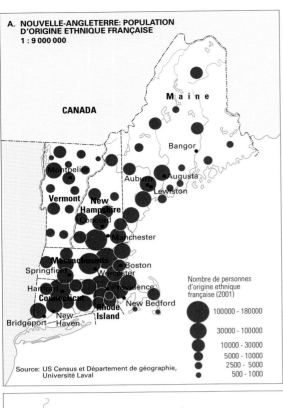

A. NOUVELLE-ANGLETERRE: POPULATION D'ORIGINE ETHNIQUE FRANÇAISE 1 : 9 000 000

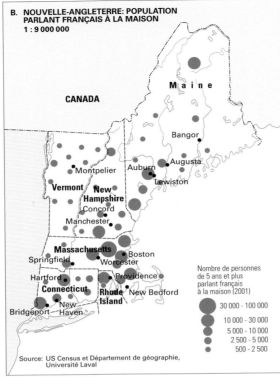

B. NOUVELLE-ANGLETERRE: POPULATION PARLANT FRANÇAIS À LA MAISON 1 : 9 000 000

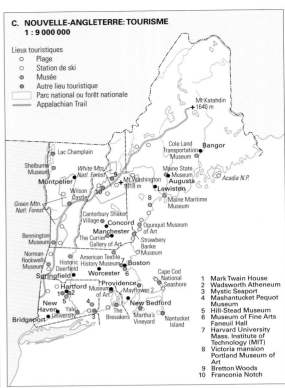

C. NOUVELLE-ANGLETERRE: TOURISME 1 : 9 000 000

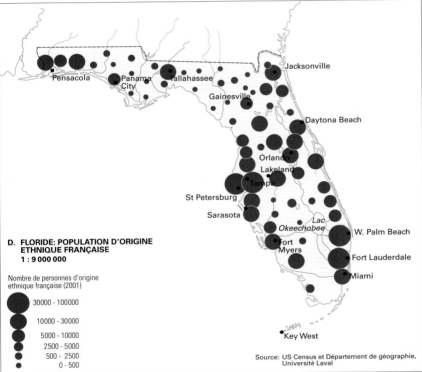

D. FLORIDE: POPULATION D'ORIGINE ETHNIQUE FRANÇAISE 1 : 9 000 000

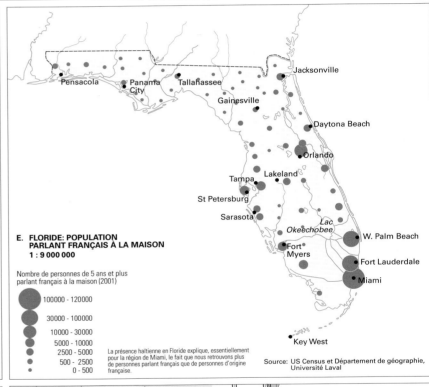

E. FLORIDE: POPULATION PARLANT FRANÇAIS À LA MAISON 1 : 9 000 000

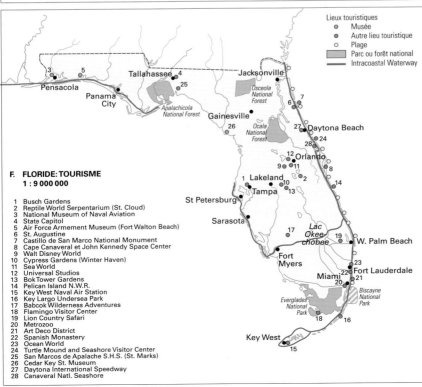

F. FLORIDE: TOURISME 1 : 9 000 000

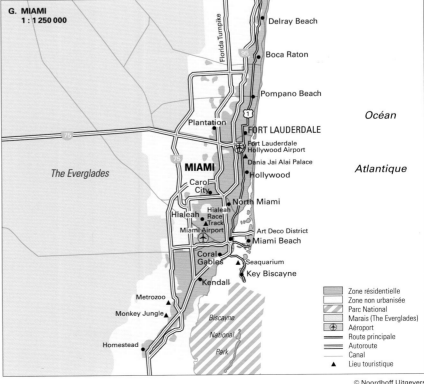

G. MIAMI 1 : 1 250 000

© Noordhoff Uitgevers

FRONTIÈRE AMÉRICANO-MEXICAINE

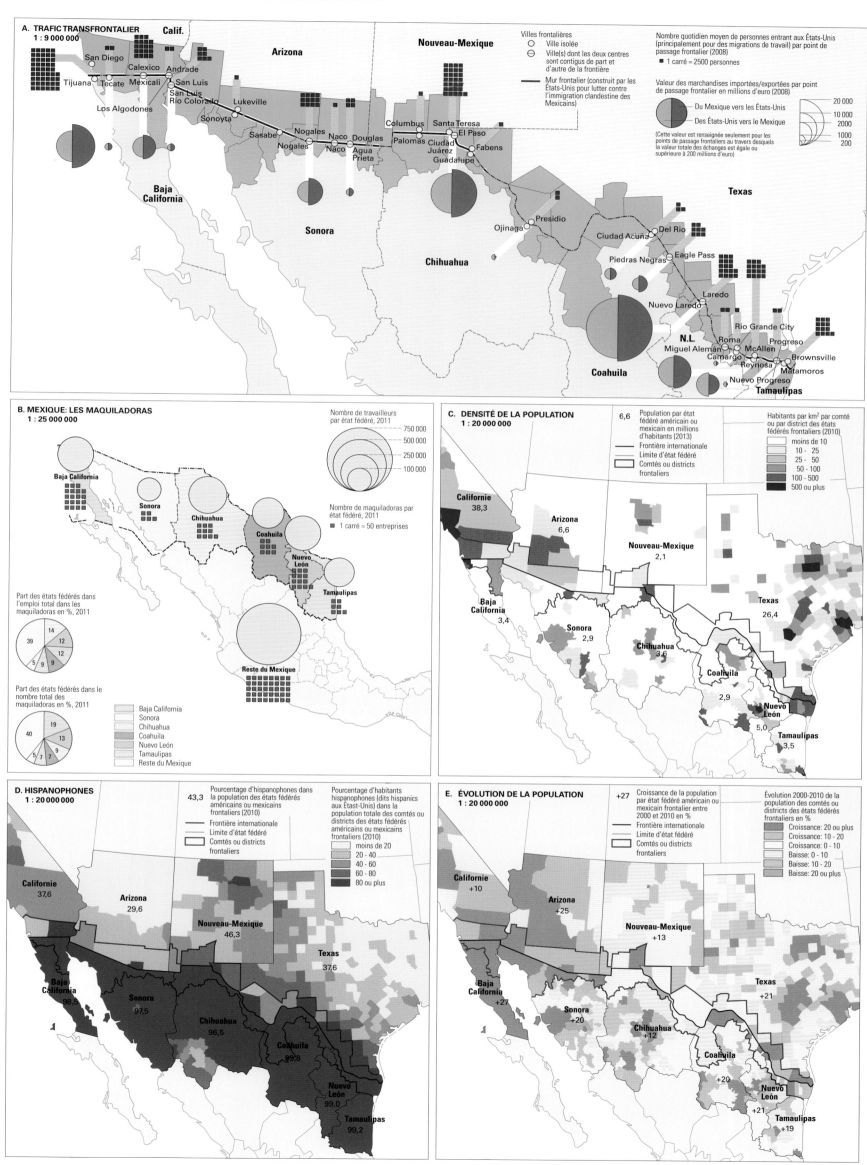

A. TRAFIC TRANSFRONTALIER
1 : 9 000 000

Villes frontalières
○ Ville isolée
⊖ Ville(s) dont les deux centres sont contigus de part et d'autre de la frontière
— Mur frontalier (construit par les États-Unis pour lutter contre l'immigration clandestine des Mexicains)

Nombre quotidien moyen de personnes entrant aux États-Unis (principalement pour des migrations de travail) par point de passage frontalier (2008)
■ 1 carré = 2500 personnes

Valeur des marchandises importées/exportées par point de passage frontalier en millions d'euro (2008)
Du Mexique vers les États-Unis
Des États-Unis vers le Mexique
20 000
10 000
2000
1000
200
(Cette valeur est renseignée seulement pour les points de passage frontaliers au travers desquels la valeur totale des échanges est égale ou supérieure à 200 millions d'euro)

Calif. · Arizona · Nouveau-Mexique · Texas
San Diego · Tijuana · Tecate · Mexicali · Calexico · Andrade · San Luis · San Luis Rio Colorado · Los Algodones · Lukeville · Sonoyta · Sasabe · Nogales · Nogales · Naco · Naco · Douglas · Agua Prieta · Columbus · Palomas · Santa Teresa · El Paso · Ciudad Juárez · Guadalupe · Fabens
Baja California · Sonora · Chihuahua
Ojinaga · Presidio · Ciudad Acuña · Del Rio · Piedras Negras · Eagle Pass · Laredo · Nuevo Laredo · Rio Grande City · Roma · Progreso · N.L. · Miguel Alemán · McAllen · Camargo · Reynosa · Brownsville · Nuevo Progreso · Matamoros
Coahuila · Tamaulipas

B. MEXIQUE: LES MAQUILADORAS
1 : 25 000 000

Nombre de travailleurs par état fédéré, 2011
750 000
500 000
250 000
100 000

Nombre de maquiladoras par état fédéré, 2011
■ 1 carré = 50 entreprises

Baja California · Sonora · Chihuahua · Coahuila · Nuevo León · Tamaulipas · Reste du Mexique

Part des états fédérés dans l'emploi total dans les maquiladoras en %, 2011
39 · 14 · 12 · 12 · 5 · 9 · 9

Part des états fédérés dans le nombre total des maquiladoras en %, 2011
40 · 19 · 13 · 5 · 7 · 7 · 9

Baja California
Sonora
Chihuahua
Coahuila
Nuevo León
Tamaulipas
Reste du Mexique

C. DENSITÉ DE LA POPULATION
1 : 20 000 000

6,6 Population par état fédéré américain ou mexicain en millions d'habitants (2013)
— Frontière internationale
— Limite d'état fédéré
☐ Comtés ou districts frontaliers

Habitants par km² par comté ou par district des états fédérés frontaliers (2010)
moins de 10
10 - 25
25 - 50
50 - 100
100 - 500
500 ou plus

Californie 38,3
Arizona 6,6
Nouveau-Mexique 2,1
Texas 26,4
Baja California 3,4
Sonora 2,9
Chihuahua 3,6
Coahuila 2,9
Nuevo León 5,0
Tamaulipas 3,5

D. HISPANOPHONES
1 : 20 000 000

43,3 Pourcentage d'hispanophones dans la population des états fédérés américains ou mexicains frontaliers (2010)
— Frontière internationale
— Limite d'état fédéré
☐ Comtés ou districts frontaliers

Pourcentage d'habitants hispanophones (dits hispanics aux État-Unis) dans la population totale des comtés ou districts des états fédérés américains ou mexicains frontaliers (2010)
moins de 20
20 - 40
40 - 60
60 - 80
80 ou plus

Californie 37,6
Arizona 29,6
Nouveau-Mexique 46,3
Texas 37,6
Baja California 98,5
Sonora 97,5
Chihuahua 96,5
Coahuila 99,8
Nuevo León 99,0
Tamaulipas 99,2

E. ÉVOLUTION DE LA POPULATION
1 : 20 000 000

+27 Croissance de la population par état fédéré américain ou mexicain frontalier entre 2000 et 2010 en %
— Frontière internationale
— Limite d'état fédéré
☐ Comtés ou districts frontaliers

Évolution 2000-2010 de la population des comtés ou districts des états fédérés frontaliers en %
Croissance: 20 ou plus
Croissance: 10 - 20
Croissance: 0 - 10
Baisse: 0 - 10
Baisse: 10 - 20
Baisse: 20 ou plus

Californie +10
Arizona +25
Nouveau-Mexique +13
Texas +21
Baja California +27
Sonora +20
Chihuahua +12
Coahuila +20
Nuevo León +21
Tamaulipas +19

MEXIQUE

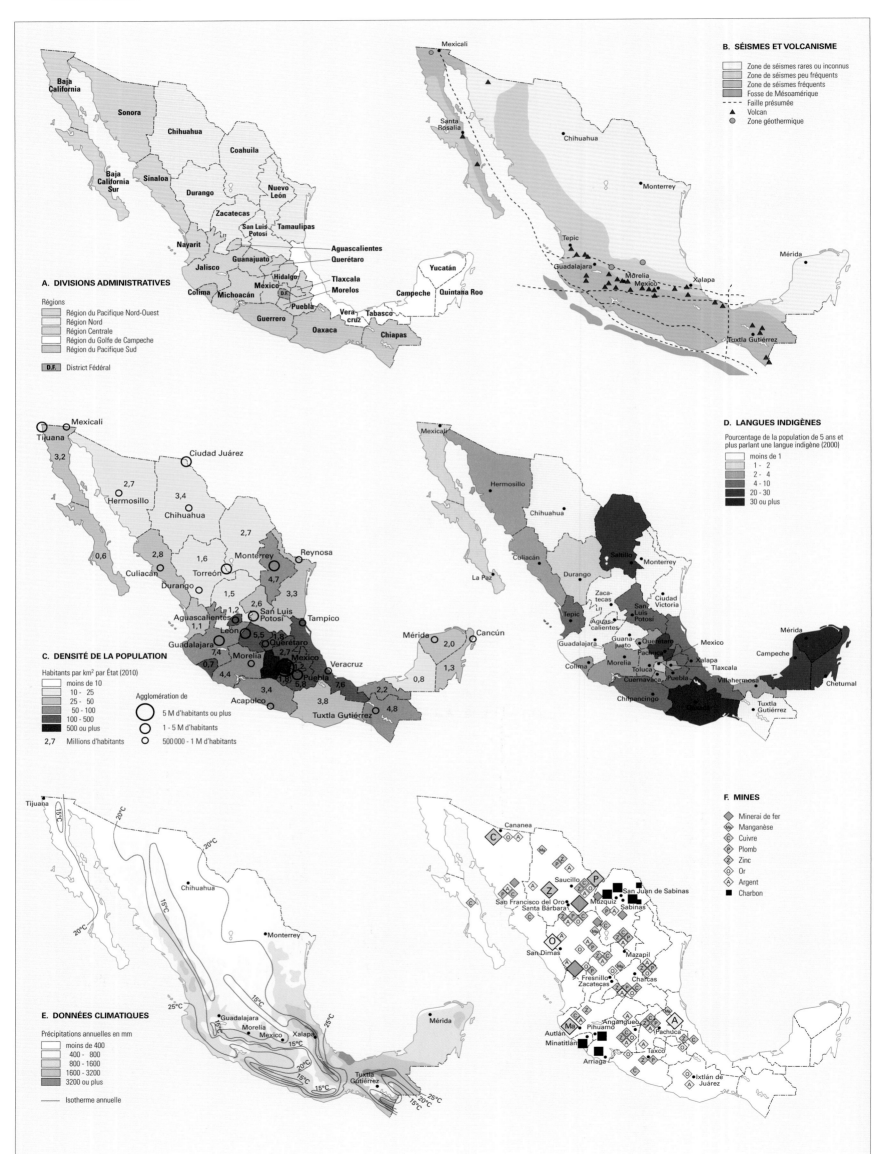

A. DIVISIONS ADMINISTRATIVES

Régions
- Région du Pacifique Nord-Ouest
- Région Nord
- Région Centrale
- Région du Golfe de Campeche
- Région du Pacifique Sud

D.F. District Fédéral

B. SÉISMES ET VOLCANISME
- Zone de séismes rares ou inconnus
- Zone de séismes peu fréquents
- Zone de séismes fréquents
- Fosse de Mésoamérique
- Faille présumée
- ▲ Volcan
- ● Zone géothermique

C. DENSITÉ DE LA POPULATION

Habitants par km² par État (2010)
- moins de 10
- 10 - 25
- 25 - 50
- 50 - 100
- 100 - 500
- 500 ou plus

2,7 Millions d'habitants

Agglomération de
- ○ 5 M d'habitants ou plus
- ○ 1 - 5 M d'habitants
- ○ 500 000 - 1 M d'habitants

D. LANGUES INDIGÈNES

Pourcentage de la population de 5 ans et plus parlant une langue indigène (2000)
- moins de 1
- 1 - 2
- 2 - 4
- 4 - 10
- 20 - 30
- 30 ou plus

E. DONNÉES CLIMATIQUES

Précipitations annuelles en mm
- moins de 400
- 400 - 800
- 800 - 1600
- 1600 - 3200
- 3200 ou plus

— Isotherme annuelle

F. MINES
- ◆ Minerai de fer
- Mn Manganèse
- C Cuivre
- P Plomb
- Z Zinc
- O Or
- A Argent
- ■ Charbon

MEXIQUE

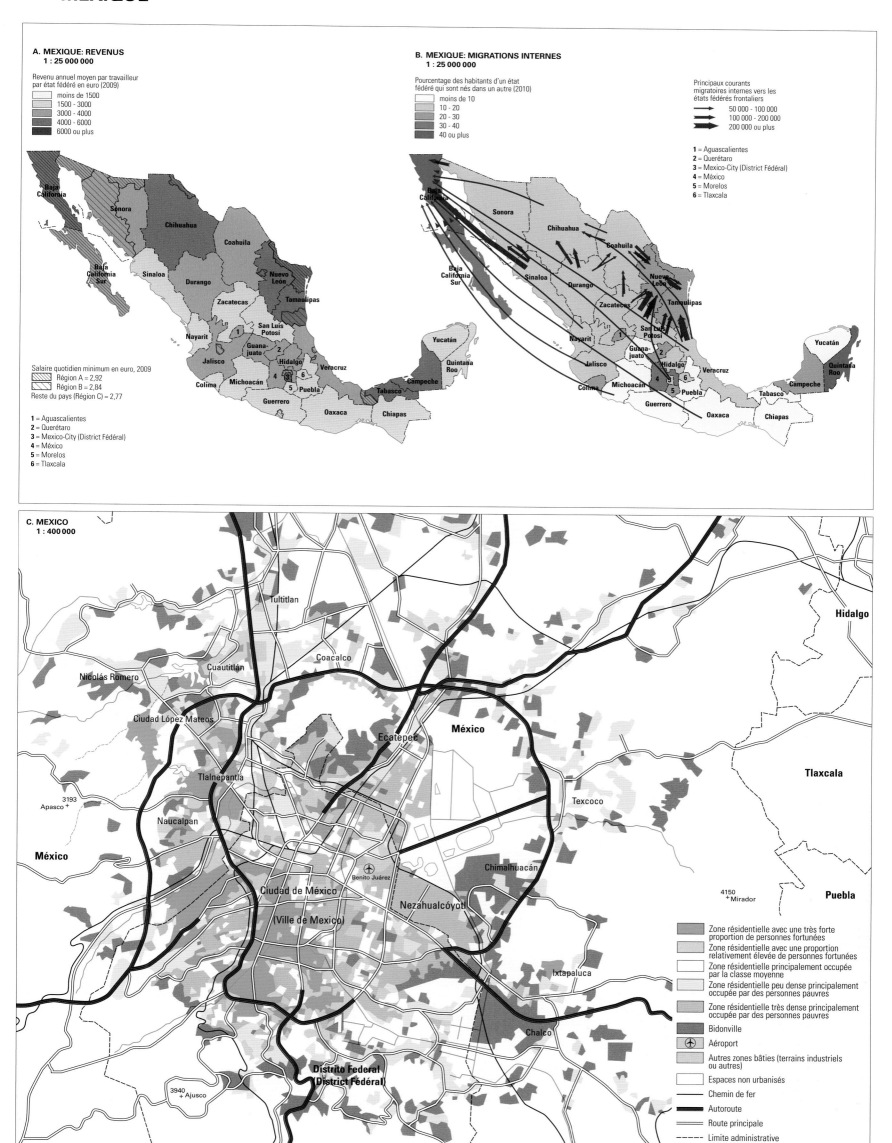

A. MEXIQUE: REVENUS
1 : 25 000 000

Revenu annuel moyen par travailleur
par état fédéré en euro (2009)
- moins de 1500
- 1500 - 3000
- 3000 - 4000
- 4000 - 6000
- 6000 ou plus

Salaire quotidien minimum en euro, 2009
- Région A = 2,92
- Région B = 2,84
- Reste du pays (Région C) = 2,77

1 = Aguascalientes
2 = Querétaro
3 = Mexico-City (District Fédéral)
4 = México
5 = Morelos
6 = Tlaxcala

B. MEXIQUE: MIGRATIONS INTERNES
1 : 25 000 000

Pourcentage des habitants d'un état
fédéré qui sont nés dans un autre (2010)
- moins de 10
- 10 - 20
- 20 - 30
- 30 - 40
- 40 ou plus

Principaux courants
migratoires internes vers les
états fédérés frontaliers
- 50 000 - 100 000
- 100 000 - 200 000
- 200 000 ou plus

1 = Aguascalientes
2 = Querétaro
3 = Mexico-City (District Fédéral)
4 = México
5 = Morelos
6 = Tlaxcala

C. MEXICO
1 : 400 000

- Zone résidentielle avec une très forte proportion de personnes fortunées
- Zone résidentielle avec une proportion relativement élevée de personnes fortunées
- Zone résidentielle principalement occupée par la classe moyenne
- Zone résidentielle peu dense principalement occupée par des personnes pauvres
- Zone résidentielle très dense principalement occupée par des personnes pauvres
- Bidonville
- Aéroport
- Autres zones bâties (terrains industriels ou autres)
- Espaces non urbanisés
- Chemin de fer
- Autoroute
- Route principale
- Limite administrative
- 4150 + Point coté

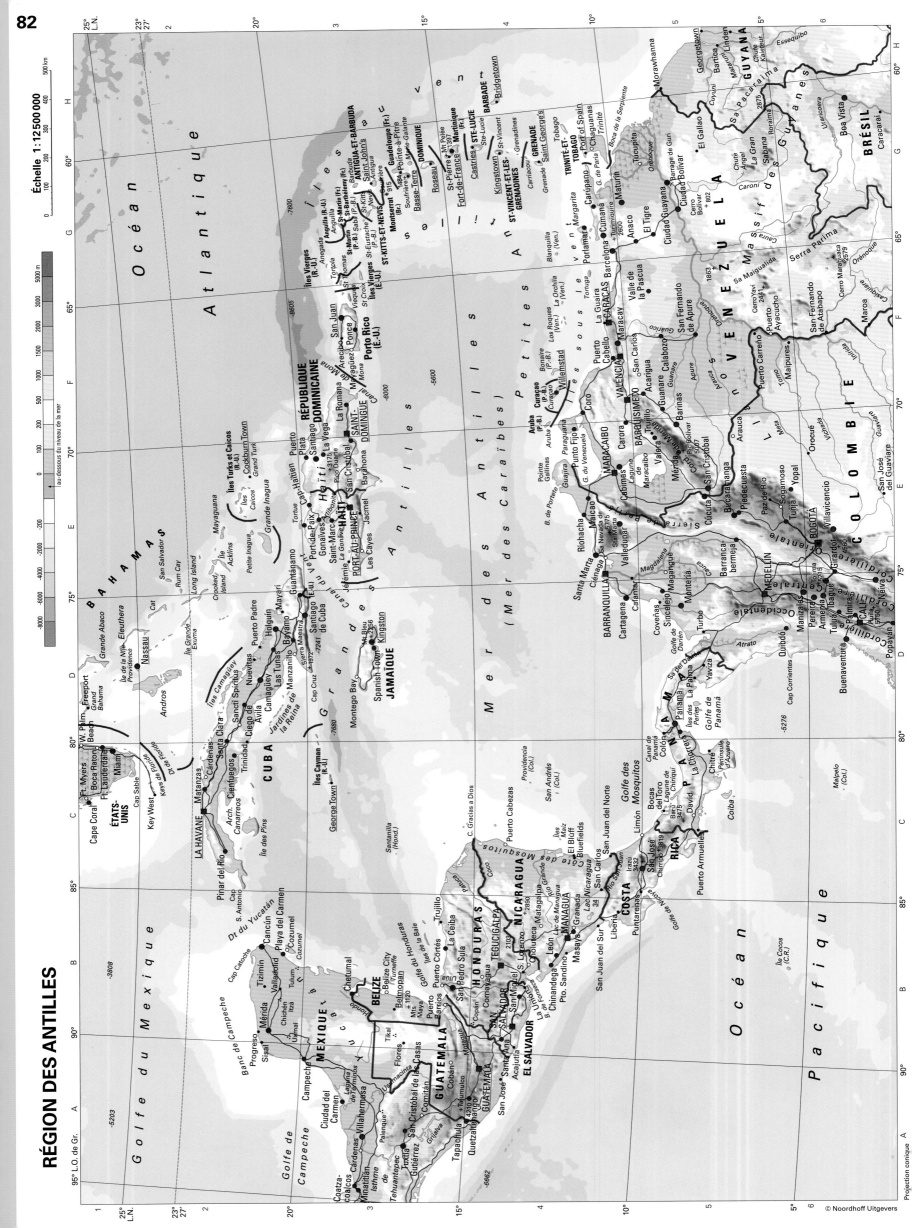

RÉGION DES ANTILLES

Échelle 1:12 500 000

© Noordhoff Uitgevers

RÉGION DES ANTILLES

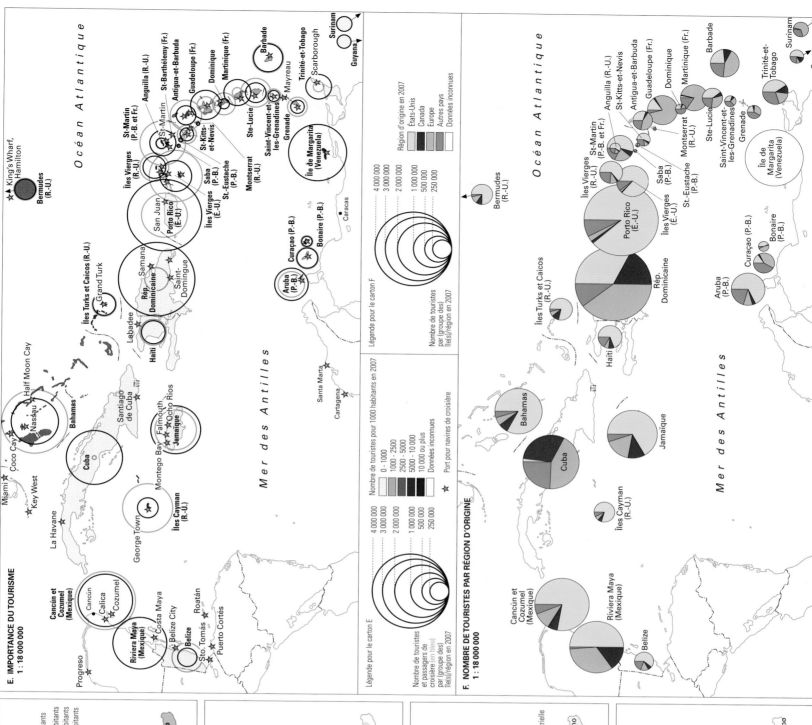

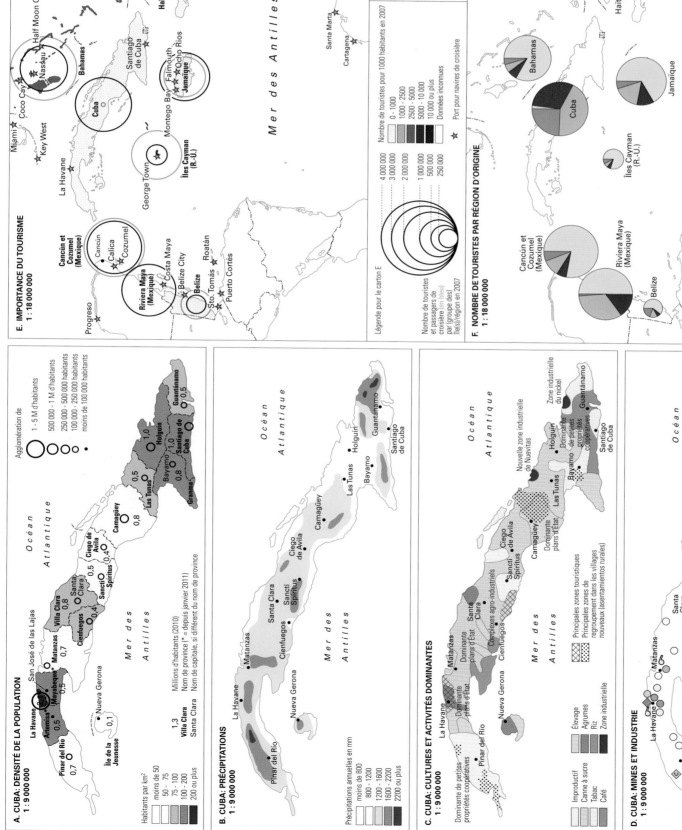

A. CUBA: DENSITÉ DE LA POPULATION
1 : 9 000 000

Habitants par km²
- moins de 50
- 50 - 75
- 75 - 100
- 100 - 200
- 200 ou plus

Agglomération de
- 1 - 5 M d'habitants
- 500 000 - 1 M d'habitants
- 250 000 - 500 000 habitants
- 100 000 - 250 000 habitants
- moins de 100 000 habitants

1,3 Millions d'habitants (2010)
Villa Clara Nom de province * = depuis janvier 2011
Santa Clara Nom de capitale, si différent du nom de province

B. CUBA: PRÉCIPITATIONS
1 : 9 000 000

Précipitations annuelles en mm
- moins de 800
- 800 - 1200
- 1200 - 1600
- 1600 - 2200
- 2200 ou plus

C. CUBA: CULTURES ET ACTIVITÉS DOMINANTES
1 : 9 000 000

- Improductif
- Canne à sucre
- Tabac
- Café
- Élevage
- Agrumes
- Riz
- Zone industrielle

- Dominante de petites propriétés coopératives
- Dominante plans d'État
- Complexes agro-industriels
- Principales zones touristiques
- Principales zones de regroupement dans les villages nouveaux (asentamientos rurales)

D. CUBA: MINES ET INDUSTRIE
1 : 9 000 000

- Nickel
- Cuivre
- Pétrole
- Or
- Construction navale
- Industrie chimique
- Industrie alimentaire
- Sidérurgie
- Construction métallique
- Industrie textile
- Raffinerie de sucre
- Industrie du papier
- Nouvelle zone industrielle de Nuevitas
- Zone industrielle du nickel
- Dominante de petites propriétés coopératives
- Dominante plans d'État

E. IMPORTANCE DU TOURISME
1 : 18 000 000

Nombre de touristes pour 1000 habitants en 2007
- 0 - 1000
- 1000 - 2500
- 2500 - 5000
- 5000 - 10 000
- 10 000 ou plus
- Données inconnues
- Port pour navires de croisière

Légende pour le carton E
Nombre de touristes et passagers de croisière (1 hébr) par (groupe des) îles/région en 2007
- 4 000 000
- 3 000 000
- 2 000 000
- 1 000 000
- 500 000
- 250 000

F. NOMBRE DE TOURISTES PAR RÉGION D'ORIGINE
1 : 18 000 000

Région d'origine en 2007
- États-Unis
- Canada
- Europe
- Autres pays
- Données inconnues

Légende pour le carton F
Nombre de touristes par (groupe des) îles/région en 2007
- 4 000 000
- 3 000 000
- 2 000 000
- 1 000 000
- 500 000
- 250 000

© Noordhoff Uitgevers

AMÉRIQUE DU SUD

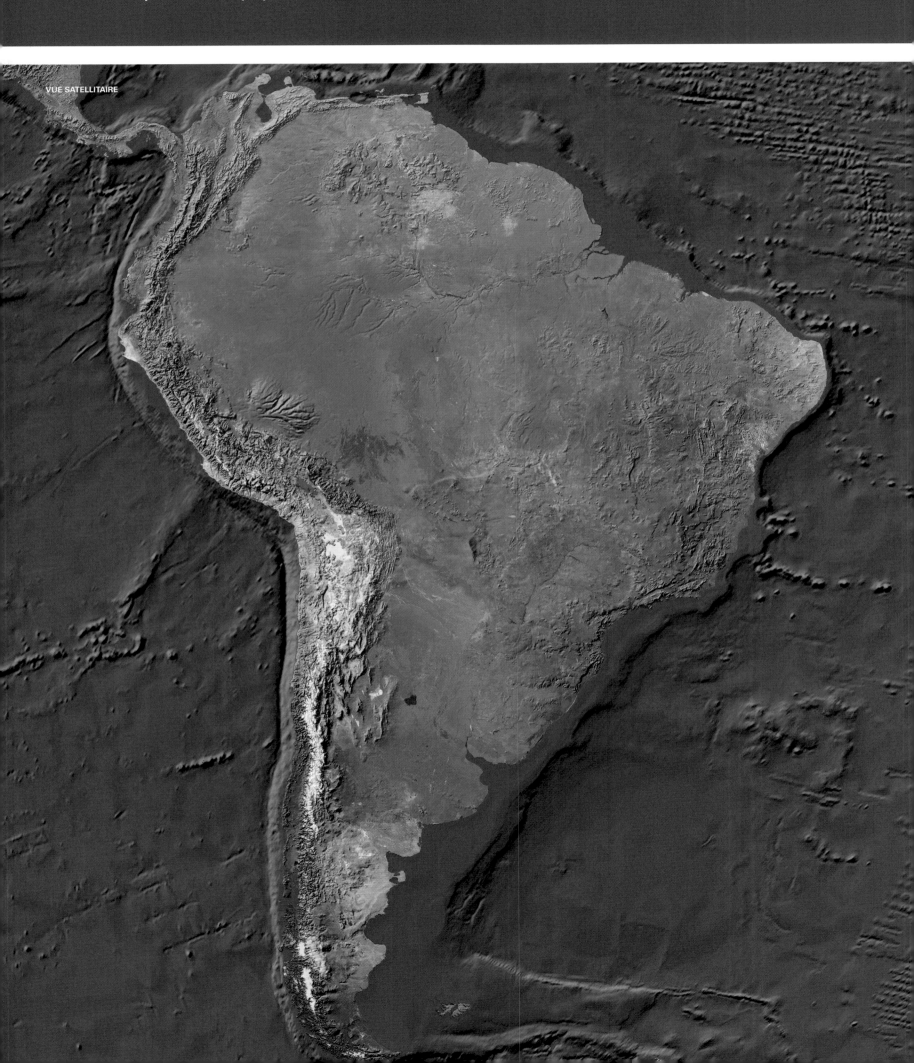

VUE SATELLITAIRE

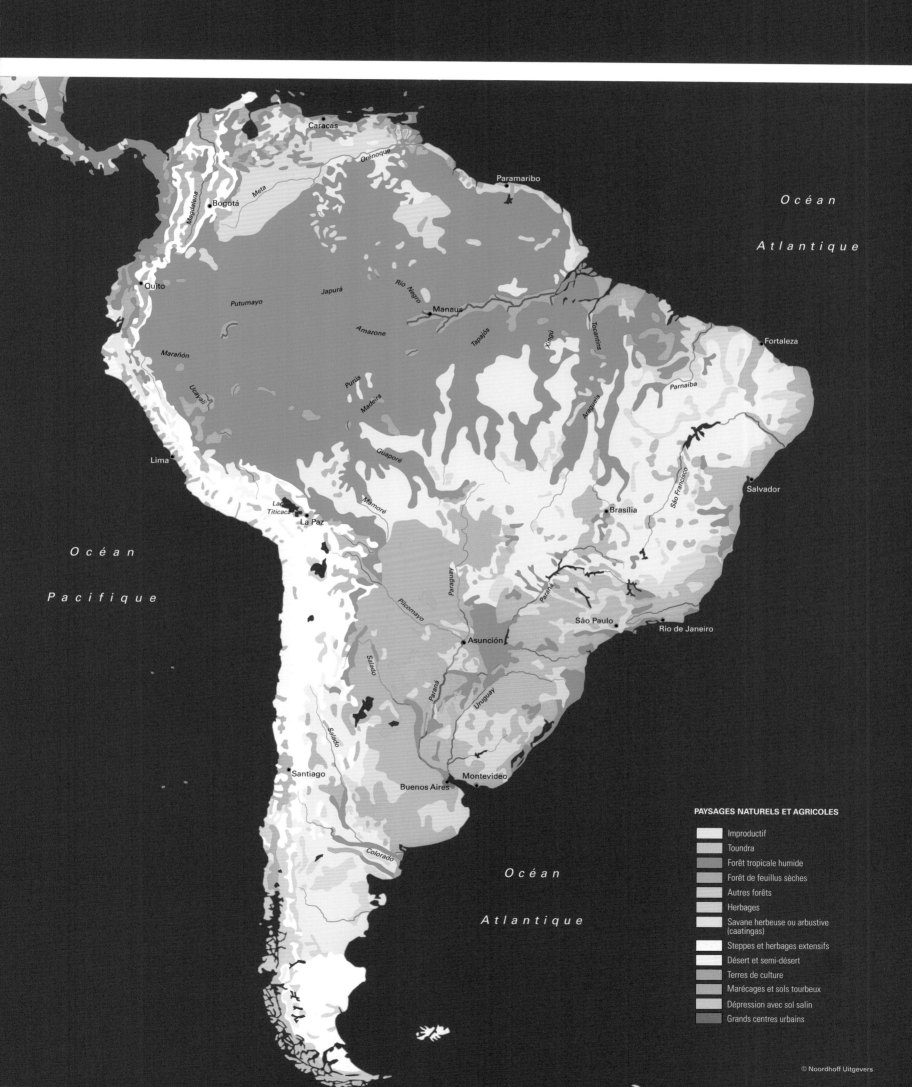

O c é a n

A t l a n t i q u e

Caracas

Orénoque

Paramaribo

Magdalena

Meta

Bogotá

Putumayo

Japurá

Rio Negro

Quito

Manaus

Amazone

Tapajós

Xingú

Tocantins

Fortaleza

Marañón

Purús

Madeira

Parnaiba

Parnaiba

Ucayali

Guaporé

São Francisco

Lima

Mamoré

Salvador

Lac
Titicaca

La Paz

Brasília

O c é a n

Paraguay

Paraná

São Paulo

P a c i f i q u e

Pilcomayo

Rio de Janeiro

Asunción

Salado

Paraná

Uruguay

Santiago

Montevideo

Buenos Aires

Colorado

O c é a n

A t l a n t i q u e

PAYSAGES NATURELS ET AGRICOLES

Improductif

Toundra

Forêt tropicale humide

Forêt de feuillus sèches

Autres forêts

Herbages

Savane herbeuse ou arbustive
(caatingas)

Steppes et herbages extensifs

Désert et semi-désert

Terres de culture

Marécages et sols tourbeux

Dépression avec sol salin

Grands centres urbains

AMÉRIQUE DU SUD

Échelle 1:25 000 000

au-dessous du niveau de la mer

-8000 -6000 -4000 -2000 -200 0 100 200 500 1000 1500 2000 3000 5000 m

0 200 400 600 800 1000 km

B 80° L.O. de Gr. C New York 70° D 60° E 50° F Extrémité Sud du Groenland 40° G

Mer des Antilles
(Mer des Caraïbes)

St-Vincent
Barbade

Pointe Gallinas
Aruba
Bonaire
Curaçao
Tortuga
Margarita
Grenade
Trinité

Bassin des Guyanes

Dorsale Médio-Atlantique

Barranquilla
Sa Nevada de Santa Marta
5775
Maracaibo
Lagune de Maracaibo
Caracas
Gfe de Paria
Tobago

Pic Bolivar
5007
Cord. de Mérida

Océan

-4600

Golfe des Mosquitos
Isthme de Panamá
Golfe de Panamá
Golfe de Darién

Cauca
Magdalena
Pic Bolivar
5007
Cord. de Mérida

Apure
Orénoque
Meta
Sa Imataca

Sa Maïgualida
Chute Angel
2810
Roraima

Paramaribo

Atlantique

Bogotá
5400
Ruiz
5750
Huila

Guaviare
Inírida
Orénoque
Sa Parima
Guainía
Casiquiare
3014
La Neblina

Sa Pacaraima
Essequibo
Courantyne
Surinam
Maroni
Oyapoque

C. d'Orange

Seuil du Pará

Chutes Angostura

Vaupés

Rio Branco

Serra de Tumucumaque
Trombetas
Jari
Paru

-5450

Quito
5790
Cayambe
5896 Cotopaxi
6310 Chimborazo

Putumayo
Japurá
Içá
Amazone (Solimões)

Rio Negro

Amazone

Óbidos
Pará
Marajó
Belém

Équateur
0°

Golfe de Guayaquil
Pongo de Manseriche

Napo
Tigre
Yavari
Juruá

Manaus

Baie São Marcos

Iquitos
Marañón
Huallaga

Purus
Jiparaná
Juruena
Madeira
Tapajós

São Manuel
Araguaia
Tocantins
Capim
Gurupi

Fortaleza

C. São Roque

Huascarán
6768
Rio Branco
Acre
Madre de Dios

Sa dos Carajás
Xingu
Tocantins

Caatingas

Bassin du Pérou

Lima
Cusco

Chutes de Guajará
Beni
Guaporé
Mamoré

Sa dos Parecis

Rio das Mortes
Sa do Roncador

Plateau
Araguaia

S. Francisco

Chute Paulo Afonso
Recife

Sertão

Chapada Diamantina

Coropuna
6425
Ampato
6300
Misti
5842
Sajama
6542
Lac Poopó

Lac Titicaca
3812
Illampu
6362
La Paz
Illimani
6882

Yungas

San Miguel

Paraguay

Plateau du Mato Grosso

Pantanal de São Lourenço

Brasília

São Francisco

du

Campos

Sa das Divisões

2033
Itambé
Sa do Espinhaço

Salvador
Baie de Tous les Saints

Coropuna

Haut-plateau de Bolivie
3696

Pantanal do Rio Negro

Brésil

Jequitinhonha

Salar de Uyuni

Gran

Pilcomayo

Paraná
Tietê
Paranaíba

Belo Horizonte
Rio Grande
2821
Itatiaya
Sa da Mantiqueira

Pico da Bandeira
2890
Doce
Paraíba

20°

Crête de Nazca
Fosse du Pérou
-8065

Bassin du Chili

Salar de Atacama

Chaco

Bermejo
Paraguay

Chutes de Sete Quedas
(Chutes de Guaíra)
Iguaçu
Chutes de l'Iguaçu
Paraná

São Paulo
Santos
Rio de Janeiro
C. Frio

Mar

Tropique du Capricorne
23°27'

Îles Desventuradas
San Félix
San Ambrosio

6723
Llullaillaco
Ojos del Salado
6908

Salado

Asunción

Uruguay

Serra

Porto Alegre

Océan

Océan

-5303

Tropique du Capricorne
23°27'

Aconcagua
6959
Col de la Cumbre
Valparaíso
3863
Santiago
6800
Tupungato

2880
Sierra de Córdoba
Salado

Rosario

Rio Negro
Cuchilla Grande
Laguna Mirim

Lagoa dos Patos

Seuil du Rio Grande

Atlantique

Îles Juan-Fernández
Île Robinson Crusoé

Salado

Pampa

Buenos Aires
Montevideo
Punta del Este
Río de la Plata

Concepción

Bahía Blanca
Colorado
Bahía Blanca

C. San Antonio
C. Corrientes

30°

Pacifique

Rio Negro

-5900

Bassin Argentin

40°

Dorsale de Juan-Fernández

3556
Tronador
Lac Nahuel Huapí

Chubut
G. de San Matías
Valdés

Chiloé
Golfe de Corcovado
Arch. des Chonos
Taitao
San Valentín
4058

Deseado
G. de San Jorge
C. Tres Puntas

Wellington
L. Buenos Aires
Chico

Hanover
Lago Argentino
Bahía Grande

Îles Falkland

50°

Santa Inés
Dt de Magellan
Tierra del Fuego
(Terre de Feu)
(Îles Malouines)

Cord. Darwin
2310
Dt de Le Maire
Isla de los Estados
(Île des États)
Cap Horn

Projection azimutale conforme

B 80° C 70° D 60° Terre de Graham E 50° F

A. DÉTROIT DE MAGELLAN
1:9 000 000

Santa Cruz
Puerto Santa Cruz

ARGENTINE

Bahía Grande

Río Turbio
Gallegos
Río Gallegos

Puerto Natales

CHILI

Cap des Vierges
Pointe Dungeness

Desolación
Riesco
Punta Arenas
Porvenir
Clarencia

Tierra del Fuego
(Terre de Feu)

Santa Inés
Détroit de Magellan
Río Grande

Mt Darwin
2310
Canal Beagle
Höste
Navarino
Ushuaia

Cap San Diego

40° G 30° H

Cap Horn

Dt de Drake

© Noordhoff Uitgevers

AMÉRIQUE DU SUD POLITIQUE

Échelle 1 : 25 000 000

0 200 400 600 800 1000 km

Mer des Antilles
(Mer des Caraïbes)

Océan Atlantique

Océan Pacifique

STE-LUCIE
ST-VINCENT-ET-LES-GRENADINES
GRENADE
BARBADE
TRINITÉ-ET-TOBAGO
Tobago
Margarita
Trinité
Port of Spain 1,2

Pointe Gallinas
Aruba (P.-B.)
Curaçao (P.-B.)
Bonaire (P.-B.)
Golfe de Venezuela
Santa Marta
Coro
Pto Cabello
Cumaná

BARRANQUILLA
Cartagena
MARACAIBO
VALENCIA
CARACAS
Barcelona
Maturín

Colón
Panamá
3,6
Golfe de Panamá
Golfe de Darién
Montería
Cúcuta
San Cristóbal
Mérida
VENEZUELA
29,5
Cd Guayana
Cd Bolívar
Barrage de Gurí
Orénoque

MEDELLÍN
Manizales
Ibagué
BOGOTÁ
COLOMBIE
Neiva
45,7
Puerto Ayacucho
Georgetown
New Amsterdam
Paramaribo
GUYANA 0,7
SURINAM 0,6
Cayenne
Guyane Française 0,2

Buenaventura
Cali
Popayán
Florencia
Mitú
Boa Vista
Roraima
Amapá
Macapá
Amazone

Tumaco
San Lorenzo
Esmeraldas
QUITO
Ambato
Pasto
São Gabriel do Cachoeira
Barcelos
Rio Negro
Óbidos
Marajó
Pará
Bragança
BELÉM
SÃO LUÍS
Parnaíba

Manta
Portoviejo
GUAYAQUIL
ÉQUATEUR 15,4
Cuenca
Machala
Iquitos
Leticia
Tabatinga
Fonte Boa
Tefé
MANAUS
Itaituba
Santarém
Altamira
Barrage de Tucuruí
Caxias
Imperatriz
Marabá
Sobral
Quixadá
FORTALEZA
Mossoró

Talara
Paita
Piura
Chiclayo
Loja
Sullana
Jaén
Marañón
Tarapoto
Cruzeiro do Sul
Benjamim Constant
Amazonie
Route Transamazonienne
Carajás
São Félix do Xingu
Araguaína
Maranhão
Carolina
Teresina
Ceará
Juàzeiro do Norte
Campina Grande
Paraíba
NATAL
João Pessoa

Trujillo
Cajamarca
Chimbote
Huaraz
Huánuco
Tingo María
PÉROU 29,8
Cerro de Pasco
Porto Velho
Rio Branco
Acre
Ji-Paraná
Pimenta Bueno
Rondônia
Vilhena
Mato Grosso
Sinop
BRÉSIL 201
Piauí
Paulistana
Palmas
Porto Nacional
Tocantins
Gurupi
Bahia
Feira de Santana
Pernambouc
RECIFE
Alagoas
Maceió
Sergipe
Aracaju

LIMA
Chincha Alta
Pisco
Ica
Nazca
Huacho
Huancayo
Ayacucho
Cusco
Machu Picchu
Puerto Maldonado
Cobija
Guajará-Mirim
Riberalta
Beni
Tangará da Serra
Rondonópolis
Cáceres
Cuiabá
Goiás
Januária
Montes Claros
Diamantina
Teófilo Otoni
Linhares
Vitória da Conquista
Ilhéus
SALVADOR
B. de Tous les Saints

Juliaca
Puno
Lac Titicaca
LA PAZ
COCHABAMBA 10,5
Montero
Oruro
Sucre
SANTA CRUZ
Corumbá
Pto Suárez
Campo Grande
Mato Grosso do Sul
Três Lagoas
Uberlândia
Uberaba
Anápolis
BRASÍLIA
District Fédéral
GOIÂNIA
Luziânia
Minas Gerais
BELO HORIZONTE
Governador Valadares
Espírito Santo
VITÓRIA

Arica
Iquique
Tocopilla
Calama
Chuquicamata
Uyuni
Salar de Uyuni
Lac Poopó
Potosí
Tarija
Yacuíba
Filadelfia
Campos
Mollendo
Ilo
Antofagasta
Taltal
San Salvador de Jujuy
PARAGUAY 6,6
Concepción
Ponta Porã
Ribeirão Preto
São Paulo
Bauru
Londrina
Maringá
Ponta Grossa
CAMPINAS
SÃO PAULO
São José dos Campos
RIO DE JANEIRO
Rio de Janeiro
Volta Redonda
Juiz de Fora
Jundiaí
Santos

Caldera
Copiapó
Catamarca
La Rioja
Salta
San Miguel de Tucumán
Formosa
Villarrica
Barrage d'Itaipu
Foz do Iguaçu
Cd del Este
ASUNCIÓN
Resistencia
Corrientes
Posadas
Encarnación
Paraná
CURITIBA
Paranaguá
Joinville
Blumenau
Lages
Santa Catarina
Florianópolis
Rio Grande do Sul
Santa Maria
Caxias do Sul

CHILI 17,2
Valparaíso
San Antonio
SANTIAGO
Rancagua
San Felipe
Curicó
Talca
Linares
Chillán
Concepción
Lota
Los Ángeles
Temuco
Valdivia
Corral
Osorno
Puerto Montt
Chiloé

Mendoza
San Juan
San Luis
CÓRDOBA
Río Cuarto
San Rafael
Santa Rosa
ARGENTINE 42,6
Junín
Chivilcoy
Olavarría
Azul
Tandil
Tres Arroyos
Bahía Blanca
Neuquén
Río Negro

San Nicolás
ROSARIO
Santa Fé
Paraná
Concordia
Fray Bentos
Paysandú 3,3
Salto
Rivera
Tacuarembó
Melo
Rio Grande
Pelotas
PORTO ALEGRE
Uruguaiana
Rio Grande do Sul

BUENOS AIRES
La Plata
Río de la Plata
URUGUAY
Colonia
Minas
Rocha
MONTEVIDEO
Mar del Plata
Necochea

Santa Rosa
Tres Arroyos
Bahía Blanca
Colorado
San Antonio Oeste
Viedma
G. de San Matías
San Carlos de Bariloche
Puerto Madryn
Trelew
Rawson
Chubut

Arch. des Chonos
Puerto Aisén
Sarmiento
Comodoro Rivadavia
G. de San Jorge
Deseado
Wellington
Hanover
Santa Cruz
Río Gallegos
Îles Falkland (R.-U.)
(Îles Malouines)
Stanley

Punta Arenas
Dt de Magellan
Clarence
Tierra del Fuego
(Terre de Feu)
Ushuaia
Dt de Le Maire
Isla de los Estados
(Île des États)
Cap Horn
Dt de Drake

Malpelo (Col.)
Îles Desventuradas (Ch.)
San Félix
San Ambrosio
Îles Juan-Fernández (Ch.)
Île Robinson Crusoé

Tropique du Capricorne 23° 27'
Équateur

80° L.O. de Gr.
New York
Halifax
Lagos
Johannesburg
Shetland du Sud

10° L.N.
0°
10° L.S.
20°
30°
40°
50°

70° 60° 50° 40° 30°

42,6 Importance de la population, en millions d'habitants (2013)

Projection azimutale conforme

A. CANAL DE PANAMÁ
1 : 1 000 000

En 2015, de nouvelles écluses géantes seront mises en service à côté de celles de Gatún (3) et de Miraflores (3).

Mer des Antilles

Colón
Écluses de Gatún
Rio Chagres
Lac Madden
Lac Gatún
Écluse de Pedro Miguel
Écluses de Miraflores
Panamá
Océan Pacifique

Aire fonctionnelle du canal
Zone militaire américaine jusqu'au 31-12-1999
Zone militaire mixte panaméo-américaine jusqu'au 31-12-1999
Aire restituée à Panamá en 1979
Aire restituée à Panamá entre 1979 et 1999
Autoroute
Chemin de fer
Écluse
Barrage

AMÉRIQUE LATINE

Échelle 1 : 75 000 000

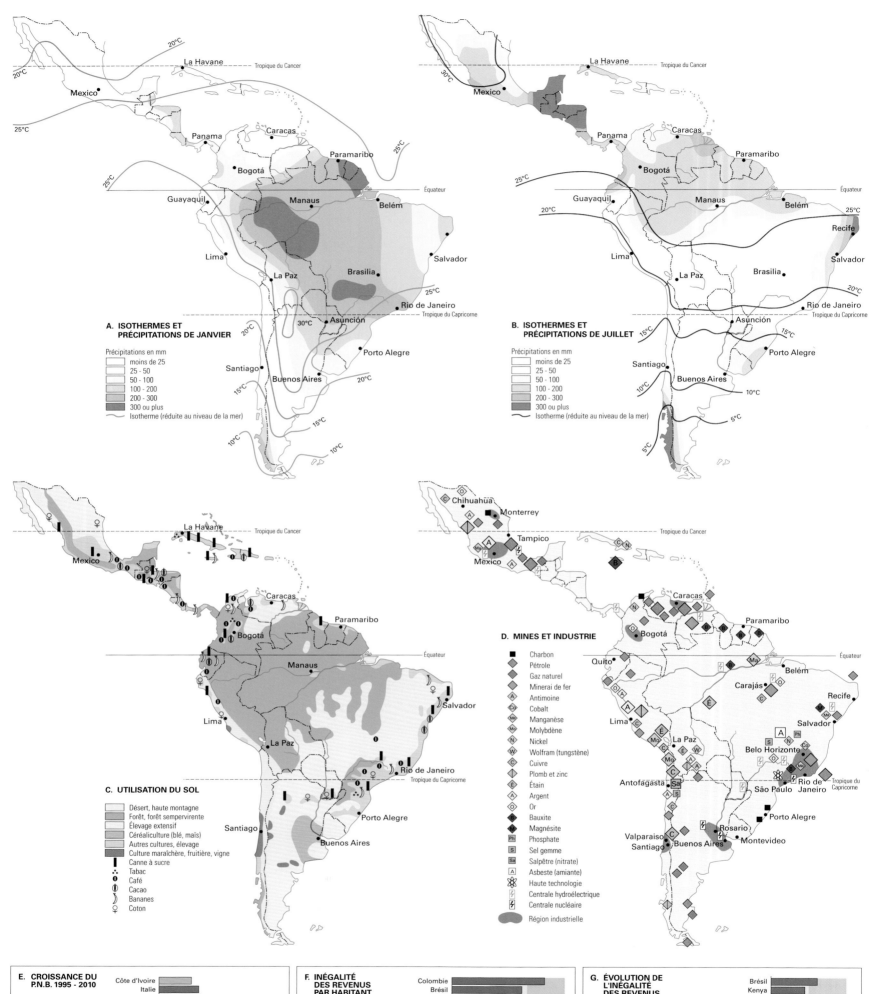

A. ISOTHERMES ET PRÉCIPITATIONS DE JANVIER

Précipitations en mm
- moins de 25
- 25 - 50
- 50 - 100
- 100 - 200
- 200 - 300
- 300 ou plus
- Isotherme (réduite au niveau de la mer)

B. ISOTHERMES ET PRÉCIPITATIONS DE JUILLET

Précipitations en mm
- moins de 25
- 25 - 50
- 50 - 100
- 100 - 200
- 200 - 300
- 300 ou plus
- Isotherme (réduite au niveau de la mer)

C. UTILISATION DU SOL
- Désert, haute montagne
- Forêt, forêt sempervirente
- Élevage extensif
- Céréaliculture (blé, maïs)
- Autres cultures, élevage
- Culture maraîchère, fruitière, vigne
- Canne à sucre
- Tabac
- Café
- Cacao
- Bananes
- Coton

D. MINES ET INDUSTRIE
- Charbon
- Pétrole
- Gaz naturel
- Minerai de fer
- Antimoine
- Cobalt
- Manganèse
- Molybdène
- Nickel
- Wolfram (tungstène)
- Cuivre
- Plomb et zinc
- Étain
- Argent
- Or
- Bauxite
- Magnésite
- Phosphate
- Sel gemme
- Salpêtre (nitrate)
- Asbeste (amiante)
- Haute technologie
- Centrale hydroélectrique
- Centrale nucléaire
- Région industrielle

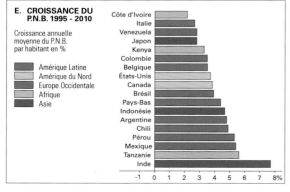

E. CROISSANCE DU P.N.B. 1995 - 2010

Croissance annuelle moyenne du P.N.B. par habitant en %

- Amérique Latine
- Amérique du Nord
- Europe Occidentale
- Afrique
- Asie

Côte d'Ivoire, Italie, Venezuela, Japon, Kenya, Colombie, Belgique, États-Unis, Canada, Brésil, Pays-Bas, Indonésie, Argentine, Chili, Pérou, Mexique, Tanzanie, Inde

-1 0 1 2 3 4 5 6 7 8%

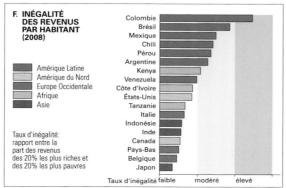

F. INÉGALITÉ DES REVENUS PAR HABITANT (2008)

- Amérique Latine
- Amérique du Nord
- Europe Occidentale
- Afrique
- Asie

Colombie, Brésil, Mexique, Chili, Pérou, Argentine, Kenya, Venezuela, Côte d'Ivoire, États-Unis, Tanzanie, Italie, Indonésie, Inde, Canada, Pays-Bas, Belgique, Japon

Taux d'inégalité: rapport entre la part des revenus des 20% les plus riches et des 20% les plus pauvres

Taux d'inégalité faible modéré élevé

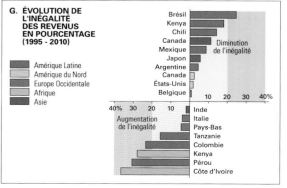

G. ÉVOLUTION DE L'INÉGALITÉ DES REVENUS EN POURCENTAGE (1995 - 2010)

- Amérique Latine
- Amérique du Nord
- Europe Occidentale
- Afrique
- Asie

Diminution de l'inégalité: Brésil, Kenya, Chili, Canada, Mexique, Japon, Argentine, Canada, États-Unis, Belgique

10 20 30 40%

Augmentation de l'inégalité: Inde, Italie, Pays-Bas, Tanzanie, Colombie, Kenya, Pérou, Côte d'Ivoire

40% 30 20 10

AMÉRIQUE LATINE

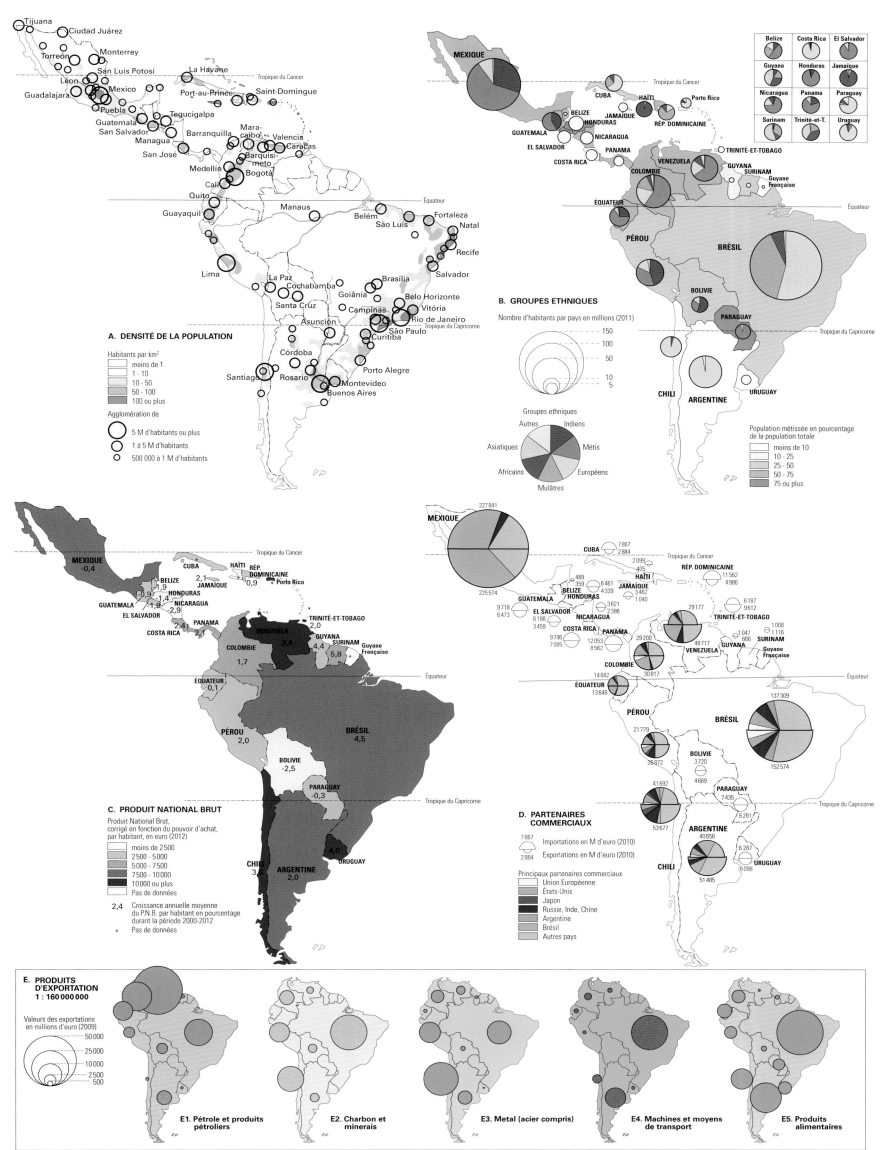

A. DENSITÉ DE LA POPULATION

Habitants par km²
- moins de 1
- 1 - 10
- 10 - 50
- 50 - 100
- 100 ou plus

Agglomération de
- 5 M d'habitants ou plus
- 1 à 5 M d'habitants
- 500 000 à 1 M d'habitants

B. GROUPES ETHNIQUES

Nombre d'habitants par pays en millions (2011)
- 150
- 100
- 50
- 10
- 5

Groupes ethniques
- Autres
- Indiens
- Asiatiques
- Métis
- Africains
- Européens
- Mulâtres

Population métissée en pourcentage de la population totale
- moins de 10
- 10 - 25
- 25 - 50
- 50 - 75
- 75 ou plus

C. PRODUIT NATIONAL BRUT

Produit National Brut, corrigé en fonction du pouvoir d'achat, par habitant, en euro (2012)
- moins de 2500
- 2500 - 5000
- 5000 - 7500
- 7500 - 10000
- 10000 ou plus
- Pas de données

2,4 Croissance annuelle moyenne du P.N.B. par habitant en pourcentage durant la période 2000-2012
* Pas de données

D. PARTENAIRES COMMERCIAUX

7867 Importations en M d'euro (2010)
2884 Exportations en M d'euro (2010)

Principaux partenaires commerciaux
- Union Européenne
- États-Unis
- Japon
- Russie, Inde, Chine
- Argentine
- Brésil
- Autres pays

E. PRODUITS D'EXPORTATION
1 : 160 000 000

Valeurs des exportations en millions d'euro (2009)
- 50000
- 25000
- 10000
- 2500
- 500

E1. Pétrole et produits pétroliers

E2. Charbon et minerais

E3. Metal (acier compris)

E4. Machines et moyens de transport

E5. Produits alimentaires

© Noordhoff Uitgevers

BRÉSIL

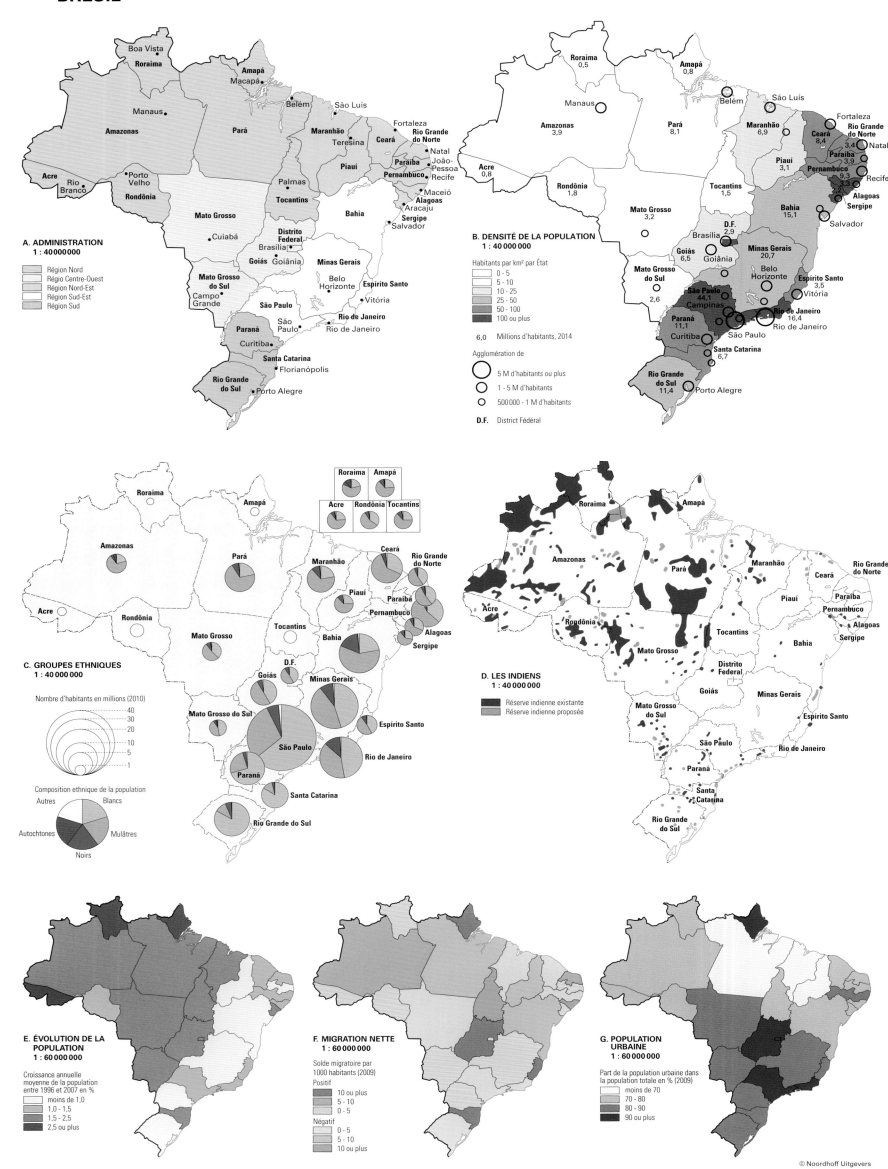

A. ADMINISTRATION
1 : 40 000 000

- Région Nord
- Régio Centre-Ouest
- Région Nord-Est
- Région Sud-Est
- Région Sud

B. DENSITÉ DE LA POPULATION
1 : 40 000 000

Habitants par km² par État

- 0 - 5
- 5 - 10
- 10 - 25
- 25 - 50
- 50 - 100
- 100 ou plus

6,0   Millions d'habitants, 2014

Agglomération de

- ◯ 5 M d'habitants ou plus
- ◯ 1 - 5 M d'habitants
- ○ 500 000 - 1 M d'habitants

D.F.   District Fédéral

C. GROUPES ETHNIQUES
1 : 40 000 000

Nombre d'habitants en millions (2010)

- 40
- 30
- 20
- 10
- 5
- 1

Composition ethnique de la population

- Autres
- Blancs
- Autochtones
- Mulâtres
- Noirs

D. LES INDIENS
1 : 40 000 000

- Réserve indienne existante
- Réserve indienne proposée

E. ÉVOLUTION DE LA POPULATION
1 : 60 000 000

Croissance annuelle moyenne de la population entre 1996 et 2007 en %

- moins de 1,0
- 1,0 - 1,5
- 1,5 - 2,5
- 2,5 ou plus

F. MIGRATION NETTE
1 : 60 000 000

Solde migratoire par 1000 habitants (2009)

Positif

- 10 ou plus
- 5 - 10
- 0 - 5

Négatif

- 0 - 5
- 5 - 10
- 10 ou plus

G. POPULATION URBAINE
1 : 60 000 000

Part de la population urbaine dans la population totale en % (2009)

- moins de 70
- 70 - 80
- 80 - 90
- 90 ou plus

BRÉSIL

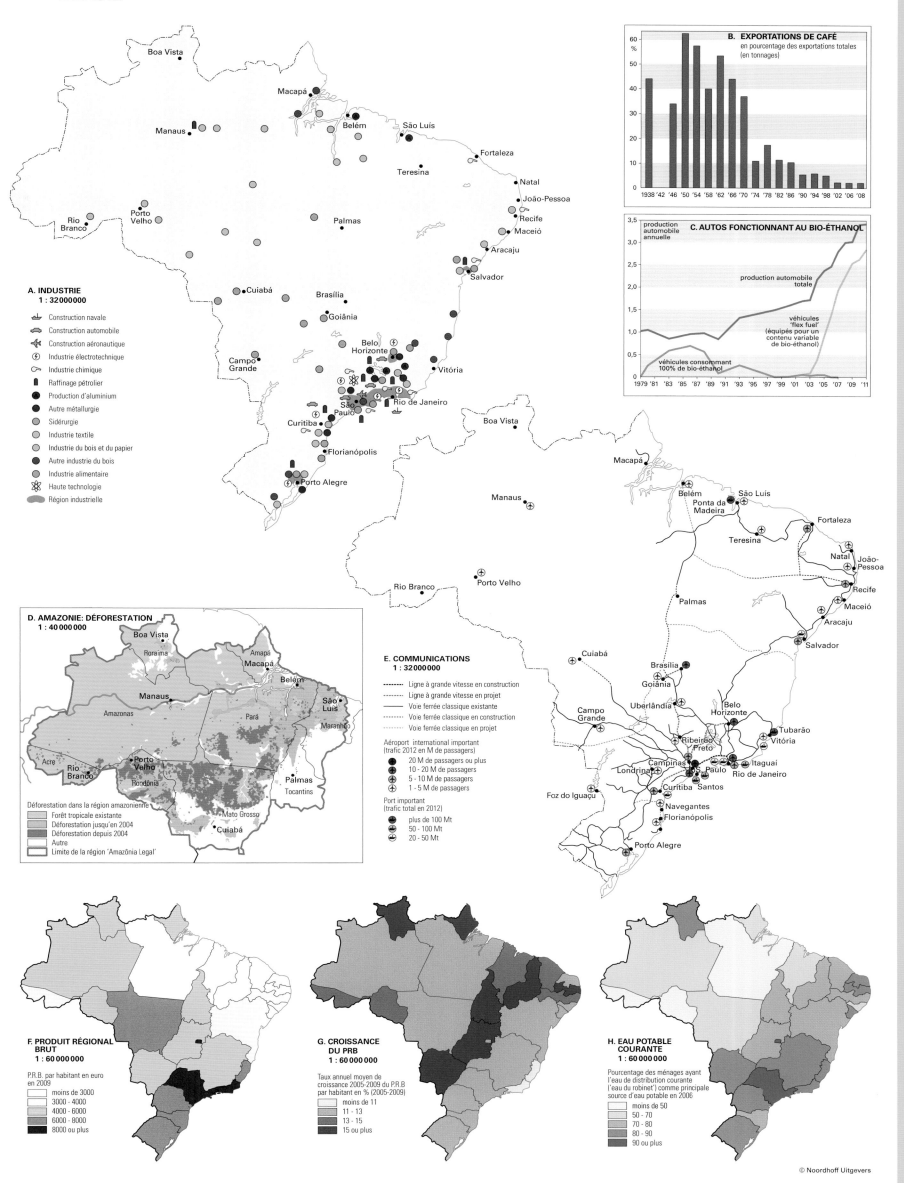

B. EXPORTATIONS DE CAFÉ
en pourcentage des exportations totales
(en tonnages)

C. AUTOS FONCTIONNANT AU BIO-ÉTHANOL

production automobile annuelle

production automobile totale

véhicules 'flex fuel' (équipés pour un contenu variable de bio-éthanol)

véhicules consommant 100% de bio-éthanol

A. INDUSTRIE
1 : 32 000 000

- Construction navale
- Construction automobile
- Construction aéronautique
- Industrie électrotechnique
- Industrie chimique
- Raffinage pétrolier
- Production d'aluminium
- Autre métallurgie
- Sidérurgie
- Industrie textile
- Industrie du bois et du papier
- Autre industrie du bois
- Industrie alimentaire
- Haute technologie
- Région industrielle

D. AMAZONIE: DÉFORESTATION
1 : 40 000 000

Déforestation dans la région amazonienne
- Forêt tropicale existante
- Déforestation jusqu'en 2004
- Déforestation depuis 2004
- Autre
- Limite de la région 'Amazônia Legal'

E. COMMUNICATIONS
1 : 32 000 000

- Ligne à grande vitesse en construction
- Ligne à grande vitesse en projet
- Voie ferrée classique existante
- Voie ferrée classique en construction
- Voie ferrée classique en projet

Aéroport international important
(trafic 2012 en M de passagers)
- 20 M de passagers ou plus
- 10 - 20 M de passagers
- 5 - 10 M de passagers
- 1 - 5 M de passagers

Port important
(trafic total en 2012)
- plus de 100 Mt
- 50 - 100 Mt
- 20 - 50 Mt

F. PRODUIT RÉGIONAL BRUT
1 : 60 000 000

P.R.B. par habitant en euro en 2009
- moins de 3000
- 3000 - 4000
- 4000 - 6000
- 6000 - 8000
- 8000 ou plus

G. CROISSANCE DU PRB
1 : 60 000 000

Taux annuel moyen de croissance 2005-2009 du P.R.B par habitant en % (2005-2009)
- moins de 11
- 11 - 13
- 13 - 15
- 15 ou plus

H. EAU POTABLE COURANTE
1 : 60 000 000

Pourcentage des ménages ayant l'eau de distribution courante ('eau du robinet') comme principale source d'eau potable en 2006
- moins de 50
- 50 - 70
- 70 - 80
- 80 - 90
- 90 ou plus

© Noordhoff Uitgevers

EUROPE

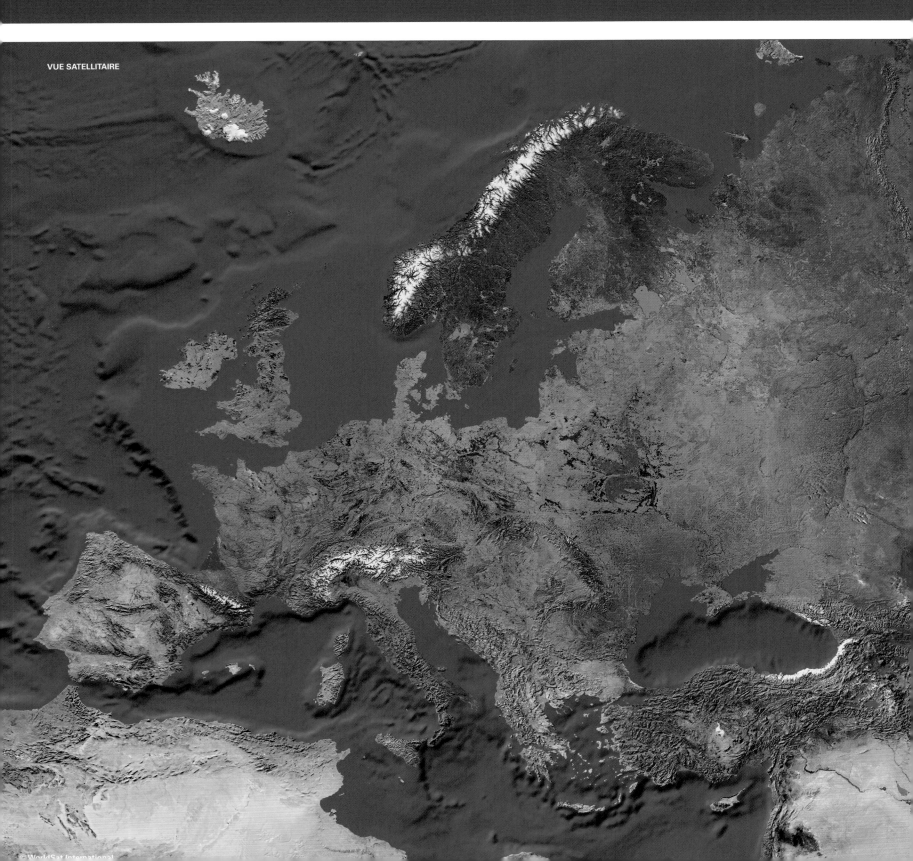

VUE SATELLITAIRE

© WorldSat International

PAYSAGES NATURELS ET AGRICOLES

- Improductif
- Toundra
- Taiga
- Autres forêts
- Herbages
- Terres de culture
- Steppe et herbages extensifs
- Désert et semi-désert
- Marécages et sols tourbeux
- Grands centres urbains

© Noordhoff Uitgevers

-6000 -4000 -2000 -200 0 100 200 500 1000 1500 2000 3000 5000 m
au-dessous du niveau de la mer

50°

Océan Glacial Arctique

Détroit du Danemark

Mer de Barents

Cercle Polaire Arctique

Baie Faxa
Reykjavik
Dorsale de Reykjanes
Islande
1491 Vatnajökull
Hekla 2119

Berenberg +2271
Jan Mayen

Cap Nord
Hammerfest
Varangerfjord
Mourmansk
Péninsule de Kola
+1188
Péninsule de Karine

Mer Blanche

Arkhangelsk

Bassin Norvégien

-3970

60° L.N.

Dorsale d'Islande

Îles Féroé

Lofoten
Vestfjord
2117+
Torneälv
Lulealv
Laponie

Lac Inari

Massif Scandinave

Trondheim

Geldhøpiggen 2470+

Andermatt

Plateau lacustre de Finlande

Carélie

Lac Onega 33
Svir

Océan Atlantique

Rockall

Îles Shetland

Bergen
Glomma
Klaräv
Daläv

Tampere
Åland

Lac Ladoga 4
Lac Onega
Lac Bieloïe

Hébrides
Îles Orcades

Oslo
Lac Väner
Stockholm
Göteborg

Helsinki
Golfe de Finlande
Tallinn
St-Pétersbourg

Golfe de Botnie

Svir

Porcupine Bk.

Hautes Terres +1344 d'Écosse
Édimbourg
Glasgow
Belfast

Mer du Nord

Skagerrak
Lac Vätter
Gotland

Hiiumaa
Saaremaa

Lac des Tchoudes (Peïpous)
30 318

Lac Ilmen

Tver
Mologa

Grande-Bretagne

Dogger Bank

Kattegat
Scanie Småland

Mer Baltique

G. de Riga
Riga

Dvina Occ.
Plateau du Valdaï
+346

Irlande
Man
Mer d'Irlande
Liverpool
Manchester
Dublin

Copenhague
Kiel
Bornholm
Öland

Kaliningrad

Collines Baltiques

Smolensk

Can. St George
Pays de Galles
Birmingham

-31
Héligoland
Îles des Wadden
Hambourg
Rügen
Gdańsk +328

Vilnius
Minsk
Berezina

Hauteurs de Russie Occid.

Land's End
Îles Scilly

Amsterdam
Rotterdam
Brême
Elbe

Szczecin
Oder
Warta

Bug
Pryplats

Marais du Prypiat
Desna

Manche
Îles Anglo-Normandes
Le Havre

Plaine du Rhin Inférieur
Anvers

Plaine d'Allemagne du Nord

Varsovie

Brest
Bretagne
Normandie

Pl. de Flandre
Lille
Bruxelles
Cologne

Berlin +1142 Harz
Leipzig
Dresde
Wrocław

Vistule
Kyïv (Kiev) 90

Paris
Marne
Seine

Francfort
Forêt de Thuringe
Mts. 1602 Métallifères
Labe
Sudètes
Cracovie

Lviv +440
Plateau de Volhynie-Podolie
Dnister (Dniepr)

Nantes
Loire

Strasbourg
Rhin
Vosges
Forêt Noire
Jura Souabe
Danube

Ratisbonne
Forêt de Bohême
Prague

Carpates
2655 Tatra
Dnister

Bouh

Dijon
Saône

Bâle
Jura
Munich
Vienne
Bratislava
Donau

2544+
Bessarabie
Prout
Siret

Golfe de Gascogne
-5099

Bordeaux
Garonne
Gironde

Mt Blanc 4810+
Berne
Lyon
Groβglockner 3798 S

Graz
Budapest
Tisza
Grande Plaine Hongroise
Mureş

Transylvanie

Odessa
G. d'Odessa

C. Finisterre
Mts Cantabriques 2648+
Bilbao

Massif Central 1885 +Mt Doré

4102 Mt Pelvoux +
Turin
Pô
Milan
Ljubljana
Zagreb
Drave
Save

Belgrade
Alpes de Transylvanie
Galati

Porto
Douro
Péninsule Ibérique
Plateau
Saragosse

Pyrénées
Aneto 3404+
Cévennes
Montpellier
Nice
Venise
Gênes
G. de Venise

Sarajevo
Alpes Dinariques
Dalmatie
Danube
Bucarest

Plaine du Danube Inférieur

Lisbonne
Tage
Chaînes de Castille 2592+
Madrid
Castille
Ibérique de Castille

Toulouse
Catalogne
Marseille
Golfe de Gênes

Arno
Apennins
Gr. Sasso 2912

Podgorica 2522
Prishtinë
Sofia 2925
Mts Rhodope 2376

Mer Ligurienne
Corse 2706

Mts Marica
Skopje Vardar
Edirne
Istanbul

C. St-Vincent
Séville
Guadalquivir
Andalousie
Sa Morena
Sa Nevada 3482 +Mulhacén
Málaga

Valence
G. de Valence
Baléares
Ibiza
Majorque
Minorque 1834

Bouches de Bonifacio
Sardaigne

Rome
Naples +Vésuve 1281
Pouilles
D. d'Otrante

Tirana
Olympe 2917+
Thessalonique

Mer de Marmara 2543

Izmir

Tanger
Dt de Gibraltar

Mer Méditerranée

Mer Tyrrhénienne
-2875
-3758

Stromboli
Palerme
Dt de Sicile
Etna 3323
Sicile
Dt de Messine
Calabre

Mer Ionienne
Péloponnèse

Cyclades
Athènes

3070 Golfe d'Anta

Ch. du Rif +2448
Casablanca
Fès
Sebou
Moulouya

Oran
Alger
Cheliff
C.Blanc
Medjerda
Tunis

Pantelleria
Malte

-5121
C. Matapan
Crète +2456
Santorin
Rhodes

-3442

Moyen Atlas 3737 +Ayachi

Atlas Tellien
Aurès +2326
Biskra
Hauts Plateaux
Atlas Saharien

Chott Melrhir -21
-23
20

G. de Gabès
Djerba

Tafilalt
Béchar
2236 +

Ouargla

Tripoli

Benghazi
Djebel el Akhdar +872

Alexandrie

Béni Abbès
Erg er Raoui
Grand Erg Occidental

Grand Erg Oriental

G. de la Grande Syrte

Marmorique

Dépr. de -133 Kattara

Projection de Bonne

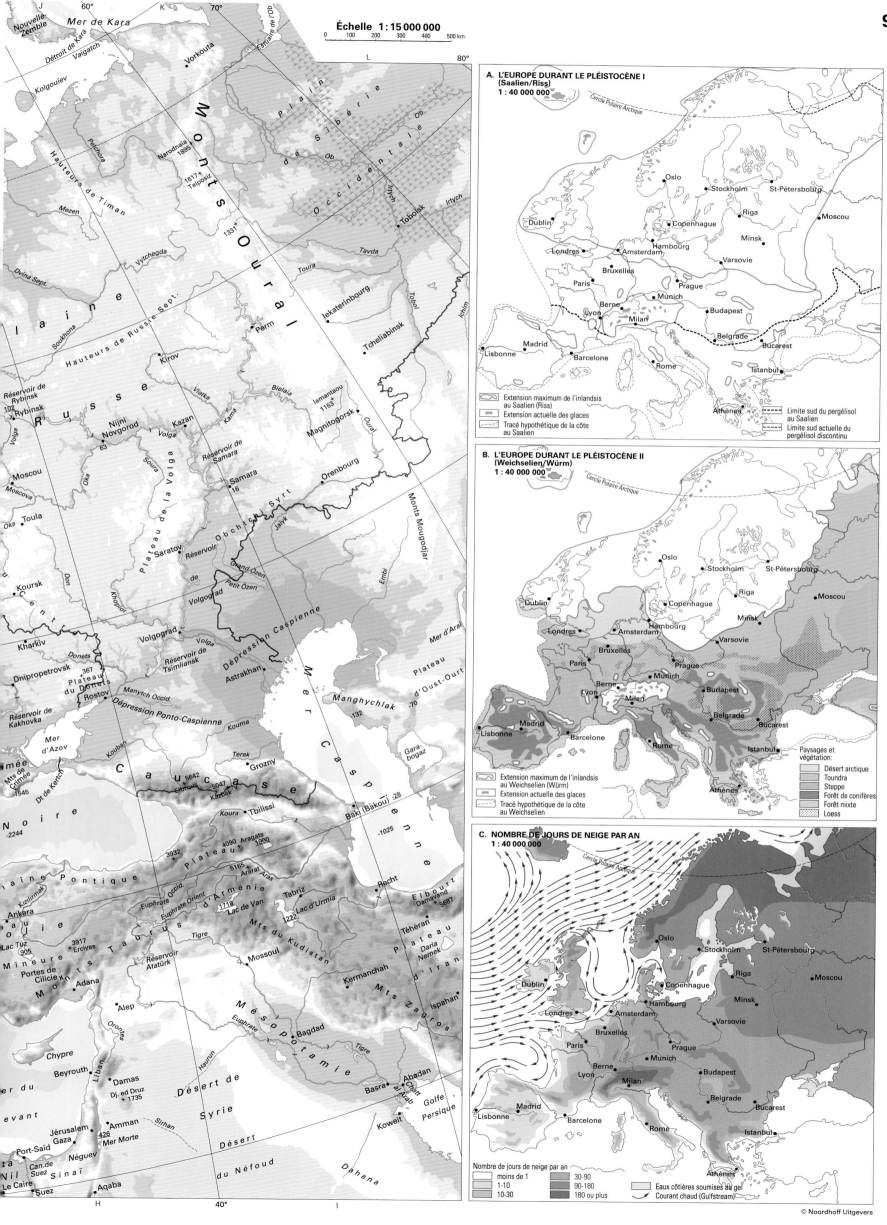

Échelle 1 : 15 000 000

0 100 200 300 400 500 km

A. L'EUROPE DURANT LE PLÉISTOCÈNE I (Saalien/Riss)
1 : 40 000 000

Extension maximum de l'inlandsis au Saalien (Riss)
Extension actuelle des glaces
Tracé hypothétique de la côte au Saalien
Limite sud du pergélisol au Saalien
Limite sud actuelle du pergélisol discontinu

B. L'EUROPE DURANT LE PLÉISTOCÈNE II (Weichselien/Würm)
1 : 40 000 000

Extension maximum de l'inlandsis au Weichselien (Würm)
Extension actuelle des glaces
Tracé hypothétique de la côte au Weichselien

Paysages et végétation :
Désert arctique
Toundra
Steppe
Forêt de conifères
Forêt mixte
Loess

C. NOMBRE DE JOURS DE NEIGE PAR AN
1 : 40 000 000

Nombre de jours de neige par an
moins de 1
1-10
10-30
30-90
90-180
180 ou plus
Eaux côtières soumises au gel
Courant chaud (Gulfstream)

© Noordhoff Uitgevers

EUROPE POLITIQUE

A   30° L.O. de Gr.   B   20°   C   10°   D   0°   E   10°   F   20°   G   30° L.E. de Gr.   H   40°   I

Détroit du Danemark

Océan Glacial Arctique

Cap Nord
Hammerfest

Mer de Barents

Tromsø

ISLANDE

Reykjavik

Mourmansk

Péninsule de Kola

Cercle Polaire Arctique

Lofoten
Narvik

Bodø

60° L.N.

Océan

Mer Blanche

Trondheim

SUÈDE

Luleälv
Luleå

Oulu

FINLANDE

Carélie

Arkhangelsk

Îles Féroé (Dan.)
Thorshavn

Umeå

Golfe de Botnie

Petrozavodsk

Lac Onega

Svir

Îles Shetland

Bergen

NORVÈGE

Glomma

Klarälv
Dalälv

Åland

Turku
Tampere

Uppsala

HELSINKI

ST-PÉTERSBOURG

Lac Ladoga

Lac Onega

Lac Svir

Tvet

Atlantique

Stavanger

Oslo

Lac Väner

Norrköping

Lac Vätter

Göteborg

STOCKHOLM

Golfe de Finlande

Tallinn

ESTONIE

Lac des Tchoudes

Lac de Rybinsk

3

Mer du Nord

Skagerrak

Kattegat

Gotland

Riga

LETTONIE

G. de Riga

Dvina/Occ.

Volga

Hébrides

Îles Orcades

Écosse
Aberdeen
Dundee
GLASGOW
Édimbourg
ROYAUME-UNI
Belfast
Newcastle upon Tyne
IRLANDE
Mer d'Irlande
MANCHESTER
LEEDS
DUBLIN LIVERPOOL
Hull
Sheffield
Nottingham

Århus

DANEMARK COPENHAGUE
Malmö

Kiel

Bornholm

Rügen

Klaipéda

LITUANIE
Kaunas
Vilnius

Kaliningrad

Vitsebsk

Smolensk

RUSSIE

MINSK

Mahiljou

Homel

BIÉLOURUSSIE

50°

Cork

BIRMINGHAM
Leicester
Cardiff Bristol

Groningue

PAYS-BAS
AMSTERDAM
ROTTERDAM

Brême

Hanovre

HAMBOURG

Elbe

Szczecin

Gdańsk

Białystok

Brest

Prypiats

Land's End

Southampton
LONDRES
Luton
Plymouth

Enschede
Utrecht
Osnabrück

BERLIN

Magdebourg

Poznań

POLOGNE

VARSOVIE

Łódź

Lublin

KYIV (KIEV)

Manche

Brest

Îles Anglo-Normandes (R.-U.)

Le Havre
Amiens
Lille
BRUXELLES
BELGIQUE
Anvers
Namur Liège
LUX.
RUHR
COLOGNE
Leipzig
Dresde

Wrocław

Odra

Katowice
KATOWICE
Cracovie

Lviv

UKRAINE

Vinnytsia

Kryvy Ri

Caen
Rennes
Rouen Reims
PARIS
Seine
Metz
Nancy

Luxembourg
LUX.

ALLEMAGNE
Francfort

Nuremberg
Ratisbonne

Prague
RÉP. TCHÈQUE
Plzeň
Brno
Ostrava

SLOVAQUIE

Dnister

Bouh

4

Brest

Nantes
Poitiers
Limoges

Orléans
Dijon
Besançon

Loire

Strasbourg
Stuttgart
Mannheim
Rhin
Donau

MUNICH

Linz
Salzbourg

VIENNE
Bratislava

Miskolc
Debrecen

MOLDAVIE
Iași

Transnistrie
Tiraspol

Mykolaïv

C. Finisterre

Golfe de Gascogne

La Corogne
Vigo

Clermont-Ferrand
FRANCE
St-Étienne

Bâle
Genève
SUISSE
Berne
Zurich
LIECHT.

Graz

AUTRICHE

Drave

Tisza

BUDAPEST
HONGRIE

Cluj-Napoca

Chișinău

ODESSA

40°

Porto
Douro

Gijón
Santander Bilbao

Bordeaux

Toulouse

LYON
MILAN
Zürich

Vérone
Trieste
Venise

Ljubljana
SLOVÉNIE
Zagreb

Pécs
Szeged

Mureș

Timișoara

ROUMANIE

Brașov

Galați

Brăila

PORTUGAL

Tage

MADRID

Valladolid
Saragosse

Montpellier
Marseille

TURIN
Gênes

Po

Bologne

CROATIE

Save

Danube

BELGRADE

Ploiești

BUCAREST

Constanța

Sébastopol

Guadiana

ESPAGNE

Ebre

ANDORRE

Nice
MONACO
Toulon

Florence
Livourne

ST-MARIN

BOSNIE-HERZÉGOVINE
Split
Sarajevo

SERVIË

Niš

Varna

Mer

LISBONNE

VALENCE

BARCELONE

Corse
Ajaccio

ITALIE
ROME

Mer Adriatique

MONTÉNÉGRO
Podgorica

Prishtinë
KOSOVO
Skopje
MACÉDOINE

SOFIA

BULGARIE

Burgas

Zonguldak

Séville
Cordoue
Grenade

Palma
Majorque
Îles Baléares

Sardaigne

Mer Tyrrhénienne

NAPLES
Bari
Tarente

Tirana

ALBANIE

Thessalonique

ISTANBUL

BROUSSE

Eskişehir

Cadix
Dt de Gibraltar
Gibraltar (R.-U.)
Ceuta (Esp.)
Málaga
Murcie
Carthagène

Cagliari

Palerme Messine
Reggio di Calabria
Sicile
Catane

Mer Ionienne

Patras

GRÈCE
Mer

IZMIR

Manisa

Balıkesir

Antalya

Kenitra
Tanger
Tétouan
Melilla (Esp.)
Oran
RABAT
FÈS
CASABLANCA
Meknès
Oujda

ALGER
Bejaïa
Skikda
Annaba
Bizerte

TUNIS
Nabeul
Sousse

ATHÈNES

Mer Égée

Rhodes

Héraklion
Crète

MAROC

Tafilalt

Aïn Sefra

Figuig

Tlemcen
Sidi Bel Abbès
Saïda
Mostghanem
El Boulaïda
Constantine
Stif

El Djelfa
Batna
Tébessa
Biskra

Kairouan
Kasserine

Sfax
G. de Gabès
Gabès

MALTE
La Valette

5

Béchar
Igli
Béni Abbès

Laghouat

El Oued
Touggourt
Tozeur

Gafsa
Medenine

Héraklion
Crète

Timimoun

Ghardaïa

ALGÉRIE

TUNISIE

TRIPOLI
Zuwara

El Beida
Darna

6

Ghadames

Surt
G. de la Grande Syrte

L I B Y E

Benghazi

Tobrouk

Al Khums
Misourata

El Goléa

Ouargla
Hassi Messaoud

Matrouh
Salloum
ALEXANDRIE

ÉGYPTE

Projection de Bonne   D   0°   E   10°   F   20°   G   30°

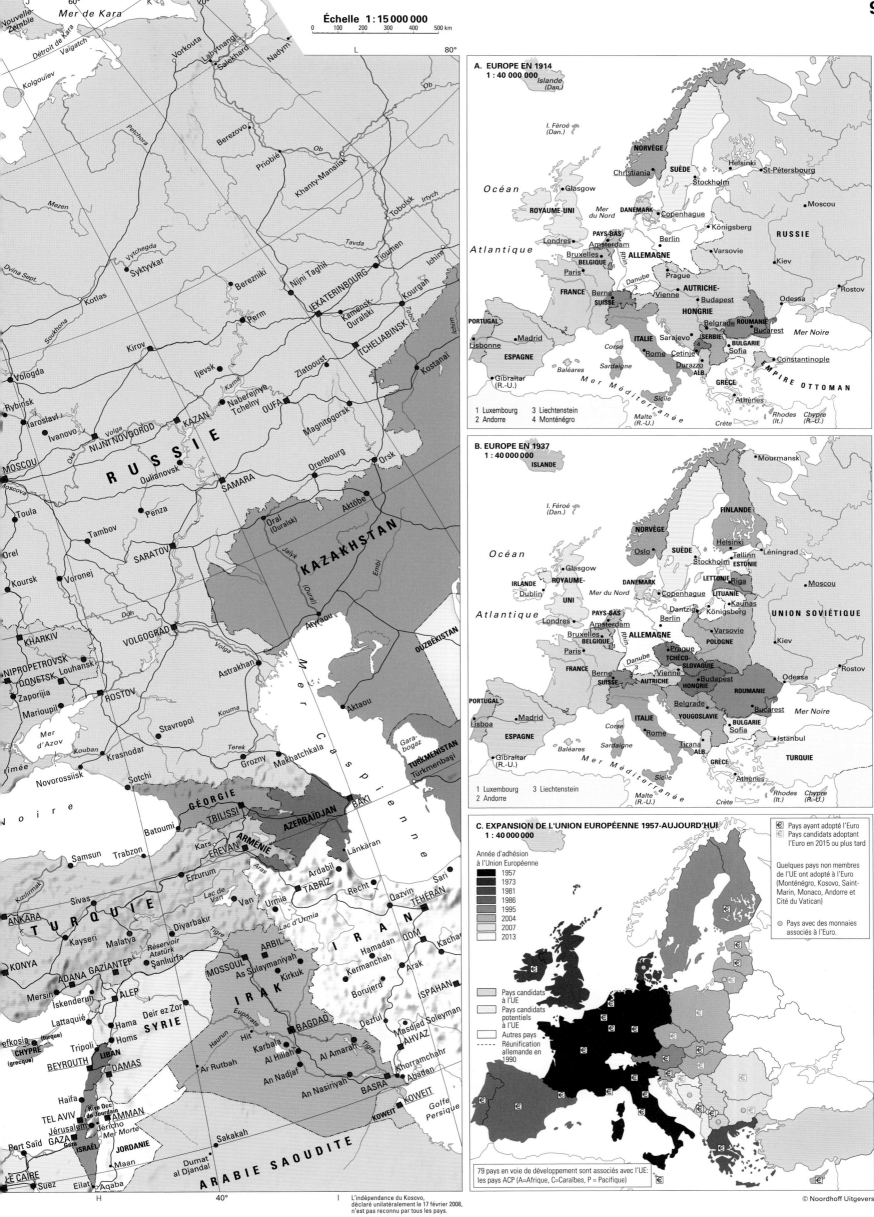

Échelle 1 : 15 000 000

0 100 200 300 400 500 km

A. EUROPE EN 1914
1 : 40 000 000

1 Luxembourg 3 Liechtenstein
2 Andorre 4 Monténégro

B. EUROPE EN 1937
1 : 40 000 000

1 Luxembourg 3 Liechtenstein
2 Andorre

C. EXPANSION DE L'UNION EUROPÉENNE 1957-AUJOURD'HUI
1 : 40 000 000

Pays ayant adopté l'Euro
Pays candidats adoptant l'Euro en 2015 ou plus tard

Quelques pays non membres de l'UE ont adopté à l'Euro (Monténégro, Kosovo, Saint-Marin, Monaco, Andorre et Cité du Vatican)

Pays avec des monnaies associés à l'Euro.

Année d'adhésion à l'Union Européenne
1957
1973
1981
1986
1995
2004
2007
2013

Pays candidats à l'UE
Pays candidats potentiels à l'UE
Autres pays
Réunification allemande en 1990

79 pays en voie de développement sont associés avec l'UE: les pays ACP (A=Afrique, C=Caraïbes, P=Pacifique)

L'indépendance du Kosovo, déclaré unilatéralement le 17 février 2008, n'est pas reconnu par tous les pays.

© Noordhoff Uitgevers

EUROPE CLIMAT

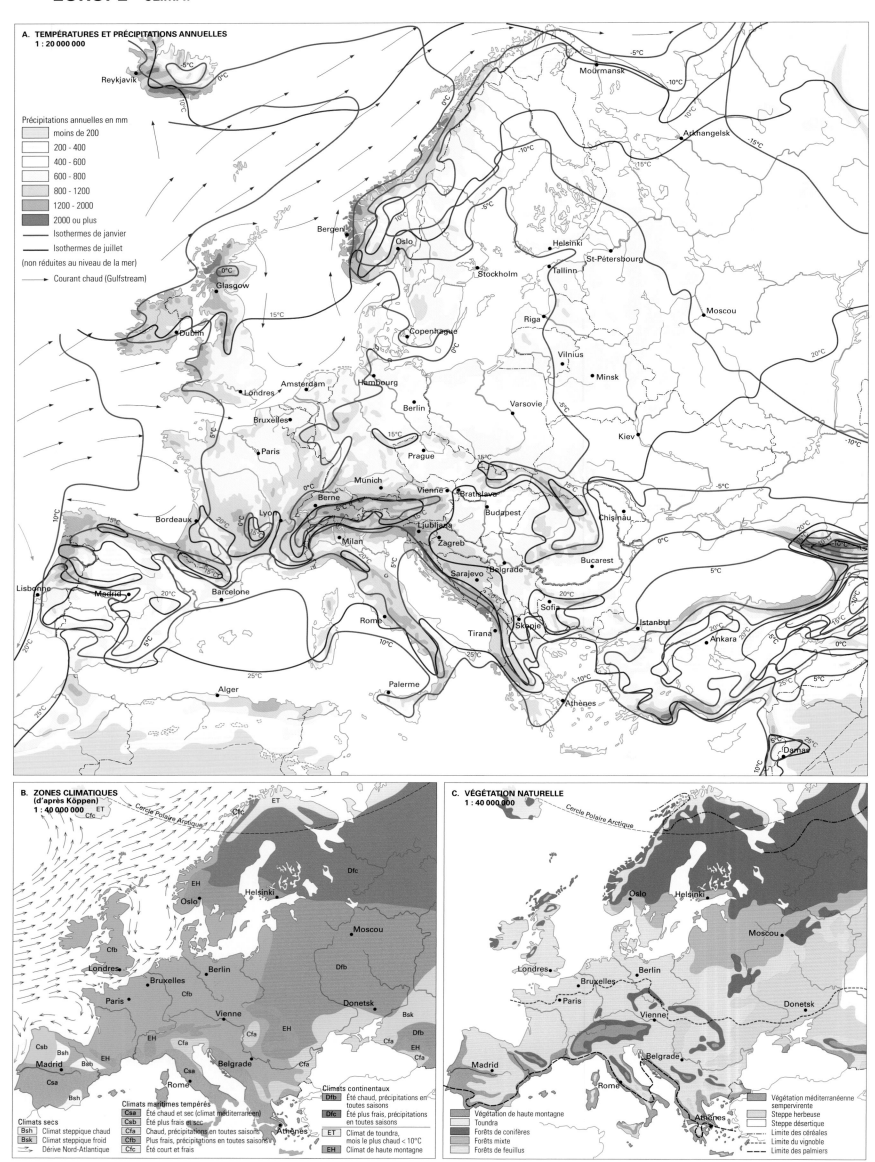

A. TEMPÉRATURES ET PRÉCIPITATIONS ANNUELLES
1 : 20 000 000

Précipitations annuelles en mm
- moins de 200
- 200 - 400
- 400 - 600
- 600 - 800
- 800 - 1200
- 1200 - 2000
- 2000 ou plus

— Isothermes de janvier
— Isothermes de juillet
(non réduites au niveau de la mer)
→ Courant chaud (Gulfstream)

Reykjavik · Mourmansk · Arkhangelsk · Bergen · Oslo · Helsinki · St-Pétersbourg · Stockholm · Tallinn · Glasgow · Dublin · Riga · Moscou · Copenhague · Vilnius · Minsk · Amsterdam · Hambourg · Londres · Berlin · Varsovie · Bruxelles · Kiev · Paris · Prague · Munich · Vienne · Bratislava · Lyon · Berne · Budapest · Chişinău · Bordeaux · Ljubljana · Milan · Zagreb · Lisbonne · Madrid · Barcelone · Sarajevo · Belgrade · Bucarest · Sofia · Rome · Tirana · Skopje · Istanbul · Alger · Palerme · Ankara · Athènes · Damas

B. ZONES CLIMATIQUES
(d'après Köppen)
1 : 40 000 000

Cercle Polaire Arctique

Oslo · Helsinki · Moscou · Londres · Berlin · Bruxelles · Paris · Vienne · Donetsk · Madrid · Belgrade · Rome · Athènes

Climats secs
- Bsh Climat steppique chaud
- Bsk Climat steppique froid
→ Dérive Nord-Atlantique

Climats maritimes tempérés
- Csa Été chaud et sec (climat méditerranéen)
- Csb Été plus frais et sec
- Cfa Chaud, précipitations en toutes saisons
- Cfb Plus frais, précipitations en toutes saisons
- Cfc Été court et frais

Climats continentaux
- Dfb Été chaud, précipitations en toutes saisons
- Dfc Été plus frais, précipitations en toutes saisons
- ET Climat de toundra, mois le plus chaud < 10°C
- EH Climat de haute montagne

C. VÉGÉTATION NATURELLE
1 : 40 000 000

Cercle Polaire Arctique

Oslo · Helsinki · Moscou · Londres · Berlin · Bruxelles · Paris · Vienne · Donetsk · Madrid · Belgrade · Rome · Athènes

- Végétation de haute montagne
- Toundra
- Forêts de conifères
- Forêts mixte
- Forêts de feuillus
- Végétation méditerranéenne sempervirente
- Steppe herbeuse
- Steppe désertique
- ···· Limite des céréales
- ─ · ─ Limite du vignoble
- ─── Limite des palmiers

© Noordhoff Uitgevers

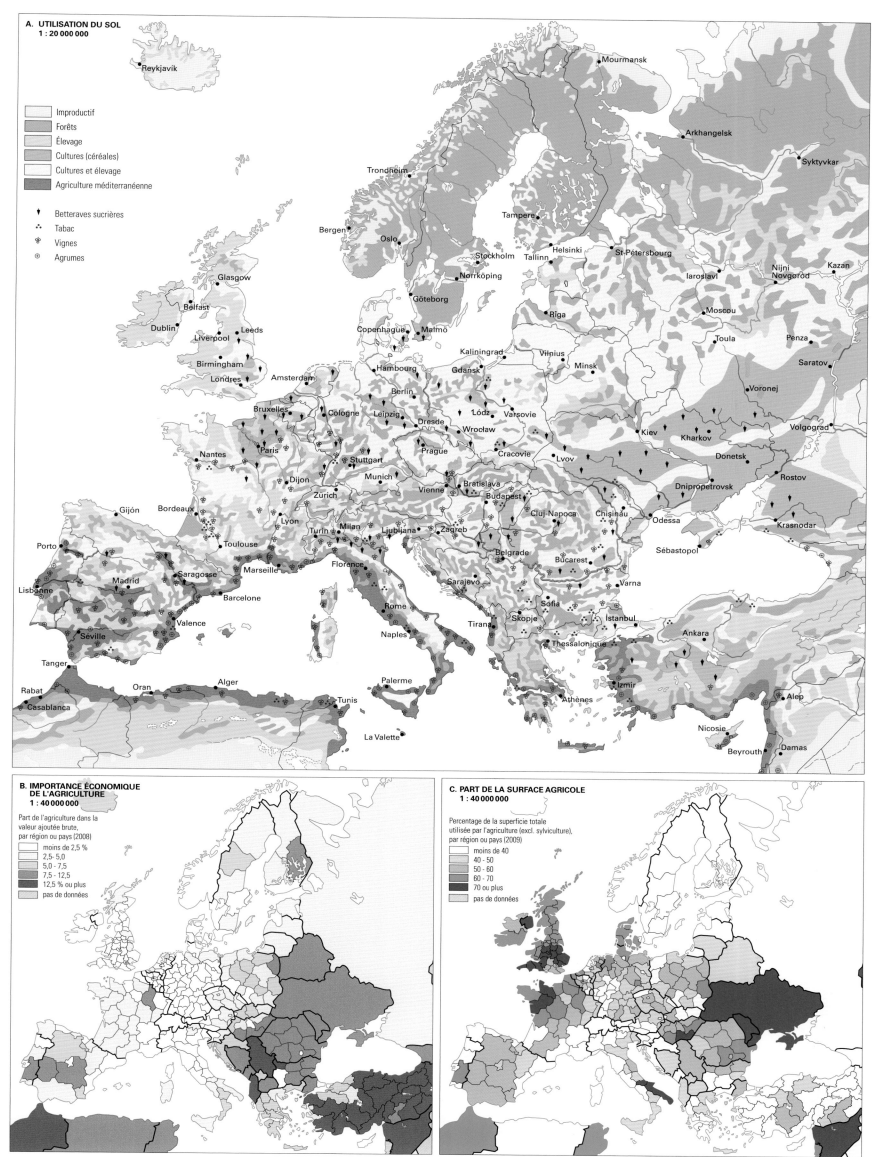

A. UTILISATION DU SOL
1 : 20 000 000

Improductif
Forêts
Élevage
Cultures (céréales)
Cultures et élevage
Agriculture méditerranéenne

Betteraves sucrières
Tabac
Vignes
Agrumes

B. IMPORTANCE ÉCONOMIQUE DE L'AGRICULTURE
1 : 40 000 000

Part de l'agriculture dans la valeur ajoutée brute, par région ou pays (2008)

moins de 2,5 %
2,5 - 5,0
5,0 - 7,5
7,5 - 12,5
12,5 % ou plus
pas de données

C. PART DE LA SURFACE AGRICOLE
1 : 40 000 000

Percentage de la superficie totale utilisée par l'agriculture (excl. sylviculture), par région ou pays (2009)

moins de 40
40 - 50
50 - 60
60 - 70
70 ou plus
pas de données

© Noordhoff Uitgevers

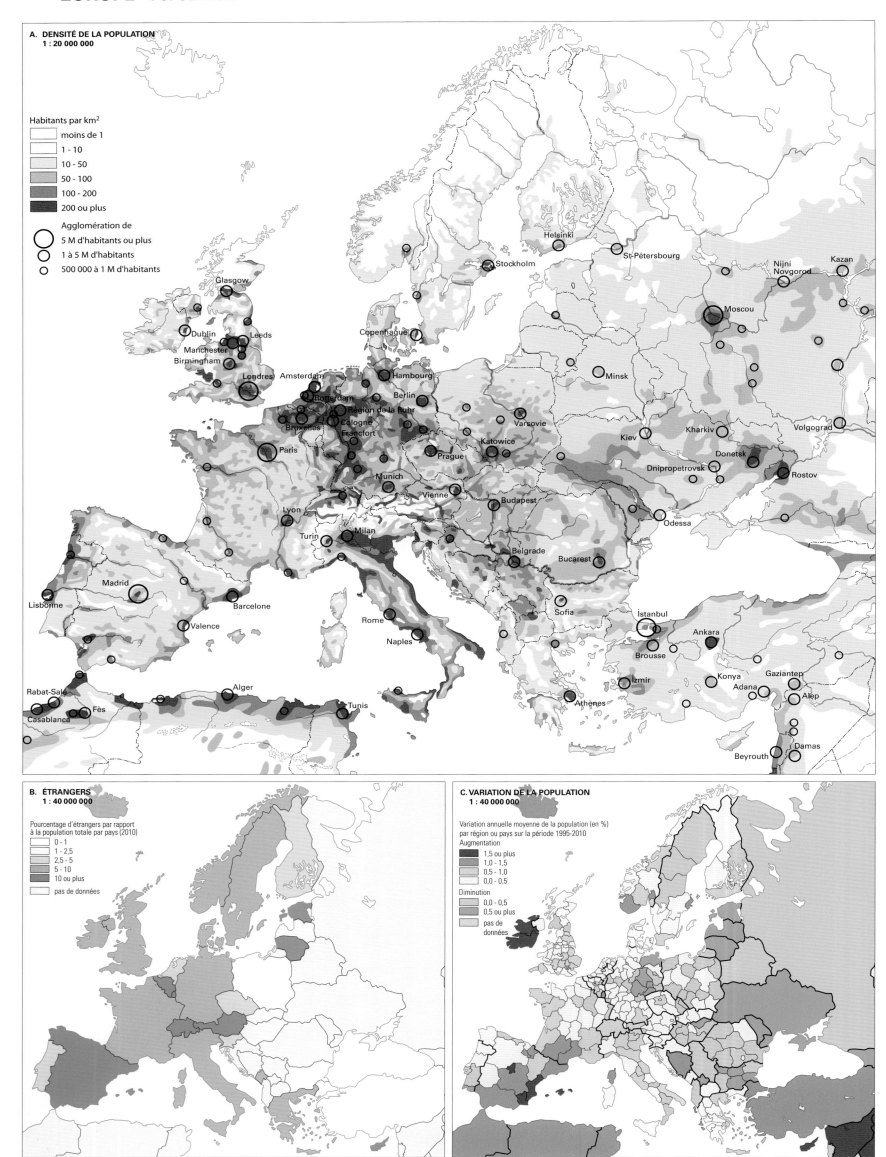

A. DENSITÉ DE LA POPULATION
1 : 20 000 000

Habitants par km²
- moins de 1
- 1 - 10
- 10 - 50
- 50 - 100
- 100 - 200
- 200 ou plus

Agglomération de
- 5 M d'habitants ou plus
- 1 à 5 M d'habitants
- 500 000 à 1 M d'habitants

B. ÉTRANGERS
1 : 40 000 000

Pourcentage d'étrangers par rapport
à la population totale par pays (2010)
- 0 - 1
- 1 - 2,5
- 2,5 - 5
- 5 - 10
- 10 ou plus
- pas de données

C. VARIATION DE LA POPULATION
1 : 40 000 000

Variation annuelle moyenne de la population (en %)
par région ou pays sur la période 1995-2010
Augmentation
- 1,5 ou plus
- 1,0 - 1,5
- 0,5 - 1,0
- 0,0 - 0,5
Diminution
- 0,0 - 0,5
- 0,5 ou plus
- pas de données

© Noordhoff Uitgevers

EUROPE TOURISME

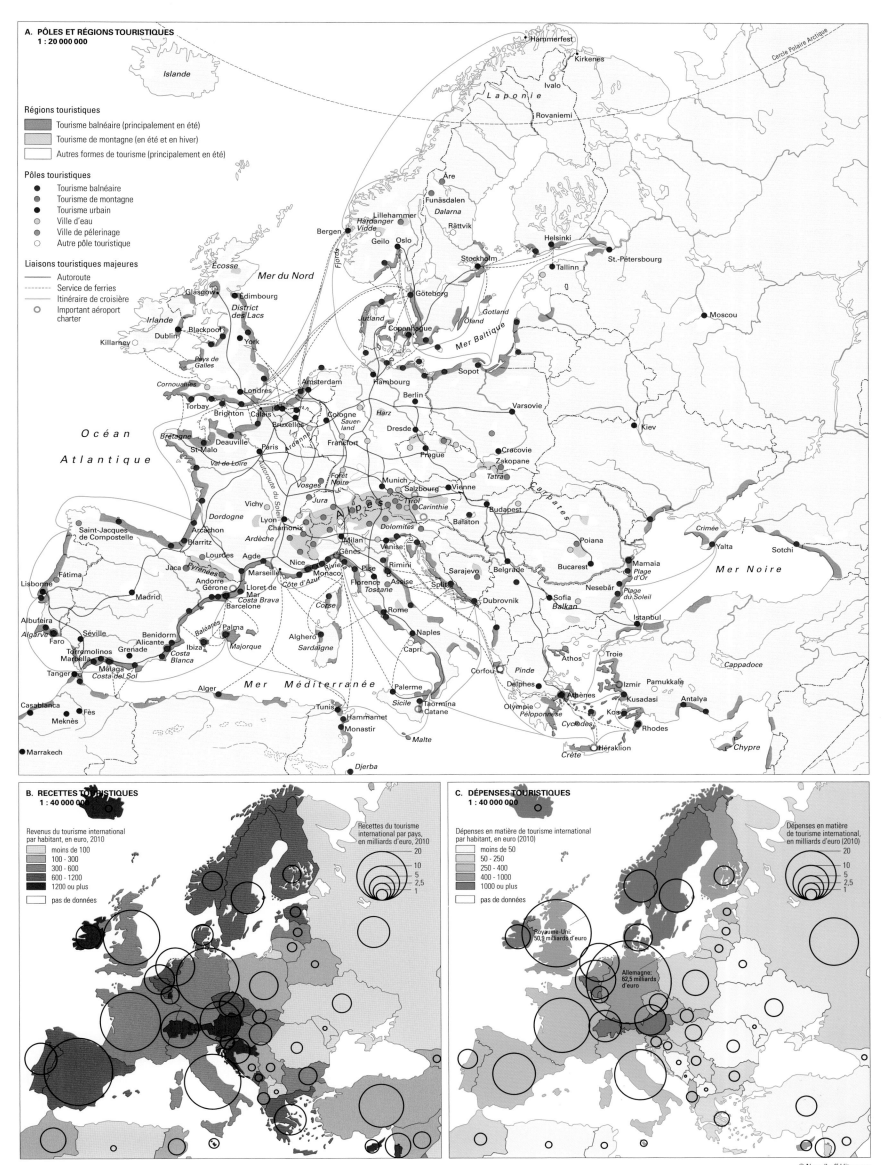

A. PÔLES ET RÉGIONS TOURISTIQUES
1 : 20 000 000

Régions touristiques

- Tourisme balnéaire (principalement en été)
- Tourisme de montagne (en été et en hiver)
- Autres formes de tourisme (principalement en été)

Pôles touristiques

- ● Tourisme balnéaire
- ● Tourisme de montagne
- ● Tourisme urbain
- ○ Ville d'eau
- ● Ville de pèlerinage
- ○ Autre pôle touristique

Liaisons touristiques majeures

- —— Autoroute
- - - - Service de ferries
- —— Itinéraire de croisière
- ○ Important aéroport charter

B. RECETTES TOURISTIQUES
1 : 40 000 000

Revenus du tourisme international par habitant, en euro, 2010
- moins de 100
- 100 - 300
- 300 - 600
- 600 - 1200
- 1200 ou plus
- pas de données

Recettes du tourisme international par pays, en milliards d'euro, 2010
20 / 10 / 5 / 2,5 / 1

C. DÉPENSES TOURISTIQUES
1 : 40 000 000

Dépenses en matière de tourisme international par habitant, en euro (2010)
- moins de 50
- 50 - 250
- 250 - 400
- 400 - 1000
- 1000 ou plus
- pas de données

Dépenses en matière de tourisme international, en milliards d'euro (2010)
20 / 10 / 5 / 2,5 / 1

Royaume-Uni: 50,9 milliards d'euro

Allemagne: 62,5 milliards d'euro

© Noordhoff Uitgevers

EUROPE ÉCONOMIE

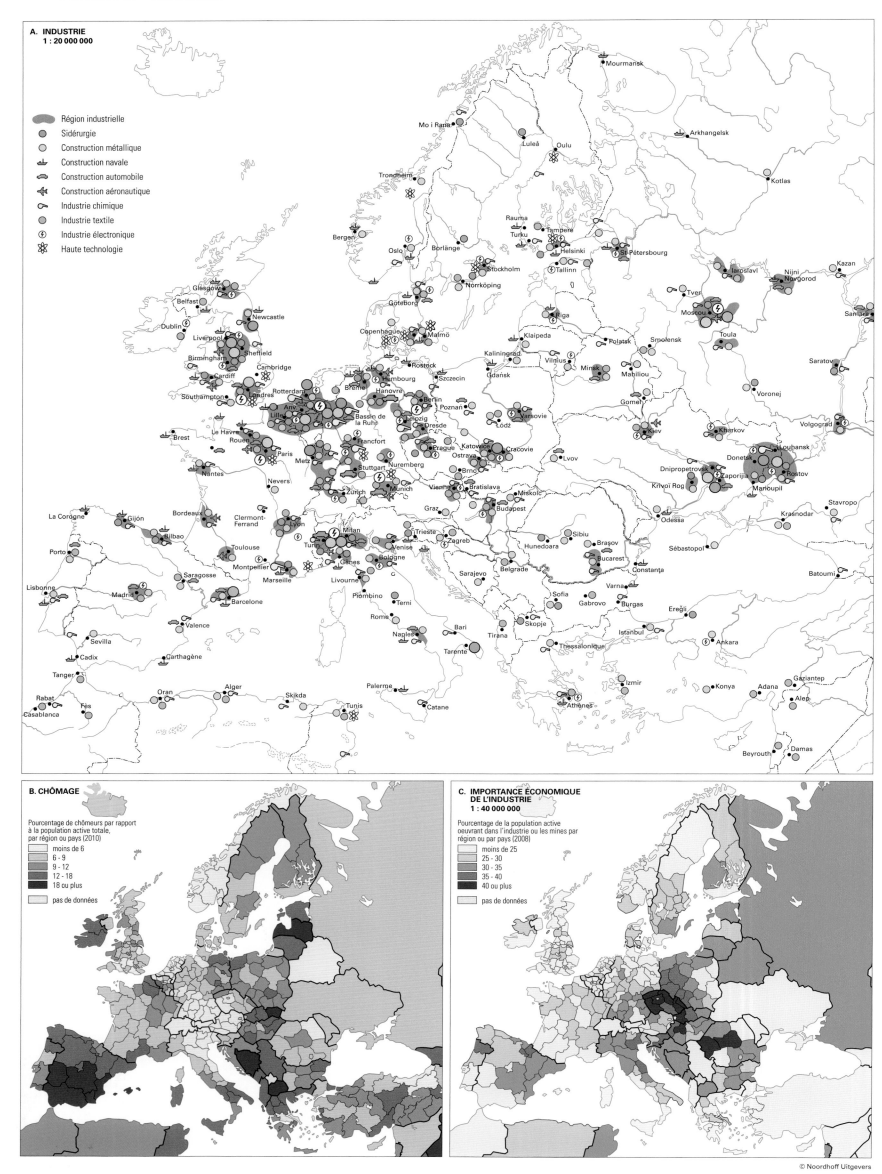

A. INDUSTRIE
1 : 20 000 000

Région industrielle
Sidérurgie
Construction métallique
Construction navale
Construction automobile
Construction aéronautique
Industrie chimique
Industrie textile
Industrie électronique
Haute technologie

B. CHÔMAGE

Pourcentage de chômeurs par rapport
à la population active totale,
par région ou pays (2010)
moins de 6
6 - 9
9 - 12
12 - 18
18 ou plus
pas de données

**C. IMPORTANCE ÉCONOMIQUE
DE L'INDUSTRIE**
1 : 40 000 000

Pourcentage de la population active
oeuvrant dans l'industrie ou les mines par
région ou par pays (2008)
moins de 25
25 - 30
30 - 35
35 - 40
40 ou plus
pas de données

© Noordhoff Uitgevers

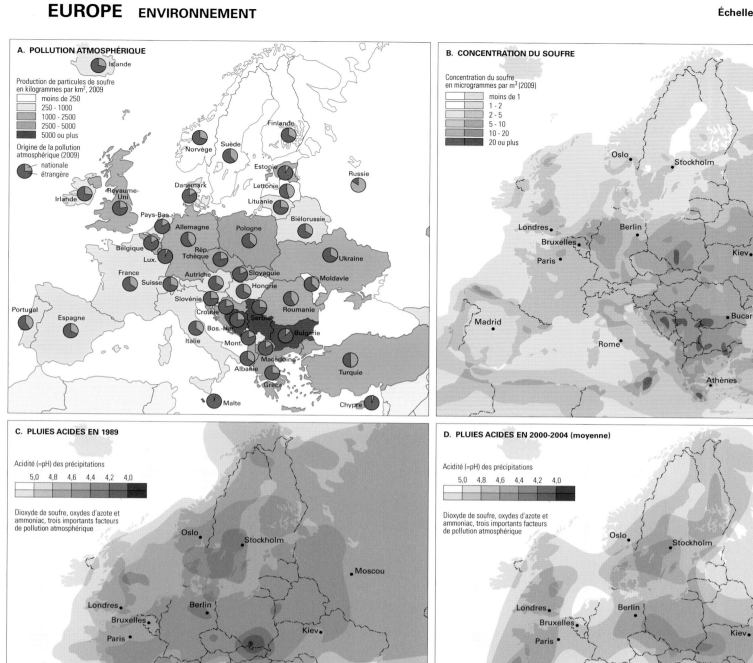

A. POLLUTION ATMOSPHÉRIQUE

Production de particules de soufre
en kilogrammes par km², 2009

- moins de 250
- 250 - 1000
- 1000 - 2500
- 2500 - 5000
- 5000 ou plus

Origine de la pollution
atmosphérique (2009)

- nationale
- étrangère

Islande, Norvège, Suède, Finlande, Russie, Estonie, Lettonie, Lituanie, Danemark, Irlande, Royaume-Uni, Pays-Bas, Belgique, Lux., Allemagne, Pologne, Biélorussie, Rép. Tchèque, Ukraine, France, Suisse, Autriche, Slovaquie, Hongrie, Moldavie, Slovénie, Croatie, Serbie, Roumanie, Bos.-Hin., Mont., Italie, Macédoine, Albanie, Bulgarie, Portugal, Espagne, Grèce, Turquie, Malte, Chypre

B. CONCENTRATION DU SOUFRE

Concentration du soufre
en microgrammes par m³ (2009)

- moins de 1
- 1 - 2
- 2 - 5
- 5 - 10
- 10 - 20
- 20 ou plus

Oslo, Stockholm, Moscou, Londres, Berlin, Bruxelles, Kiev, Paris, Madrid, Bucarest, Rome, Athènes

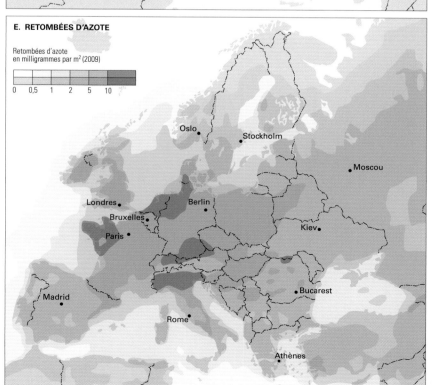

C. PLUIES ACIDES EN 1989

Acidité (=pH) des précipitations

5,0 4,8 4,6 4,4 4,2 4,0

Dioxyde de soufre, oxydes d'azote et
ammoniac, trois importants facteurs
de pollution atmosphérique

Oslo, Stockholm, Moscou, Londres, Berlin, Bruxelles, Kiev, Paris, Madrid, Bucarest, Rome, Athènes

D. PLUIES ACIDES EN 2000-2004 (moyenne)

Acidité (=pH) des précipitations

5,0 4,8 4,6 4,4 4,2 4,0

Dioxyde de soufre, oxydes d'azote et
ammoniac, trois importants facteurs
de pollution atmosphérique

Oslo, Stockholm, Moscou, Londres, Berlin, Bruxelles, Kiev, Paris, Madrid, Bucarest, Rome, Athènes

E. RETOMBÉES D'AZOTE

Retombées d'azote
en milligrammes par m² (2009)

0   0,5   1   2   5   10

Oslo, Stockholm, Moscou, Londres, Berlin, Bruxelles, Kiev, Paris, Madrid, Bucarest, Rome, Athènes

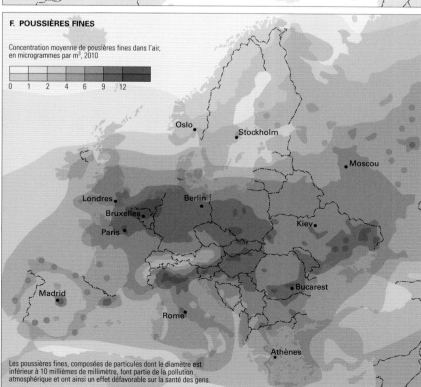

F. POUSSIÈRES FINES

Concentration moyenne de poussières fines dans l'air,
en microgrammes par m³, 2010

0   1   2   4   6   9   12

Oslo, Stockholm, Moscou, Londres, Berlin, Bruxelles, Kiev, Paris, Madrid, Bucarest, Rome, Athènes

Les poussières fines, composées de particules dont le diamètre est
inférieur à 10 millièmes de millimètre, font partie de la pollution
atmosphérique et ont ainsi un effet défavorable sur la santé des gens.

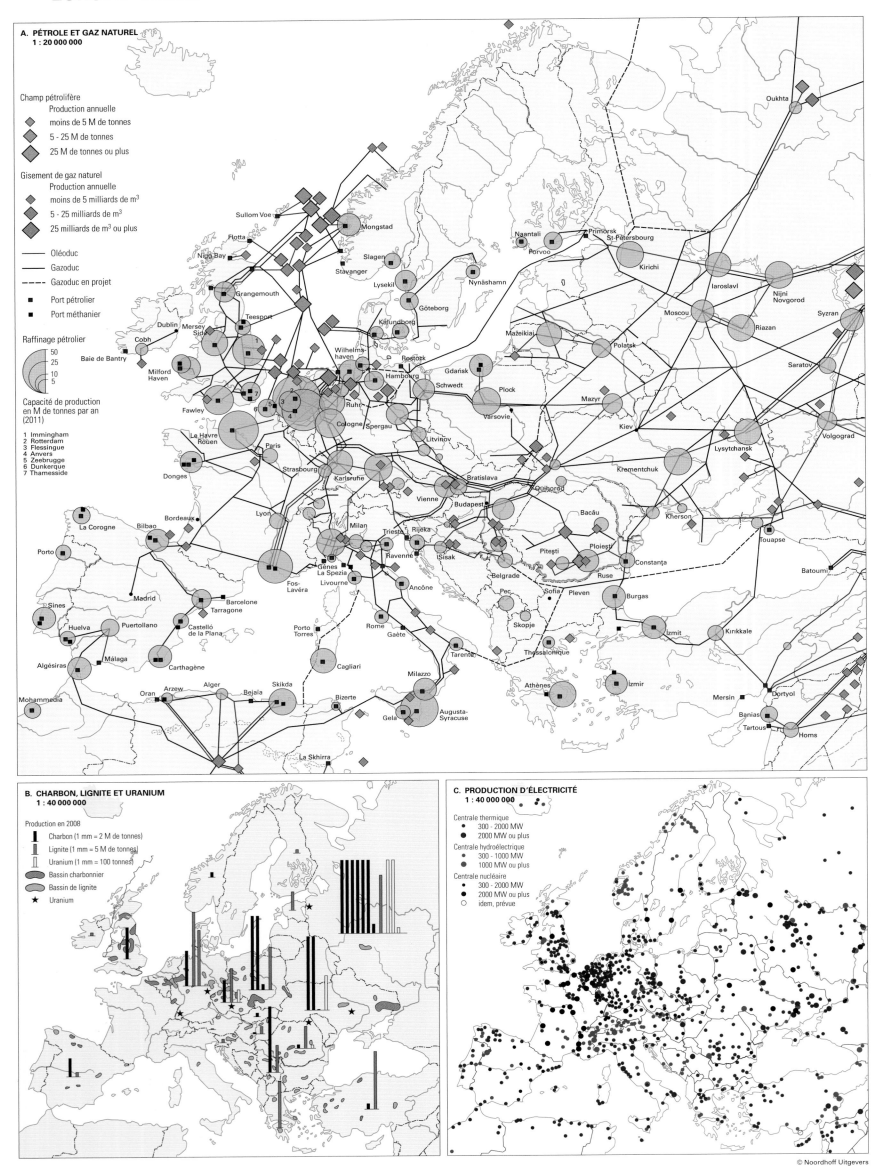

A. PÉTROLE ET GAZ NATUREL
1 : 20 000 000

Champ pétrolifère
Production annuelle
moins de 5 M de tonnes
5 - 25 M de tonnes
25 M de tonnes ou plus

Gisement de gaz naturel
Production annuelle
moins de 5 milliards de m³
5 - 25 milliards de m³
25 milliards de m³ ou plus

Oléoduc
Gazoduc
Gazoduc en projet
Port pétrolier
Port méthanier

Raffinage pétrolier
50
25
10
5

Capacité de production
en M de tonnes par an
(2011)
1 Immingham
2 Rotterdam
3 Flessingue
4 Anvers
5 Zeebrugge
6 Dunkerque
7 Thamesside

B. CHARBON, LIGNITE ET URANIUM
1 : 40 000 000

Production en 2008
Charbon (1 mm = 2 M de tonnes)
Lignite (1 mm = 5 M de tonnes)
Uranium (1 mm = 100 tonnes)
Bassin charbonnier
Bassin de lignite
★ Uranium

C. PRODUCTION D'ÉLECTRICITÉ
1 : 40 000 000

Centrale thermique
300 - 2000 MW
2000 MW ou plus
Centrale hydroélectrique
300 - 1000 MW
1000 MW ou plus
Centrale nucléaire
300 - 2000 MW
2000 MW ou plus
idem, prévue

© Noordhoff Uitgevers

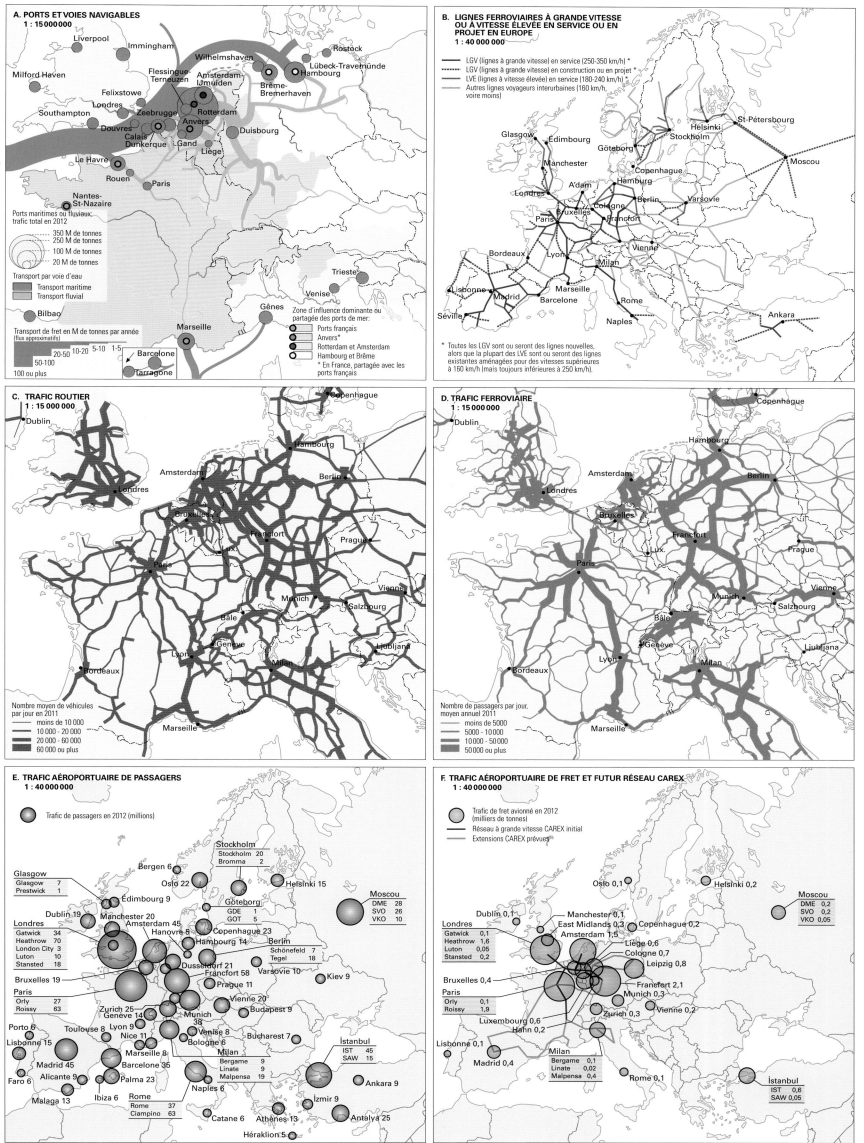

A. PORTS ET VOIES NAVIGABLES
1 : 15 000 000

Liverpool
Immingham
Milford Haven
Wilhelmshaven
Rostock
Lübeck-Travemünde
Flessingue-Terneuzen
Amsterdam-IJmuiden
Brême-Bremerhaven
Hambourg
Felixstowe
Southampton
Londres
Zeebrugge
Rotterdam
Anvers
Duisbourg
Douvres
Calais
Gand
Liège
Dunkerque
Le Havre
Rouen
Paris
Nantes-St-Nazaire
Trieste
Venise
Gênes
Bilbao
Marseille
Barcelone
Tarragone

Ports maritimes ou fluviaux:
trafic total en 2012
350 M de tonnes
250 M de tonnes
100 M de tonnes
20 M de tonnes

Transport par voie d'eau
Transport maritime
Transport fluvial

Transport de fret en M de tonnes par année
(flux approximatifs)
20-50 10-20 5-10 1-5
50-100
100 ou plus

Zone d'influence dominante ou
partagée des ports de mer:
Ports français
Anvers*
Rotterdam et Amsterdam
Hambourg et Brême
* En France, partagée avec les
ports français

**B. LIGNES FERROVIAIRES À GRANDE VITESSE
OU À VITESSE ÉLEVÉE EN SERVICE OU EN
PROJET EN EUROPE**
1 : 40 000 000

LGV (lignes à grande vitesse) en service (250-350 km/h) *
LGV (lignes à grande vitesse) en construction ou en projet *
LVE (lignes à vitesse élevée) en service (180-240 km/h) *
Autres lignes voyageurs interurbaines (160 km/h,
voire moins)

Glasgow
Édimbourg
Manchester
Londres
Helsinki
St-Pétersbourg
Stockholm
Göteborg
Moscou
Copenhague
A'dam
Hambourg
Bruxelles
Berlin
Varsovie
Paris
Cologne
Francfort
Bordeaux
Lyon
Vienne
Milan
Lisbonne
Madrid
Marseille
Barcelone
Rome
Séville
Naples
Ankara

* Toutes les LGV sont ou seront des lignes nouvelles,
alors que la plupart des LVE sont ou seront des lignes
existantes aménagées pour des vitesses supérieures
à 160 km/h (mais toujours inférieures à 250 km/h).

C. TRAFIC ROUTIER
1 : 15 000 000

Dublin
Copenhague
Hambourg
Amsterdam
Berlin
Londres
Bruxelles
Francfort
Prague
Lux.
Paris
Vienne
Munich
Salzbourg
Bâle
Lyon
Genève
Ljubljana
Milan
Bordeaux
Marseille

Nombre moyen de véhicules
par jour en 2011
moins de 10 000
10 000 - 20 000
20 000 - 60 000
60 000 ou plus

D. TRAFIC FERROVIAIRE
1 : 15 000 000

Dublin
Copenhague
Hambourg
Amsterdam
Berlin
Londres
Bruxelles
Francfort
Prague
Lux.
Paris
Vienne
Munich
Salzbourg
Bâle
Lyon
Genève
Ljubljana
Milan
Bordeaux
Marseille

Nombre de passagers par jour,
moyen annuel 2011
moins de 5000
5000 - 10 000
10 000 - 50 000
50 000 ou plus

E. TRAFIC AÉROPORTUAIRE DE PASSAGERS
1 : 40 000 000

Trafic de passagers en 2012 (millions)

Stockholm	
Stockholm	20
Bromma	2

Bergen 6
Oslo 22
Helsinki 15

Glasgow	
Glasgow	7
Prestwick	1

Édimbourg 9

Göteborg	
GDE	1
GOT	5

Moscou	
DME	28
SVO	26
VKO	10

Dublin 19
Manchester 20
Amsterdam 45
Hanovre 8
Copenhague 23

Londres	
Gatwick	34
Heathrow	70
London City	3
Luton	10
Stansted	18

Hambourg 14
Düsseldorf 21
Francfort 58

Berlin	
Schönefeld	7
Tegel	18

Varsovie 10
Kiev 9
Prague 11
Bruxelles 19

Paris	
Orly	27
Roissy	63

Vienne 20
Budapest 9
Zurich 25
Genève 14
Munich 38
Porto 6
Toulouse 8
Lyon 9
Nice 11
Venise 8
Bologne 6
Bucarest 7

İstanbul	
IST	45
SAW	15

Lisbonne 15
Marseille 8
Barcelone 35
Madrid 45

Milan	
Bergame	9
Linate	10
Malpensa	19

Ankara 9
Faro 6
Alicante 9
Palma 23
Naples 6

Rome	
Rome	37
Ciampino	63

İzmir 9
Antalya 25
Malaga 13
Ibiza 6
Catane 6
Athènes 13
Héraklion 5

F. TRAFIC AÉROPORTUAIRE DE FRET ET FUTUR RÉSEAU CAREX
1 : 40 000 000

Trafic de fret avionné en 2012
(milliers de tonnes)
Réseau à grande vitesse CAREX initial
Extensions CAREX prévues

Oslo 0,1
Helsinki 0,2

Moscou	
DME	0,2
SVO	0,2
VKO	0,05

Dublin 0,1
Manchester 0,1
East Midlands 0,3
Copenhague 0,2
Amsterdam 1,5
Liège 0,6
Cologne 0,7
Leipzig 0,8

Londres	
Gatwick	0,1
Heathrow	1,6
Luton	0,05
Stansted	0,2

Francfort 2,1
Munich 0,3
Bruxelles 0,4

Paris	
Orly	0,1
Roissy	1,9

Zurich 0,3
Vienne 0,2
Luxembourg 0,6
Hahn 0,2
Lisbonne 0,1
Madrid 0,4

Milan	
Bergame	0,1
Linate	0,02
Malpensa	0,4

Rome 0,1

İstanbul	
IST	0,6
SAW	0,05

EUROPE DU NORD

-4000 -2000 -200 0 100 200 500 1000 1500 2000 3000 5000 m
au-dessous du niveau de la mer

A. ISLANDE
1 : 6 000 000

Océan Glacial Arctique
Cercle Polaire Arctique

Horn (Cap Nord)
Ísafjörður
Drangajökull
Patreksfjörður
Vatneyri
Breiðafjörður
Stykkishólmur
Baie Faxa
Akranes
Reykjavík
Keflavík
Hafnarfjörður
Reykjanes
Vestmannaeyjar
Heimaey

Grímsey
Rifstangi
Raufarhöfn
Langanes
Siglufjörður
Ólafsfjörður
Húsavik
Vopnafjörður
Skagafjörður
Sauðárkrókur
Akureyri
Grímsstaðir
Mývatn
Seyðisfjörður
Herðubreið +1682
Askja +1510
Snæfell +1833
Höfn

Húna
Höfðakaupstaður
Hvítá
Langjökull
Hofsjökull
Blafell 1204
Geysir
Hvítá
Þjórsá
Hekla 1491
Myrdalsjökull 1651
Katla 1450
Eyjafjallajökull
Vatnajökull
Hvannadalshnúkur 2119
Kálfafell

Océan Atlantique

Échelle 1 : 6 000 000
0 50 100 150 200 250 km

Océan Atlantique

NORVÈGE

Cap Stad
Ålesund
Molde
Åndalsnes
Kristiansund
Smøla
Hitra
Frøya
Namsos
Steinkjer
Trondheim
Trondheimsfjord
Levanger
Grong
Mosjøen
Mo i Rana
Bodø
Fauske
Sulitjelma
Narvik
Abisko
Svolvær
Lofoten
Vesterålen
Vestfjord
Harstad
Tromsø
Hammerfest
Cap Nord
Nordkinn
Vardø
Vadsø
Varanger
Kirkenes
Petchenga

SUÈDE
Östersund
Storlien
Storuman
Vilhelmina
Lycksele
Sorsele
Arjeplog
Storavan
Boden
Luleå
Piteå
Skellefteå
Umeå
Örnsköldsvik
Sollefteå
Kramfors
Härnösand
Sundsvall
Hudiksvall
Söderhamn
Gävle
Bollnäs
Ljusdal
Mora
Falun
Borlänge
Leksand
Dalarna
Ludvika
Avesta
Sala
Uppsala
Västerås
Stockholm
Södertälje
Eskilstuna
Örebro
Karlskoga
Karlstad
Arvika
Lidköping
Skövde
Mariestad
Nyköping
Norrköping
Linköping
Motala
Jönköping
Borås
Göteborg
Mölndal
Kungsbacka
Varberg
Halmstad
Helsingborg
Malmö
Trelleborg
Ystad
Kalmar
Karlskrona
Kristianstad
Växjö
Ljungby
Oskarshamn
Västervik
Visby
Gotland
Öland

DANEMARK
Ålborg
Randers
Århus
Herning
Esbjerg
Vejle
Kolding
Fredericia
Odense
Svendborg
Copenhague
Helsingør
Sjælland
Fyn
Kiel
Lübeck

ALLEMAGNE
HAMBOURG
Brême
Wilhelmshaven
Rostock
Stralsund
Rügen
Kiel

FINLANDE
Helsinki/Helsingfors
Turku/Åbo
Tampere
Lahti
Kotka
Kouvola
Hämeenlinna
Pori
Rauma
Vaasa/Vasa
Seinäjoki
Jyväskylä
Kuopio
Mikkeli
Savonlinna
Joensuu
Oulu
Raahe
Kajaani
Kemi
Tornio
Haparanda
Rovaniemi
Kemijärvi
Kiruna
Gällivare
Malmberget
Jokkmokk
Karasjok/Kárášjohka
Kautokeino/Guovdageaidnu
Inari/Anár
Ivalo/Avvil
Alta

ESTONIE
Tallinn
Tartu
Pärnu
Narva
Haapsalu
Viljandi
Saaremaa
Hiiumaa

LETTONIE
Riga
Jūrmala
Ventspils
Liepāja
Valmiera
Jelgava
Daugavpils
Rēzekne

LITUANIE
Vilnius
Kaunas
Klaipėda
Šiauliai
Panevėžys
Alytus

RUSSIE
Kaliningrad

POLOGNE
Gdańsk
Gdynia
Słupsk
Koszalin
Elbląg

BIÉLORUSSIE
MINSK

Mer du Nord
Skagerrak
Kattegat
Mer Baltique
Golfe de Finlande
Golfe de Riga
Golfe de Botnie

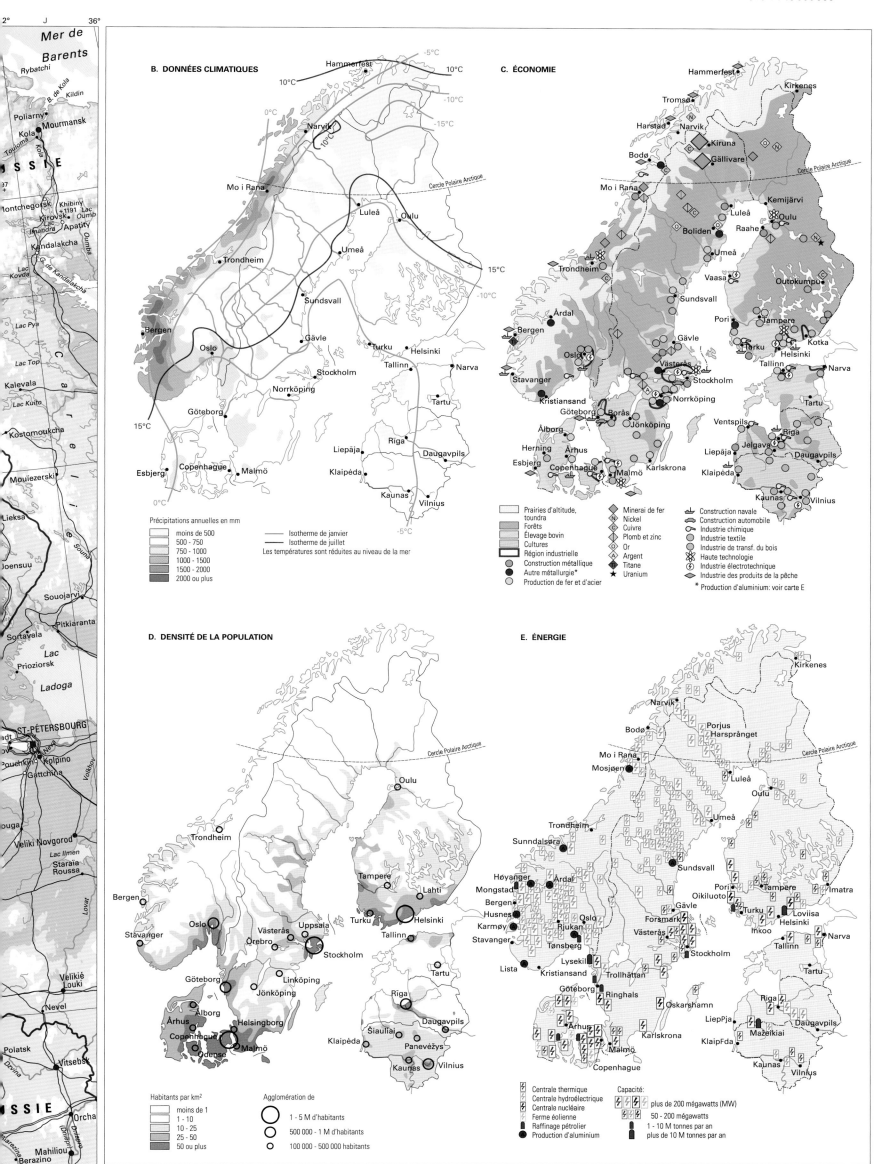

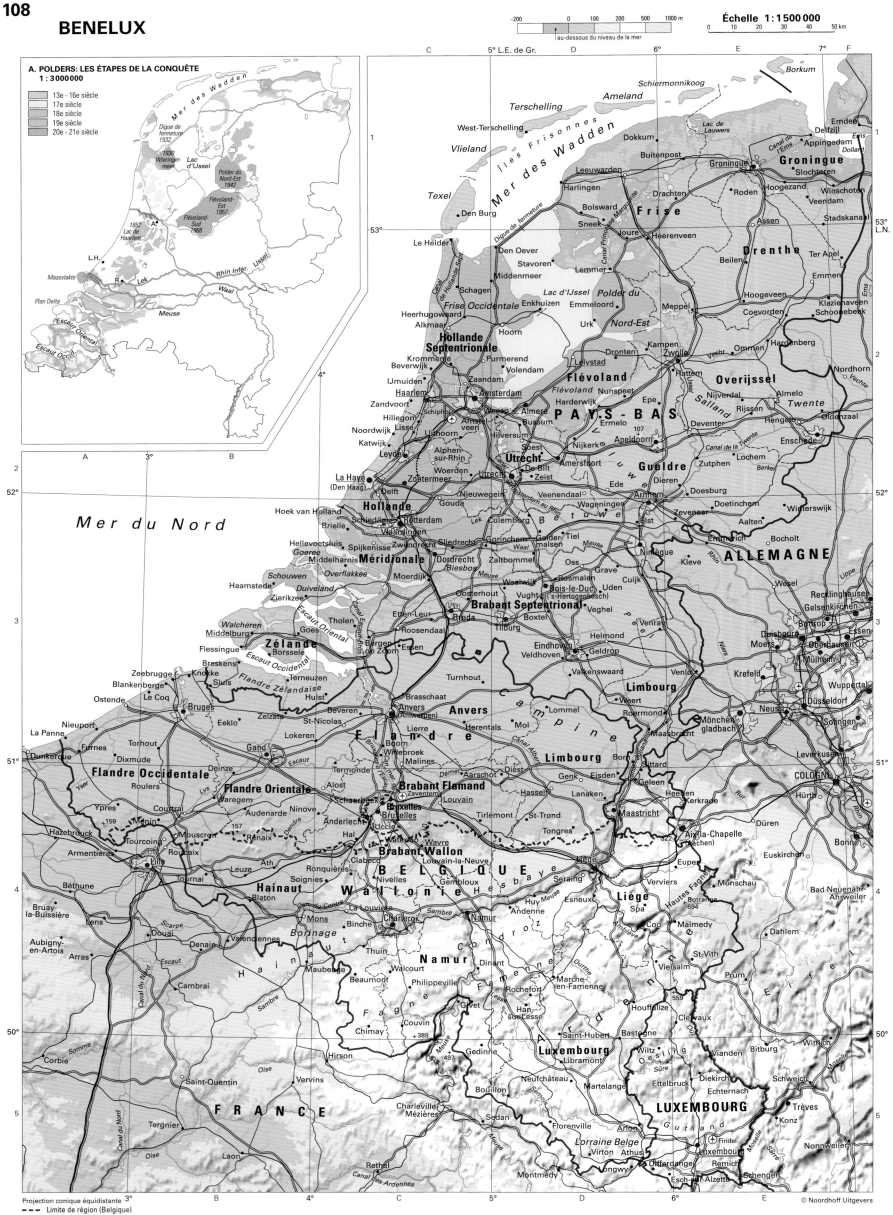

Échelle 1:1 500 000

-200   0   100   200   500 1000 m
au-dessous du niveau de la mer

0 10 20 30 40   50 km

A. POLDERS: LES ÉTAPES DE LA CONQUÊTE
1:3 000 000

13e - 16e siècle
17e siècle
18e siècle
19e siècle
20e - 21e siècle

Mer des Wadden

Digue de fermeture 1932

1930 Wieringer meer

Lac d'IJssel

Polder du Nord-Est 1942

Flévoland-Est 1957

Flévoland-Sud 1968

1852 Lac de Haarlem

A*

A

L.H.

Maasvlakte

Maas

R. Lek

Rhin Infér. IJssel

Waal

Plan Delta

Escaut Oriental

Meuse

Escaut Occid.

Mer du Nord

Borkum

Schiermonnikoog

Ameland

Terschelling

West-Terschelling

Vlieland

Îles Frisonnes

Mer des Wadden

Emden

Delfzijl

Appingedam

Canal de l'Ems

Dollard

Ems

Texel

Den Burg

Le Helder

Dokkum

Buitenpost

Lac de Lauwers

Groningue

Groningue

Slochteren

Winschoten

Veendam

Stadskanaal

Leeuwarden

Harlingen

Drachten

Roden

Hoogezand

Bolsward

Sneek

Joure

Heerenveen

Frise

Assen

Ter Apel

Drenthe

Beilen

Emmen

Hoogeveen

Coevorden

Klazienaveen

Schoonebeek

Den Oever

Stavoren

Lemmer

Middenmeer

Schagen

Lac d'IJssel

Polder du Nord-Est

Meppel

Ommen

Hardenberg

Nordhorn

Vecht

Heerhugowaard

Alkmaar

Frise Occidentale

Enkhuizen

Emmeloord

Urk

Kampen

Zwolle

Overijssel

Nijverdal

Almelo

Twente

Oldenzaal

Hollande Septentrionale

Krommenie

Beverwijk

Hoorn

Purmerend

Volendam

Lelystad

Dronten

Flévoland

Hattem

Epe

Salland

Rijssen

Hengelo

Enschede

IJmuiden

Zaandam

Zandvoort

Haarlem

Amsterdam

Wesp

Almere

Bussum

Flévoland

Nunspeet

Harderwijk

Ermelo

PAYS-BAS

Deventer

Berkel

Hillegom

Lisse

Schiphol

Amstelveen

Hilversum

Soest

Nijkerk

Apeldoorn

107

Veluwe

Zutphen

Lochem

Noordwijk

Katwijk

Alphen-sur-Rhin

Woerden

Utrecht

Utrecht

De Bilt

Zeist

Amersfoort

Ede

Dieren

Doesburg

Winterswijk

Leyde

La Haye
(Den Haag)

Zoetermeer

Delft

Nieuwegein

Veenendaal

Wageningen

Arnhem

Emmerich

Bocholt

Aalten

Hoek van Holland

Brielle

Hollande Méridionale

Schiedam

Vlaardingen

Rotterdam

Gouda

Lek

Culemborg

Betuwe

Geldermalsen

Tiel

Meuse

Nimègue

Rhin

Kleve

ALLEMAGNE

Wesel

Hellevoetsluis

Goeree

Spijkenisse

Zwijndrecht

Sliedrecht

Gorinchem

Zaltbommel

Oss

Grave

Cuijk

Middelharnis

Overflakkee

Dordrecht

Biesbos

Waal

Moerdijk

Oosterhout

Waalwijk

Rosmalen

Bois-le-Duc
('s-Hertogenbosch)

Uden

Veghel

Venray

Recklinghausen

Gelsenkirchen

Botrop

Essen

Haamstede

Schouwen

Duiveland

Zierikzee

Etten-Leur

Breda

Tilburg

Boxtel

Brabant Septentrional

Helmond

Duisbourg

Moers

Oberhausen

Mülheim

Walcheren

Middelburg

Goes

Escaut Oriental

Tholen

Roosendaal

Bergen op Zoom

Essen

Eindhoven

Veldhoven

Geldrop

Krefeld

Zélande

Borssele

Flessingue

Escaut Occidental

Terneuzen

Hulst

Valkenswaard

Venlo

Limbourg

Weert

Roermond

Maasbracht

Wuppertal

Düsseldorf

Neuss

Solingen

Zeebrugge

Knokke

Sluis

Flandre Zélandaise

Turnhout

Campine

Lommel

Mönchengladbach

Leverkusen

Blankenberge

Breskens

Brasschaat

Mol

Born

Sittard

Geleen

Heerlen

Kerkrade

Ostende

Le Coq

Bruges

Eeklo

Zelzate

Beveren

Anvers
(Antwerpen)

Anvers

Herentals

Limbourg

Eisden

Genk

Maastricht

Aix-la-Chapelle
(Aachen)

Cologne

Hürth

La Panne

Nieuport

Furnes

Torhout

Lierre

Lokeren

Boom

Malines

Aarschot

Diest

Hasselt

Lanaken

Heerlen

Düren

Dixmude

Gand

Deinze

Escaut

Willebroek

Genk

Dunkerque

Flandre Occidentale

Roulers

Waregem

Alost

Termonde

Aalst

Démer

Aarschot

Eisden

Sittard

Bonn

Ypres

Courtrai

Audenarde

Ninove

Schaerbeek

Zaventem

Louvain

Tirlemont

St-Trond

Tongres

Euskirchen

+159

Menin

Mouscron

157

Renaix

Dendre

Flandre Orientale

Anderlecht

Bruxelles

Uccle

Hal

Wavre

Brabant Flamand

Bruxelles

Hazebrouck

Tourcoing

Roubaix

Lille

Leuze

Ath

Ronquières

Clabecq

Louvain-la-Neuve

Gembloux

Brabant Wallon

Liège

Seraing

Verviers

Eupen

Hautes Fagnes

Monschau

Bad Neuenahr-Ahrweiler

Armentières

Béthune

Bruay-la-Buissière

Lens

Aubigny-en-Artois

Arras

Douai

Scarpe

Denain

Valenciennes

Escaut

Maubeuge

Hainaut

Blaton

Canal du Centre

La Louvière

Mons

Borinage

Binche

Thuin

Charleroi

Sambre

Namur

BELGIQUE

WALLONIE

Hesbaye

Nivelles

Soignies

Huy

Meuse

Andenne

Esneux

Condroz

Spa

694

Botrange

Malmedy

Dahlem

Somme

Corbie

Saint-Quentin

Oise

Vervins

FRANCE

Hirson

Walcourt

Namur

Dinant

Beaumont

Philippeville

Couvin

Chimay

+389

Meuse

Famenne

Rochefort

Marche-en-Famenne

Han-sur-Lesse

559

St-Hubert

Bastogne

St-Vith

Prüm

Vielsalm

Vianden

Bitburg

Wittlich

Charleville-Mézières

Sedan

Gedinne

Givet

497

Luxembourg

Libramont

Neufchâteau

Bouillon

Florenville

Saint-Hubert

Houffalize

Clervaux

Wiltz

Oesling

Ardenne

Eifel

Schweich

Konz

Trèves

Moselle

LUXEMBOURG

Ettelbruck

Echternach

Diekirch

Tergnier

Laon

Rethel

Canal des Ardennes

Montmédy

Virton

Arlon

Athus

Lorraine Belge

Luxembourg

Findel

Differdange

Esch-sur-Alzette

Remich

Schengen

Longwy

Sûre

Gutland

Moselle

Nonnweiler

Projection conique équidistante 3°

--- Limite de région (Belgique)

© Noordhoff Uitgevers

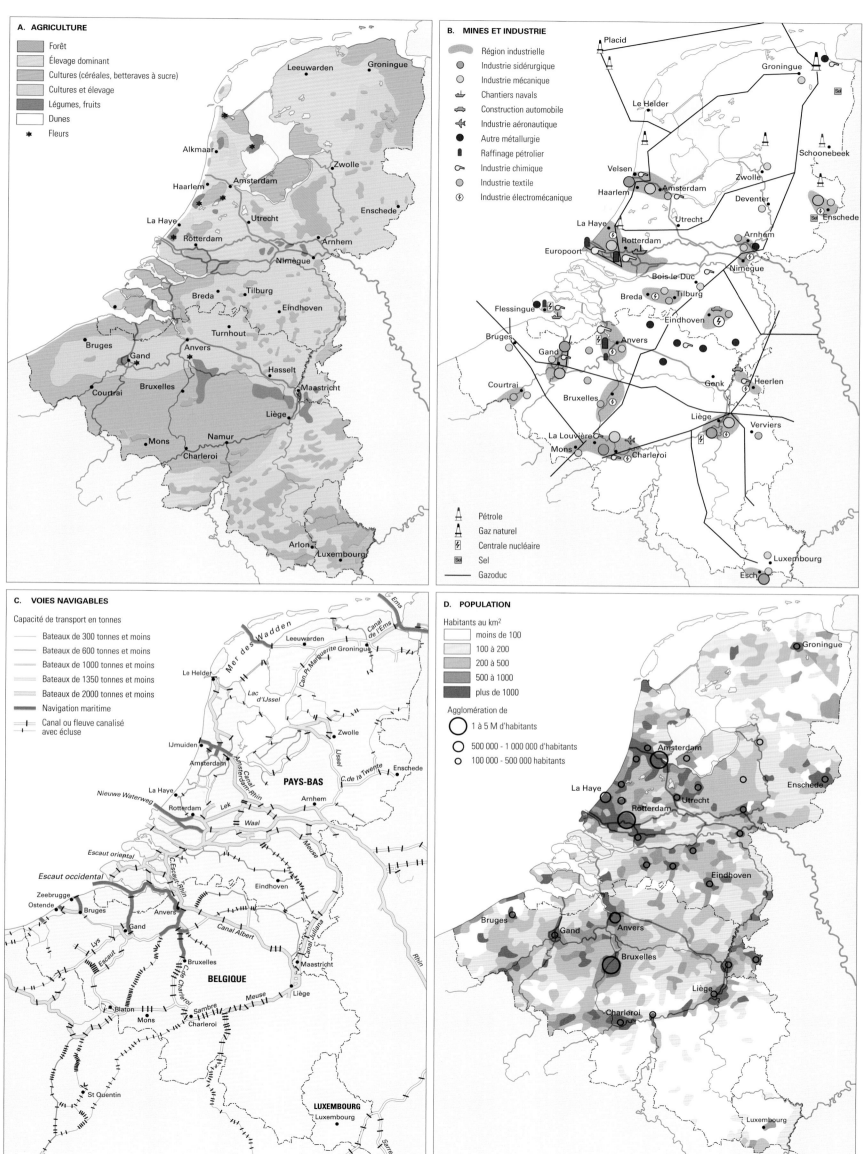

A. AGRICULTURE

- Forêt
- Élevage dominant
- Cultures (céréales, betteraves à sucre)
- Cultures et élevage
- Légumes, fruits
- Dunes
- ✳ Fleurs

Leeuwarden · Groningue · Alkmaar · Zwolle · Haarlem · Amsterdam · Enschede · La Haye · Utrecht · Rotterdam · Arnhem · Nimègue · Breda · Tilburg · Eindhoven · Turnhout · Bruges · Gand · Anvers · Hasselt · Courtrai · Bruxelles · Maastricht · Liège · Mons · Namur · Charleroi · Arlon · Luxembourg

B. MINES ET INDUSTRIE

- Région industrielle
- ⬤ Industrie sidérurgique
- ◯ Industrie mécanique
- Chantiers navals
- Construction automobile
- Industrie aéronautique
- ⬤ Autre métallurgie
- Raffinage pétrolier
- Industrie chimique
- ◯ Industrie textile
- Industrie électromécanique

- ⛏ Pétrole
- Gaz naturel
- ⚡ Centrale nucléaire
- Sel
- Gazoduc

Placid · Groningue · Le Helder · Schoonebeek · Velsen · Haarlem · Amsterdam · Zwolle · Deventer · Enschede · La Haye · Utrecht · Arnhem · Europoort · Rotterdam · Nimègue · Bois-le-Duc · Breda · Tilburg · Flessingue · Eindhoven · Bruges · Anvers · Gand · Genk · Heerlen · Courtrai · Bruxelles · Liège · Verviers · La Louvière · Mons · Charleroi · Luxembourg · Esch

C. VOIES NAVIGABLES

Capacité de transport en tonnes

- Bateaux de 300 tonnes et moins
- Bateaux de 600 tonnes et moins
- Bateaux de 1000 tonnes et moins
- Bateaux de 1350 tonnes et moins
- Bateaux de 2000 tonnes et moins
- Navigation maritime
- Canal ou fleuve canalisé avec écluse

Mer des Wadden · Ems · Canal de l'Ems · Leeuwarden · Groningue · Can. Pr. Marguerite · Le Helder · Lac d'IJssel · IJmuiden · Zwolle · Amsterdam · Canal Amsterdam-Rhin · La Haye · C. de la Twente · Enschede · PAYS-BAS · Nieuwe Waterweg · Rotterdam · Lek · Arnhem · Waal · IJssel · Escaut oriental · Meuse · Escaut occidental · Eindhoven · C. Escaut-Rhin · Zeebrugge · Ostende · Bruges · Anvers · Canal Juliana · Maastricht · Gand · Lys · Escaut · Canal Albert · Rhin · Bruxelles · C. de Charleroi · BELGIQUE · Liège · Sambre · Meuse · Blaton · Mons · Charleroi · St Quentin · Sarre · LUXEMBOURG · Luxembourg

D. POPULATION

Habitants au km²
- moins de 100
- 100 à 200
- 200 à 500
- 500 à 1000
- plus de 1000

Agglomération de
- ◯ 1 à 5 M d'habitants
- ◯ 500 000 - 1 000 000 d'habitants
- ◯ 100 000 - 500 000 habitants

Groningue · Amsterdam · La Haye · Utrecht · Rotterdam · Enschede · Eindhoven · Bruges · Gand · Anvers · Bruxelles · Liège · Charleroi · Luxembourg

© Noordhoff Uitgevers

ROYAUME-UNI ET IRLANDE

Échelle 1:3 000 000

0　25　50　75　100 km

A. POPULATION 1:12 000 000

Agglomération de
plus de 5 000 000 d'hab.
1 000 000 - 5 000 000 d'hab.
500 000 - 1 000 000 d'hab.
100 000 - 500 000 habitants

Habitants au km²
moins de 10
10 - 50
50 - 100
100 - 200
200 ou plus

Newcastle-on-Tyne (Tyneside)
Édimbourg
Glasgow
Leeds
Sheffield
Nottingham
Leicester
Londres
Liverpool (Merseyside)
Manchester
Birmingham
Bristol
Southampton-Portsmouth
Dublin

Échelle altimétrique (m)

1500 m
1000
500
200
100
0
au-dessous du niveau de la mer
-200
-2000
-4000

Îles Shetland

Unst, Fetlar, Yell, Whalsay, Sullom Voe, Hillswick, Mainland, Lerwick, Foula, Île Fair

Îles Orcades (Îles Orkney)

Westray, Sanday, Rousay, Stronsay, Kirkwall, Mainland, Hoy, Scapa Flow, Dt de Pentland, Thurso, Cap Duncansby, Baie Sinclair, Aberdeen

Écosse — Hautes Terres

C. Wrath, Thurso, Cap Duncansby, Baie Sinclair, Dounreay, Wick, Helmsdale, Caithness, Sutherland, Ullapool, Ben More Assynt 998+, Ben Wyvis 1046, Dingwall, Cromarty, Nairn, Elgin, Keith, Banff, Fraserburgh, Peterhead, Cruden Bay, St Fergus, Aberdeen, Stonehaven, C. Kinnaird, Inverness, Loch Ness, Ft. Augustus, Ben Macdui 1309, Grampian, Benn Fhada 1032, Kinlochleven, Ben Nevis 1343+, Ft. William, Mallaig, Kyle of Lochalsh, Loch Maree, Stornoway, Uig, Portree, Skye, Harris, Dt de Harris, Île Uist Nord, Benbecula, Île Uist Sud, Barra, Îles Flannan, St. Kilda, Petit Minch, Minch du Nord

Écosse — Basses Terres

Oban, Loch Linnhe, Inveraray, Loch Awe, Mull, Iona, Staffa, Tobermory, Canna, Rhum, Eigg, Muck, Coll, Tiree, Colonsay, Islay, Jura, Dt de Jura, Mull of Kintyre, Kintyre, Campbeltown, Dt de Kilbrannan, Arran, Bute, Dunoon, Greenock, Dumbarton, Glasgow, Paisley, Clydebank, Ben Lomond, Loch Lomond, Loch Katrine, Ben Lawers 1214, Ben More 966, Perth, Dundee, St Andrews, Firth of Tay, Arbroath, Montrose, Forfar, Ochil Hills, Stirling, Falkirk, Motherwell, Hamilton, Lanark, Kilmarnock, Ayr, Prestwick, Troon, Irvine, Ardrossan, Merrick 843+, Loch Fyne, Firth of Clyde, Kilbirnie

Frontière écossaise / Nord de l'Angleterre

Edimbourg, Leith, Dunfermline, Grangemouth, Kirkcaldy, Fife, Firth of Forth, Dunbar, Sidlaw Hills, Pentland Hills, Peebles, Galashiels, Hawick, Cheviot Hills, Cheviot 815, Broad Law 840+, Hart Fell 808+, Berwick-upon-Tweed, Lindisfarne, Blyth, Tynemouth, South Shields, Newcastle upon Tyne, Gateshead, Sunderland, Washington, Durham, Hartlepool, Redcar, Middlesbrough, Stockton, Darlington, Cleveland Hills, Dumfries, Nith, Gretna Green, Carlisle, Eden, Cross Fell 893+, Chaîne Pennine, Silloth, Maryport, Workington, Whitehaven, Sellafield, Solway Firth, Cumbrian Mts, Scafell Pic 978, Lake District, Keswick, Penrith, Kendal, Windermere, Morecambe, Heysham, Lancaster, Fleetwood, Blackpool, Southport, Preston, Blackburn, Burnley, Wigan

Angleterre

Scarborough, C. Flamborough, Bridlington, Kingston upon Hull (Hull), Grimsby, Immingham, Cleethorpes, C. Spurn, The Wash, Skegness, Boston, Grantham, Lincoln, Lincolnshire Wolds, Lincoln Heath, Lincolnshire, Gainsborough, Doncaster, Scunthorpe, Goole, Selby, York, Harrogate, Leeds, Bradford, Halifax, Huddersfield, Wakefield, Barnsley, Rotherham, Sheffield, Mansfield, Chesterfield, Nottingham, Derby, Stoke-on-Trent, Newcastle-under-Lyme, Crewe, Chester, Wrexham, Flint, Denbigh, Macclesfield, Stockport, Manchester, Rochdale, Oldham, Bolton, Liverpool, Birkenhead, Wallasey, St Helens, Trent, Stafford

Pays de Galles / Mer d'Irlande

Île de Man, Snaefell 621+, Douglas, Colwyn Bay, Llandudno, Conwy, Bangor, Dt de Menai, Anglesey, Caernarfon, Dt de Caernarfon, Holyhead, Llŷn, Mts Cambriens 1085, Mer du Nord, Mer d'Irlande

Irlande du Nord (Ulster)

Belfast, Bangor, Downpatrick, Strangford Lough, Larne, C. Fair, Ballymena, Antrim, Portadown, Armagh, Newry, Mts Mourne 852, Portrush, Coleraine, Londonderry, C. Malin, Lough Neagh, Lough Foyle, Bann, Strabane, Omagh, Enniskillen, Upper Lough Erne, Lower Lough Erne, Trostan 551, C. Clogher, Dundalk, B. de Dundalk, Rathlin

Irlande

Dublin, Dún Laoghaire, Bray, Wicklow, Mts Wicklow 926, Lugnaquilla, Leinster, Arklow, Drogheda, Navan, Swords, Naas, Newbridge, Portlaoise, Carlow, Athy, Dundalk, Boyne, Liffey, Cavan, Longford, Mullingar, Tullamore, Athlone, Birr, Slieve Bloom Mts, Carrick-on-Shannon, Lough Allen, Lough Ree, Lough Derg, Shannon, Ennis, Limerick, Silvermine Mts, Donegal, Killybegs, B. de Donegal, Sligo, B. de Sligo, Ballina, Castlebar, Claremorris, Westport, Mweelrea 817, Clew B. / B. de Clew, Achill, Cap Eris, Baie de Blacksod, C. Slyne, Îles Aran, Galway, B. de Galway, Ballinasloe, Connemara, Connacht, Twelve Pins 727, Mts Nephin 806+, Lough Conn, Lough Mask, Lough Corrib, Errigal 752, Tory, Letterkenny, Lough Swilly, Connacht, Mts Slieve 678+

Mers et océans

Océan Atlantique
Mer du Nord
Mer d'Irlande
Canal du Nord
Canal St George
Moray Firth
Dornoch Firth
Thurso Firth

Copenhague, Bergen · Haugesund, Umuiden, Rotterdam, Zeebrugge, Great Yarmouth, Cromer, Norwich, King's Lynn, Edmonton

2° L.O. de Gr.
8° L.O. de Gr.
2° L.E. de Gr.
58° L.N.
60° L.N.
54°

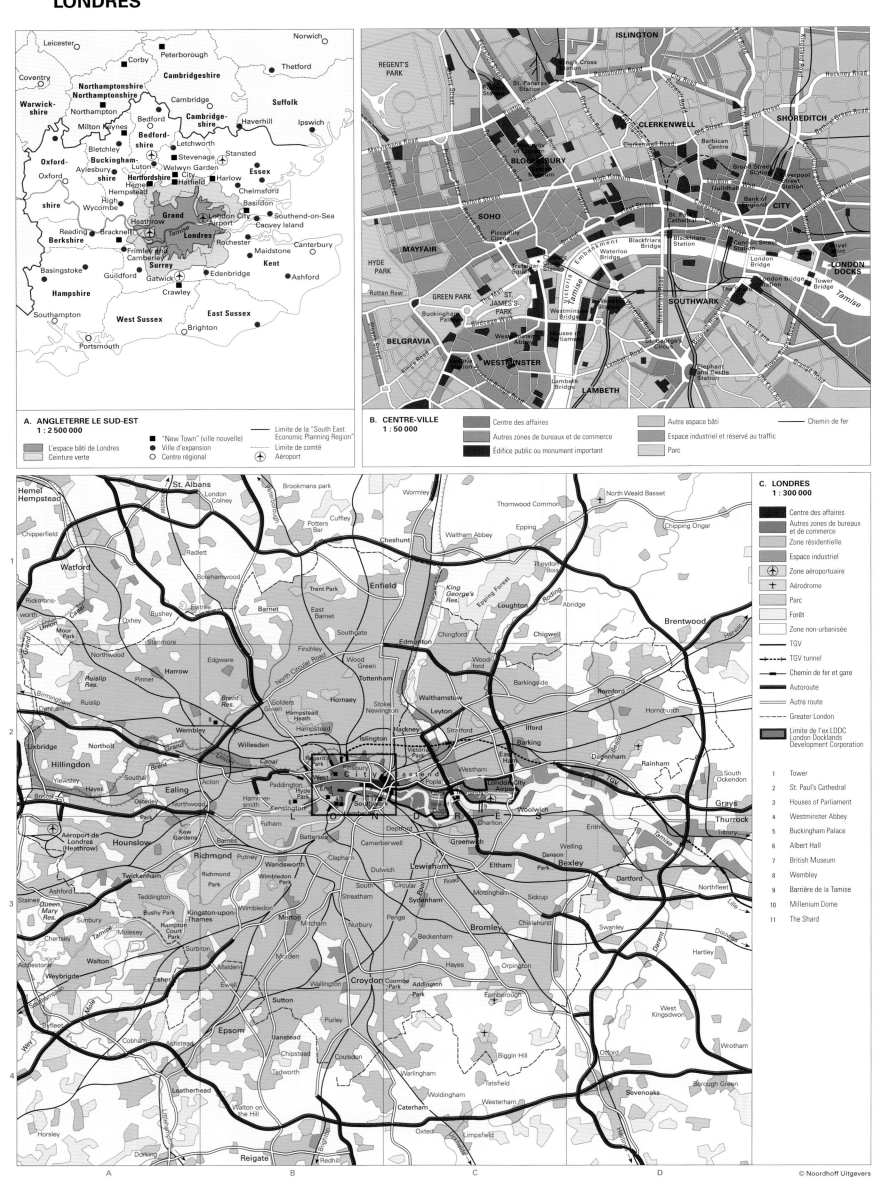

A. ANGLETERRE LE SUD-EST
1 : 2 500 000

- L'espace bâti de Londres
- Ceinture verte
- ■ "New Town" (ville nouvelle)
- ● Ville d'expansion
- ○ Centre régional
- ✈ Aéroport
- — Limite de la "South East Economic Planning Region"
- --- Limite de comté

B. CENTRE-VILLE
1 : 50 000

- Centre des affaires
- Autres zones de bureaux et de commerce
- Édifice public ou monument important
- Autre espace bâti
- Espace industriel et réservé au traffic
- Parc
- — Chemin de fer

C. LONDRES
1 : 300 000

- Centre des affaires
- Autres zones de bureaux et de commerce
- Zone résidentielle
- Espace industriel
- ✈ Zone aéroportuaire
- ✈ Aérodrome
- Parc
- Forêt
- Espace non-urbanisée
- — TGV
- ---- TGV tunnel
- ■ Chemin de fer et gare
- Autoroute
- Autre route
- --- Greater London
- Limite de l'ex LDDC London Docklands Development Corporation

1 Tower
2 St. Paul's Cathedral
3 Houses of Parliament
4 Westminster Abbey
5 Buckingham Palace
6 Albert Hall
7 British Museum
8 Wembley
9 Barrière de la Tamise
10 Millenium Dome
11 The Shard

PARIS

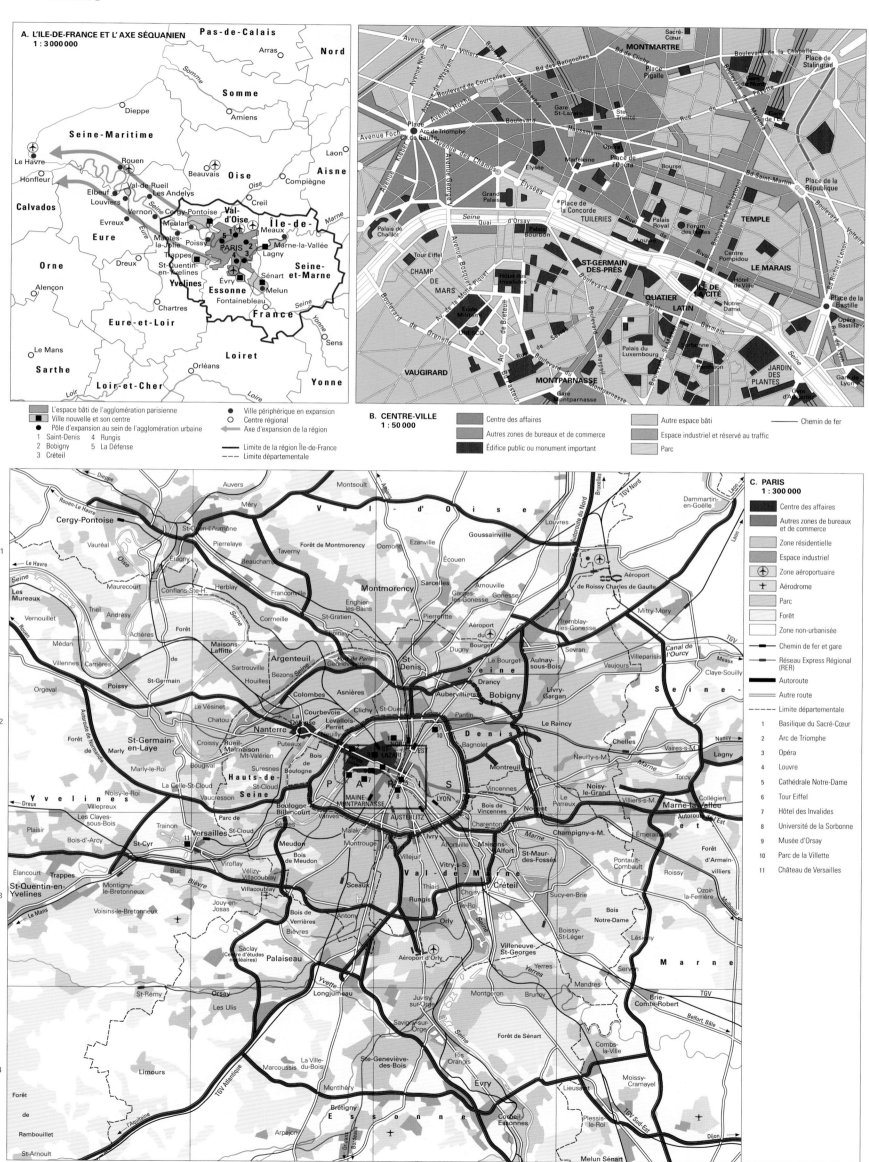

© Noordhoff Uitgevers

FRANCE

Échelle 1:3 000 000

0 25 50 75 100 km

5000 m
3000
2000
1500
1000
500
200
100
0
au-dessous du niveau de la mer
-200
-2000
-4000
-6000

ALLEMAGNE

SUISSE

BELGIQUE

LUXEMBOURG

PAYS-BAS

ROYAUME-UNI

FRANCE

Mer du Nord

Manche

Océan

LONDRES (London)

BRUXELLES

COLOGNE

PARIS

Val d'Aoste

Rhénanie du Nord
Westphalie
Hesse
Rhénanie-Palatinat
Hunsrück
Sarre
Lorraine
Alsace
Vosges
Ardenne
Franche-Comté
Bresse
Dombes
Bourgogne
Beaujolais
Nivernais
Bourbonnais
Berry
Sologne
Orléanais
Beauce
Brie
Champagne
Argonne
Woëvre
Picardie
Artois
Pas-de-Calais
Nord
Flandre
Pays de Bray
Pays de Caux
Haute-Normandie
Basse-Normandie
Cotentin
Bretagne
Vendée
Anjou
Pays-de-la-Loire
Maine
Perche
Touraine
Poitou
Charentes
Limousin
Massif Central
Marche
Brenne
Plateau de Langres
Côte d'Or
Montagnes Noires
Monts d'Arrée
Hauteurs de Gâtine

Îles Anglo-Normandes (R.-U.)
Guernesey
Jersey
Aurigny
Sercq

Baie de la Seine
Baie du Mont-Saint-Michel
Golfe de St-Malo
Baie de Lyme

Cornwall
Devon
Avon
The Weald
Downs du Nord
Downs du Sud
Mendip Hills
Whitehouse Hills

Amsterdam
Rotterdam
Eindhoven
Tilburg
Breda
Bois-le-Duc
Maastricht
Anvers
Gand
Bruges
Ostende
Zeebrugge
Flessingue
Louvain
Malines
Namur
Charleroi
Mons
Liège
Spa
Verviers
Aix-la-Chapelle
Bonn
Coblence
Wiesbaden
Mayence
Francfort
Trèves
Sarrebruck
Sarreguemines
Strasbourg
Colmar
Mulhouse
Bâle
Berne
Neuchâtel
Lausanne
Genève
Fribourg
Thoune
Montreux
Besançon
Belfort
Montbéliard
Vesoul
Luxeuil
Épinal
Lunéville
Nancy
Metz
Thionville
Verdun
Bar-le-Duc
Chaumont
Langres
Dijon
Chalon-sur-Saône
Mâcon
Bourg-en-Bresse
Villefranche-sur-Saône
Roanne
Vichy
Moulins
Nevers
Autun
Le Creusot
Montceau-les-Mines
Auxerre
Sens
Troyes
Châlons-en-Champagne
Épernay
Reims
Rethel
Charleville-Mézières
Sedan
Laon
Soissons
Compiègne
Beauvais
Amiens
Abbeville
Arras
Lens
Béthune
Douai
Valenciennes
Cambrai
St-Quentin
Lille
Roubaix
Tourcoing
Calais
Dunkerque
Gravelines
Boulogne-sur-Mer
Le Touquet-Paris-Plage
Dieppe
Le Tréport
St-Valéry-sur-Somme
Le Havre
Fécamp
Étretat
Rouen
Elbeuf
Évreux
Louviers
Deauville
Trouville
Honfleur
Caen
Bayeux
Cherbourg
Saint-Lô
Granville
Avranches
Coutances
Vire
Flers
Argentan
Alençon
Le Mans
Laval
Mayenne
Fougères
Rennes
St-Malo
Dinard
Dinan
St-Brieuc
Guingamp
Paimpol
Perros-Guirec
Morlaix
Brest
Landerneau
Quimper
Quimperlé
Concarneau
Lorient
Vannes
Quiberon
Belle-Île
La Baule
St-Nazaire
Nantes
Cholet
Châteaubriant
Angers
Saumur
Tours
Chinon
Châtellerault
Poitiers
Niort
La Rochelle
Rochefort
Royan
La Roche-sur-Yon
Les Sables-d'Olonne
Marans
Saintes
Cognac
Redon
Pontivy
Loudéac
Ploërmel
Blois
Vendôme
Chartres
Dreux
Chambord
Amboise
Romorantin
Vierzon
Bourges
Châteauroux
Issoudun
Guéret
Montluçon
Limoges
Orléans
Montargis
Nemours
Fontainebleau
Melun
Versailles
Rambouillet
Pontoise
Creil
Meaux
St-Denis
Argenteuil
Nanterre
Boulogne-Billancourt
Créteil
Corbeil
St-Pierre-d'Oléron
St-Martin-de-Ré
St-Aignan
Châteaudun
Nogent
Mortagne
Vitré

Océan

Lac Léman
Lac de Grand-Lieu

Île d'Oléron
Île de Ré
Noirmoutier
Île d'Yeu

Rhin
Moselle
Meuse
Aisne
Oise
Somme
Seine
Marne
Aube
Yonne
Loire
Loir
Cher
Indre
Vienne
Creuse
Sèvre Niortaise
Charente
Mayenne
Sarthe
Rance
Vilaine
Blavet
Saône
Doubs
Ain
Allier
Armançon
Eure
Orne
Aulne
Risle
Touques

© Noordhoff Uitgevers

ALLEMAGNE

Échelle 1:3 000 000

Stavanger 6° L.E. de Gr.

-200 0 100 200 500 1000 1500 2000 3000 5000 m
au-dessous du niveau de la mer

0 25 50 75 100 125 150 km

Mer du Nord

DANEMARK

Mer Baltique

Golfe de Poméranie

PAYS-BAS

BELGIQUE

LUXEMBOURG

FRANCE

SUISSE

ITALIE

AUTRICHE

RÉP. TCHÈQUE (PRAHA)

POLONIE

ALLEMAGNE

Schleswig-Holstein

Mecklembourg-Poméranie

Basse-Saxe

Lande de Lunebourg

Brandebourg

Saxe-Anhalt

Saxe

Westphalie

Rhénanie-du-Nord-

Münsterland

Sauerland

Hesse

Thuringe

Forêt de Thuringe

Monts Métallifères

Bohême

Forêt de Bohême

Rhénanie-Palatinat

Sarre

Hunsrück

Eifel

Taunus

Odenwald

Spessart

Bade-Wurtemberg

Bavière

Forêt de Bavière

Forêt Noire

Jura Souabe

Souabe

Hautes Tauern

Basses Tauern

HAMBOURG
Brême
Hanovre
BERLIN
Potsdam
Magdebourg
Leipzig
Dresde
COLOGNE (KÖLN)
Düsseldorf
Essen
Dortmund
Bonn
Francfort
Mayence
Wiesbaden
Mannheim
Heidelberg
Stuttgart
Karlsruhe
Nuremberg
Würzbourg
MUNICH (MÜNCHEN)
Augsbourg
Ratisbonne (Regensburg)
Kiel
Lübeck
Rostock
Stralsund
Greifswald
Schwerin
Brême
Oldenbourg
Bremerhaven
Cuxhaven
Flensburg
Husum
Schleswig
Neumünster
Szczecin (Stettin)
Gorzów Wielkopolski
Cottbus
Görlitz
Bautzen
Chemnitz
Zwickau
Plauen
Iéna
Erfurt
Weimar
Gotha
Eisenach
Kassel
Göttingen
Paderborn
Bielefeld
Osnabrück
Münster
Bochum
Wuppertal
Krefeld
Duisbourg
Aix-la-Chapelle (Aachen)
Trèves
Coblence
Sarrebruck
Kaiserslautern
Ludwigshafen
Fribourg-en-Brisgau
Constance
Lac de Constance
Ulm
Neu-Ulm
Ingolstadt
Landshut
Passau
Linz
Salzbourg
Innsbruck
Garmisch-Partenkirchen
Zugspitze 2962
Großglockner 3797
Hochgolling 2862
Grande-Bretagne

Projection conique

© Noordhoff Uitgevers

ALLEMAGNE

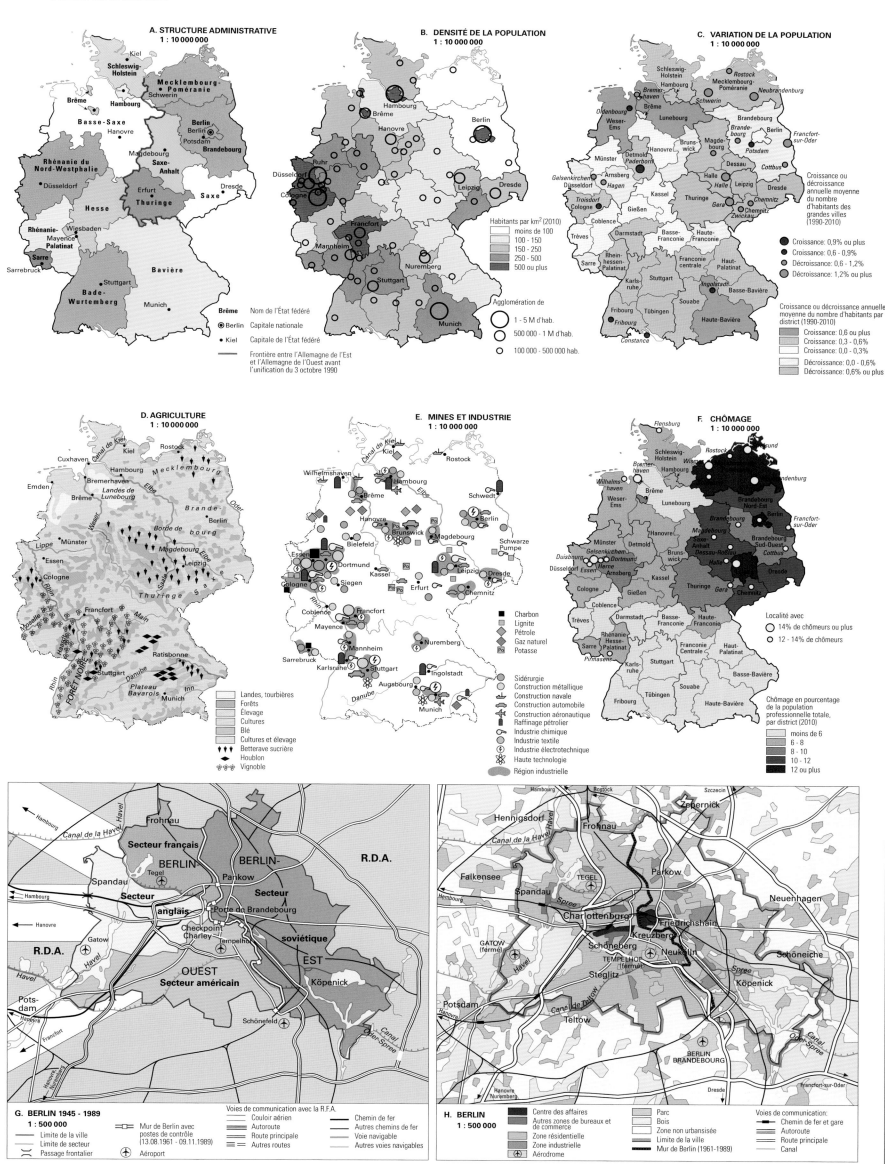

A. STRUCTURE ADMINISTRATIVE
1 : 10 000 000

Schleswig-Holstein
Kiel
Brême
Hambourg
Mecklembourg-Poméranie
Schwerin
Basse-Saxe
Hanovre
Berlin
Berlin
Potsdam
Brandebourg
Magdebourg
Saxe-Anhalt
Rhénanie du Nord-Westphalie
Düsseldorf
Erfurt
Thuringe
Dresde
Saxe
Hesse
Wiesbaden
Rhénanie-Mayence
Palatinat
Sarre
Sarrebruck
Bavière
Stuttgart
Bade-Wurtemberg
Munich

Brême Nom de l'État fédéré
⊚ **Berlin** Capitale nationale
• **Kiel** Capitale de l'État fédéré
Frontière entre l'Allemagne de l'Est et l'Allemagne de l'Ouest avant l'unification du 3 octobre 1990

B. DENSITÉ DE LA POPULATION
1 : 10 000 000

Hambourg
Brême
Berlin
Hanovre
Ruhr
Düsseldorf
Cologne
Leipzig
Dresde
Francfort
Mannheim
Nuremberg
Stuttgart
Munich

Habitants par km² (2010)
moins de 100
100 - 150
150 - 250
250 - 500
500 ou plus

Agglomération de
1 - 5 M d'hab.
500 000 - 1 M d'hab.
100 000 - 500 000 hab.

C. VARIATION DE LA POPULATION
1 : 10 000 000

Schleswig-Holstein
Rostock
Hambourg
Mecklembourg-Poméranie
Neubrandenburg
Bremerhaven
Brême
Schwerin
Oldenbourg
Weser-Ems
Lunebourg
Brandebourg
Berlin
Francfort-sur-Oder
Münster
Detmold
Paderborn
Hanovre
Brunswick
Magdebourg
Brandebourg
Potsdam
Gelsenkirchen
Arnsberg
Dessau
Cottbus
Düsseldorf
Hagen
Halle
Leipzig
Dresde
Troisdorf
Kassel
Thuringe
Gera
Chemnitz
Cologne
Gießen
Zwickau
Coblence
Darmstadt
Basse-Franconie
Haute-Franconie
Rhin-hessen-Palatinat
Franconie centrale
Haut-Palatinat
Sarre
Karlsruhe
Stuttgart
Souabe
Ingolstadt
Basse-Bavière
Fribourg
Tübingen
Haute-Bavière
Fribourg
Constance

Croissance ou décroissance annuelle moyenne du nombre d'habitants des grandes villes (1990-2010)
● Croissance: 0,9% ou plus
● Croissance: 0,6 - 0,9%
○ Décroissance: 0,6 - 1,2%
○ Décroissance: 1,2% ou plus

Croissance ou décroissance annuelle moyenne du nombre d'habitants par district (1990-2010)
Croissance: 0,6% ou plus
Croissance: 0,3 - 0,6%
Croissance: 0,0 - 0,3%
Décroissance: 0,0 - 0,6%
Décroissance: 0,6% ou plus

D. AGRICULTURE
1 : 10 000 000

Cuxhaven
Canal de Kiel
Kiel
Rostock
Hambourg
Mecklembourg
Emden
Bremerhaven
Landes de Lunebourg
Elbe
Brême
Oder
Brande-bourg
Berlin
Lippe
Münster
Borde de Magdebourg Elbe
Essen
Saale
Leipzig
Cologne
Rhin
Thuringe
Saxe
Francfort
Moselle
Main
Haardt
Stuttgart
Ratisbonne
Rhin
FORÊT NOIRE
Danube
Plateau Bavarois
Munich
Inn

Landes, tourbières
Forêts
Élevage
Cultures
Blé
Cultures et élevage
▼▼▼ Betterave sucrière
◆ Houblon
❀ Vignoble

E. MINES ET INDUSTRIE
1 : 10 000 000

Canal de Kiel
Kiel
Rostock
Wilhelmshaven
Hambourg
Brême
Schwedt
Hanovre
Brunswick
Magdebourg
Berlin
Bielefeld
Po
Schwarze Pumpe
Essen
Dortmund
Leipzig
Dresde
Cologne
Siegen
Erfurt
Chemnitz
Kassel
Po
Coblence
Francfort
Mayence
Nuremberg
Mannheim
Sarrebruck
Karlsruhe
Stuttgart
Ingolstadt
Augsbourg
Danube
Munich

■ Charbon
■ Lignite
◆ Pétrole
◆ Gaz naturel
Po Potasse

○ Sidérurgie
○ Construction métallique
○ Construction navale
Construction automobile
Construction aéronautique
Raffinage pétrolier
Industrie chimique
○ Industrie textile
Industrie électrotechnique
✳ Haute technologie
Région industrielle

F. CHÔMAGE
1 : 10 000 000

Flensburg
Rostock
Stralsund
Schleswig-Holstein
Wismar
Hambourg
Bremer-haven
Wilhelms-haven
Brême
Weser-Ems
Lunebourg
Brandebourg Nord-Est
Berlin
Hanovre
Brandebourg
Francfort-sur-Oder
Münster
Detmold
Brunswick
Magdebourg
Saxe-Anhalt
Dessau-Roßlau
Brandebourg Sud-Ouest
Gelsenkirchen
Dortmund
Cottbus
Duisbourg
Herne
Halle
Düsseldorf
Essen
Arnsberg
Kassel
Thuringe
Gera
Dresde
Cologne
Gießen
Chemnitz
Coblence
Darmstadt
Basse-Franconie
Trèves
Haute-Franconie
Rhénanie-Hesse-Palatinat
Franconie Centrale
Haut-Palatinat
Pirmasens
Sarre
Karlsruhe
Stuttgart
Basse-Bavière
Fribourg
Tübingen
Haute-Bavière

Localité avec
○ 14% de chômeurs ou plus
○ 12 - 14% de chômeurs

Chômage en pourcentage de la population professionnelle totale, par district (2010)
moins de 6
6 - 8
8 - 10
10 - 12
12 ou plus

G. BERLIN 1945 - 1989
1 : 500 000

Hambourg
Canal de la Havel
Havel
Frohnau
Secteur français
BERLIN
Tegel
BERLIN-Pankow
R.D.A.
Spandau
Secteur anglais
Secteur soviétique
Porte de Brandebourg
Checkpoint Charley
Tempelhof
EST
Gatow
R.D.A.
Havel
OUEST
Secteur américain
Köpenick
Potsdam
Schönefeld

G. BERLIN 1945 - 1989
1 : 500 000

─ Limite de la ville
─ Limite de secteur
╳ Passage frontalier
▭▭ Mur de Berlin avec postes de contrôle (13.08.1961 - 09.11.1989)
✈ Aéroport

Voies de communication avec la R.F.A.
Couloir aérien
Autoroute
Route principale
Autres routes
Chemin de fer
Autres chemins de fer
Voie navigable
Autres voies navigables

H. BERLIN
1 : 500 000

Hambourg
Rostock
Szczecin
Hennigsdorf
Zepernick
Frohnau
Falkensee
Spandau
TEGEL
Parkow
Neuenhagen
Charlottenbourg
Friedrichshain
GATOW (fermé)
Schöneberg
Kreuzberg
Neukölln
Schöneiche
TEMPELHOF (fermé)
Steglitz
Köpenick
Potsdam
Teltow
Canal de Teltow
Spree
BERLIN BRANDEBOURG
Hanovre
Dresde
Francfort-sur-Oder
Canal Oder-Spree

H. BERLIN
1 : 500 000

■ Centre des affaires
■ Autres zones de bureaux et de commerce
Zone résidentielle
Zone industrielle
─ Limite de la ville
▬ Mur de Berlin (1961-1989)
Parc
Bois
Zone non urbanisée

Voies de communication:
Chemin de fer et gare
Autoroute
Route principale
Canal

© Noordhoff Uitgevers

SUISSE / ALPES

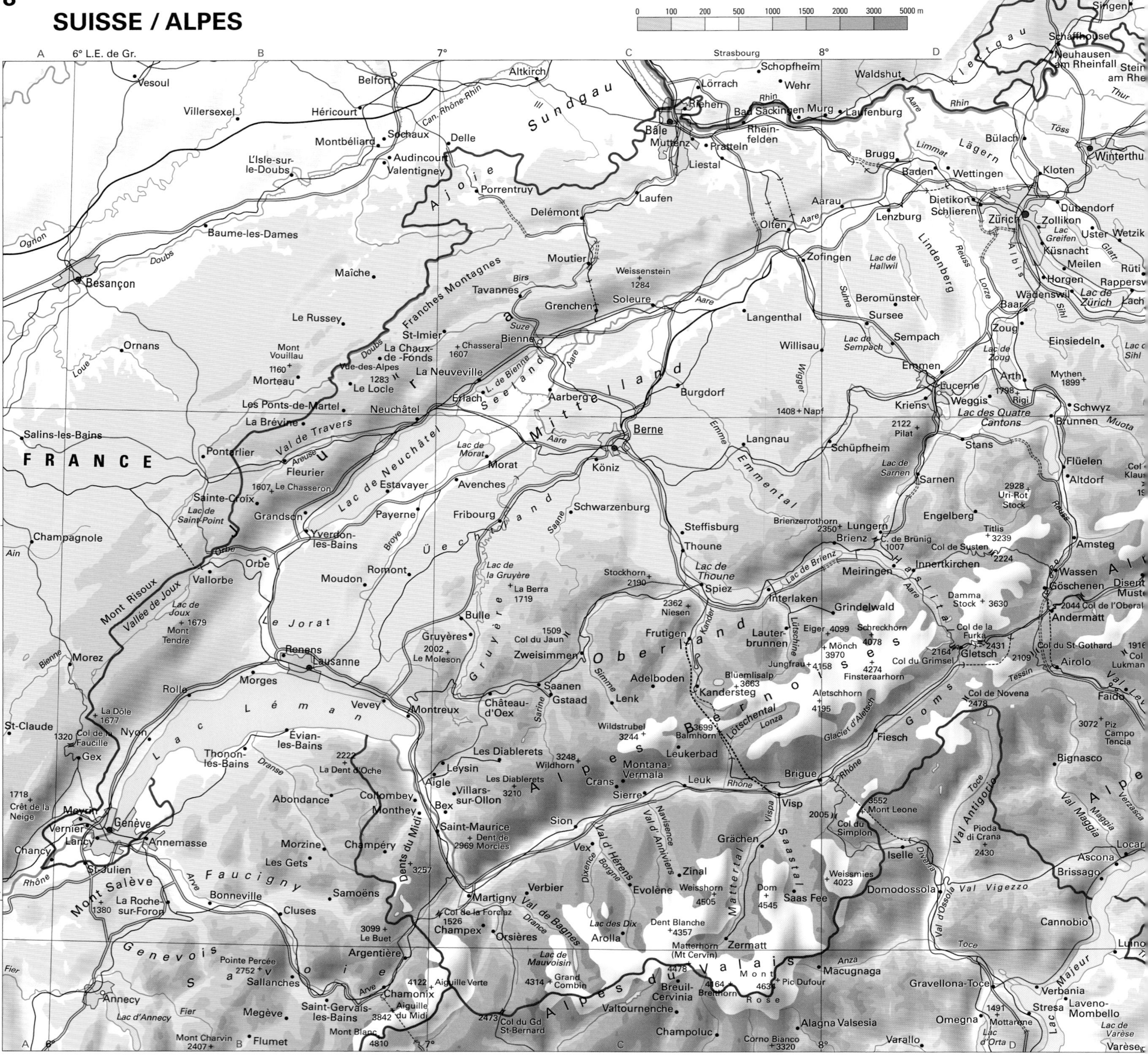

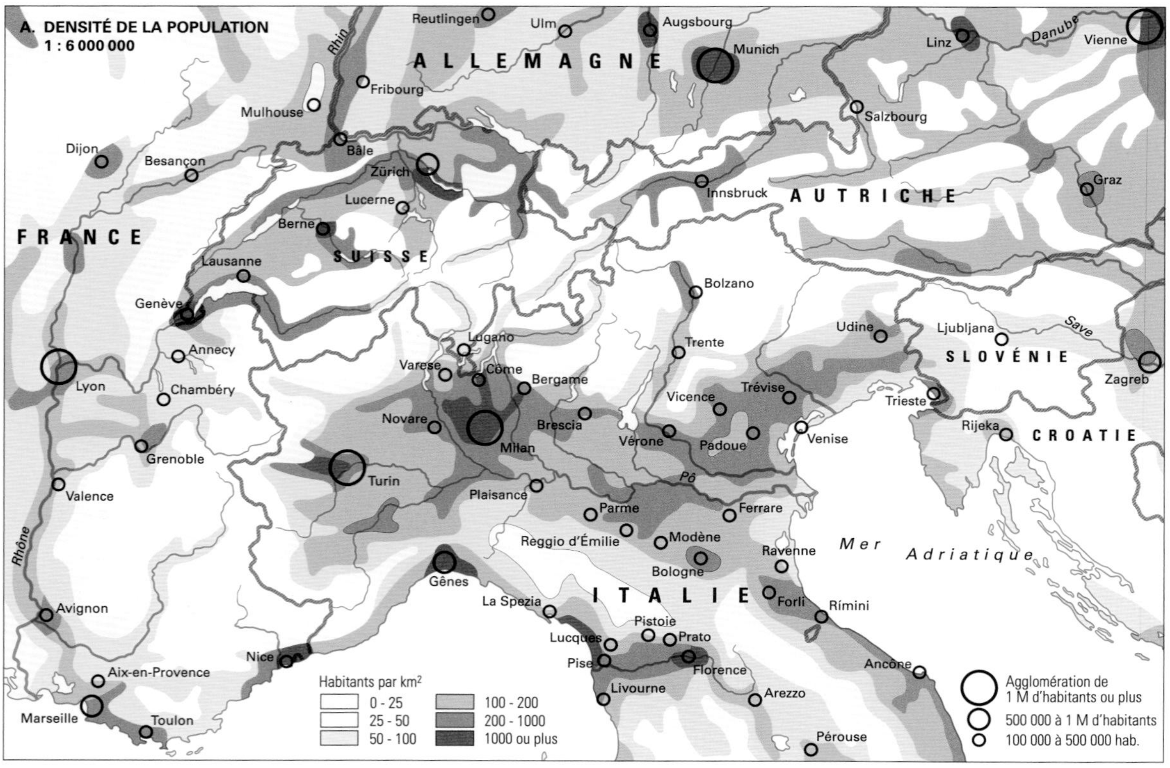

0 100 200 500 1000 1500 2000 3000 5000 m

A. DENSITÉ DE LA POPULATION
1 : 6 000 000

Habitants par km²

0 - 25	100 - 200
25 - 50	200 - 1000
50 - 100	1000 ou plus

Agglomération de
- 1 M d'habitants ou plus
- 500 000 à 1 M d'habitants
- 100 000 à 500 000 hab.

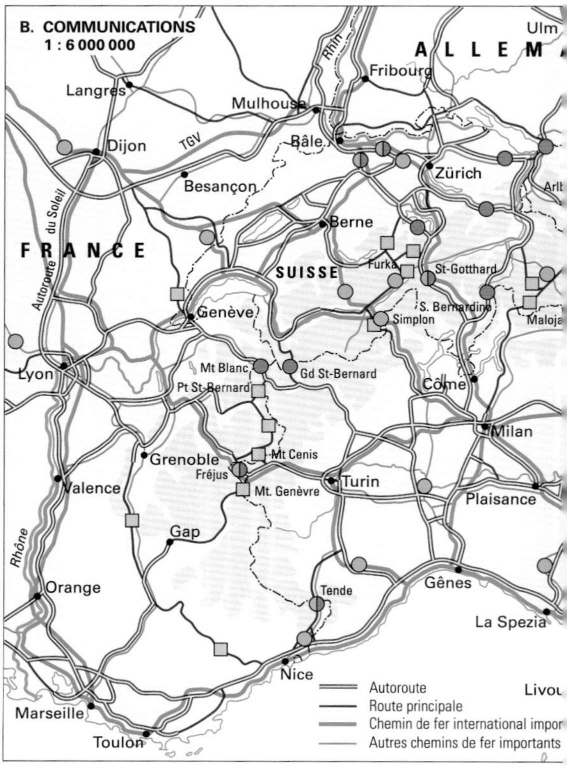

B. COMMUNICATIONS
1 : 6 000 000

Autoroute
Route principale
Chemin de fer international important
Autres chemins de fer importants

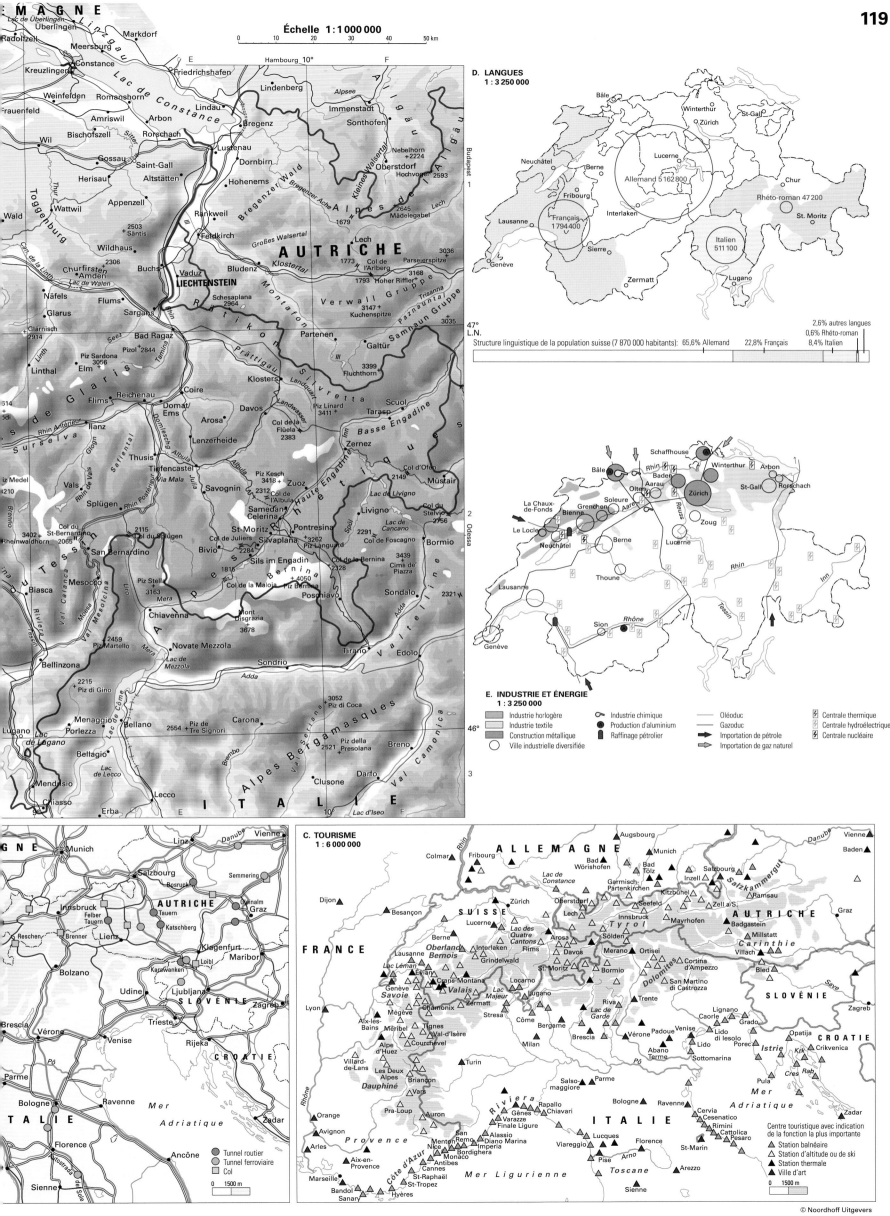

BASSIN MÉDITERRANÉEN

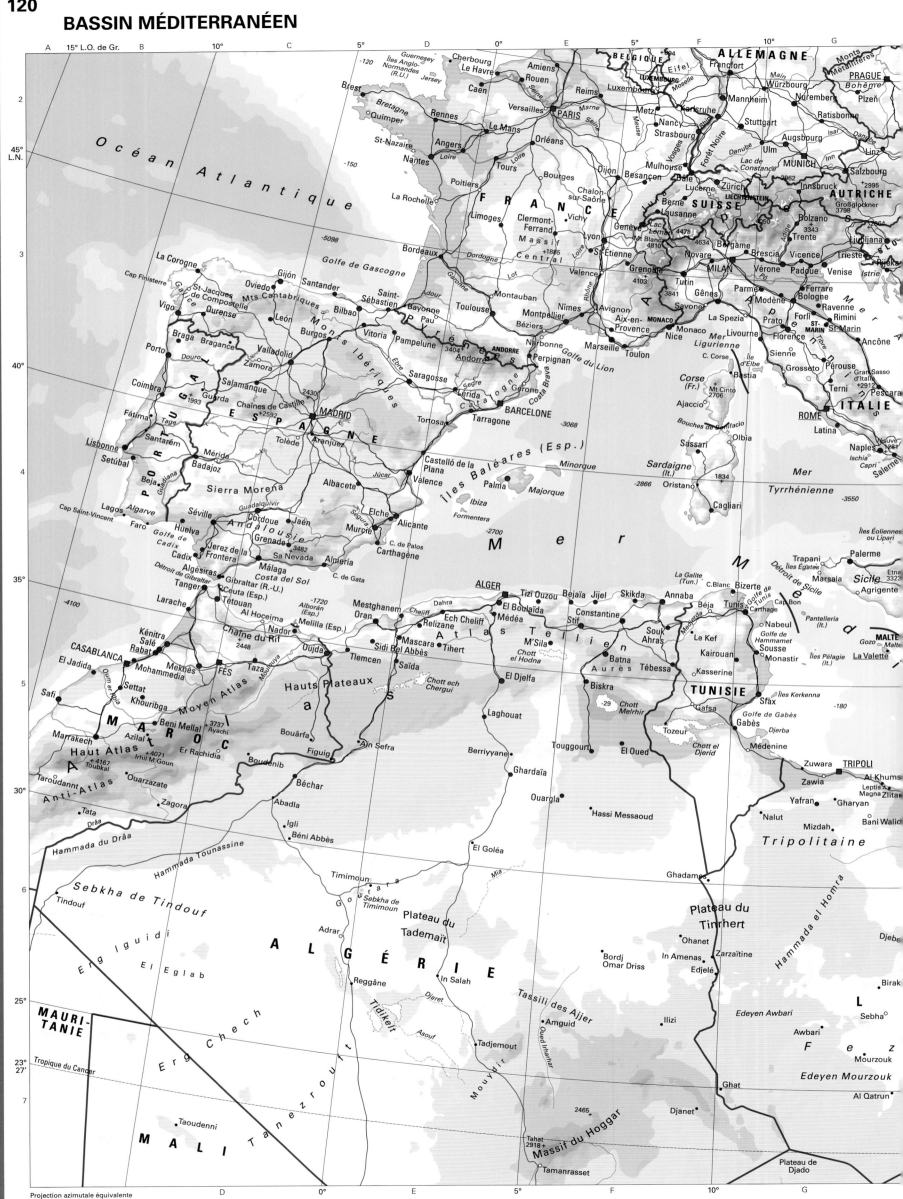

Projection azimutale équivalente

Échelle 1 : 10 000 000

-4000 -2000 -200 0 100 200 500 1000 1500 2000 3000 5000 m
au-dessous du niveau de la mer

0 100 200 300 400 500 km

40° L.E. de Gr.

POLOGNE

Wałbrzych · Katowice · Tarnów · Rzeszów
Silésie
Cracovie
RÉP. TCHÈQUE
Ostrava · Olomouc
Moravie
Brno
Bratislava
VIENNE
Graz
SLOVAQUIE
Hautes Tatras 2655
Košice
Miskolc
Győr · BUDAPEST · Debrecen
Székesfehérvár · Kecskemét
HONGRIE
Maribor · Szeged · Arad
Zagreb · Pécs · Subotica · Timişoara
CROATIE · Osijek · Novi Sad · Voïvodine
Banja Luka · Tuzla · **SERBIE**
BOSNIE-HERZÉGOVINE · 2522
Zadar · Sarajevo · **MONTÉNÉGRO** · Niš
Split · Mostar · Podgorica · **KOSOVO** · Prishtinë
Dubrovnik · Bar · Shkodra · **Skopje**
Foggia · Tirane · **MACÉDOINE** · Ohrid · Bitola
Barletta · Bari · Durrës · **ALBANIE**
Brindisi · Vlorë · Korçë
Tarente · Lecce · Ioánnina
Potenza · **Épire**
Otrante · Corfou · Lárissa
Cosenza · Corfou · **Thessalie** · Vólos
Crotone · Îles Ioniennes
Catanzaro · Delphes · Thèbes · Eubée
Messine · Céphalonie · **GRÈCE** · **ATHÈNES**
Reggio di Calabria · Patras · Le Pirée
Catane · Corinthe · Mycènes · Andros
Syracuse · Tripolis · Péloponnèse · Sparte
Cap Passero · Kalámai · Milo

UKRAINE
Lviv · Ternopil · Khmelnytsky · Bila Tserkva
Ivano-Frankivsk · Vinnytsia
Tcherkasy · Krementchouk
Tchernivtsi · Dnipro-dzerjynsk
Botoşani · Bălţi · **Chişinău**
Suceava · Iaşi · **MOLDAVIE** · Bender · **ODESSA**
Piatra Neamţ · Bacău · Tiraspol
Baia Mare · Cluj-Napoca · Târgu Mureş
Satu Mare · Oradea · Sibiu · **ROUMANIE**
Alpes de Transylvanie · Galaţi · Brăila
Craiova · Râmnicu Vâlcea · Piteşti · Buzău
BELGRADE · Drobeta-Turnu Severin · **BUCAREST**
Kragujevac · Valachie · Ploieşti · Ruse
Pleven · **BULGARIE** · Constanţa
SOFIA · 2376 · Stara Zagora · Varna
Pirin Vihren 2914 · Plovdiv · Sliven · Burgas
Monts Rhodope · Edirne
Kavála · Thrace · **ISTANBUL** · Üsküdar
Gallipoli · Mer de Marmara · İzmit
Thessalonique · Athos 2033 · Dardanelles
Lemnos · Troie · Balıkesir
Skyros · Lesbos · Manisa · Uşak
Khios · İZMİR · Denizli
Sámos · Éphèse · Aydın
Ikaría · Náxos · Bodrum · Marmaris
Cyclades · Kos · Rhodes
Milo · Ios · Santorin (Théra) · Rhodes
Sporades du Sud (Dodécanèse)
Kárpathos

Mer Noire
Kryvy Rih · Nikopol · Zaporijia · **DONETSK**
Kirovohrad · Dnipropetrovsk
Mykolaïiv · Kherson · Melitopil · Berdiansk · Taganrog · **ROSTOV**
Réservoir de Kakhovka · Mer d'Azov · Azov
Golfe d'Odessa · Crimée · Kertch · Kouban · Krasnodar
Ievpatoria · Simferopol · Novorossiisk · Maïkop
Sébastopol · Yalta · Touapse · Sotchi
-2211 · Sinop · Samsun · Ordu · Trabzon · Batoumi · **GÉORGIE**
Zonguldak · Karabük · Chaîne Pontique · Erzurum
Adapazarı · Çorum · Erzincan · 3932 Kaçkar · Artvin · Aras
ANKARA · Kırıkkale · Sivas · Euphrate Occid. · Koutaïsi · Poti
Eskişehir · Kayseri · Malatya · Lac Keban · Euphrate Orient.
Kütahya · Afyonkarahisar · Aksaray · **TURQUIE** · Elazığ
Lac Tuz · Taurus · Kahramanmaraş · Diyarbakır · Batman
Anatolie · **KONYA** · Lac Atatürk · Tigre
Lac Eğridir · Lac Beyşehir · Adana · **GAZIANTEP** · Şanlıurfa · Kamichli
Isparta · Lac Burdur · Monts Tarsus · Mersin · İskenderun · **ALEP** · Khabur
Antalya · Alanya · Antakya · Lac Assad · Ar Raqqah
Golfe d'Antalya · Golfe d'İskenderun · Hama · Deir ez Zor
3070 · Chypre · Lefkosia · Famaguste · Lattaquié · **SYRIE** · Palmyra
CHYPRE · Larnaca · Tartous · Homs
Limassol · Tripoli · 3083 · Anti-Liban
LIBAN · **BEYROUTH** · Saïda · **DAMAS** · Désert de Syrie · **IRAK**
Dj. ed Druz 1735 · Dara
Haifa · Golan · Irbid
ISRAËL · Netanya · Jéricho · **AMMAN** · Harra
Tel Aviv · **Jérusalem** · **JORDANIE**
Gaza · Mer Morte · Beersheba · Maan · Petra
El Arish · Néguev

Mer Méditerranée
-4300 · -2700 · -5121 · -4482
Cyrène · Derna · -1800
El Beïda · Tobrouk · Salloum · Matrouh · Marmarique · Rosette · Damiette · Port-Saïd
Marj · Benghazi · -3255 · El Alamein · Damanhur · Mansourah · Port-Saïd
Golfe de la Grande Syrte · **Cyrénaïque** · Plateau de Libye · **ALEXANDRIE** · Tanta · Benha · Ismaïlia
Surt · Ajdabia · -700 · Qasr Farafra · Canal de Suez
Ras Lanouf · Marsa el-Brega · Djiarabub · El Fayoum · **GIZA** · **LE CAIRE** · Suez · Sinaï · Eilat
Memphis · Golfe de Suez · Aqaba
-133 · Dépression de Kattara · Mt Ste-Catherine 2637 · Tabuk
Dahra · Marada · Nafoura · Oasis de Sioua · Beni Souef · Charm el Cheikh · **ARABIE SAOUDITE**
Awjila · -25 · Sioua · Samalut · Ras Mohammed · Al Muwaylih
Zella · Sarir · El Minya · Désert Arabique · Al Qalibah
Hawia
Bawiti · Mallawi · Hedjaz · Al Wajh
Désert Occidental · Manfalut · Urghada
Qasr Farafra · Assiout · Nil · Bur Safaga
LIBYE · Oasis de Farafra · Tahta · Sohag · Qena · Quseir
Mut · Girga · Karnak · Marsa al Alam
ÉGYPTE · Oasis de Kharga · Thèbes · Luxor · Umm Lajj
El Kharga · Esna · Qus · 2187 Dj. Shaib al Banab
Oasis de Dakhla · Edfou · Dj. Hamata 1977 · Ras Banas
Kom Ombo · Assouan · Baie Foul
465 · Barrage d'Assouan 1e Cataracte
Lac Nasser
Erg de Rebiana · Oasis de Koufra · Koufra · Abou Simbel · 2215 Dj. Asoteriba
Halaib
Serir Tibesti · Wadi Halfa · **SOUDAN**

Mer Rouge
Mer Adriatique
Mer Ionienne
Mer de Crète
Détroit de Messine

© Noordhoff Uitgevers

BASSIN MÉDITERRANÉEN

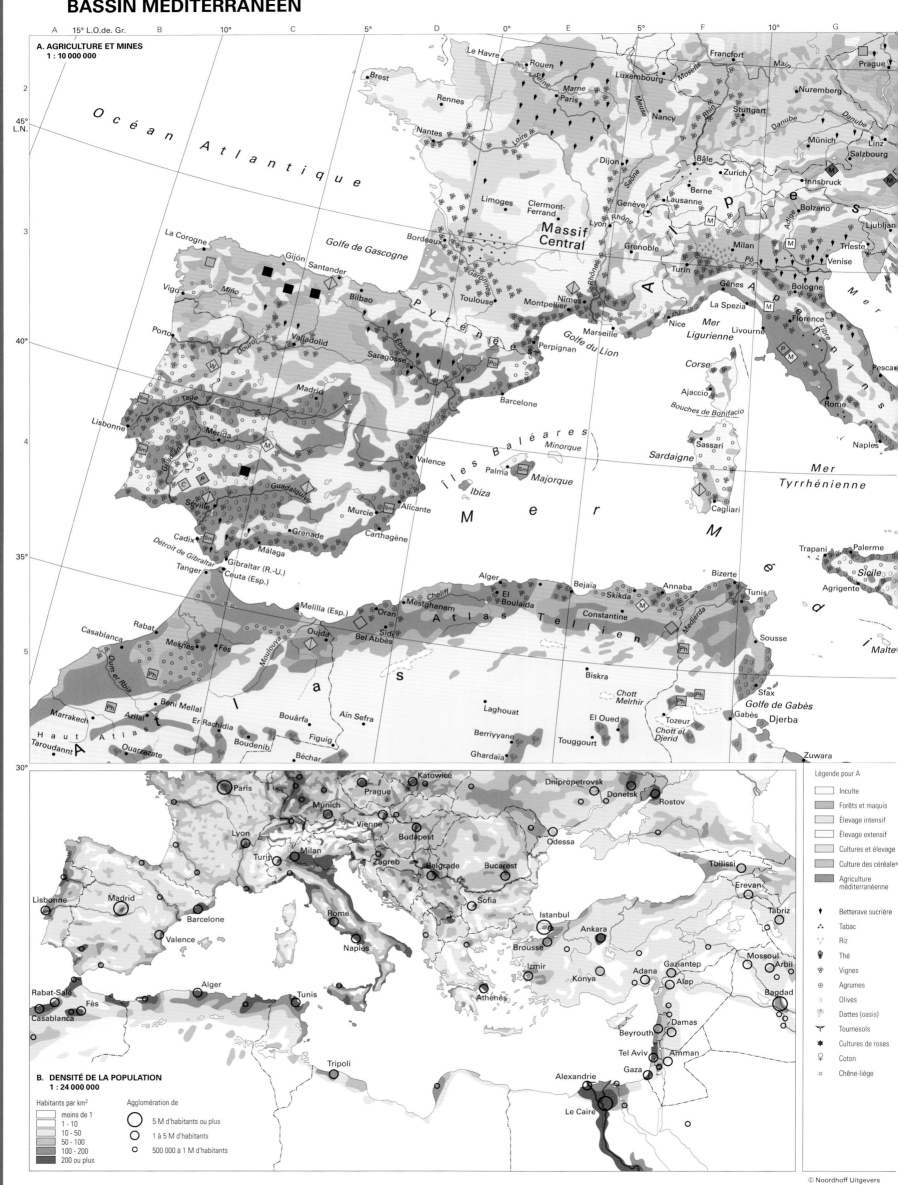

A. AGRICULTURE ET MINES
1 : 10 000 000

15° L.O.de. Gr.

Océan Atlantique

Golfe de Gascogne

Le Havre
Rouen
Brest
Rennes
Nantes
Paris
Luxembourg
Francfort
Prague
Nuremberg
Marne
Mosele
Nancy
Stuttgart
Danube
Münich
Linz
Salzbourg
Limoges
Clermont-Ferrand
Dijon
Bâle
Zurich
Berne
Lausanne
Genève
Innsbruck
Lyon
Grenoble
Bolzano
Ljubljan
Trieste
Venise
La Corogne
Gijón Santander
Bilbao
Bordeaux
Massif Central
Rhône
Turin
Milan
Bologne
Vigo
Miño
Douro
Valladolid
Saragosse
Ebre
Toulouse
Montpellier
Nîmes
Marseille
Nice
Gênes
La Spezia
Livourne
Florence
Porto
Lisbonne
Madrid
Tage
Mérida
Perpignan
Golfe du Lion
Mer Ligurienne
Corse
Rome
Naples
Pescara
Barcelone
Îles Baléares
Minorque
Sardaigne
Mer Tyrrhénienne
Valence
Palma
Majorque
Séville
Guadalquivir
Ibiza
Sassari
Cagliari
Murcie
Grenade
Alicante
Carthagène
Cadix
Málaga
Tanger
Détroit de Gibraltar
Gibraltar (R.-U.)
Ceuta (Esp.)
Trapani
Palerme
Sicile
Agrigente
Malte
Alger
Bejaïa
Skikda
Annaba
Bizerte
Tunis
Sousse
Melilla (Esp.)
Oran
Mestghanem
Cheliff
El Boulaïda
Constantine
Medjerda
Rabat
Casablanca
Meknès
Fès
Sidi Bel Abbès
Oujda
Atlas Tellien
Biskra
Sfax
Golfe de Gabès
Marrakech
Azilal
Beni Mellal
Er Rachidia
Bouârfa
Aïn Sefra
Laghouat
Chott Melrhir
El Oued
Tozeur
Chott el Djerid
Gabès
Djerba
Taroudannt
Haut Atlas
Ouarzazate
Boudenib
Figuig
Béchar
Berriyyane
Touggourt
Ghardaïa
Zuwara

B. DENSITÉ DE LA POPULATION
1 : 24 000 000

Paris
Katowice
Dnipropetrovsk
Donetsk
Rostov
Münich
Prague
Lyon
Vienne
Budapest
Odessa
Turin
Milan
Zagreb
Belgrade
Bucarest
Tbilissi
Erevan
Lisbonne
Madrid
Barcelone
Rome
Sofia
Istanbul
Tabriz
Valence
Naples
Ankara
Brousse
Mossoul
Arbil
Rabat-Salé
Casablanca
Fès
Alger
Tunis
Athènes
Izmir
Konya
Adana
Gaziantep
Alep
Bagdad
Damas
Beyrouth
Amman
Tel Aviv
Gaza
Tripoli
Alexandrie
Le Caire

Habitants par km²
- moins de 1
- 1 - 10
- 10 - 50
- 50 - 100
- 100 - 200
- 200 ou plus

Agglomération de
- 5 M d'habitants ou plus
- 1 à 5 M d'habitants
- 500 000 à 1 M d'habitants

Légende pour A
- Inculte
- Forêts et maquis
- Élevage intensif
- Élevage extensif
- Cultures et élevage
- Culture des céréales
- Agriculture méditerranéenne
- Betterave sucrière
- Tabac
- Riz
- Thé
- Vignes
- Agrumes
- Olives
- Dattes (oasis)
- Tournesols
- Cultures de roses
- Coton
- Chêne-liège

© Noordhoff Uitgevers

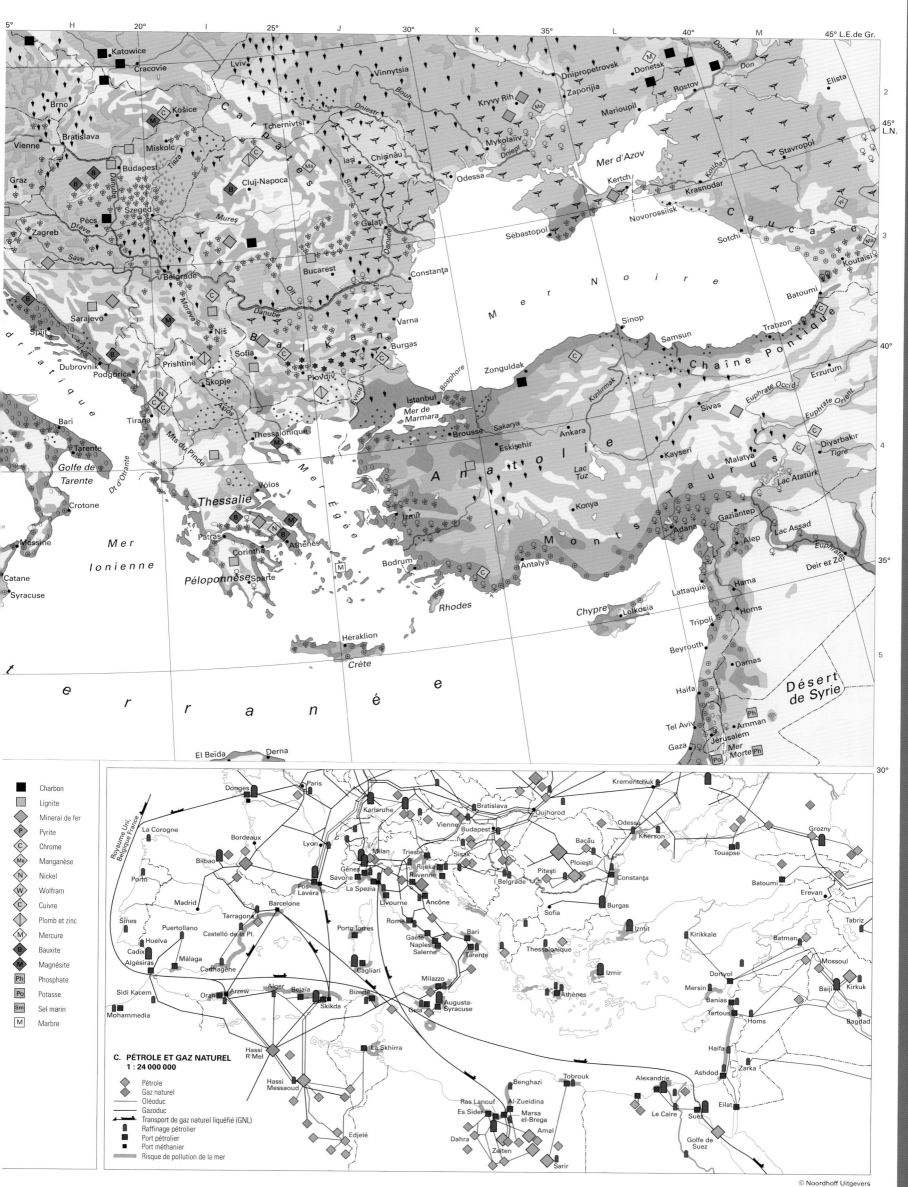

C. PÉTROLE ET GAZ NATUREL
1 : 24 000 000

Charbon
Lignite
Minerai de fer
P Pyrite
C Chrome
Ma Manganèse
N Nickel
W Wolfram
C Cuivre
Plomb et zinc
M Mercure
B Bauxite
M Magnésite
Ph Phosphate
Po Potasse
Sm Sel marin
M Marbre

Pétrole
Gaz naturel
Oléoduc
Gazoduc
Transport de gaz naturel liquéfié (GNL)
Raffinage pétrolier
Port pétrolier
Port méthanier
Risque de pollution de la mer

© Noordhoff Uitgevers

ESPAGNE ET PORTUGAL

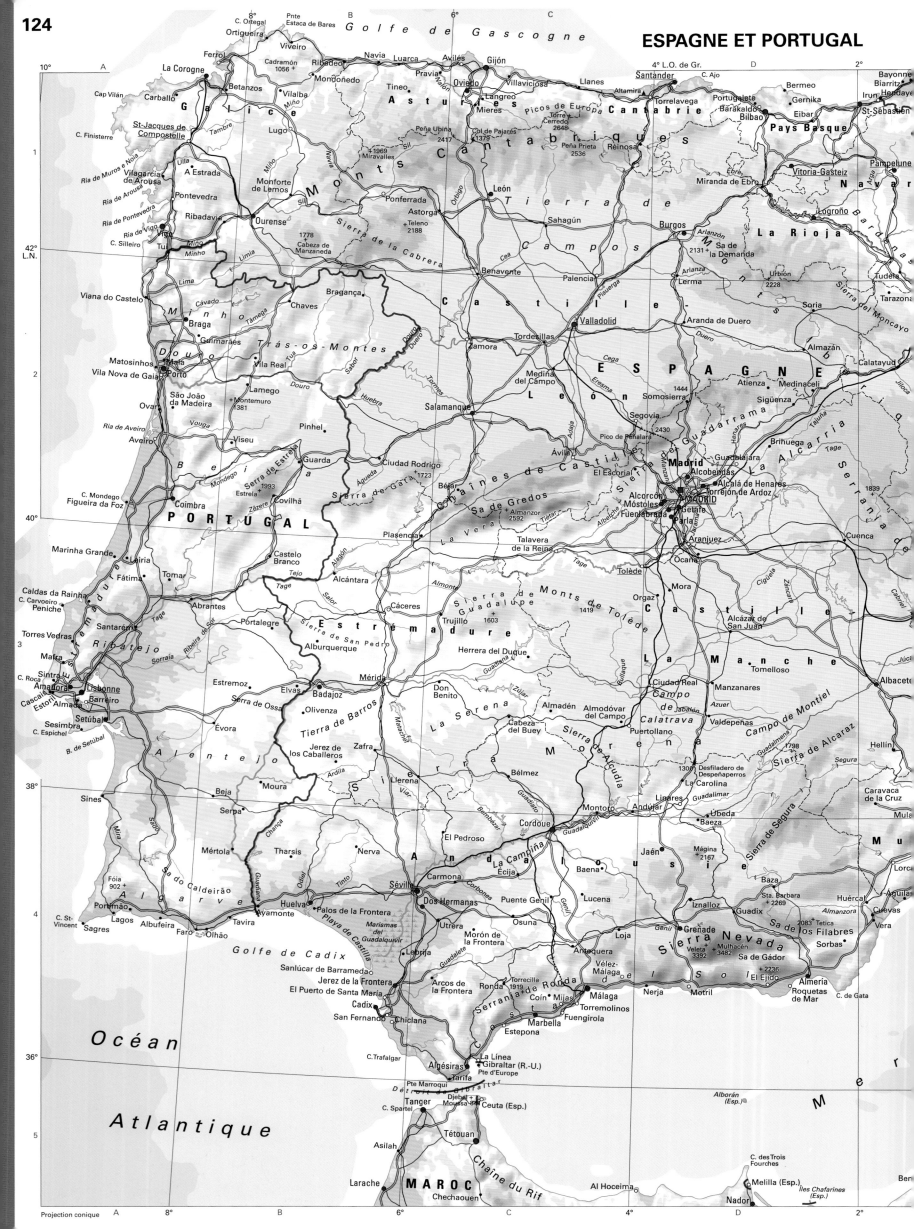

Échelle 1 : 3 000 000

-6000 -4000 -2000 -200 0 100 200 500 1000 1500 2000 3000 5000 m

0 25 50 75 100 km

E 0° F 2° L.E. de Gr. G

Map (main — Catalogne, Valence, Baléares, Méditerranée)

FRANCE
Gascogne
Montagne Noire
Languedoc
Canal du Midi
Carcassonne
Béziers
Agde
Narbonne
Gave d'Oloron
Adour
Oloron-Ste-Marie
Pau
Lourdes
Tarbes
Gers
St-Gaudens
Pamiers
Foix
St-Girons
Ariège
Aude
Et. de Leucate
Perpignan
Argelès-sur-Mer
Pt-Vendres
Cerbère
Cadaqués
Golfe de Roses
Roncevaux
Pic d'Anie 2504
Col du Somport 1632
Canfranc
Vignemale 3298
Gavarnie
Mt Perdu 3348
Aneto 3404
Bagnères-de-Bigorre
Bagnères-de-Luchon
Béarn
Pyrénées
ANDORRE
Andorre
1577
Col de la Perche
Canigou 2784
La Seu d'Urgell
Puigcerdà
Serra del Cadí 2536
Ripoll
Olot
Figueres
Gérone
Sant Feliu de Guíxols
Roussillon
Têt
Aragón
Jaca
Huesca 2076
Sierra de Guara
Boltaña
Cinca
Noguera
Segre
Planes d'Urgell
Llobregat
Serra de Monsec
Cardona
Vic
Ter
Serra del Montseny 1712
Blanes
Lloret de Mar
Gàvarres
Catalogne
Saragosse
Los Monegros
Lérida
Manresa
Montserrat
Igualada
Terrassa
Sabadell
Granollers
Mataró
Sta Coloma
Badalona
L'Hospitalet
BARCELONE
Reus
El Vendrell
Sitges
Vilanova i la Geltrú
Salou
Tarragone
Ebre
Caspe
Alcañiz
Montalbán
Tortosa
C. de Tortosa
Delta de l'Ebre
Vinaròs
Benicarló
Alcalà de Xivert
Sierra de Gúdar 2024
Teruel
Guadalope
Penyagolosa 1813
Javalambre 2019
Castelló de la Plana
Vila-real
Nules
Borriana
Sagonte
Molatón 1242
Utiel
Requena
Paterna
Torrent
Valence
L'Albufera
Xúquer
Cullera
Alzira
Gandia
Dénia
C. de la Nau
Xàtiva
Almansa
Alcoi
Yecla
Villena
Altea
Benidorm
Elda
Elche
Cieza
Alicante
Molina de Segura
Segura
Orihuela
Murcie
Torrevieja
Mar Menor
C. de Palos
Carthagène
La Unión

Îles Baléares
Baléares
Golfe de Valence
Puig Major 1436
Alcúdia
Sóller
Inca
Artà
Majorque (Mallorca)
Palma
Manacor
Ibiza
Formentera
Cabrera

Ciudadela
Mahón
Minorque (Menorca)
Artà

Méditerranée
ALGER
Cherchell
Ténès
Plaine de la Mitidja
El Boulaïda
Médéa
Miliana
Khemis Miliana
Massif de Dahra
Cheliff
Ech Cheliff
Massif de l'Ouarsenis
Djebel Ouarsenis 1985
Ksar el Boukhari
Mohammadia
Mascara
Mestghanem
Relizane
Tissemsilt
Tihert
Aïn Oussera
Ksar Chellala
Golfe d'Arzew
Arzew
Oran
Sebkha d'Oran
Mina
Cheliff
Aïn Témouchent
Sidi Bel Abbès
ALGÉRIE

A. PRÉCIPITATIONS ET IRRIGATION
1 : 12 000 000

La Corogne
Bilbao
Porto
Valladolid
Saragosse
Barcelone
Madrid
Palma
Lisbonne
Valence
Cordoue
Séville
Grenade

Précipitations annuelles en mm
- moins de 300
- 300 - 500
- 500 - 1000
- 1000 - 1600
- 1600 ou plus

Région irriguée
Cours d'eau et barrage
Canal d'irrigation majeur

B. DENSITÉ DE LA POPULATION

Asturies
Cantabrie
Pays Basque
Navarre
Galice
Bilbao
La Rioja
Porto
Castille-León
Saragosse
Aragón
Catalogne
Barcelone
Madrid
ESPAGNE
Valence
Valencie
PORTUGAL
Lisbonne
Estrémadure
Castille-La Manche
Murcie
Séville
Andalousie
Málaga
Baléares

Habitants par km²
- moins de 25
- 25 - 50
- 50 - 100
- 100 - 200
- 200 ou plus

Agglomération de
- 5 M d'hab. ou plus
- 1 - 5 M d'habitants
- 500 000 - 1 M d'habitants
- 100 000 - 500 000 habitants

Galice Nom et limite d'une région autonome (Espagne)

C. MINES ET INDUSTRIE

La Corogne
Oviedo
Bilbao
Saragosse
Barcelone
Valladolid
Porto
Madrid
Castelló de la Plana
Valence
Palma
Lisbonne
Sines
Cordoue
Carthagène
Huelva
Séville
Grenade
Cadix

Région industrielle
Minerai de fer
Pyrite
Charbon Wolfram (tungstène)
Lignite Cuivre
Pétrole Plomb et zinc
Raffinage pétrolier Mercure
Potasse
Centrale thermique
Centrale hydroélectrique Uranium Sel marin
Centrale nucléaire

D. TOURISME

Costa Verde
Côte Cantabrique
Côte Basque
Costa Brava
Rías Bajas
Lloret de Mar
Costa Verde
Barcelone
Costa de Prata
Madrid
Costa Dorada
Minorque
Majorque
Baléares
Ibiza
Costa del Azahar
Lisbonne
Benidorm
Costa del Sol
Costa del Azahar
Algarve
Costa Blanca
Costa de la Luz
Grenade
Torremolinos
Costa del Sol
Algarve Région touristique importante

Nombre de nuitées par région dans les hôtels et les campings, en millions (2010)
50 25 10 5

Pays d'origine des touristes
Espagne Benelux Italie
Portugal France É.-U.
Allemagne Royaume-Uni Autres pays

Îles Canaries
La Palma
Lanzarote
La Gomera
Tenerife
Fuerteventura
Hierro
Gran Canaria

© Noordhoff Uitgevers

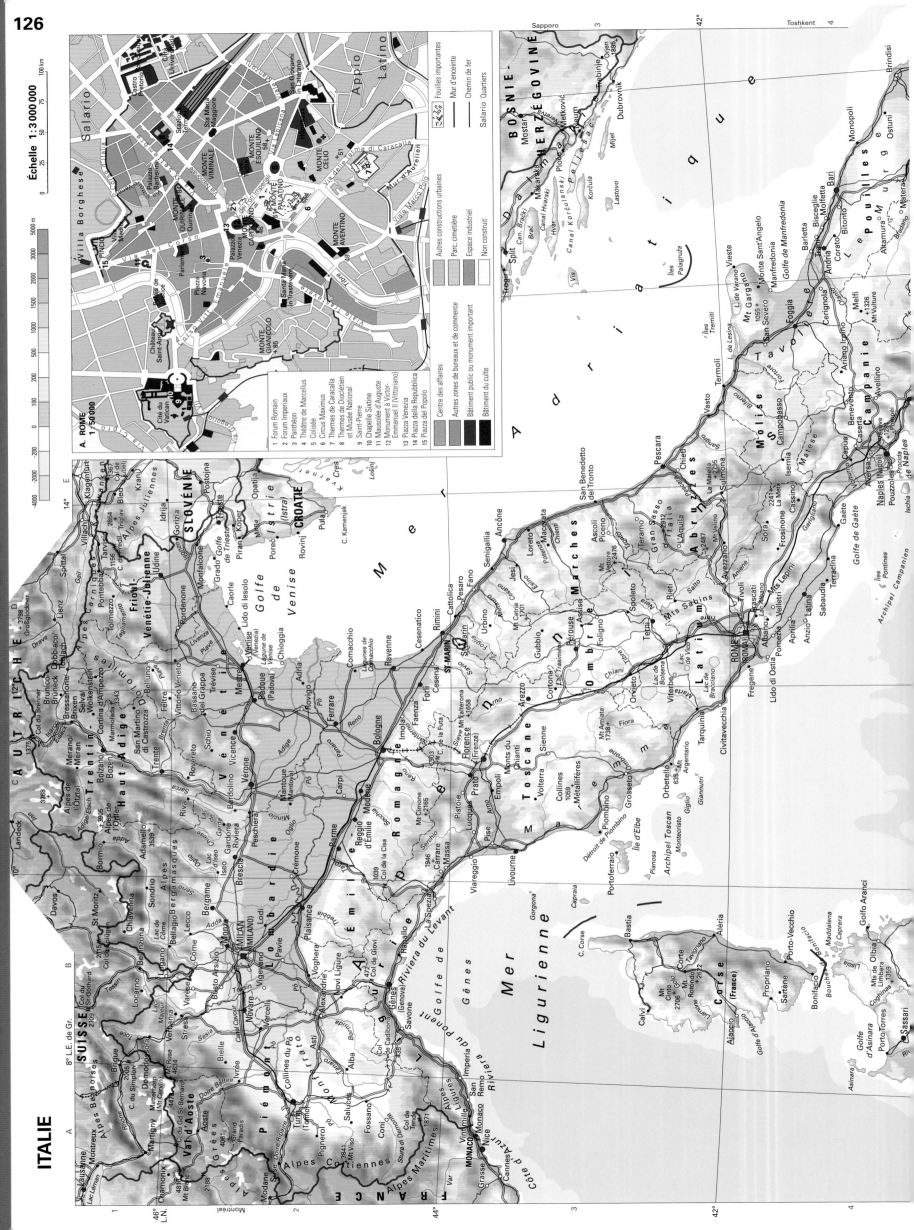

F. REVENUS 1 : 15 000 000

Frioul-Haut Adige Trentin-Haut-Adige Vénétie Frioul-Vénétie Julienne Lombardie Val d'Aoste Piémont Ligurie Émilie-Romagne Toscane Ombrie Marches Latium Abruzzes Molise Campanie Pouilles Basilicate Calabre Sicile

Sardaigne

Revenus par habitant en pourcentage de la moyenne nationale (2007)
moins de 70
70 - 85
85 - 100
100 - 115
115 ou plus

E. MINES ET INDUSTRIE 1 : 15 000 000

Trieste Venise Ravenne Ancône Terni Bari Tarente Naples Palerme Syracuse Milan Turin Gênes La Spezia Livourne Modène Brescia Elbe Cagliari

M Plomb et zinc   M Marbre
Région industrielle
Sidérurgie
Construction navale
Construction automobile
Construction aéronautique
Industrie chimique
Industrie textile

D. ÉNERGIE 1 : 15 000 000

Russie Trieste Venise Ravenne Ancône Bari Tarente Naples Salerne Gaète Rome Livourne Milan Turin Gênes Savone La Spezia Pays-Bas Porto Torres Cagliari Milazzo Augusta Gela Libye

Centrale thermique
Centrale géothermique
Centrale hydroélectrique
Pétrole
Gaz naturel
Oléoduc
Gazoduc
Port pétrolier
Port méthanier
Raffinage pétrolier

C. DENSITÉ DE LA POPULATION 1 : 15 000 000

Agglomération de
  1 M d'habitants ou plus
  500 000 - 1 M d'habitants
  100 000 - 500 000 habitants

Milan Turin Gênes Rome Naples Palerme

Habitants par km²
moins de 50
50 - 100
100 - 200
200 - 500
500 - 1500
1500 ou plus

B. PRÉCIPITATIONS 1 : 15 000 000

Trieste Venise Milan Turin Bologne Florence Gênes Livourne Ancône Rome Naples Bari Tarente Palerme Syracuse Cagliari

Précipitations annuelles en mm
moins de 300
300 - 500
500 - 1000
1000 - 1500
1500 ou plus

Projection conique

© Noordhoff Uitgevers

Main map labels:

Otrante Lecce Santa Maria di Leuca Gallipoli Manduria Tarente (Taranto) Golfe de Tarente Basilicate Bàsento Agri Mt du Pape 2005 Tanagro Cilento Paestum Agropoli Mt Stella 1131 Golfe de Salerne Capri Golfe de Policastro Castrovillari Mt-Pollino 2248 Cosenza Cagliano Crati La Sila Calabre Rossano Crotone C. Colonne Neto Point'Alice Golfe de Squillace Lamezia Terme Catanzaro Vibo Valentia Golfe de Sainte-Euphémie Palmi Aspromonte 1955 Reggio di Calabria C. Peloro C. Spartivento Détroit de Messine Messina Taormina Acireale Catane Golfe de Catane Augusta Syracuse Avola Noto C. Passero

Mer Ionienne

Stromboli 926 Îles Éoliennes ou Lipari Panarea Salina 965 Lipari 500 Vulcano Filicudi Alicudi Peloritani Nèbrodi Mts 1847 Etna 3323 Madonie Mts 1979 Cefalù Termini Imerese Palerme Bagheria Alcamo Simeto Paternò Enna Caltagirone Vittoria Modica Raguse Caltanissetta Gela Golfe de Gela Licata Agrigente Porto Empedocle Sciacca Belice Mazara del Vallo Marsala Trapani Sicile

Ustica Levanzo Favignana Îles Égates Marettimo Pantelleria (It.)

Mer Tyrrhénienne

Détroit de Sicile

C. Bon Kélibia Zembra C. Blanc Bizerte Menzel Bourguiba Golfe de Tunis Carthage La Goulette Hammam Lif Utique Tunis Mateur Béja La Galite C. Serrat C. Rosa Tabarka El Kala C. de Garde Annaba ALGÉRIE TUNISIE Tripoli

Sardaigne Golfe d'Orosei Nuoro Monts du Gennargentu 1834 Tortoli Oristano Golfe d'Oristano Mal di Ventre Campidano Iglesias Carbonia Monte is Caravius 1116 Mt Linas 1236 C. Teulada San Pietro Sant'Antioco Quartu Sant'Elena Cagliari Golfe de Cagliari C. Carbonara C. Sant'Elena Alghero Tirso Mannu Flumendosa

Izmir Lisbonne

EUROPE DU SUD-EST

AUTRICHE
HONGRIE
SLOVAQUIE
UKRAINE
SLOVÉNIE
CROATIE
ITALIE
BOSNIE-HERZÉGOVINE
SERBIE
Voïvodine
ROUM
MONTÉNÉGRO
KOSOVO
MACÉDOINE
ALBANIE
GRÈCE

Rép. Serbo-Bosniaque
Fédération Croato-Musulmane
Rép. Serbo-Bosniaque
Musulmane

Vienne (WIEN), Bratislava, Budapest, Belgrade (BEOGRAD), Sarajevo, Zagreb, Ljubljana, Rome (ROMA), Tirana (Tiranë), Skopje, Prishtinë, Podgorica, Sofia, Bucarest, Chişinău, Athènes, İstanbul

Mer Adriatique
Mer Ionienne
Mer Méditerranée
Golfe de Venise
Golfe de Tarente
Golfe de Corinthe
Détroit d'Otrante
Plaine Pannonienne (Alföld)
Dolomites
Carpates (Alpes de ...)
Alpes Albanaises
Péloponnèse
Thessalie
Istrie

Villes et lieux: Innsbruck, Kufstein, Zell am See, Badgastein, Hautes Tauern, Großglockner, Graz, Klagenfurt, Villach, Maribor, Celje, Kranj, Udine, Trieste, Rijeka, Pula, Zadar, Šibenik, Split, Makarska, Dubrovnik, Mostar, Sarajevo, Banja Luka, Tuzla, Zenica, Bihać, Doboj, Brčko, Bijeljina, Osijek, Vukovar, Novi Sad, Subotica, Szeged, Timişoara, Arad, Oradea, Cluj-Napoca, Debrecen, Nyíregyháza, Miskolc, Eger, Győr, Sopron, Szombathely, Veszprém, Székesfehérvár, Kecskemét, Pécs, Mohács, Nis, Kragujevac, Kraljevo, Užice, Čačak, Kruševac, Leskovac, Vranje, Pristina (Prishtinë), Prizren, Podgorica, Nikšić, Cetinje, Kotor, Bar, Ulcinj, Shkodra (Shkodër), Kukës, Lezhë, Durrës, Elbasan, Berat, Vlorë, Gjirokastër, Sarandë, Ioánnina, Lárissa, Vólos, Thessalonique, Véroia, Kozáni, Kastoria, Trikkala, Kalabaka, Lamía, Patras, Corinthe, Tripolis, Kalámai, Sparte, Athènes

A. MOSAÏQUE ETHNIQUE
1 : 12 000 000

Budapest, Chişinău, Ljubljana, Zagreb, Bucarest, Belgrade, Sarajevo, Sofia, Podgorica, Prishtinë, Skopje, Tirana, İstanbul, Athènes

Légende:
- Allemands
- Hongrois
- Slovaques
- Slovènes
- Croates
- Bosniaques musulmans
- Serbes
- Monténégrins
- Bulgares
- Macédoniens
- Ukrainiens
- Russes
- Grecs
- Albanais
- Roumains
- Moldaves
- Valaches
- Turcs
- Gagaouzes
- Tatars
- Kurdes

Projection conique

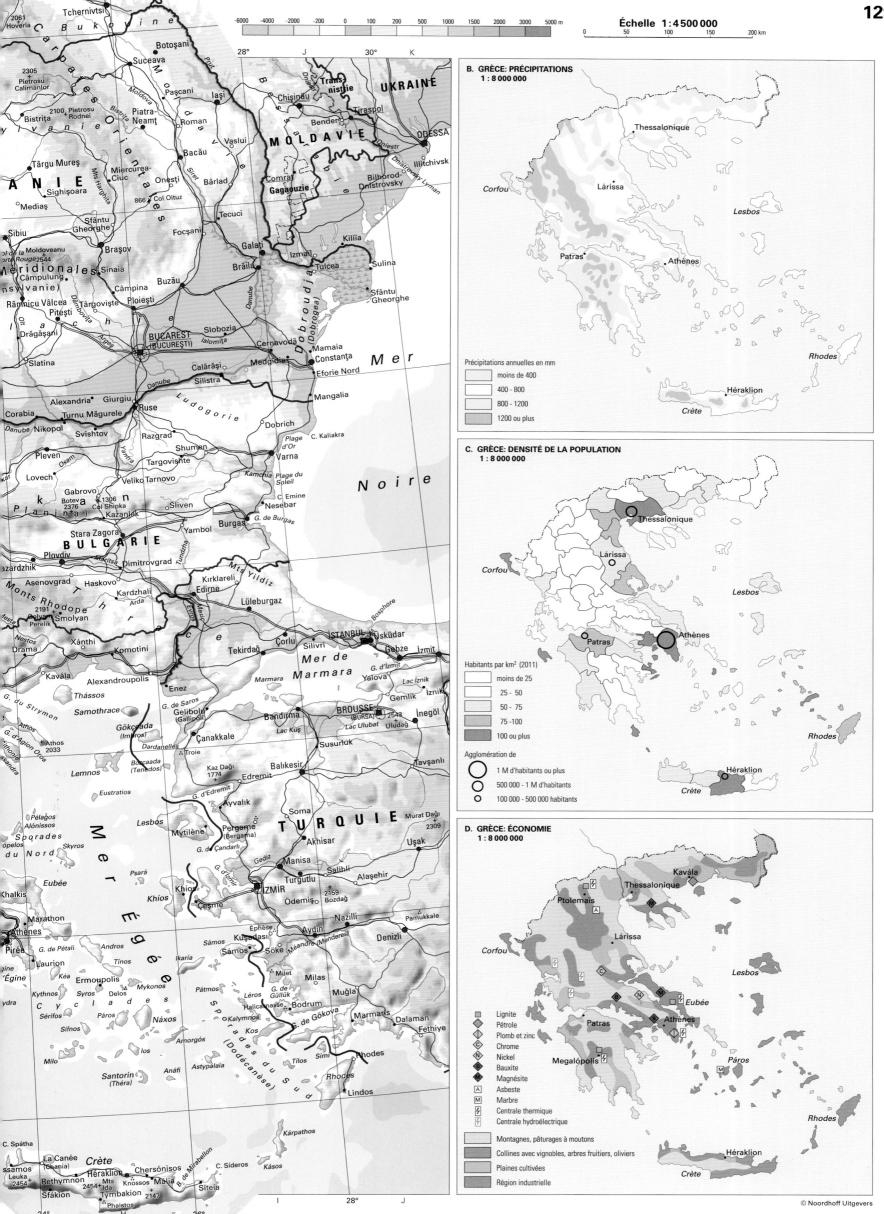

Échelle 1:4 500 000

B. GRÈCE: PRÉCIPITATIONS
1 : 8 000 000

Précipitations annuelles en mm
- moins de 400
- 400 - 800
- 800 - 1200
- 1200 ou plus

C. GRÈCE: DENSITÉ DE LA POPULATION
1 : 8 000 000

Habitants par km² (2011)
- moins de 25
- 25 - 50
- 50 - 75
- 75 -100
- 100 ou plus

Agglomération de
- 1 M d'habitants ou plus
- 500 000 - 1 M d'habitants
- 100 000 - 500 000 habitants

D. GRÈCE: ÉCONOMIE
1 : 8 000 000

- Lignite
- Pétrole
- Plomb et zinc
- Ⓒ Chrome
- Ⓝ Nickel
- Bauxite
- Magnésite
- Ⓐ Asbeste
- Ⓜ Marbre
- Centrale thermique
- Centrale hydroélectrique

- Montagnes, pâturages à moutons
- Collines avec vignobles, arbres fruitiers, oliviers
- Plaines cultivées
- Région industrielle

© Noordhoff Uitgevers

EUROPE ORIENTALE

Échelle 1:9 000 000

-4000 -2000 -200 0 100 200 500 1000 1500 2000 3000 5000 m

0 100 200 300 400 km

Projection conique

© Noordhoff Uitgevers

EUROPE ORIENTALE

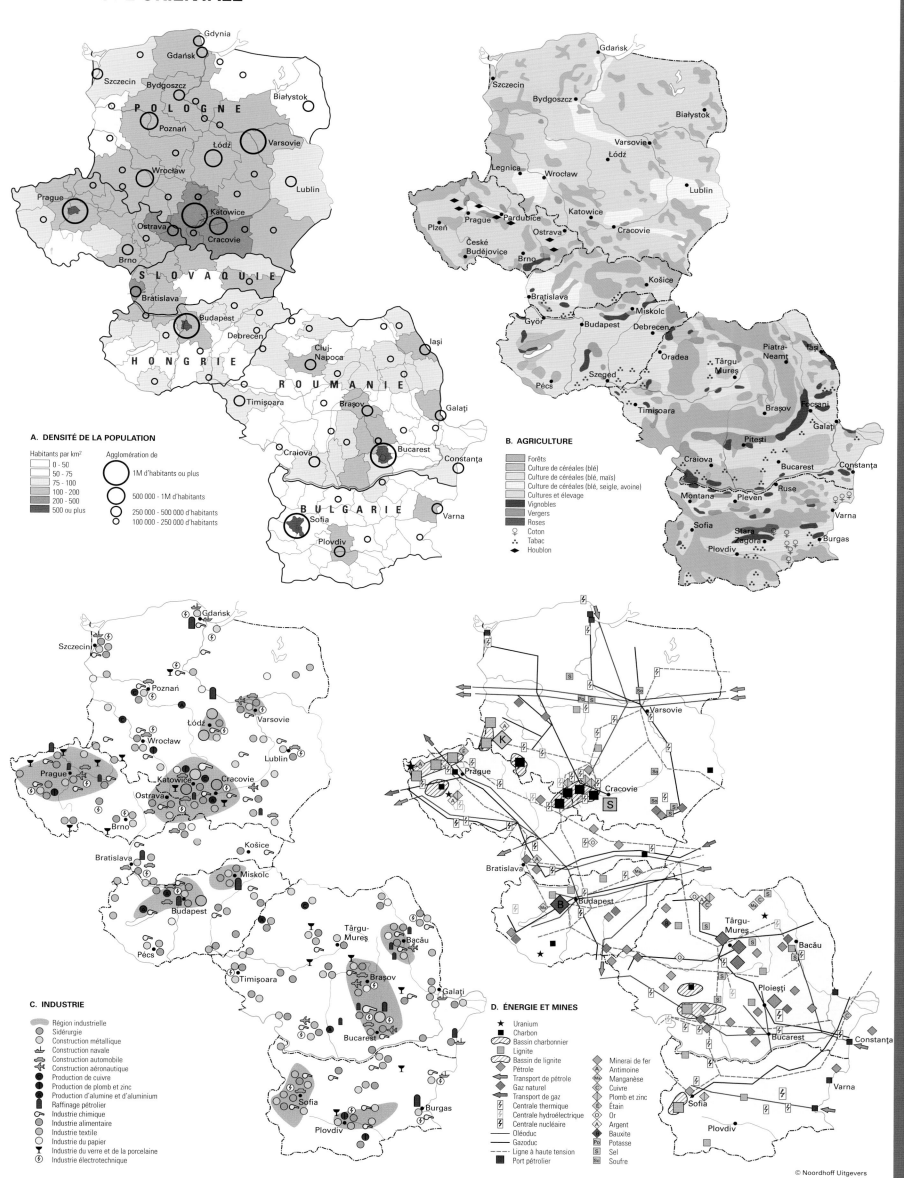

A. DENSITÉ DE LA POPULATION

Habitants par km²
- 0 - 50
- 50 - 75
- 75 - 100
- 100 - 200
- 200 - 500
- 500 ou plus

Agglomération de
- 1M d'habitants ou plus
- 500 000 - 1M d'habitants
- 250 000 - 500 000 d'habitants
- 100 000 - 250 000 d'habitants

B. AGRICULTURE
- Forêts
- Culture de céréales (blé)
- Culture de céréales (blé, maïs)
- Culture de céréales (blé, seigle, avoine)
- Cultures et élevage
- Vignobles
- Vergers
- Roses
- ♀ Coton
- Tabac
- ◆ Houblon

C. INDUSTRIE
- Région industrielle
- Sidérurgie
- Construction métallique
- Construction navale
- Construction automobile
- Construction aéronautique
- Production de cuivre
- Production de plomb et zinc
- Production d'alumine et d'aluminium
- Raffinage pétrolier
- Industrie chimique
- Industrie alimentaire
- Industrie textile
- Industrie du papier
- Industrie du verre et de la porcelaine
- Industrie électrotechnique

D. ÉNERGIE ET MINES
- ★ Uranium
- Charbon
- Bassin charbonnier
- Lignite
- Bassin de lignite
- Pétrole
- Transport de pétrole
- Gaz naturel
- Transport de gaz
- Centrale thermique
- Centrale hydroélectrique
- Centrale nucléaire
- Oléoduc
- Gazoduc
- Ligne à haute tension
- Port pétrolier
- ◆ Minerai de fer
- A Antimoine
- Mn Manganèse
- C Cuivre
- Plomb et zinc
- Étain
- O Or
- A Argent
- Bauxite
- Po Potasse
- S Sel
- Se Soufre

© Noordhoff Uitgevers

RUSSIE ET PAYS VOISINS

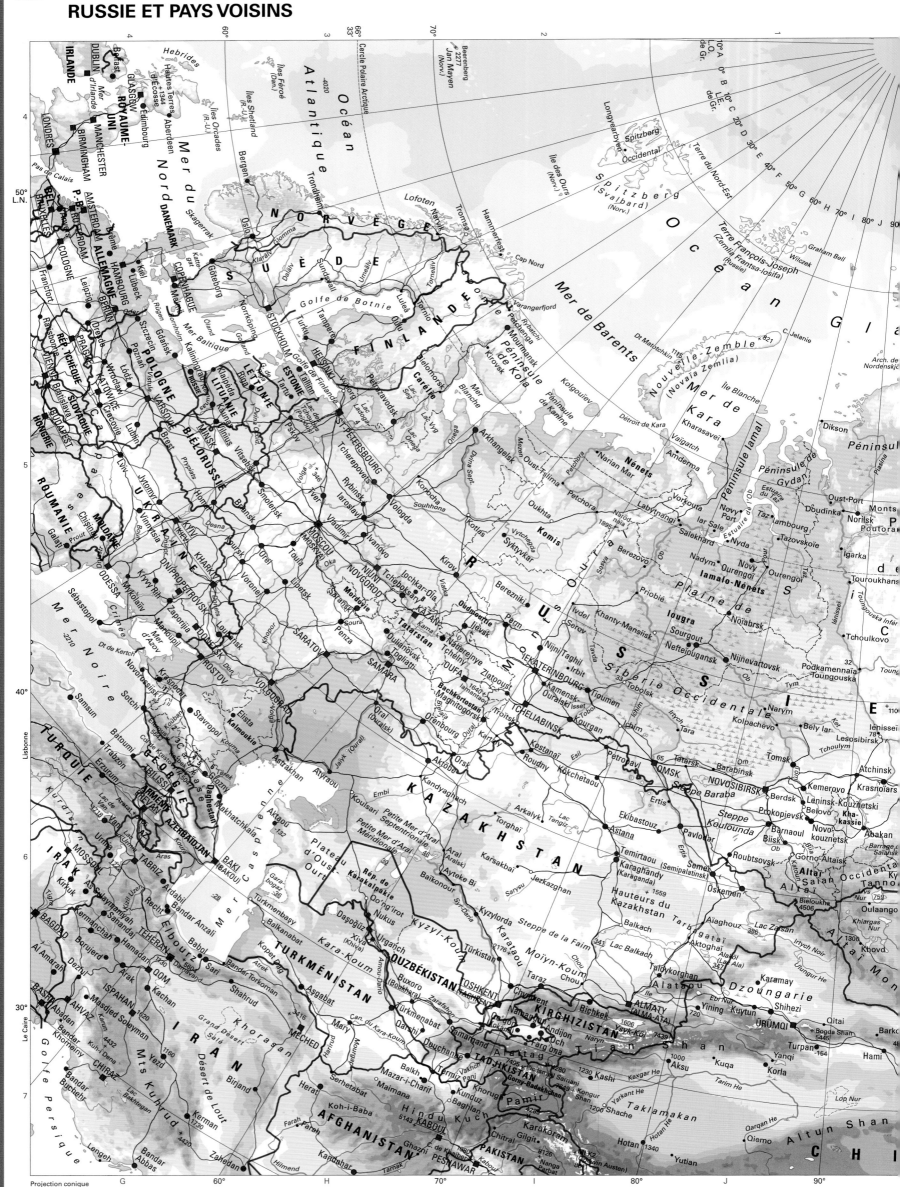

Échelle 1 : 20 000 000

-8000 -6000 -4000 -2000 -200 0 100 200 500 1000 1500 2000 3000 5000 m
au-dessous du niveau de la mer

0 200 400 600 800 1000 km

ÉTATS-UNIS

Mer de Béring

Îles Aléoutiennes (É.-U.)

Dutch Harbor
Unimak
Péninsule d'Alaska

Seward
Baie de Kotzabue
Nome
Baie de Norton
Bethel
Nunivak
Île St-Laurent
Îles Pribilof

Dt de Béring
Ouelen
Providenia
Baie Kresta
Béringovski
C. Navarin
Golfe d'Anadyr
Anadyr
Markovo

Tchouktches
Mts de l'Anadyr
Tchoukotka
Pevek
C. Schmidt
B. de la Tchaoun
Ambartchik
Bilibino
Egvekinot
Kamenskoïe
C. Olioutorski

Mts Koriatski
+2562
Korf
Karaginsk

Mer des Laptev
Îles de Nouvelle-Sibérie
Nouvelle-Sibérie
Faddeïev
Kotelny
Liakhov
Île Bolchévique
Île de la Révolution d'Octobre
Komsomolets
Terre du Nord (Gr.)
Île de Vilkitski
C. Tcheliouskine

Mer de Sibérie Orientale
Wrangel
Îles des Ours
Dt de De Long
Tchorski

Mts de Byrranga
Lac de Taïmyr
Taïmyr
B. de Khatanga
Baie de Oleniok
Oust Oleniok
Tiksi
Baie de la Iana
Tchokourdakh
Dt de Lena
Kazatchie
Depoutatski
Droujina

Plateau de Sibérie Centrale
Khatanga
Kotoui
Kheta
Saskylakh
Jigansk
Verkhoïansk
Mts de Verkhoïansk
Sakha (Yakoutie)
Oïmiakon
+2797
Pobeda +3003
Mts Tchorski
Zyrianka
Verkhnekolymsk
Srednekolymsk
Plateau des Ioukaghirs
Omoloi
Kolyma
Mts de la Kolyma

Mts de Kamtchatka
Oust-Kamtchatsk
Volcan Klioutchevskoï +4750
Petropavlovsk-Kamtchatski
Bering
Îles du Commandeur

Mer d'Okhotsk
Okhotsk
Baie de Chelekhov
Magadan
C. Alevin
C. Elizabeth
Îles Chantar
Aian
Dt des Kouriles
Paramouchir

Îles Kouriles (Russie)
Ouroup
Itouroup
Kounachir
+10542

Yakoutsk
92
Pokrovsk
Sangar
Lena
Aldan
Khandyga
Allakh-Ioun
Oust-Maïa
Maïa
Amga
Oust-Nera
Sousouman

Mirny
Viliouï
Viliouïsk
Sountar
Oliokminsk
Tommot
Aldan
Plateau de l'Aldan
Tommot
Ouitchour

Lensk
Peledouï
Bodaïbo
Plateau de Patom
Tchara
+3000
Mts Stanovoï +2482
Tchoulman
Neriougri
Tynda
Skovorodino
Magdagatchi
Zeïa

Vanavara
Cratère du Météore
pierreuse

Toura
Angara
Oust-Ilimsk
Nijneangarsk
Plateau du Vitim
Kirensk
Vitim
Bratsk
Taïchet
Meudoujinsk
Touloun
+2922
Tcheremkhovo
Angarsk
Irkoutsk +3491
Irkout
Oulan-Oude
455
Khövsgöl Nur
Tchérémkhovo

Komsomolsk
Nikolaïevsk
Okha
Aleksandrovsk-Sakhalinski
Dt des Tartares
Sakhaline
+1608
Poronaïsk
Ioujno-Sakhalinsk
Korsakov
Dt de la Pérouse
Kholmsk
Vanino
Sovietskaïa Gavan
+2090

Khabarovsk
Birobidjan
Région Juive
Blagovechtchensk
Bielogorsk
Svobodny
Amour
Heihe
Nenjiang
Hegang
Jiamusi
Jixi
Oussouriisk
Nakhodka
Vladivostok
B. de Pierre le Grand
Sikhote Alin
Roudnaïa Pristan
Lac Khanka

Mts Iablonovy
Tchita
460
Nertchinsk
Borzia
Argoun
Aginskoïe
Chilka
Sretensk
Hailar
Ingoda
Onon
Kiakhta
Soukhbaatar
Darkhan
Erdenet
Orkhon
Selenga
Karakorum
Tsetserleg
Mts Khangaï
+4021

Bouriatie
Lac Baïkal 1620

Oulan-Bator

MONGOLIE
Gobi
Saïnchand
Erenhot
Tchoïbalsan
Keroulen
Hulun Nur
Manzhouli
Zalantun
Baicheng
Qiqihar
Daqing
HARBIN
Mandchourie
Mudanjiang
Yanji
Rajin
Chongjin

JAPON
Hokkaido
Otaru
SAPPORO
Muroran
Hakodate
Aomori
Wakkanai
Dt de Tsugaru
Honshu
SENDAI
Niigata
Kanazawa
TOKYO
NAGOYA
OSAKA-KOBE-KYOTO
Shikoku
HIROSHIMA
KITA-KYUSHU
FUKUOKA
Kyushu
Nagasaki
Kagoshima
Shimonoseki

Mer du Japon (Mer de l'Est)

COREE DU NORD
PYONGYANG
Hamhung
Wonsan
Sinuiju
Dandong
B. de Corée
Dt de Corée
COREE DU SUD
SÉOUL
DAEJEON
DAEGU
BUSAN
GWANGJU
Mokpo
Jeju

Changchun
CHANGCHUN
JILIN
Tongliao
Liaoyuan
Siping
Tieling
FUSHUN
SHENYANG
BENXI
ANSHAN
Fuxin
Yingkou
Jinzhou
DALIAN
Dandong
G. de Liaodong
Liao He

Xilinhot
Chifeng
Duolun
Chengde
Zhangjiakou
Jining
BEIJING (PÉKIN)
TIANJIN
TANGSHAN
Hohhot
BAOTOU
Linhe
DATONG
BAODING
SHIJIAZHUANG
HANDAN
TAIYUAN
Fen He
Changzhi
Xinxiang
XUZHOU
JINAN
Zibo
QINGDAO
Rizhao
Linyi
Lianyungang
Shandong
Grand Canal
Wei He
Huang He
Bohai
Yantai
Mer Jaune

Hongliuyuan
Jiayuguan
Jiuquan
+2271
Shizuishan
Yinchuan
Wuwei
Zhangye
Jinchang
Nan Shan
Kuku Nur
+3197

Océan Pacifique

New York
Los Angeles

1 = Adygués
2 = Karatchaïs-Tcherkesses
3 = Kabardes et Balkars
4 = Ossétie du Nord-Alanie
5 = Ingouchie
6 = Tchétchénie
7 = Tchouvachie
8 = Maris

© Noordhoff Uitgevers

RUSSIE ET PAYS VOISINS

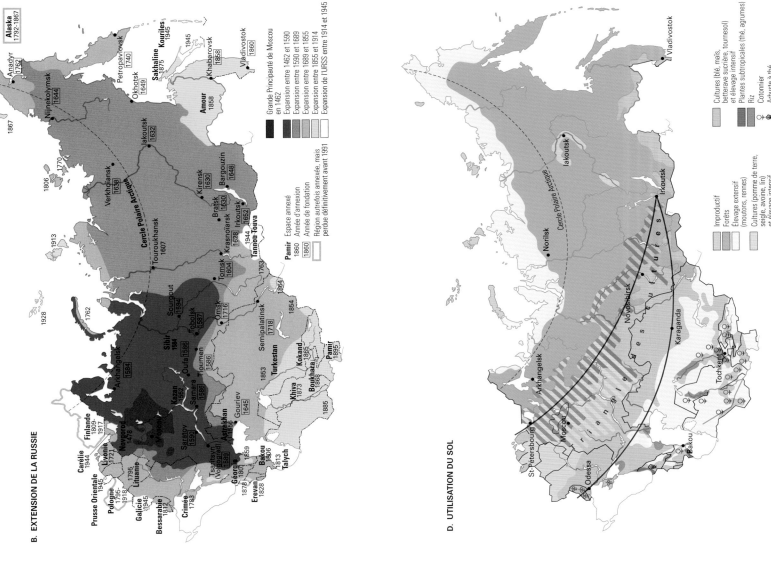

A. GEL ET TRAFIC PAR VOIE D'EAU

Voies d'eau inutilisables
par suite du gel (jours/an)

- 0 - 60
- 60 - 120
- 120 - 180
- 180 - 240
- 240 ou plus

Banquise, situation en été

Route maritime du Nord

Rivière navigable

Canal

Canaux de navigation
1. Canal Lénine (Volga-Don)
2. Canal Moscou-Volga
3. Canal Volga-Mer Baltique
4. Canal Baltique (Mer Baltique-Mer Blanche)

B. EXTENSION DE LA RUSSIE

Grande Principauté de Moscou
en 1462

Expansion entre 1462 et 1590
Expansion entre 1590 et 1689
Expansion entre 1689 et 1855
Expansion entre 1855 et 1914
Expansion de l'URSS entre 1914 et 1945

Espace annexé
Année d'annexion
Région autrefois annexée, mais
perdue définitivement avant 1991

Pamir 1860 Année de fondation
1860

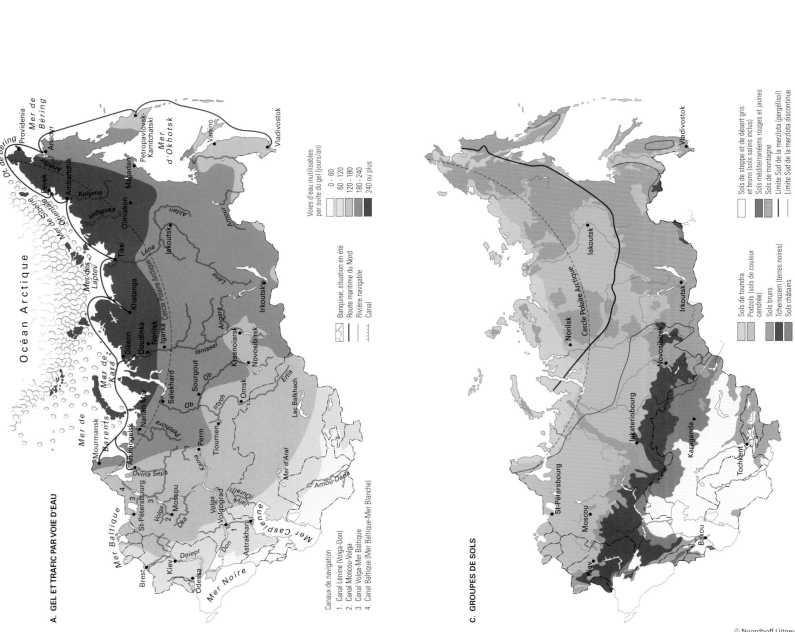

C. GROUPES DE SOLS

Sols de toundra
Podzols (sols de couleur cendrée)
Sols bruns
Tchernozem (terres noires)
Sols châtains

Sols de steppe et de désert gris
et bruns (sols salins inclus)
Sols méditerranéens rouges et jaunes
Sols de montagne
Limite Sud de la merzlota (pergélisol)
Limite Sud de la merzlota discontinue

D. UTILISATION DU SOL

Improductif
Forêts
Élevage extensif
(moutons, rennes)
Cultures (pomme de terre,
seigle, avoine, lin)
et élevage intensif

Cultures (blé, maïs,
betterave sucrière, tournesol)
et élevage intensif
Plantes subtropicales (thé, agrumes)
Riz

Cotonnier
Arbuste à thé
Vignoble

RUSSIE ET PAYS VOISINS

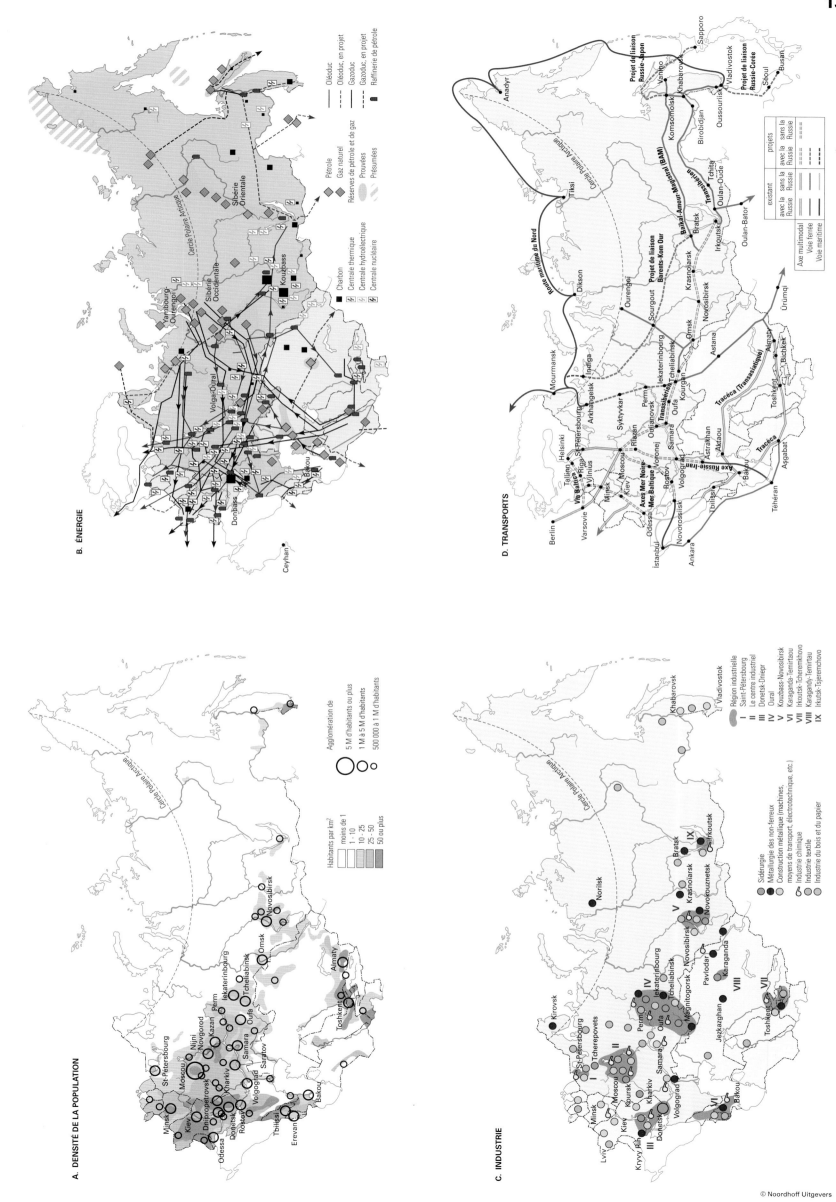

A. DENSITÉ DE LA POPULATION

Habitants par km²
- moins de 1
- 1 - 10
- 10 - 25
- 25 - 50
- 50 ou plus

Agglomération de
- 5 M d'habitants ou plus
- 1 M à 5 M d'habitants
- 500 000 à 1 M d'habitants

St-Pétersbourg, Minsk, Moscou, Nijni Novgorod, Kazan, Perm, Iekaterinbourg, Tchelliabinsk, Omsk, Novosibirsk, Kiev, Kharkiv, Dnipropetrovsk, Donetsk, Rostov, Samara, Oufa, Saratov, Volgograd, Odessa, Tbilissi, Erevan, Bakou, Toshkent, Almaty

B. ÉNERGIE

- Oléoduc
- Oléoduc, en projet
- Gazoduc
- Gazoduc, en projet
- Raffinerie de pétrole

Réserves de pétrole et de gaz
- Pétrole
- Gaz naturel
- Prouvées
- Présumées

- Charbon
- Centrale thermique
- Centrale hydroélectrique
- Centrale nucléaire

Cercle Polaire Arctique, Sibérie Orientale, Sibérie Occidentale, Iambourg, Ourengoï, Volga-Oural, Kouzbass, Donbass, Bakou, Ceyhan

C. INDUSTRIE

- Sidérurgie
- Métallurgie des non-ferreux
- Construction métallique (machines, moyens de transport, électrotechnique, etc.)
- Industrie chimique
- Industrie textile
- Industrie du bois et du papier

- Région industrielle
- I Saint-Pétersbourg
- II Le centre industriel
- III Donetsk-Dniepr
- IV Oural
- V Kouzbass-Novosibirsk
- VI Karaganda-Temirtaou
- VII Irkoutsk-Tcheremkhovo
- VIII Karagandy-Temirtaou
- IX Irkutsk-Tsjeremchovo

Kirovsk, Norilsk, Bratsk, Irkoutsk, Krasnoïarsk, Novokouznetsk, St-Pétersbourg, Tcherepovets, Perm, Iekaterinbourg, Tchelliabinsk, Novosibirsk, Magnitogorsk, Pavloda, Karaganda, Jezkazghan, Samara, Oufa, Toshkent, Minsk, Kiev, Koursk, Kharkiv, Kryvy Rih, Donetsk, Volgograd, Bakou, Khabarovsk, L'Vladivostok

D. TRANSPORTS

	existant	projets
	avec la Russie / sans la Russie	avec la Russie / sans la Russie
Axe multimodal		
Voie ferrée		
Voie maritime		

Route maritime du Nord, Cercle Polaire Arctique, Anadyr, Tiksi, Dikson, Mourmansk, Indiga, Arkhangelsk, Syktyvkar, Ourengoï, Sourgout, Krasnoïarsk, Novossibirsk, Omsk, Astana, Irkoutsk, Tchita, Oulan-Oudé, Oulan-Bator, Bratsk, Komsomolsk, Khabarovsk, Birobidjan, Oussouriisk, Vladivostok, Vanino, Sapporo, Sapporo, Séoul, Busan

Projet de liaison Russie-Japon, Projet de liaison Russie-Corée, Baïkal-Amour-Magistral (BAM), Transsibérien, Transsibérien (Transsibérien), Traceca (Transasiatique), Ekaterinbourg, Tcheliabinsk, Perm, Kourgan, Oufa, Astana, Ürümqi, Almaty, Bichkek, Toshkent, Achgabat, Téhéran, Bakou, Aktaou, Astrakhan, Volgograd, Rostov, Voronej, Samara, Riazan, Moscou, Kiev, Minsk, Vilnius, Riga, St-Pétersbourg, Helsinki, Tallinn, Berlin, Varsovie, Odessa, Istanbul, Ankara, Novorossiisk, Tbilissi

Voie Baltique, Axe Mer Noire, Mer Baltique, Axe Russie-Iran, Traceca

© Noordhoff Uitgevers

RUSSIE ET PAYS VOISINS

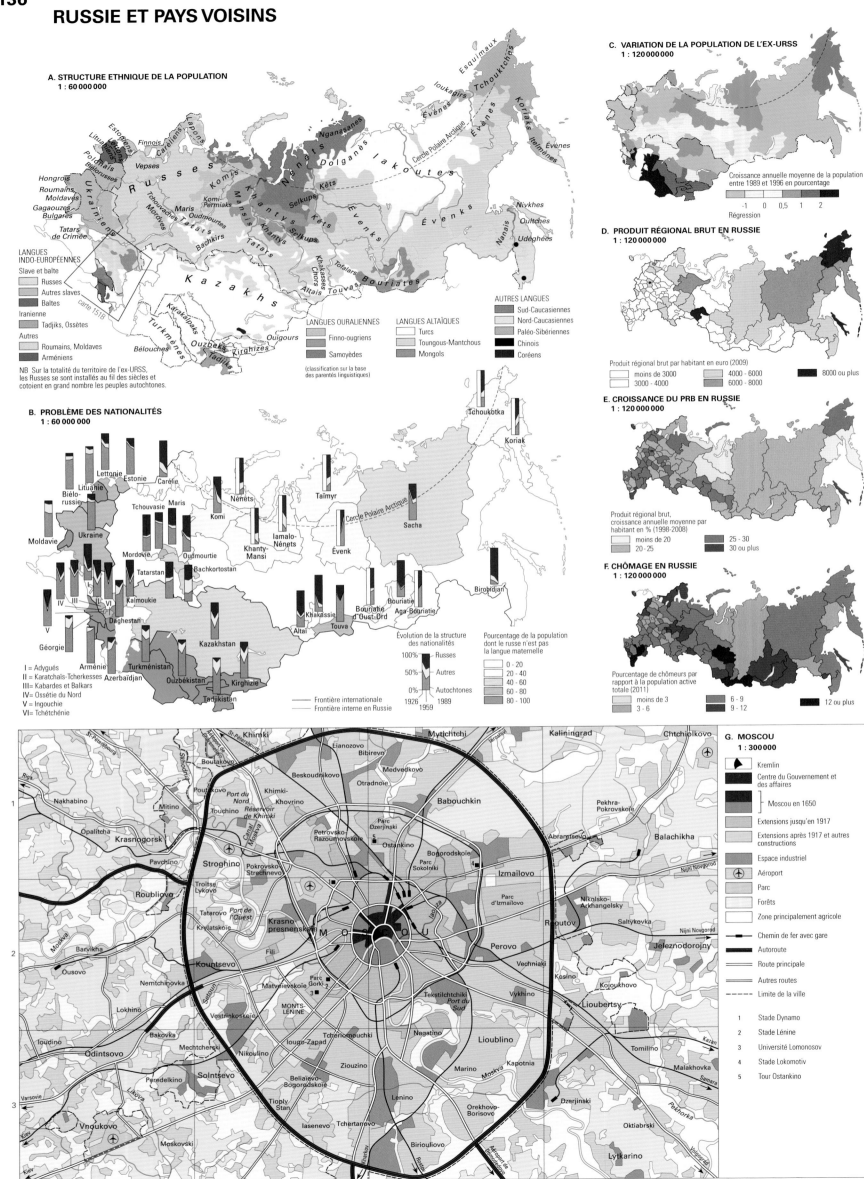

A. STRUCTURE ETHNIQUE DE LA POPULATION
1 : 60 000 000

LANGUES INDO-EUROPÉENNES
Slave et balte
- Russes
- Autres slaves
- Baltes
Iranienne
- Tadjiks, Ossètes
Autres
- Roumains, Moldaves
- Arméniens

NB Sur la totalité du territoire de l'ex-URSS, les Russes se sont installés au fil des siècles et côtoient en grand nombre les peuples autochtones.

LANGUES OURALIENNES
- Finno-ougriens
- Samoyèdes

(classification sur la base des parentés linguistiques)

LANGUES ALTAÏQUES
- Turcs
- Toungous-Mantchous
- Mongols

AUTRES LANGUES
- Sud-Caucasiennes
- Nord-Caucasiennes
- Paléo-Sibériennes
- Chinois
- Coréens

B. PROBLÈME DES NATIONALITÉS
1 : 60 000 000

I = Adygués
II = Karatchaïs-Tcherkesses
III = Kabardes et Balkars
IV = Ossétie du Nord
V = Ingouchie
VI = Tchétchénie

Évolution de la structure des nationalités
100% — Russes
50% — Autres
0% — Autochtones
1926 1959 1989

Pourcentage de la population dont le russe n'est pas la langue maternelle
- 0 - 20
- 20 - 40
- 40 - 60
- 60 - 80
- 80 - 100

Frontière internationale
Frontière interne en Russie

C. VARIATION DE LA POPULATION DE L'EX-URSS
1 : 120 000 000

Croissance annuelle moyenne de la population entre 1989 et 1996 en pourcentage
-1 0 0,5 1 2
Régression

D. PRODUIT RÉGIONAL BRUT EN RUSSIE
1 : 120 000 000

Produit régional brut par habitant en euro (2009)
- moins de 3000
- 3000 - 4000
- 4000 - 6000
- 6000 - 8000
- 8000 ou plus

E. CROISSANCE DU PRB EN RUSSIE
1 : 120 000 000

Produit régional brut, croissance annuelle moyenne par habitant en % (1998-2008)
- moins de 20
- 20 - 25
- 25 - 30
- 30 ou plus

F. CHÔMAGE EN RUSSIE
1 : 120 000 000

Pourcentage de chômeurs par rapport à la population active totale (2011)
- moins de 3
- 3 - 6
- 6 - 9
- 9 - 12
- 12 ou plus

G. MOSCOU
1 : 300 000

- Kremlin
- Centre du Gouvernement et des affaires
- Moscou en 1650
- Extensions jusqu'en 1917
- Extensions après 1917 et autres constructions
- Espace industriel
- Aéroport
- Parc
- Forêts
- Zone principalement agricole
- Chemin de fer avec gare
- Autoroute
- Route principale
- Autres routes
- Limite de la ville

1 Stade Dynamo
2 Stade Lénine
3 Université Lomonosov
4 Stade Lokomotiv
5 Tour Ostankino

© Noordhoff Uitgevers

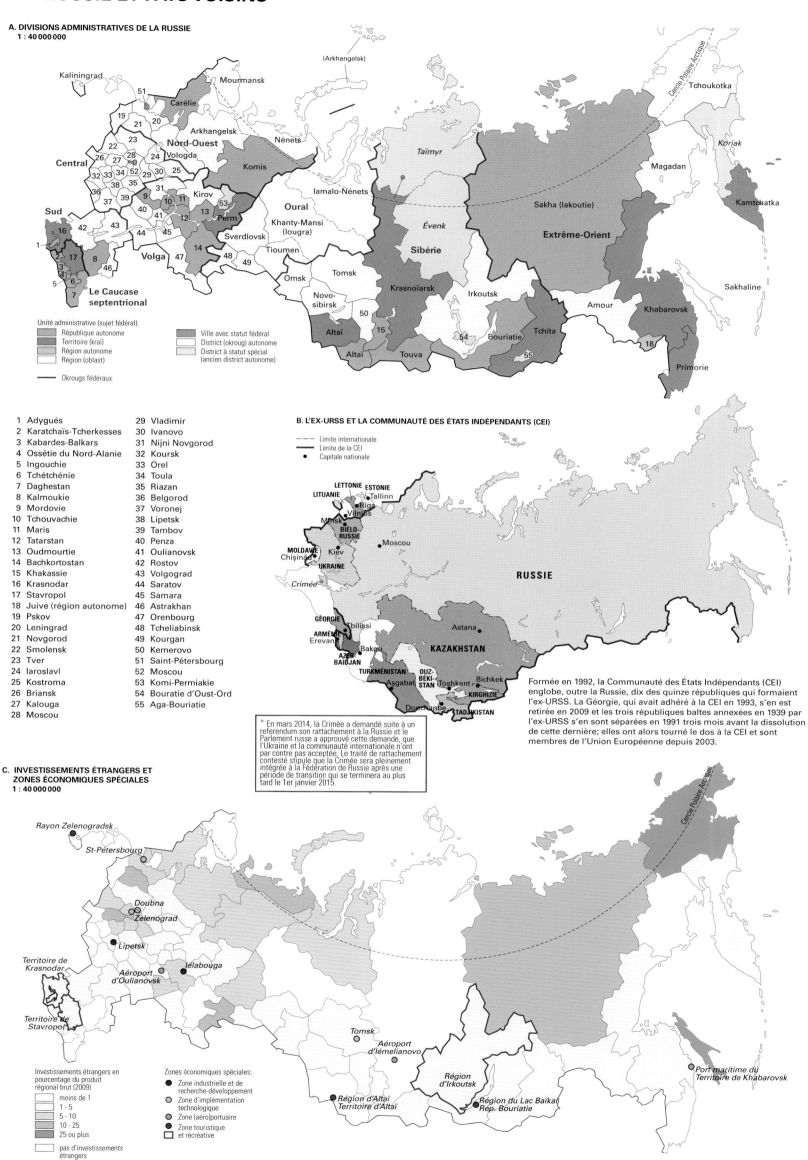

RUSSIE ET PAYS VOISINS

A. DIVISIONS ADMINISTRATIVES DE LA RUSSIE
1 : 40 000 000

Kaliningrad
Mourmansk
51
Carélie
(Arkhangelsk)
Tchoukotka
Cercle Polaire Arctique
19
20
21
Arkhangelsk
Koriak
23
Nénets
Taïmyr
Nord-Ouest
Magadan
Central
22
Vologda
24
26 27 28
Komis
32 33 34 52 30 25
Iamalo-Nénets
Sakha (Iakoutie)
36 38 35 29
Kamtchatka
37 39 9
Kirov
Oural
31
Évenk
Extrême-Orient
Sud
10 11 53
40 41 12 13 Perm
Khanty-Mansi
(Iougra)
Sibérie
16 42 44 45 14 Sverdlovsk
Sakhaline
1 17 8 47 48 49 Tioumen
Krasnoïarsk
Amour
2 3 46 Volga
Tomsk
Irkoutsk
Khabarovsk
4 5 6 7 Omsk
50
Altaï
15
54 Bouriatie
Tchita
18
Le Caucase
septentrional
Novo-
sibirsk
Altaï
Touva
55
Primorie

Unité administrative (sujet fédéral):
- République autonome
- Territoire (kraï)
- Région autonome
- Région (oblast)
- Ville avec statut fédéral
- District (okroug) autonome
- District à statut spécial (ancien district autonome)
— Okrougs fédéraux

1 Adygués	29 Vladimir
2 Karatchaïs-Tcherkesses	30 Ivanovo
3 Kabardes-Balkars	31 Nijni Novgorod
4 Ossétie du Nord-Alanie	32 Koursk
5 Ingouchie	33 Orel
6 Tchétchénie	34 Toula
7 Daghestan	35 Riazan
8 Kalmoukie	36 Belgorod
9 Mordovie	37 Voronej
10 Tchouvachie	38 Lipetsk
11 Maris	39 Tambov
12 Tatarstan	40 Penza
13 Oudmourtie	41 Oulianovsk
14 Bachkortostan	42 Rostov
15 Khakassie	43 Volgograd
16 Krasnodar	44 Saratov
17 Stavropol	45 Samara
18 Juive (région autonome)	46 Astrakhan
19 Pskov	47 Orenbourg
20 Leningrad	48 Tcheliabinsk
21 Novgorod	49 Kourgan
22 Smolensk	50 Kemerovo
23 Tver	51 Saint-Pétersbourg
24 Iaroslavl	52 Moscou
25 Kostroma	53 Komi-Permiakie
26 Briansk	54 Bouratie d'Oust-Ord
27 Kalouga	55 Aga-Bouriatie
28 Moscou	

B. L'EX-URSS ET LA COMMUNAUTÉ DES ÉTATS INDÉPENDANTS (CEI)

--·--·-- Limite internationale
——— Limite de la CEI
• Capitale nationale

LETTONIE ESTONIE
LITUANIE Tallinn
Riga
Vilnius
Minsk
BIÉLO-
RUSSIE
Moscou
MOLDAVIE
Chişinău Kiev
UKRAINE
RUSSIE
Crimée *
GÉORGIE
Tbilissi
ARMÉNIE
Erevan Bakou
Astana
KAZAKHSTAN
AZER-
BAIDJAN
TURKMÉNISTAN
OUZ-
BÉKI-
STAN Toshkent
Bichkek
Asgabat
KIRGHIZIE
Douchanbe
TADJIKISTAN

Formée en 1992, la Communauté des États Indépendants (CEI) englobe, outre la Russie, dix des quinze républiques qui formaient l'ex-URSS. La Géorgie, qui avait adhéré à la CEI en 1993, s'en est retirée en 2009 et les trois républiques baltes annexées en 1939 par l'ex-URSS s'en sont séparées en 1991 trois mois avant la dissolution de cette dernière; elles ont alors tourné le dos à la CEI et sont membres de l'Union Européenne depuis 2003.

* En mars 2014, la Crimée a demandé suite à un referendum son rattachement à la Russie et le Parlement russe a approuvé cette demande, que l'Ukraine et la communauté internationale n'ont par contre pas acceptée. Le traité de rattachement contesté stipule que la Crimée sera pleinement intégrée à la Fédération de Russie après une période de transition qui se terminera au plus tard le 1er janvier 2015.

C. INVESTISSEMENTS ÉTRANGERS ET ZONES ÉCONOMIQUES SPÉCIALES
1 : 40 000 000

Rayon Zelenogradsk
St-Pétersbourg
Doubna
Zelenograd
Lipetsk
Territoire de Krasnodar
Iélabouga
Aéroport d'Oulianovsk
Territoire de Stavropol
Tomsk
Aéroport d'Iémelianovo
Cercle Polaire Arctique
Port maritime du Territoire de Khabarovsk
Région d'Irkoutsk
Région d'Altaï Territoire d'Altaï
Région du Lac Baïkal Rép. Bouriatie

Investissements étrangers en pourcentage du produit régional brut (2009)
- moins de 1
- 1 - 5
- 5 - 10
- 10 - 25
- 25 ou plus
- pas d'investissements étrangers

Zones économiques spéciales:
- Zone industrielle et de recherche-développement
- Zone d'implémentation technologique
- Zone (aéro)portuaire
- Zone touristique et récréative

ASIE

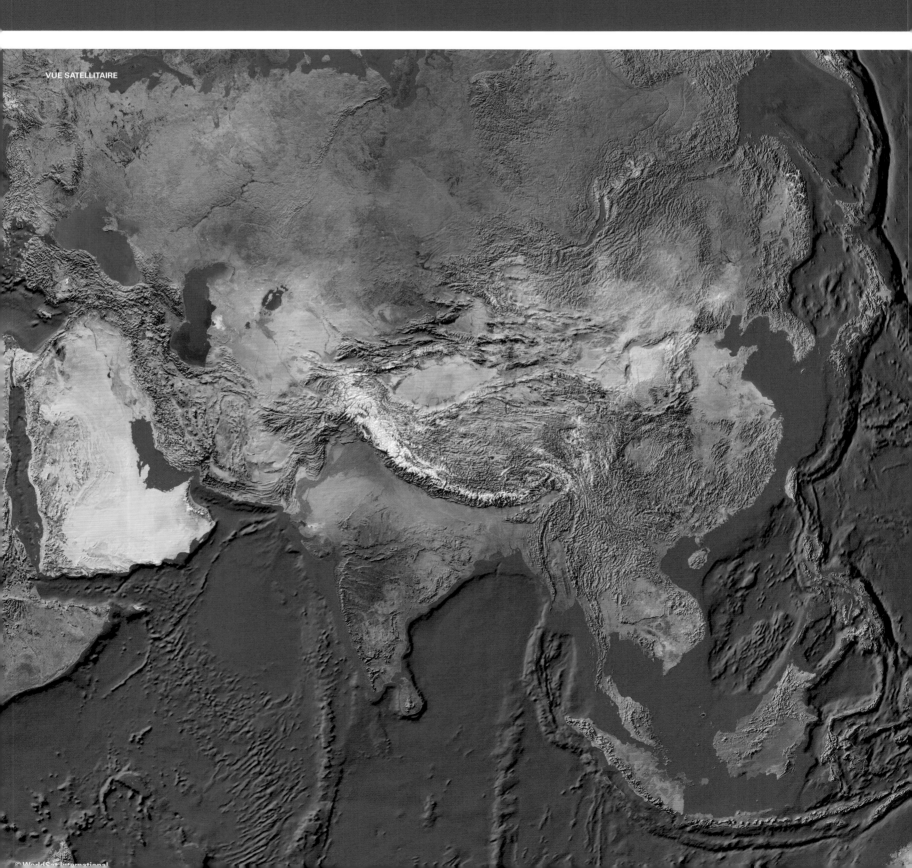

VUE SATELLITAIRE

© WorldSat International

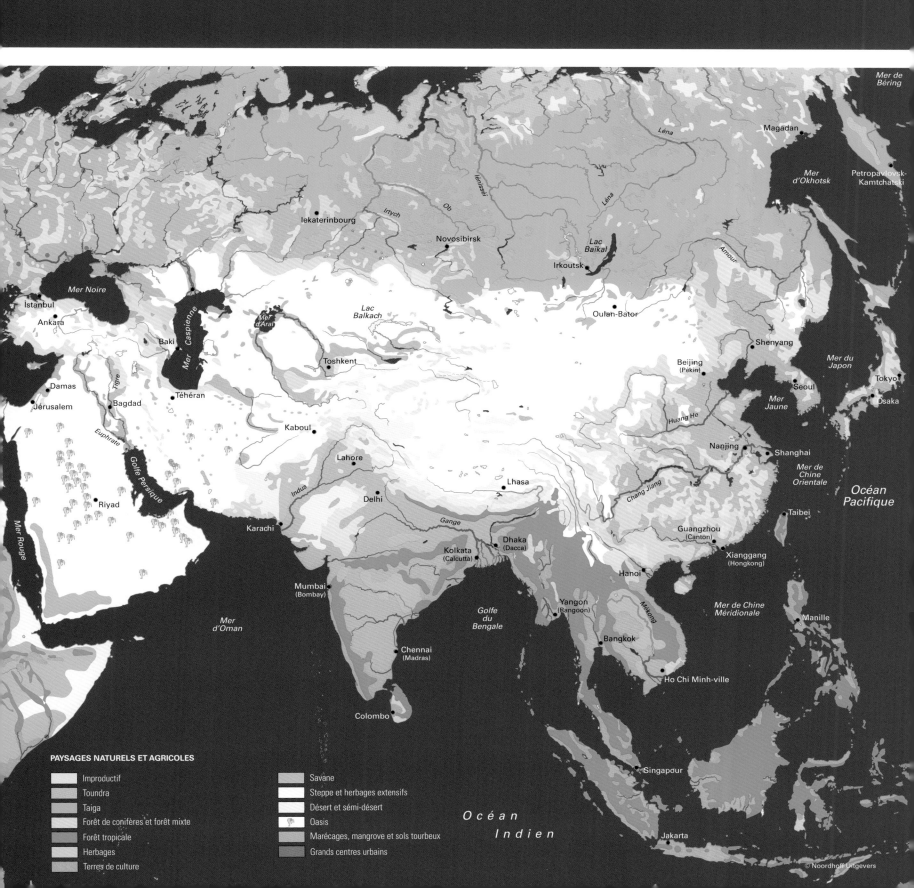

PAYSAGES NATURELS ET AGRICOLES

- Improductif
- Toundra
- Taïga
- Forêt de conifères et forêt mixte
- Forêt tropicale
- Herbages
- Terres de culture
- Savane
- Steppe et herbages extensifs
- Désert et sémi-désert
- Oasis
- Marécages, mangrove et sols tourbeux
- Grands centres urbains

© Noordhoff Uitgevers

ASIE

au-dessous du niveau de la mer

-8000 -6000 -4000 -2000 -200 | 0 100 200 500 1000 1500 2000 3000 5000 m

10° L.O. de Gr. | 0° | 10° L.E. de Gr. | 20° | 30°

A | B | C | D | E | F | G | H | I | J | K | L | M | N | O | P

Océan Atlantique

Mer Glacial Arctique

Terre François-Joseph

Mer de Barents

Dublin
Belfast
Liverpool
Londres
Grande-Bretagne
Amsterdam
Paris
Bruxelles
Luxembourg
Berlin
Hambourg
Copenhague
Oslo
Stockholm
Helsinki
Tallinn
Riga
Kaliningrad
Vilnius
Minsk
Varsovie
Prague
Vienne
Bratislava
Budapest
Zagreb
Ljubljana
Sarajevo
Belgrade
Bucarest
Sofia
Skopje
Tirana
Istanbul
Athènes
İzmir
Ankara
Chypre
Beyrouth
Jérusalem
Le Caire
Damas
Amman
Bagdad
Basra
Koweit
Riyad
Doha
Doubaï
Abou Dhabi
Mascate

Cap Nord
Mourmansk
Péninsule de Kola
Arkhangelsk
Mer Blanche
Péninsule de Taïmyr
Khatanga
Khatanga
Kotouï
Norilsk
Mts Poutorana 1678
Plateau de Sibérie Centrale
Vorkouta
Péninsule de Gydan
Estuaire de l'Ob
Plaine de Sibérie Occidentale
Tobolsk
Omsk
Novosibirsk
Krasnoïarsk
Iénisseïsk
Irkoutsk
Lac Baïkal
Altaï
Monts Khangaï
Oulan-Bator
Saïan Oriental
Saïan Occidental
Tannou Ola

Moscou
Nijni Novgorod
Perm
Iekaterinbourg
Tcheliabinsk
Samara
Kharkiv
Kiev
Chișinău
Odessa
Rostov
Volgograd
Astrakhan

Monts Oural
Plaine Russe
Mer Noire
Chaîne Pontique
Mer d'Azov
Mer Caspienne
Dépression Ponto-Caspienne
Dépression Caspienne

Astana
Karaghandy
Hauteurs du Kazakhstan
Steppe
Baraba
Semei
Lac Balkach
Dzoungarie
Ürümqi

Caucase
Tbilissi
Erevan
Tabriz
Téhéran
Elbourz
Bakı
Mer Caspienne
Kara-Koum
Kopet Dag
Plateau d'Oust-Ourt
Petite Mer d'Aral Septentrionale
Petite Mer d'Aral Méridionale
Plateau des Torghaï
Dépression du Touran
Kyzyl-Koum
Amou-Daria
Syr-Daria
Douchanbé
Toshkent
Ferghana
Pamir
Bichkek
Tian Shan
Kashi
Bassin du Tarim
Tarim He
Lop Nur
Nan Shan
Qaidam
Kuku Nor
Lanzhou
Qin
Monts Kunlun
Altun Shan
Plateau du Tibet
Chengdu
Gongga Shan
Lhasa
Yalong Jiang

Mossoul
Mésopotamie
Désert de Syrie
Tigre
Euphrate
Plateau d'Iran
Désert Salé
Ispahan
Grand Désert Salé
Mached
Hindou Kuch
Kaboul
Islamabad
Karakoram
Cachemire
Trans-Himalaya
Nam Co
Monts Zagros
Monts Kuhrud
Désert de Lout
Harirud
Hilmend
Baloutchistan
Punjab
Lahore
Sutlej
Indus
Delhi
Gange
Kathmandou
Everest
Thimphu
Assam
Himalaya
Chindwin
Brahmapoutre
Mékong

Désert du Nefoud
Sinaï
Désert Arabique
Mer Rouge
Golfe Persique
Dahana
La Mecque
Roub-al-Khali
Golfe d'Oman
Ras al Hadd
Dj. Akhdar
G. de Kutch
Karachi
Sind
Désert de Thar
Plateau de Malva
Chambal
Narmada
G. de Cambay
Mumbai (Bombay)
Bénarès
Gange
Kolkata (Calcutta)
Dhaka (Dacca)
Sundarban
Mandalay
Chaîne d'Arakan
Irrawaddy
Salouen
Yangon (Rangoon)
Vientiane
Fleuve Rouge
Ménam
Bangkok

Mer Méditerranée
Mer Égée
Bosphore

Port-Soudan
Asmara
Sanaa
Mirbat
Mt Dascian
Djibouti
Aden
Bab el Mandeb
Golfe d'Aden
Socotra
Raas Caseyr (C. Guardafui)
Presqu'île Somali
Talo
Addis Abeba
Ogaden
Benadir
Djouba
Muqdisho
Chebeli
Tana
Kinshasa
Mombasa
Zanzibar
Dar-es-Salam

Mer d'Oman
Mer d'Arabie
Îles Laquedives
Ghâtes Occidentales
Plateau du Deccan
Krishna
Godavari
Ghâtes Orientales
Bengaluru (Bangalore)
Chennai (Madras)
Coromandel
Caveri
Malabar
Dt de Palk
C. Comorin
Golfe de Mannar
Colombo
Sri Lanka

Golfe du Bengale
Mer de Bengale
Îles Andaman
Port Blair
Îles Nicobar
Passage du 10e degré d'Andaman
G. de Martaban
Isthme de Kra
Téra nasserim
Golfe de Thaïlande
Dt de Malacca
Medan
Sumatra
Nias
Padang
Kerinci
Kuala Lumpur
Îles Mentawai

Îles Maldives

Océan Indien

Seychelles
Amirantes
Arch. Chagos

Projection azimutale

G | 50° | H | Île Maurice | 60° | I | 70° | J | 80° | K | 90° | L | 100°

Échelle 1:30 000 000

0 250 500 750 1000 1250 km

A. VÉGÉTATION NATURELLE
1 : 100 000 000

- Forêt tropicale humide
- Mangrove
- Forêt tropicale claire et savane
- Végétation méditerranéenne
- Forêt de conifères et forêt mixte
- Steppe herbeuse
- Toundra
- Végétation de haute montagne
- Désert et steppe désertique

B. ISOTHERMES ET PRÉCIPITATIONS DE JANVIER
1 : 100 000 000

- moins de 25 mm
- 25 - 50 mm
- 50 - 100 mm
- 100 - 200 mm
- 200 - 300 mm
- 300 - 400 mm
- 400 mm ou plus
- Isotherme (réduite au niveau de la mer)

C. ISOTHERMES ET PRÉCIPITATIONS DE JUILLET
1 : 100 000 000

- moins de 25 mm
- 25 - 50 mm
- 50 - 100 mm
- 100 - 200 mm
- 200 - 300 mm
- 300 - 400 mm
- 400 mm ou plus
- Isotherme (réduite au niveau de la mer)

© Noordhoff Uitgevers

ASIE POLITIQUE

Océan Atlantique

Mer Glacial Arctique

Mer de Barents

Mer des Laptev

Mer de Kara

Terre François Joseph

Nouvelle Zemble (Novaïa Zemlia)

Mer Blanche

IRLANDE
DUBLIN
ROYAUME-UNI
LONDRES
BRUXELLES
PAYS-BAS
AMSTERDAM
BELGIQUE
LUX.
COLOGNE
FRANCE
PARIS
Rhin

NORVÈGE
Oslo
SUÈDE
STOCKHOLM
HELSINKI
FINLANDE
Mourmansk
Arkhangelsk
ST-PÉTERSBOURG
Petrozavodsk
Iaroslavl
MOSCOU
Kirov
Syktyvkar
Vorkouta
Dikson
Norilsk
Khatanga
Oust-Kout

DANEMARK
COPENHAGUE
Mer du Nord
Mer Baltique
BERLIN
ALLEMAGNE
Elbe
Kaliningrad
LITUANIE
ESTONIE
Tallinn
Riga
LETTONIE
Vilnius

POLOGNE
VARSOVIE
TCHÈQUE
PRAGUE
RÉP.
Danube
AUTRICHE
VIENNE
BUDAPEST
HONGRIE
Bratislava
SLOVÉNIE
Ljubljana
CROATIE
Zagreb
BOSNIE
HERZ.
Sarajevo
MONT.
SERBIE
BELGRADE
BUCAREST
ROUMANIE
BULGARIE
SOFIA
MACÉDOINE
Skopje
ALBANIE
Tirana
GRÈCE
ATHÈNES
New York
Los Angeles

BIÉLORUSSIE
MINSK
Brest
UKRAINE
KYIV (KIEV)
KHARKIV
DNIPROPETROVSK
DONETSK
ODESSA
Mol.
Krryi Rih
Chisinau
Zaporijjia
Mer d'Azov
ROSTOV

RUSSIE
NIJNI NOVGOROD
KAZAN
Ijevsk
Perm
IEKATERINBOURG
TCHELIABINSK
OMSK
NOVOSIBIRSK
Krasnoiarsk
Bratsk
Lac Baïkal
Irkoutsk
OULAN-OUDE

Toula
Penza
Voronej
SARATOV
SAMARA
OUFA
Magnitogorsk
Orenbourg
Orsk
Kostanaï
Pavlodar
Barnaoul
Novokouznetsk
Semeï

VOLGOGRAD
Astrakhan
Oral (Ouralsk)
Atyraoü
ASTANA
Karaghandy

Mer Noire
Sébastopol
Krasnodar
Stavropol
Grozny
ISTANBUL
ANKARA
TURQUIE
IZMIR
ADANA

GÉORGIE
TBILISSI
ARMÉNIE
EREVAN
AZER-BAÏDJAN
BAKI
Batoumi

KAZAKHSTAN
Petite Mer d'Aral Septentrionale
Aral (Aralsk)
Petite Mer d'Aral Méridionale
Kyzylorda
Lac Balkach
Khovd
MONGO
OULAN-BATOR

Mer Caspienne
Türkmenbaşy
Nukus
OUZBÉKISTAN
TOSHKENT (TACHKENT)
Buxoro (Boukhara)
Samarqand
ALMATY
Yining
ÜRÜMQI
Bichkek
KIRGHIZISTAN
Farg'ona
Kashi

CHYPRE
Lefkosia
ALEP
SYRIE
DAMAS
LIBAN
BEYROUTH
ISRAËL
Jérusalem
AMMAN
JORDANIE
LE CAIRE
Can.de Suez
Suez

MOSSOUL
Tigre
Kirkouk
Euphrate
BAGDAD
IRAK
Karbala
BASRA
KOWEIT
KOWEIT

TÉHÉRAN
QOM
Hamadan
ISPAHAN
Yezd
IRAN
Kerman
CHIRAZ
AHVAZ
Zahedan

MECHED
Aşgabat
TURKMÉNISTAN
Herat
Douchanbe
TADJIKISTAN
KABOUL
AFGHANISTAN
Kandahar
Quetta

Tarim He
Lop Nur
Shache
Qiemo
Kuku Nor
Xining
LANZHOU

CHINE
Qamdo
Lhasa
Nam Co
Chang Jiang
Batang
CHENGDU
Yalong Jiang

Islamabad
RAWALPINDI
SRINAGAR
Cachemire
PAKISTAN
LAHORE
FAISALABAD
MULTAN
Indus
Sutlej
LUDHIANA
CHANDIGARH
DELHI
New Delhi

ÉGYPTE
Tabuk
Al Djawf
ARABIE
MÉDINE
Mer Rouge
Assouan
Tropique du Cancer
Port-Soudan
DJEDDA
LA MECQUE
RIYAD
DAMMAAM
BAHREIN
Manamah
DOHA
QATAR
Abou Dhabi
DOUBAI
ÉMIRATS ARABES UNIS
Mascate
G. persique
Golfe d'Oman

SAOUDITE
OMAN
Terim
Mukalla
SANAA
YÉMEN
Aden
Golfe d'Aden
Socotra (Yémen)
Cap Guardafui

SOUDAN
Dakar
ÉRYTHRÉE
Asmara
DJIBOUTI
DJIBOUTI
Berbera
Gondar
Dire Dawa
ADDIS ABEBA
ÉTHIOPIE
Hargeysa
SOMALIE
KENYA
Djouba
Chébéli
MUQDISHO
Tana
Kinshasa
Mombasa
Pemba
Zanzibar
DAR-ES-SALAM
TANZANIE

JODHPUR
JAIPUR
AGRA
LUCKNOW
KANPUR
ALLAHABAD
VARANASI (BÉNARÈS)
PATNA
NÉPAL
KATHMANDOU
BHOUTAN
Thimphu
Brahmapoutre
Shillong
Imphal
DHAKA (DACCA)
BANGLADESH
CHITTAGONG

KARACHI
HYDERABAD
AHMADABAD
SURAT
INDORE
BHOPAL
JABALPUR
NAGPUR
RAIPUR
JAMSHEDPUR
KOLKATA (CALCUTTA)
Cuttack
INDE
G. de Kutch
G. de Cambay
Narmada
Chambal
Gange
Godavari
Krishna

MANDALAY
Nay Pyi Taw
MYANMAR (BIRMANIE)
Chiang Mai
Bago
YANGON (RANGOON)
Mawlamyine (Moulmein)
KUNMING
Mékong
Éleuve Rouge
Luang Prabang
Vientiane
THAÏLANDE
BANGKOK

MUMBAI (BOMBAY)
PUNE
HYDERABAD
VISHAKHAPATNAM
Hubli
BENGALURU (BANGALORE)
CHENNAI (MADRAS)
Salem
COIMBATORE
KOCHI
MADURAI
THIRUVANANTHAPURAM
Caveri
Dt de Palk
Golfe de Mannar
SRI LANKA
COLOMBO
Sri Jayewardenapura-Kotte

Mer d'Oman
Îles Laquedives (Inde)
Îles Andaman (Inde)
Port Blair
Golfe du Bengale
G. de Martaban
Passage du 10e degré d'Andaman
Îles Nicobar (Inde)

MALDIVES
Malé
George Town
MEDAN
KUALA
Putrajaya
Nias
Sumatra
Dt de Malacca
Îles Mentawaï
Padang

Océan Indien

SEYCHELLES
Amirantes (Seych.)
Victoria
Archipel Chagos (R.-U.)
Diego Garcia

Projection azimutale
Île Maurice

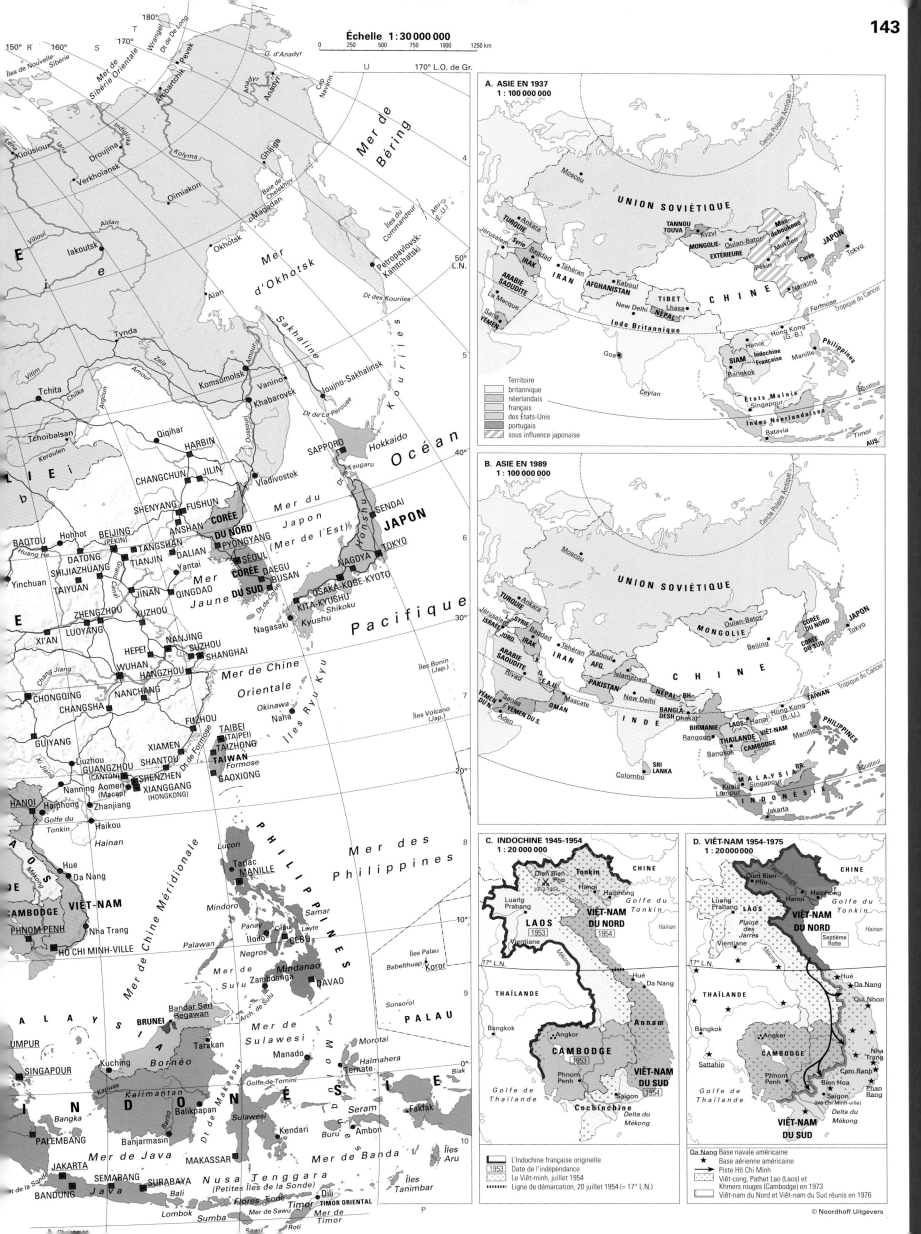

Échelle 1 : 30 000 000

0   250   500   750   1000   1250 km

A. ASIE EN 1937
1 : 100 000 000

Territoire
britannique
néerlandais
français
des États-Unis
portugais
sous influence japonaise

B. ASIE EN 1989
1 : 100 000 000

C. INDOCHINE 1945-1954
1 : 20 000 000

L'Indochine française originelle
1953   Date de l'indépendance
Le Viêt-minh, juillet 1954
Ligne de démarcation, 20 juillet 1954 (= 17° L.N.)

D. VIÊT-NAM 1954-1975
1 : 20 000 000

Da Nang   Base navale américaine
★   Base aérienne américaine
→   Piste Hô Chi Minh
Viêt-cong, Pathet Lao (Laos) et
Khmers rouges (Cambodge) en 1973
Viêt-nam du Nord et Viêt-nam du Sud réunis en 1976

© Noordhoff Uitgevers

TURQUIE

−4000 −2000 −200 0 100 200 500 1000 1500 2000 3000 m

Échelle 1 : 9 000 000

0 100 200 300 400 km

Projection conique

A 25° L.E. de Gr. B 30° C 35° D 40° E 45° F

Mer Noire

Mts Rhodope · Edirne · Maritsa · Poti · Kútaisi · Koura · TBILISSI · GÉORGIE · Roustavi

Thessalonique · Thássos · Bosphore · İnebolu · Sinop · Samsun · Giresun · Trabzon · Batumi · Artvin · Gioumri · Vanadzor · AZER-BAÏDJAN · Gance

Évros · İSTANBUL · Üsküdar · Zonguldak · Karabük · Amasya · 4090 Aragats · Lac Sevan · 1900

Meriç · Mer de Marmara · İzmit · Adapazarı · Kızılırmak · Çorum · Bayburt · Kars · Çoruh · Erzurum · EREVAN · ARMÉNIE

40° L.N. · Samothrace · Bandırma · BURSA · Eskişehir · Sakarya · Tokat · Erzincan · Aras · Ararat 5137 · Naxçıvan (Nakhitchevan) · Azer

Lemnos · Troie · Balıkesir · Uludağ 2543 · ANKARA · Kırıkkale · Yeşilırmak · Sivas · Euphrate Occidentale · Lac de Van · Khvoy · Marand

Eubée · Lesbos · TURQUIE · Kırşehir · 1718 · Van · Lac d'Urmia · TABRIZ

Manisa · Gediz · Afyonkarahisar · Nevşehir · Kayseri · Elazığ · Euphrate Orient. · Malatya · Tatvan · Urmia · 1222

İZMİR · Ödemiş · Uşak · 905 · Lac Tuz · Cappadoce · Batman · Maragheh

2 · Éphèse · Aydın · Pamukkale · KONYA · Adıyaman · Diyarbakır · Mahabad

Sporades du Sud · Kuşadası · Menderes · Denizli · Isparta · Kahraman-maraş · Mardin · Tigre · Kurdistan

Sérifos · Náxos · Bodrum · Muğla · Ereğli · Seyhan · ADANA · GAZİANTEP · Şanlıurfa · ARBIL

Milo · Marmaris · Antalya · Tarsus · Osmaniye · Al Hasakah · MOSSOUL · IRAK

Crète · Rhodes · Alanya · Mersin · Silifke · İskenderun · Antakya · ALEP · As Sulaymaniyah

Mts Ida 2454 · Heráklion · Kárpathos · Golfe d'İskenderun · SYRIE · Lac Assad · Ar Raqqah · Idlib · Kirkuk

---

A. SÉISMES ET PLAQUES
1 : 16 000 000

Plaque eurasiatique

İstanbul · İzmit · Tosya · Erbaa · Ligne de faille anatolienne · Erzincan · Erzurum · **Plaque iranienne**

Bolu · Brousse · Ankara · **Plaque gréco-turque ou plaque anatolienne** · İzmir · Van · Diyarbakır · Adana

Plaque arabique

Plaque africaine

⇨ Direction du déplacement des plaques
— Ligne de faille
⊙ Grave tremblement de terre postérieur à 1975

B. CLIMAT
1 : 16 000 000

Mer Noire

İstanbul · Samsun · Trabzon · Brousse · Ankara · İzmir · Konya · Erzurum · Van · Antalya · Adana · Gaziantep · Diyarbakır

Mer Méditerranée

- Climat maritime méditerranéen
- Climat steppique
- Climat maritime de la Mer Noire
- Climat est-anatolien ou de montagne
- Précipitations annuelles inférieures à 400 mm

C. AGRICULTURE ET INDUSTRIE
1 : 16 000 000

Mer Noire

İstanbul · Trabzon · Troie · Brousse · Ankara · Erzurum · İzmir · Göreme · Lac de Van · Van · Kuşadası · Cappadoce · en construction · Bodrum · Pamukkale · Konya · Diyarbakır · Marmaris · Antalya · Adana · Barrage Atatürk · Alanya · Silifke

Mer Méditerranée

- Agriculture méditerranéenne (vin, olive, citron, froment)
- Agriculture de la Mer Noire (noisette, thé, maïs, tabac)
- Agriculture continentale (céréales, fruits, légumes, élevage)
- Autres formes d'agriculture (ovins et caprins, champs épars)
- Projet d'irrigation
- Région industrielle
- ○ Centre touristique
- Barrage

D. DENSITÉ DE LA POPULATION
1 : 16 000 000

Mer Noire

İstanbul · Brousse · Samsun · Trabzon · Ankara · Kırıkkale · Erzurum · Eskişehir · Kayseri · Van · İzmir · Malatya · Diyarbakır · Konya · Adana · Antalya · Mersin · Gaziantep

Mer Méditerranée

Habitants par km² (2010)
- moins de 30
- 30 - 45
- 45 - 60
- 60 - 100
- 100 - 200
- 200 ou plus

Agglomération de
- ○ plus de 5 M d'habitants
- ○ 1 M - 5 M d'hab.
- ○ 500 000 - 1 M d'hab.
- ○ 100 000 - 500 000 hab.

E. INÉGAL DÉVELOPPEMENT
1 : 16 000 000

Mer Noire

İstanbul · Samsun · Trabzon · Brousse · Ankara · Erzurum · İzmir · Van · Konya · Diyarbakır · Antalya · Adana · Gaziantep

Mer Méditerranée

Produit provincial brut par habitant en euro (2008)
- moins de 3000
- 3000 - 5000
- 5000 - 7000
- 7000 - 9000
- 9000 ou plus
- Moyenne nationale : 7000 euro

F. POPULATION ACTIVE ET SANS EMPLOI
1 : 16 000 000

Mer Noire

Tekirdağ · İstanbul · Zonguldak · Kastamonu · Kocaeli · Balıkesir · Brousse · Samsun · Trabzon · Ağrı · Manisa · Ankara · Erzurum · İzmir · Kayseri · Kırıkkale · Malatya · Van · Aydın · Konya · Mardin · Antalya · Adana · Gaziantep · Şanlıurfa · Hatay

Mer Méditerranée

Part des personnes sans travail dans la population active totale potentielle en % (2010)
- moins de 7,5
- 7,5 - 10,0
- 10,0 - 12,5
- 12,5 - 15,0
- 15,0 ou plus
- Moyenne nationale : 10,3

Population active effective, 2010
- 3 000 000
- 2 000 000
- 1 000 000
- 500 000

Répartition des emplois par secteur économique
- Agriculture
- Industrie
- Services

© Noordhoff Uitgevers

MOYEN-ORIENT

Échelle 1 : 12 500 000

-6000 -4000 -2000 -200 0 100 200 500 1000 1500 2000 3000 5000 m
au-dessous du niveau de la mer

0 100 200 300 400 500 km

Mer Noire

ISTANBUL · İzmit · BROUSSE · Denizli · Kütahya · Eskişehir · Afyonkarahisar · Antalya · Golfe d'Antalya · Mersin · Adapazarı · Adana · Tarsus · İskenderun · Antakya · Konya · Aksaray · Kırıkkale · Kırşehir · Ankara · Çorum · Amasya · Tokat · Sivas · Kayseri · Malatya · Elazığ · Kahramanmaraş · Gaziantep · Diyarbakır · Şanlıurfa · Kamishli · Zonguldak · Karabük · Sinop · İnebolu · Samsun · Ordu · Trabzon

TURQUIE

Sotchi · Kislovodsk · Naltchik · Elbrous 5642 · Grozny · Kizliar · Sokhoumi · Kazbek 5047 · Vladikavkaz · Makhatchkala · Batoumi · Poti · Koutaissi · Gori · Tskhinvali · Artvin · Kars · Giumri · Vanadzor · Bouïnaksk · Derbent

RUSSIE

GÉORGIE · TBILISSI · Roustavi

Erzurum · Ararat 5165 · EREVAN · Ganca · Nakhitchevan (Az.) · Khvoy · Marand · TABRIZ · Ardabil · Bandar Anzali · Mianeh · BAKI (BAKOU) · Salyan · Lankaran · Sumqayit

ARMÉNIE · **AZERBAÏDJAN**

KAZAKHSTAN · Aktaou · Plateau d'Oust-Ourt · Jangaözen · Qo'ngirot · **OUZBÉKISTAN** · Taxiatosh · Nukus · Daşoğuz · Urganch · Xiva (Khiva)

Garabogaz -36 · Türkmenbaşy · Hazar · Balkanabat · Bereket · Serdar · Gumdag · **TURKMÉNISTAN** · Derweze · Aşgabat · Kopet Dag · Gonbad-e Kavus · Etrek · Bojnurd · Tejen

Lac de Van 1718 · Van · Lac d'Urmia 1222 · Urmia · Maragheh · Mahabad · Zanjan · Qazvin · KARAJ · TEHERAN · Eslamchahr · Saqqez · Sanandaj · Hamadan · Saveh · QOM · Varamin · Semnan · Damavand 5671 1130 · Amol · Sari · Kaemchahr · Babol · Shahrud · Sabzevar · Neychabur · Torbat-e Heydariyeh · MECHED 3416 · 930 · Gonabad · Deyhuk · Birjand · Nehbandan

IRAN · Grand Désert Salé · Désert de Lout · Khorasan

ALEP · Al Hasakah · Ar Raqqah · MOSSOUL · Nineveh · ARBIL · As Sulaymaniyah · Kirkuk · Kermanchah · Malayer · Borujerd · Arak · Golpayegan · Najafabad · ISPAHAN · Chahr-e Kord · Yezd

SYRIE · Lattaquié · Banias · Hama · Homs · Palmyra · Deir ez Zor · Al Hadithah · Samarra · Tikrit · Assur · Ramadi · Baqubah · BAGDAD · Ctésiphon · Fallujah · Ilam · Khorramabad · Dezful · 1160

CHYPRE · Lefkosia · Famagusta · Larnaca · Limassol · LIBAN · Tripoli · BEYROUTH · DAMAS · Haifa · Tel Aviv · Jérusalem · Gaza · AMMAN · Dj. ed Druz +1735

Mer Méditerranée

ALEXANDRIE · Rosette · Damiette · Port-Saïd · Ismaïlia · LE CAIRE · Tanta · Zagazig · GIZA · Memphis · El-Fayoum · Beni Souef · Suez · El Arish · ISRAËL · Irbid · Mer Morte · **JORDANIE** · Ma'an · Aqaba · Eilat

ÉGYPTE · El Minya · Mallawi · Tall al Amarna · Manfalut · Assiout · Sohag · Tahta · Girga · Qena · Luxor · Thèbes · Karnak · Esna · Edfou · Kom Ombo · Assouan · Philae · Barrage d'Assouan · Tropique du Cancer · 23° 27' · Lac Nasser · Abou Simbel

Sinaï · Mt Ste-Catherine 2637 · Charm elCheikh · Ras Mohammed · Djebel al Lawz +2579 · Tabuk · Al Muwaylih

ARABIE · Désert du Nefoud · Hail 1352 · Az Zabirah · Az Zilfi · Buraidah · Unaizah · Rass · Shaqra · RIYAD · Al Kharj

IRAK · Karbala · Al Hillah · Babylon · Nippur · An Nadjaf · Ad Diwaniyah · As Samawah · An Nasiriyah · Ur · Al Amarah · Al Hayy · Al Kut · Khorramchahr · BASRA · Az Zubayr · Abadan · Fao · Bandar Khomeiny · KOWEIT · Koweit · AHVAZ · Masdjed Soleyman · Behbahan · Kuh-i Dena 4432 · Khuzestan

Kuh-e Hazaran 4420 · Kerman 1730 · Sirjan · Bam · Bandar Abbas · Minab · Lac de Jaz Murrian · Désert de Kerman

CHIRAZ · Marv Dacht · Persépolis · Kazerun · Jahrom · Lar · Larestan · Neyriz · Lac Bakhtegan · Rafsanjan · Abadeh · Monts Zagros · Kuhrud

Golfe Persique · Kharg · Abou Ali · Khafji · Hafar al Batin · Ras al Khair · Djubail · Az Zahran (Dhahran) · Dammaam · Al Khubar · BAHREIN · Manamah · QATAR · Doha · Dukhan · Musayid · Rayan · Abou Dhabi · Djebel Dhanna · Ruwais · At Tarif

Ras al Khaima · Kumzar (Oman) · Dt d'Ormuz · Jask · Ras Tanura · Ajman · Chardja · Umm al Qaiwain · Fujairah · DOUBAI · **ÉMIRATS ARABS UNIS** · Ain · Bouraimi · Suhar · Al Khaburah · Ibri · Dj. Akhdar · Sib · Bawshar · Matrah · Mascate · Mts Hadjar 3018 · Nazwa · Adam · Sour

SAOUDITE · Nedjed · Diebel Tuwaiq 1081+ · Dj. Tuwaiq · Ad Dawadimi · Al Hulwah · Haradh · Al Hufuf · Al Mubarraz · Yabrin · Al Ubaylah

MÉDINE · King Abdullah Economic City · DJEDDA · LA MECQUE · Rabigh · Hawia · Khurmah · At Taïf · Turabah · Mastaba · Al Lidam · Dawasir · Yanbu el Bahr · Mahd adh Dhahab

OMAN · Roub-al-Khali · Dawka · Dhofar · Thamarit · Salalah · Marbat · Ubar · Thamud · Zamakh · Terim · Ghaida · Mahra · Qishn · Ras Fartak · Saihut · Baie Kamar · Ras Karwam · Îles Khuria Muriya · Duqm · Golfe de Masira · Ras Madraka · Ras Al Khaluf · Al Khaluf · Masir · Sawqirah · Baie de Sawqirah · Al Akhdar

Mer Rouge · Halaib · Dj. Asoteriba 2215 · Dungunab · Ras Abou Shagara · Dj. Oda 2259 · Quseir · Marsa al Alam · Ras Abu Madd · Umm Lajj · Al Wajh · Hedjaz · Chammar · Dahana · Al Hasa · Widyan · Désert de Syrie · Quraiat · Dumat al Djandal (Al Djawf) · Sakakah · Rafha · Hazm al Jalamid · Ara'ar · Rafah · As Salman · Al Qatif

SOUDAN · KHARTOUM · Atbara · Berber · Ed Damer · Shendi · Abou Hamed · Port-Soudan · Souakin · 5e Cataracte · 6e Cataracte · Wad Medani · Gedaref · Gezira · Sennar · Kosti · Singa · Kassala · Khashm el Girba · Haiya · Tokar · Ras Kasar · Al Qunfudhah · Désert de Nubie

SOUDAN DU SUD · Ed Damazin · Er Roseires · Kurmuk · Asosa · Gambela · Nekemte

ÉTHIOPIE · Mt Dascian 4533 · ADDIS ABEBA · Lac Tana · Bahir Dar · Gondar · Debre Tabor · Chutes Tisisat · Dessie · Kembolcha · Debre Markos · Debre Zeyit · Nazret · Awash · Harer · Jijiga · Dirédaoua · Debre Birhan · Massif Éthiopien · Akordat · Keren · Asmara · Adwa · Aksoum · Adigrat · Mekele · Alamata · Dépression de Danakil · Dj. de Massaoua · Massaoua · Baraka

ÉRYTHRÉE · Teseney · Îles Dahlak

Djebel Sawda 3207 · Abha · Khamis Muchaït · Negraan · Sabya · Qizan · Maidi · Luhaia · Hajja · Sada · Marib · Chibam · Hadramaout

YÉMEN · SANAA 3760 · Umran · Baji · Hodeïda · Zabid · Dhamar · Ibb · Taizz · Moka · Nisab · Baida · Ataq · Shuqra · Ja'ar · Ahwar · Hawra · Mukalla · Ash Shihr · Qishn · Kamaran · Îles Hanish · Perim · Bab el Mandeb · Aden · Ramlu 2131 · Shimbiris 2416

Golfe d'Aden · **Océan Indien**

DJIBOUTI · Tadjoura · Obock · B. de Tadjoura · Djibouti · Saylac · Al Sabieh · Tendaho · Assab · Edd

SOMALIE · Berbera · Maydh · Boosaaso · Ceerigaabo · Qandala · Xaafuun · Raas Xaafuun · Bereeda (C. Guardafui) · Raas Caseyr · Socotra (Yémen) · Hadibo · Hargeysa · Burco · Qardho · Bender-Bayla -5203 · Booraamaa · Presqu'île Somali

Projection conique

© Noordhoff Uitgevers

MONDE INDIEN

Échelle 1 : 12 500 000

-6000 -4000 -2000 -200 0 100 200 500 1000 1500 2000 3000 5000 m

0 100 200 300 400 500 km

65° L.E. de Gr.

OUZBÉKISTAN · Samarqand · Qarchy · Chanrsabz · Vahdat · Denov · Atamura · Magdanly Kourghonteppa · Termiz · Kholm · Mazar-i-Charif · Samangan · Baghlan

TADJIKISTAN · Douchenbe · Vakhch · Pandj · Koulob · Kourghonteppa · Chorugh · Pamir · Faizabad · Kunduz · Khanabad

KIRGH. · Ittaraychan · Sary-Tach · Pic Lénine 7134 · pic Avicenne 4280 · Pic Ismaili Somoni 7495

Xinjiang Uygur (Sinkiang Uygurie) · Kashi (Kashgar) · Yarkant He · Kaxgar He · Bachu · Shache (Yarkand) · Pishan · Hotan · Yutian · Minfeng · Ruoqiang · Mangnai

Takla-Makan

Da Qaidam · Golmud · Qinghai · Qiemo · Muztag 6920

AFGHANISTAN · Bamian 5143 · Charikar · Kaboul 1762 · Ghazni · Gardez · Tarnak · Kalat · Quetta

KABOUL · Col de Khaiber 1080 · Jalalabad · Mardan · Abbottabad · Wah · Kohat

PAKISTAN · PESHAWAR · RAWALPINDI · ISLAMABAD · Jhelum · Siakot · Jammu · GUJRANWALA · LAHORE · AMRITSAR · FAISALABAD · Jhang · Sargodha · Dera Ismail Khan · MULTAN · Bahawalpur · Khanpur · Rahimyar Khan · Sukkur · Shikarpur · Jacobabad · Larkana · Mohenjo-Daro · Dadu · HYDERABAD · Mirpur Khas · Nawabshah · Tando Adam · KARACHI · Thatta · Bhuj

SRINAGAR · Jammu et Cachemire · Leh · Col de Karakoram 5576 · K2 (Gouvin Austen) 8611 · Nanga Parbat 8126 · Rakaposhi 7788 · Gilgit · Chitral

CHINE · **Xizang (Tibet)** · Changmar · Duomula · Leli Shan 6407 · Zhaxigang · Sènggè · Garyarsa · Kangrinboqê Feng 6714 · Gêrzê · Zhongba · Saga · Xigazê · Lhasa · Gyangzè

Monts Kunlun · **Altun Shan** · Yanshiping · Basatongwula Shan 6099

Mts Tanggula · Siling Co · Nam Co · Xainza · Nagqu · Jiali · Dêngqên

Trans-Himalaya · **Himalaya** · Dinggyê · Mt Everest 8848 · Annapurna 8091 · Dhaulagiri 8167 · Kangchenjunga 8598 · Kuta Kangri 7554 · Kangto 7105

NÉPAL · Pokhara · Gorkha · Kathmandou · Lalitpur · Biratnagar

Himachal Pradesh · Pathankot · Hoshiarpur · Shimla · **Punjab** · LUDHIANA · Jalandhar · CHANDIGARH · Dehra Dun · Haridwar · **Uttarakhand** · Nanda Devi 7820 · Burang

Haryana · MEERUT · DELHI · New Delhi · FARIDABAD · Saharanpur · Muzaffarnagar · Haldwani · Moradabad · Pilibhit · Bareilly

Rajasthan · Désert de Thar · Bikaner · Churu · Sikar · JAIPUR · Nagaur · Ajmer · Beawar · JODHPUR · Pali · Barmer · Udaipur

Uttar Pradesh · Aligarh · Mathura · AGRA · Firozabad · Etawah · Bhind · Farrukhabad · KANPUR · LUCKNOW · Shahjahanpur · Bahraich · Faizabad · Gorakhpur · Bettiah · Jaunpur · VARANASI (BÉNARÈS) · ALLAHABAD

SIKKIM · Gangtok · Nathu La · Darjiling · Shiliguri · **BHOUTAN** · Thimphu · Punakha · Phuntsholing

Arunachal Pradesh · Itanagar · Tezpur · Tinsuk · Dibrugarh · Jorhat

Assam · Guwahati · Dispur · Nagaon · **Nagaland** · Kohima · **Meghalaya** · Shillong · Cherrapunji · **Manipur** · Imphal · **Mizoram** · Aizawl · **Tripura** · Agartala

Bihar · Chhapra · Ara · PATNA · Munger · Bhagalpur · Purnia · Katihar · Darbhanga · Muzaffarpur · Sidpur

Jharkhand · Gaya · Sasaram · DHANBAD · Bokaro · Asansol · RANCHI · Jamshedpur · Raurkela

Bengale Occidental · Baharampur · Krishnanagar · Ingraj Bazar · Rajshahi · HAORA · KOLKATA (CALCUTTA) · Kharagpur · Baleshwar

BANGLADESH · DHAKA (DACCA) · Sylhet · Sirajganj · Pabna · Bhatpara · Jessore · KHULNA · Barisal · Chandpur · **CHITTAGONG** · Cox's Bazar

Chaîne d'Arakan · **MYANMAR** · Sittwe · Kyaukpyu · Arakan · Ramree · Cheduba

Madhya Pradesh · Gwalior · Jhansi · Shivpuri · Guna · Lalitpur · Sagar · Chhatarpur · Satna · Rewa · Murwara · Ujjain · Dewas · INDORE · BHOPAL · Ratlam · **Monts Vindhya** · Khandwa · Narmada · JABALPUR · Korba · Bilaspur · Raigarh

Chhattisgarh · Raipur · RAIPUR · Bhilai · Dhamtari · Durg · Bastar

Gujarat · AHMADABAD · Gandhinagar · Surendranagar · Nadiad · RAJKOT · Jamnagar · Bhavnagar · Junagadh · Porbandar · Veraval · Diu · **Daman et Diu** · **Kathiavar** · G. de Kutch · G. de Cambay · VADODARA · Bharuch · SURAT · Navsari · Dhule

Maharashtra · Dadra et Nagar Haveli · Silvassa · NASHIK · THANE · KALYAN · MUMBAI (BOMBAY) · PUNE · AURANGABAD · Jalna · Ahmadnagar · Parbhani · Nanded · Latur · Bid · Solapur · Amravati · Akola · Wardha · NAGPUR · Chandrapur · Gondia

Odisha · Sambalpur · Balangir · Mahanadi · Cuttack · Bhubaneshwar · Puri · Brahmapur · Bhadrak · Baripada

Telangana / Andhra Pradesh · HYDERABAD · Nizamabad · Karimnagar · Warangal · Khammam · Mahbubnagar · Gulbarga · Bijapur · Raichur · Kurnool · Nandyal · Ongole · Nellore · Eluru · VIJAYAWADA · Guntur · Machilipatnam · Rajahmundry · Kakinada · VISHAKHAPATNAM · Vizianagaram · Srikakulam

Ghates Orientales

Karnataka · BENGALURU (BANGALORE) · Mysore · Hubli · Belgaum · Gadag · Bellary · Guntakal · Adoni · Anantapur · Davangere · Shimoga · Tumkur · Kolar · Mangalore · Ichalkaranji · Kolhapur · Sangli · Ratnagiri · Satara · Panaji · Marmagoa · **Goa**

Deccan · **Plateau** · Krishna · Bhima · Godavari

Andhra Pradesh · Proddatur · Kadapa · Tirupati · Chittoor

Tamil Nadu · Ambattur · CHENNAI (MADRAS) · Vellore · Kanchipuram · Tiruvannamalai · **Puducherry** (Pondichéry) · Cuddalore · Salem · Erode · Tiruchchirappalli · Kumbakonam · Nagapattinam · Thanjavur · Dindigul · MADURAI · Rajapalayam · Tuticorin · Tirunelveli · Nagercoil · C. Comorin

Kerala · Kozhikode · Mts Nilgiri 2670 · COIMBATORE · Palakkad · Thrissur · Kochi · Alappuzha · Kollam · Thiruvananthapuram · Anaimudi 2695 · Cardamomes

INDE

Mer d'Oman · **Golfe du Bengale**

Lakshadweep · Amindivi · Kavaratti · Minicoy · Îles Laquedives · Passage du 9ème degré · Passage du 8ème degré

MALDIVES

SRI LANKA · Jaffna · Mannar · G. de Mannar · Vavuniya · Anuradhapura · Trincomalee · Batticaloa · Kandy · Pidurutalagala 2524 · Negombo · Colombo · Sri Jayewardenapura-Kotte · Galle · Matara · C. Dondra

Andaman du Nord · **Andaman Centrale** · **Andaman du Sud** · Port Blair · Petite Andaman · Car Nicobar · **Îles Andaman** · **Îles Nicobar**

Ghates Occidentales · Sandarban · Hugli · Damodar

Tropique du Cancer 23° 27'

Projection conique

© Noordhoff Uitgevers

MONDE INDIEN

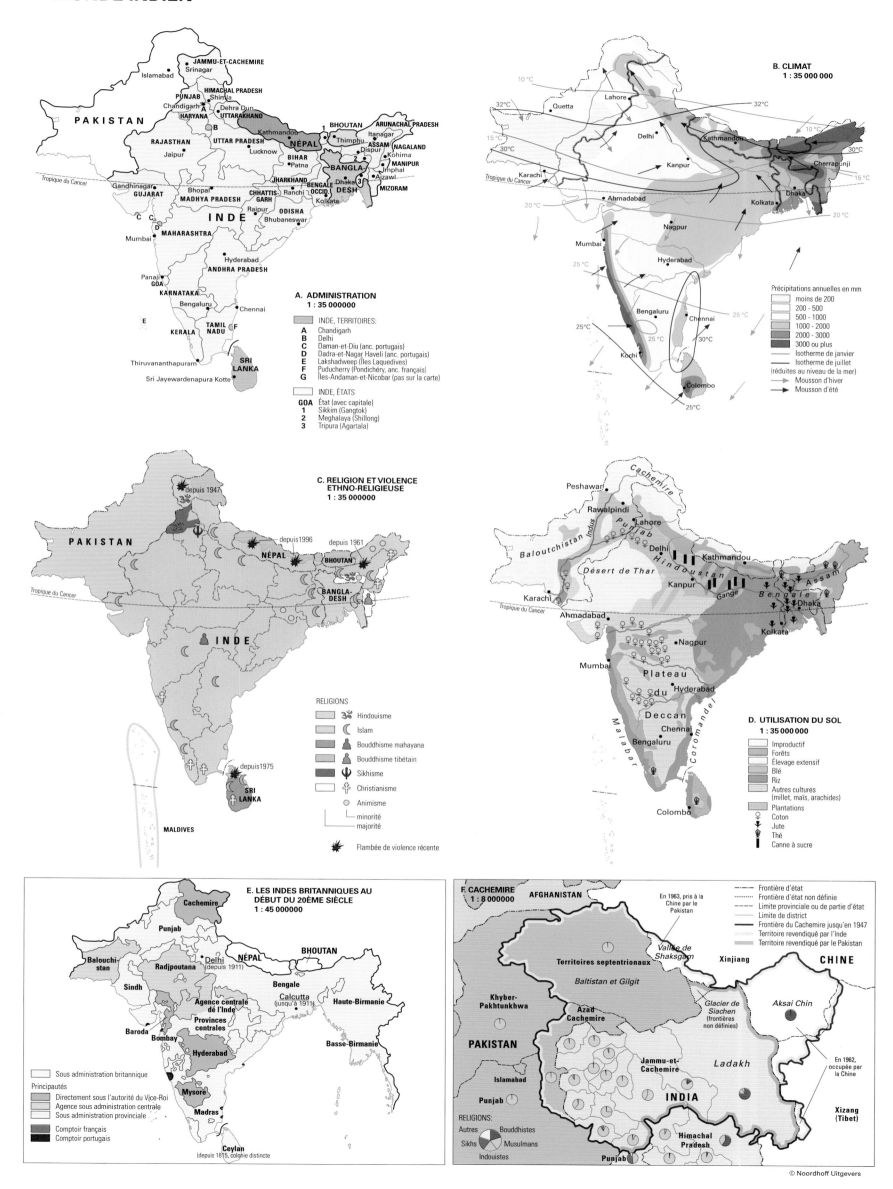

A. ADMINISTRATION
1 : 35 000 000

INDE, TERRITOIRES:
- A Chandigarh
- B Delhi
- C Daman-et-Diu (anc. portugais)
- D Dadra-et-Nagar Haveli (anc. portugais)
- E Lakshadweep (Îles Laquedives)
- F Puducherry (Pondichéry, anc. français)
- G Îles-Andaman-et-Nicobar (pas sur la carte)

INDE, ÉTATS
- GOA État (avec capitale)
- 1 Sikkim (Gangtok)
- 2 Meghalaya (Shillong)
- 3 Tripura (Agartala)

B. CLIMAT
1 : 35 000 000

Précipitations annuelles en mm
- moins de 200
- 200 - 500
- 500 - 1000
- 1000 - 2000
- 2000 - 3000
- 3000 ou plus
- Isotherme de janvier
- Isotherme de juillet (réduites au niveau de la mer)
- Mousson d'hiver
- Mousson d'été

C. RELIGION ET VIOLENCE ETHNO-RELIGIEUSE
1 : 35 000 000

RELIGIONS
- Hindouisme
- Islam
- Bouddhisme mahayana
- Bouddhisme tibétain
- Sikhisme
- Christianisme
- Animisme
- minorité
- majorité
- Flambée de violence récente

D. UTILISATION DU SOL
1 : 35 000 000
- Improductif
- Forêts
- Élevage extensif
- Blé
- Riz
- Autres cultures (millet, maïs, arachides)
- Plantations
- Coton
- Jute
- Thé
- Canne à sucre

E. LES INDES BRITANNIQUES AU DÉBUT DU 20ÈME SIÈCLE
1 : 45 000 000
- Sous administration britannique
- Principautés
  - Directement sous l'autorité du Vice-Roi
  - Agence sous administration centrale
  - Sous administration provinciale
  - Comptoir français
  - Comptoir portugais

F. CACHEMIRE
1 : 8 000 000
- Frontière d'état
- Frontière d'état non définie
- Limite provinciale ou de partie d'état
- Limite de district
- Frontière du Cachemire jusqu'en 1947
- Territoire revendiqué par l'Inde
- Territoire revendiqué par le Pakistan

En 1963, pris à la Chine par le Pakistan
En 1962, occupée par la Chine

RELIGIONS:
- Autres
- Bouddhistes
- Sikhs
- Musulmans
- Indouistes

© Noordhoff Uitgevers

MONDE INDIEN

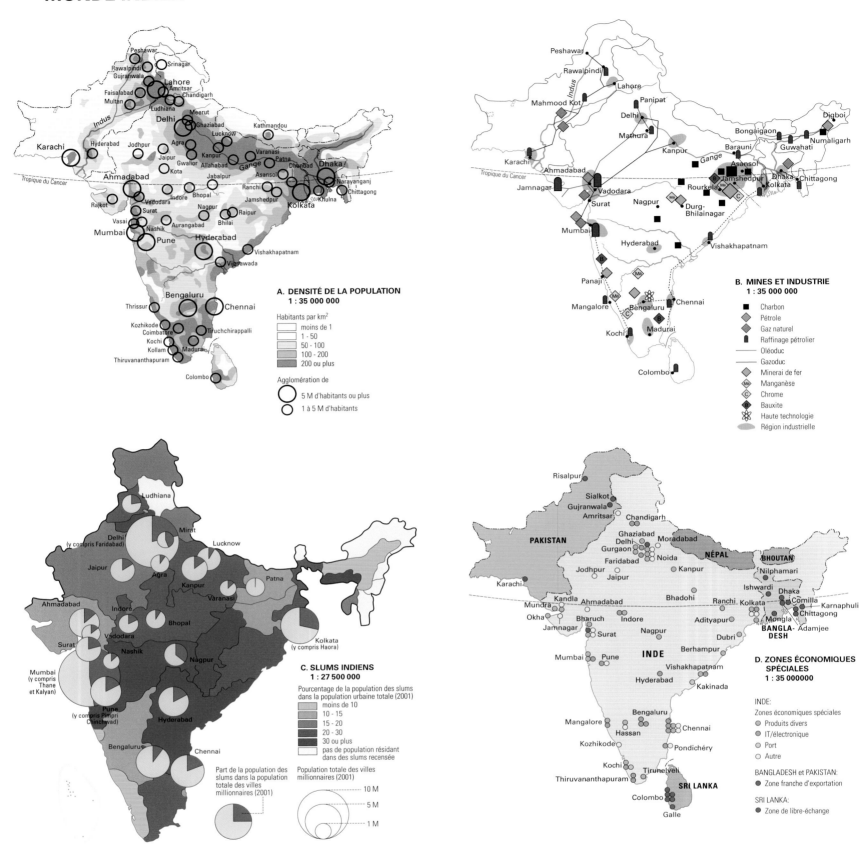

A. DENSITÉ DE LA POPULATION
1 : 35 000 000

Habitants par km²

- moins de 1
- 1 - 50
- 50 - 100
- 100 - 200
- 200 ou plus

Agglomération de

- 5 M d'habitants ou plus
- 1 à 5 M d'habitants

B. MINES ET INDUSTRIE
1 : 35 000 000

- ■ Charbon
- ◆ Pétrole
- ◆ Gaz naturel
- ◆ Raffinage pétrolier
- — Oléoduc
- — Gazoduc
- ◆ Minerai de fer
- Mn Manganèse
- Cr Chrome
- ◆ Bauxite
- ✳ Haute technologie
- Région industrielle

C. SLUMS INDIENS
1 : 27 500 000

Pourcentage de la population des slums dans la population urbaine totale (2001)

- moins de 10
- 10 - 15
- 15 - 20
- 20 - 30
- 30 ou plus
- pas de population résidant dans des slums recensée

Part de la population des slums dans la population totale des villes millionnaires (2001)

Population totale des villes millionnaires (2001)
- 10 M
- 5 M
- 1 M

D. ZONES ÉCONOMIQUES SPÉCIALES
1 : 35 000 000

INDE:
Zones économiques spéciales
- ● Produits divers
- ● IT/électronique
- ● Port
- ○ Autre

BANGLADESH et PAKISTAN:
- ● Zone franche d'exportation

SRI LANKA:
- ● Zone de libre-échange

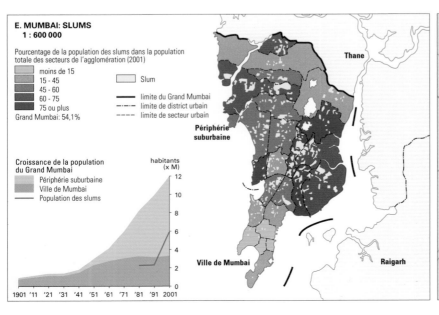

E. MUMBAI: SLUMS
1 : 600 000

Pourcentage de la population des slums dans la population totale des secteurs de l'agglomération (2001)

- moins de 15
- 15 - 45
- 45 - 60
- 60 - 75
- 75 ou plus
- Grand Mumbai: 54,1%
- Slum

- — limite du Grand Mumbai
- — limite de district urbain
- — limite de secteur urbain

Croissance de la population du Grand Mumbai
habitants (x M)
- Périphérie suburbaine
- Ville de Mumbai
- Population des slums

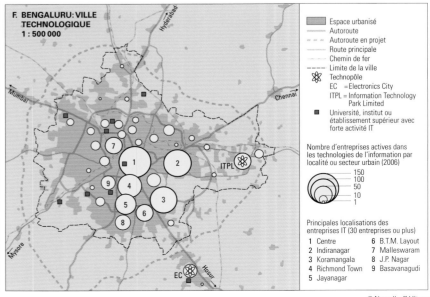

F. BENGALURU: VILLE TECHNOLOGIQUE
1 : 500 000

- Espace urbanisé
- — Autoroute
- --- Autoroute en projet
- — Route principale
- —·— Chemin de fer
- --- Limite de la ville
- ✳ Technopôle
  - EC = Electronics City
  - ITPL = Information Technology Park Limited
- ■ Université, institut ou établissement supérieur avec forte activité IT

Nombre d'entreprises actives dans les technologies de l'information par localité ou secteur urbain (2006)
- 150
- 100
- 50
- 10
- 1

Principales localisations des entreprises IT (30 entreprises ou plus)
1 Centre
2 Indiranagar
3 Koramangala
4 Richmond Town
5 Jayanagar
6 B.T.M. Layout
7 Malleswaram
8 J.P. Nagar
9 Basavanagudi

© Noordhoff Uitgevers

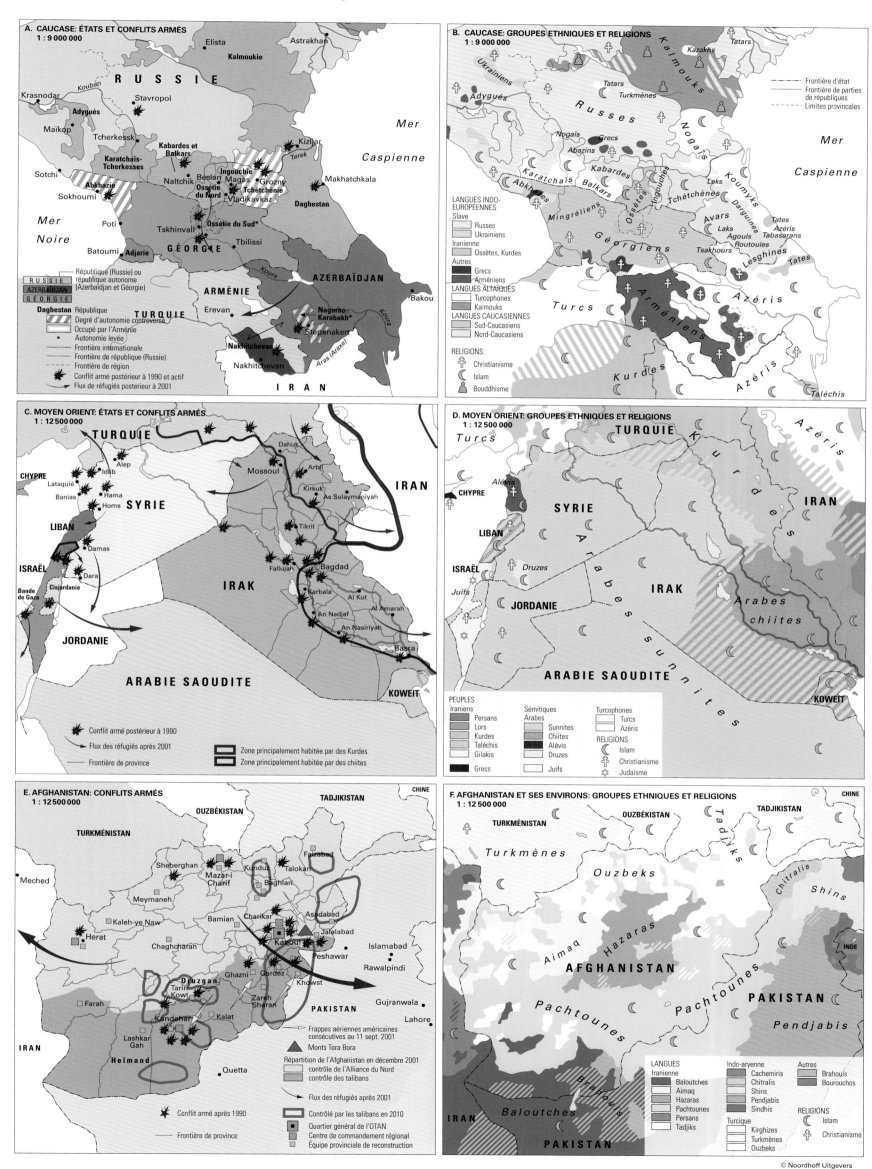

A. CAUCASE: ÉTATS ET CONFLITS ARMÉS
1 : 9 000 000

B. CAUCASE: GROUPES ETHNIQUES ET RELIGIONS
1 : 9 000 000

Frontière d'état
Frontière de parties de républiques
Limites provincales

LANGUES INDO-EUROPÉENNES
Slave
Russes
Ukrainiens
Iranienne
Ossètes, Kurdes
Autres
Grecs
Arméniens
LANGUES ALTAÏQUES
Turcophones
Kalmouks
LANGUES CAUCASIENNES
Sud-Caucasiens
Nord-Caucasiens
RELIGIONS:
Christianisme
Islam
Bouddhisme

RUSSIE
AZERBAÏDJAN
GÉORGIE
Daghestan République
République (Russie) ou république autonome (Azerbaïdjan et Géorgie)
Degré d'autonomie controversé
Occupé par l'Arménie
Autonomie levée
Frontière internationale
Frontière de république (Russie)
Frontière de région
Conflit armé postérieur à 1990 et actif
Flux de réfugiés postérieur à 2001

C. MOYEN ORIENT: ÉTATS ET CONFLITS ARMÉS
1 : 12 500 000

Conflit armé postérieur à 1990
Flux des réfugiés après 2001
Frontière de province
Zone principalement habitée par des Kurdes
Zone principalement habitée par des chiites

D. MOYEN ORIENT: GROUPES ETHNIQUES ET RELIGIONS
1 : 12 500 000

PEUPLES
Iraniens
Persans
Lors
Kurdes
Taléchis
Gilakis
Grecs
Sémitiques
Arabes
Sunnites
Chiites
Alévis
Druzes
Juifs
Turcophones
Turcs
Azéris
RELIGIONS
Islam
Christianisme
Judaïsme

E. AFGHANISTAN: CONFLITS ARMÉS
1 : 12 500 000

Frappes aériennes américaines consécutives au 11 sept. 2001
Monts Tora Bora
Répartition de l'Afghanistan en décembre 2001
contrôle de l'Alliance du Nord
contrôle des talibans
Flux des réfugiés après 2001
Conflit armé après 1990
Contrôlé par les talibans en 2010
Frontière de province
Quartier général de l'OTAN
Centre de commandement régional
Équipe provinciale de reconstruction

F. AFGHANISTAN ET SES ENVIRONS: GROUPES ETHNIQUES ET RELIGIONS
1 : 12 500 000

LANGUES
Iranienne
Baloutches
Aimaq
Hazaras
Pachtounes
Persans
Tadjiks
Turcique
Kirghizes
Turkmènes
Ouzbeks
Indo-aryenne
Cachemiris
Chitralis
Shins
Pendjabis
Sindhis
Autres
Brahouis
Bourouchos
RELIGIONS
Islam
Christianisme

Échelle 1 : 12 500 000

-8000 -6000 -4000 -2000 -200 0 100 200 500 1000 1500 2000 3000 5000 m
au-dessous du niveau de la mer

0 100 200 300 400 500 km

120° G 125° H 130° I 135° J Tokyo 140° K

TAIWAN Formose
Tainan Taidong
GAOXIONG Pingdong
(KAOHSIUNG)
Formose

Canal de Bachi
Dt de Luçon
Îles Batan Basco Batan
Babuyan Calayan Camiguin
Canal de Babuyan
C. Bojeador C. Engaño
Laoag Aparri
Vigan Tuguegarao
Ilagan
S. Fernando 2929 Santiago
Pulog Baguio
Dagupan Villasis
S. Carlos Sierra Madre
Tarlac Cabanatuan
Pinatubo Angeles
1486+ S. Fernando
Olongapo
MANILLE Tanay Baie de Lamon
Baie de Manille S. Pablo Daet
Îles Lubang Lipa Lucena Naga
Batangas
Calapan Marinduque 2462 Legazpi
Mindoro Mer de Mayon
Dt de Mindoro Sibuyan Buras Sorsogon
Busuanga Visayan Tablas Masbate
Îles Calamian eiln. Sibuyan Calbayog
Culion Mer de Samar
Mer de Samar Samar
El Nido Roxas Mer de Tacloban
Îles Panay Visayan Ormoc
Cuyo Iloilo Cadiz Leyte
Dumaran Bacolod Golfe de Leyte
Bago S. Carlos Dinagat
Guimaras Cebu Surigao Siargao
Puerto Princesa Negros Bohol Tagbilaran Butuan
Palawan Îles Bais Cagayan Siquijor Camiguin -10540
Récif de Dumaguete Mer de Mindanao Fosse des Philippines
Tubbataha Dipolog Cagayan de Oro
Mer de Sulu Pagadian Iligan Marawi
Ozamis Mindanao
Zamboanga Cotabato Apo 2954 Tagum
Isabela Golfe de + DAVAO
Bangsamoro Basilan Moro Digos
Mapun Koronadal C. San Agustin
Îles General Santos G. de Davao
Sandakan Pangutaran Jolo PteTinaca
Lahad Datu Jolo Archipel de Sulu Dt de Sarangani
B. de Lahad Datu Tawitawi
Semporna Mer de Karakelong Îles Talaud
Sulawesi Awu 1320 Tahuna
Sangihe
-5315 Karangetang 1784 Siau
C. Mangka- Morotai
lihat Sulawesi Utara
Tolitoli Buol Manado C. Torawitan
Tomini Soputan + Bitung Galela Tobelo
Malino -1830 Gamkonora Jailolo Halmahera
+2443 Gorontalo Kotamobagu 1635+
Gorontalo Minahasa Ternate Gamalama
Îles Tidore 1357+ 1715 Weda
Donggala Togian Makian
Golfe de Tomini Maluku Utara Gebe Waigeo
Palu Luwuk Kasiruta Bacan Mer de Batanta Dt de Dampier
Sulawesi Tengah Peleng Dt d'Obi Halmahera Sorong
Mamuju Posó Îles Laiwui Salawati Cendrawasih
Makassar Banggai Mangole Obi Misool (Tête d'Oiseau)
Sulawesi Lac Golfe de Taliabu Inanwatan Bintuni
Barat Poso Tolo Sanana Mer de Seram Papua Barat
Palopo Îles Sula Piru Wahai Fakfak
Makale Lac Namlea Seram Bula Babo
Towuti Buru Amahai Gorong Bomberai
Polewali +3455 -5765 Ambon G. de
Sulawesi Tenggara Ambon Geser Kamrau
Parepare Kolaka Kendari Ambelau Îles Banda
Singkang Wowoni 656 Îles Banda
Watampone Gorong
Sulawesi Selatan Muna Butung Îles Watubela
MAKASSAR Bantaeng Kabaena Tukangbesi Manuk
Bulukumba Baubau Mer de Banda Maluku Serua -7288
Selayar Tual
Mer de Tanahjampea -5400 Nila 781 Îles Kai
Flores Kalao Teun Dobo
Kalaotoa Wetar Romang Damar Yamdena
Sangeang Komodo Adonara Alor Dt de Wetar Kisar Moa Babar Îles Tanimbar
Bima Ruteng Lomblen Pantar Dili Kisar Îles Leti Sermata Saumlaki
Maumere Kelimutu Baucau Selaru
Nusa Tenggara Timur Ende Pante Macassar TIMOR ORIENTAL
Waingapu (Timor Or.) Atambua
Mer de Timor
Waikabubak Semau
Sumba Mer de Kupang
Sawu
(Petites Îles de la Sonde) Sawu Roti
Mer de Timor

Océan Pacifique

Bassin des Philippines
Mer des Philippines -7535
Philippines
Fosse du Challenger -10920
Fosse des Marianes
Îles Yap Ulithi
Ngulu -8967
Îles Fosse de Yap MICRONÉSIE
Palau Melekeok -8069 Sorol Woleai
Babelthuap
Fosse des Palau PALAU
Îles Sonsorol

Bassin des Carolines Occidentales
-5310

Raja Ampat Supiori Nouvelle-Guinée
Supiori Biak
+3000 Manokwari Numfoor Biak
Kwoka Dt de Yapen C. Perkam
Salawati Yapen Serui Sarmi Demta
Cendrawasih Numfoor Jayapura
Ransiki Golfe de Waren Monts Van Rees Vanimo
Golfe de Berau Cendrawasih Mamberamo Tariku Aitape
Wasior Nabire Tarifatu Lac Sentani
Kaimana Monts Maoke Wewak
Mer d'Arafura Puncak Jaya Mts Jayawijaya Sepik
Enarotali 4886 Wamena Vallée du
Tembaga- Mts Sudirman 4730 Baliem
pura Trikora PAPOUASIE-
Kokenau +4700 Mandala Chaîne Centrale
Papua
Agats
Tanahmerah NOUVELLE-GUINÉE
Yos Lac Murray
Sudarso Okaba Digul Fly
C. Vals Merauke Daru
Plate-forme Sahul Dt de Torres
C. York
AUSTRALIE
Melville Îles Wessel C.Wessel

120° G 125° H 130° I 135° J 140° K

© Noordhoff Uitgevers

ASIE DU SUD-EST

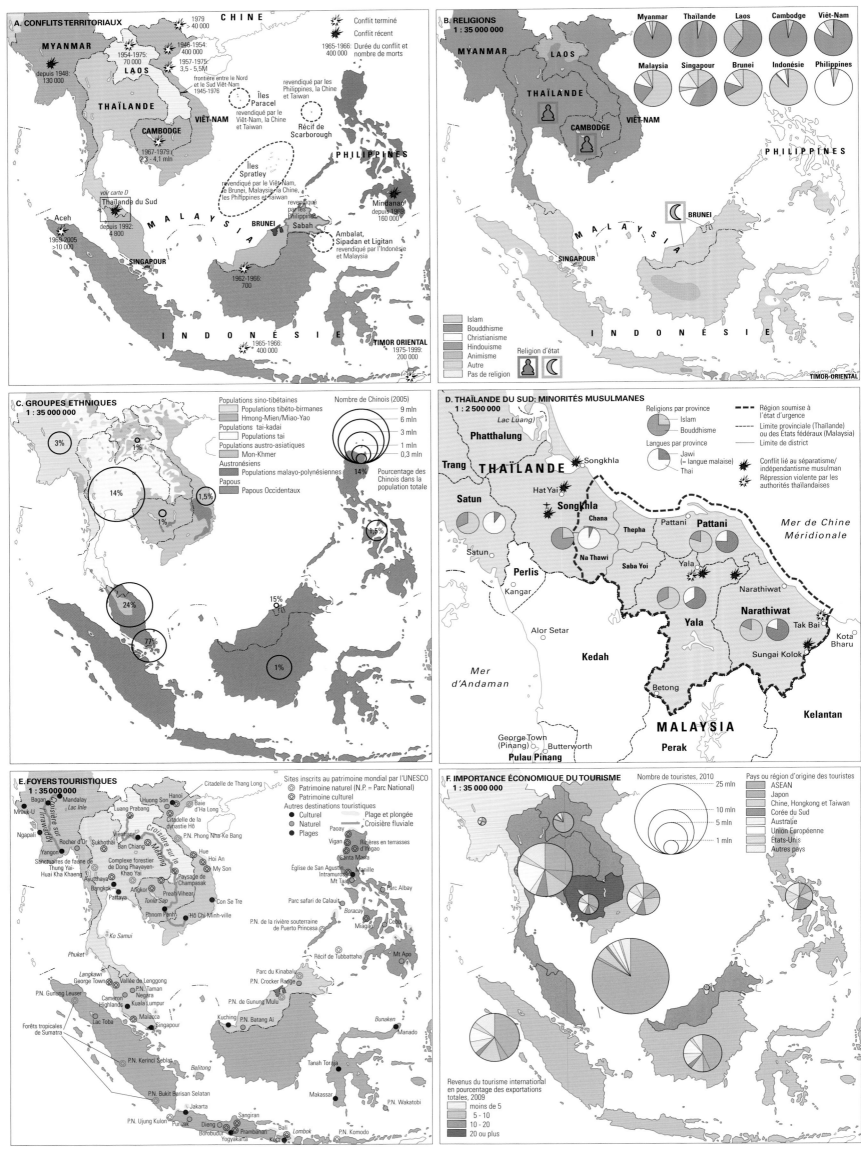

A. CONFLITS TERRITORIAUX

CHINE

MYANMAR

1979
40 000

1946-1954:
400 000

1954-1975:
70 000

1957-1975:
3,5 - 5,5M

LAOS

depuis 1948:
130 000

THAÏLANDE

frontière entre le Nord
et le Sud Viêt-Nam
1945-1976

VIÊT-NAM

CAMBODGE

1967-1979:
2,3 - 4,1 mln

Îles
Paracel
revendiqué par le
Viêt-Nam, la Chine
et Taiwan

revendiqué par les
Philippines, la Chine
et Taiwan

Récif de
Scarborough

PHILIPPINES

voir carte D

Thaïlande du Sud

Aceh
depuis 1992:
4 800

depuis 1969:
160 000

Mindanao
depuis 1969:
160 000

1969-2005
>10 000

Îles
Spratley
revendiqué par le Viêt-Nam,
le Brunei, Malaysia, la Chine,
les Philippines et Taiwan

revendiqué
par les
Philippines

SINGAPOUR

MALAYSIA

BRUNEI

Sabah

Ambalat,
Sipadan et Ligitan
revendiqué par l'Indonésie
et Malaysia

1962-1966:
700

INDONÉSIE

1965-1966:
400 000

TIMOR ORIENTAL

1975-1999:
200 000

Conflit terminé
Conflit récent
1965-1966
400 000
Durée du conflit et
nombre de morts

B. RELIGIONS
1 : 35 000 000

Myanmar Thaïlande Laos Cambodge Viêt-Nam

Malaysia Singapour Brunei Indonésie Philippines

MYANMAR

LAOS

THAÏLANDE

CAMBODGE

VIÊT-NAM

PHILIPPINES

BRUNEI

MALAYSIA

SINGAPOUR

INDONÉSIE

TIMOR-ORIENTAL

Islam
Bouddhisme
Christianisme
Hindouisme
Animisme
Autre
Pas de religion

Religion d'état

C. GROUPES ETHNIQUES
1 : 35 000 000

Populations sino-tibétaines
Populations tibéto-birmanes
Hmong-Mien/Miao-Yao
Populations tai-kadai
Populations tai
Populations austro-asiatiques
Mon-Khmer
Austronésiens
Populations malayo-polynésiennes
Papous
Papous Occidentaux

Nombre de Chinois (2005)
9 mln
6 mln
3 mln
1 mln
0,3 mln

Pourcentage des
Chinois dans la
population totale

3%
1%
14%
1,5%
1%
1,5%
14%
15%
24%
77%
1%

D. THAÏLANDE DU SUD: MINORITÉS MUSULMANES
1 : 2 500 000

Lac Luang

Phatthalung

Trang

THAÏLANDE

Songkhla

Satun

Hat Yai

Songkhla

Chana

Thepha

Pattani

Pattani

Satun

Na Thawi

Saba Yoi

Yala

Perlis

Kangar

Narathiwat

Mer de Chine
Méridionale

Alor Setar

Yala

Narathiwat

Tak Bai

Kota
Bharu

Kedah

Sungai Kolok

Mer
d'Andaman

Betong

Kelantan

George Town
(Pinang)

Butterworth

MALAYSIA

Pulau Pinang

Perak

Religions par province
Islam
Bouddhisme
Langues par province
Jawi
(= langue malaise)
Thai

Région soumise à
l'état d'urgence
Limite provinciale (Thaïlande)
ou des États fédéraux (Malaysia)
Limite de district
Conflit lié au séparatisme/
indépendantisme musulman
Répression violente par les
autorités thaïlandaises

E. FOYERS TOURISTIQUES
1 : 35 000 000

Citadelle de Thang Long

Mrauk-U
Bagan
Mandalay
Lac Inle

Hanoi

Huong Son

Baie
d'Ha Long

Luang Prabang

Ngapali

Rocher d'Or

Vientiane

Citadelle de la
dynastie Hô

P.N. Phong Nha-Ke Bang

Yangon

Sukhothai
Ban Chiang

Hue

Vigan

Paoay

Sanctuaires de faune de
Thung Yai-
Huai Kha Khaeng

Complexe forestier
de Dong Phayayen-
Khao Yai

Hoi An

My Son

Rivières en terrasses
d'Ifugao

Santa Maria

Ayuthaya

Paysage de
Champasak

Église de San Agustin
Intramuros

Manille

Bangkok

Angkor

Preah Vihear

Mt Taal

Pattaya

Tonle Sap

Con Se Tre

Phnom Penh

Hô Chi Minh-ville

Parc Albay

Ko Samui

Parc safari de Calauit

Boracay

Cebu

Phuket

Miagao

P.N. de la rivière souterraine
de Puerto Princesa

Mt Apo

Langkawi
George Town

Vallée de Lenggong

Récif de Tubbataha

Cameron
Highlands

P.N. Taman
Negara

P.N. Crocker Range

P.N. Kinabalu

P.N. Gunung Leuser

Kuala Lumpur

P.N. de Gunung Mulu

Lac Toba

Malacca

Kuching

P.N. Batang Ai

Bunaken

Forêts tropicales
de Sumatra

Singapour

Manado

P.N. Kerinci Seblat

Belitong

Tanah Toraja

Jakarta

Sangiran

Makassar

P.N. Wakatobi

P.N. Ujung Kulon

Puncak

Dieng

Prambanan

Bali

Lombok

P.N. Komodo

Borobudur

Yogyakarta

Kuta

P.N. Bukit Barisan Selatan

Sites inscrits au patrimoine mondial par l'UNESCO
Patrimoine naturel (N.P. = Parc National)
Patrimoine culturel
Autres destinations touristiques
Culturel
Naturel
Plages
Plage et plongée
Croisière fluviale

Croisière sur l'Irrawaddy
Croisière sur le Mékong

F. IMPORTANCE ÉCONOMIQUE DU TOURISME
1 : 35 000 000

Nombre de touristes, 2010
25 mln
10 mln
5 mln
1 mln

Pays ou région d'origine des touristes
ASEAN
Japon
Chine, Hongkong et Taiwan
Corée du Sud
Australie
Union Européenne
États-Unis
Autres pays

Revenus du tourisme international
en pourcentage des exportations
totales, 2009
moins de 5
5 - 10
10 - 20
20 ou plus

© Noordhoff Uitgevers

INDONÉSIE

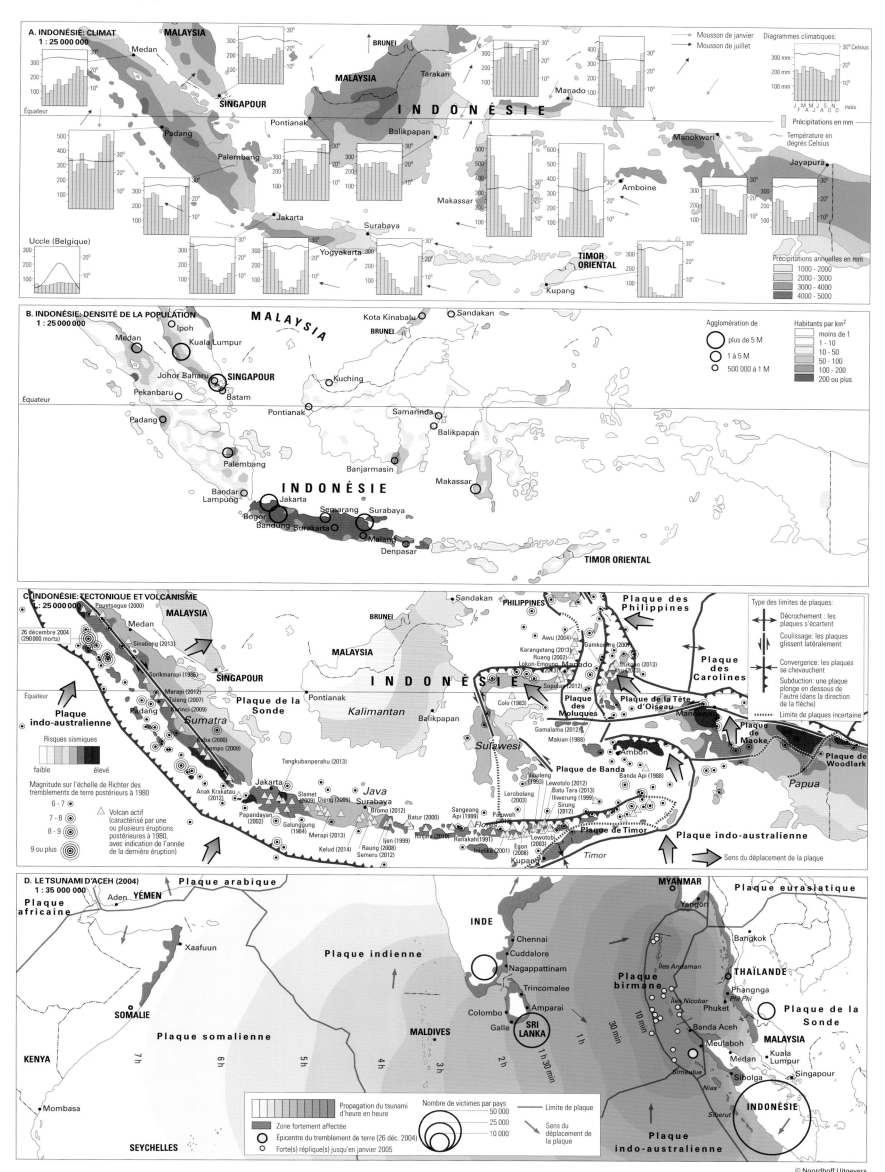

A. INDONÉSIE: CLIMAT
1 : 25 000 000

Mousson de janvier
Mousson de juillet

Diagrammes climatiques:

Précipitations en mm
Température en degrés Celsius

Uccle (Belgique)

Précipitations annuelles en mm
1000 - 2000
2000 - 3000
3000 - 4000
4000 - 5000

MALAYSIA
Medan
SINGAPOUR
Padang
Palembang
Jakarta
Surabaya
Yogyakarta
BRUNEI
MALAYSIA
Tarakan
Pontianak
Balikpapan
Manado
Manokwari
INDONÉSIE
Makassar
Amboine
Jayapura
TIMOR ORIENTAL
Kupang
Équateur

B. INDONÉSIE: DENSITÉ DE LA POPULATION
1 : 25 000 000

Agglomération de
plus de 5 M
1 à 5 M
500 000 à 1 M

Habitants par km²
moins de 1
1 - 10
10 - 50
50 - 100
100 - 200
200 ou plus

MALAYSIA
Kota Kinabalu
Sandakan
BRUNEI
Medan
Ipoh
Kuala Lumpur
Johor Baharu
SINGAPOUR
Pekanbaru
Batam
Kuching
Padang
Pontianak
Samarinda
Balikpapan
Palembang
Banjarmasin
Makassar
Bandar Lampung
Jakarta
Bogor
Bandung
Surakarta
Semarang
Surabaya
Malang
Denpasar
Équateur
INDONÉSIE
TIMOR ORIENTAL

C. INDONÉSIE: TECTONIQUE ET VOLCANISME
1 : 25 000 000

Type des limites de plaques:
Décrochement : les plaques s'écartent
Coulissage: les plaques glissent latéralement
Convergence : les plaques se chevauchent
Subduction: une plaque plonge en dessous de l'autre (dans la direction de la flèche)
Limite de plaques incertaine

26 décembre 2004 (290 000 morts)

Plaque indo-australienne

Risques sismiques
faible   élevé

Magnitude sur l'échelle de Richter des tremblements de terre postérieurs à 1980
6 - 7
7 - 8
8 - 9
9 ou plus

Volcan actif (caractérisé par une ou plusieurs éruptions postérieures à 1980, avec indication de l'année de la dernière éruption)

Sens du déplacement de la plaque

Peuetsague (2000)
MALAYSIA
Medan
Sinabiong (2013)
Sorikmarapi (1986)
Marapi (2012)
Talang (2007)
Kerinci (2009)
Padang
Sumatra
Toba (2000)
Dempo (2009)
Tangkubanperahu (2013)
Anak Krakatau (2012)
Jakarta
Slamet (2009)
Dieng (2009)
Papandayan (2002)
Galunggung (1984)
Merapi (2013)
Kelud (2014)
Semeru (2012)
Raung (2008)
Java
Surabaya
Bromo (2012)
Batur (2000)
Ijen (1999)
Rinjani (2010)
Sangeang Api (1999)
Paluweh
Flores
Ranakah (1991)
Inielika (2001)
Egon (2008)
Lewotobi (2003)
Kupang
Timor
Sandakan
PHILIPPINES
BRUNEI
MALAYSIA
INDONÉSIE
Plaque de la Sonde
Pontianak
Kalimantan
Balikpapan
Awu (2004)
Karangetang (2013)
Ruang (2002)
Lokon-Empung (2013)
Manado
Soputan (2012)
Gamkonora (2007)
Dukono (2013)
Ibu (2013)
Colo (1983)
Sulawesi
Gamalama (2012)
Makian (1988)
Plaque des Moluques
Plaque de la Tête d'Oiseau
Manokwari
Plaque de Maoke
Papua
Ambon
Banda Api (1988)
Plaque de Banda
Iliboleng (1993)
Lewotolo (2012)
Batu Tara (2013)
Iliwerung (1999)
Leroboleng (2003)
Sirung (2012)
Plaque de Timor
Plaque indo-australienne
Plaque des Philippines
Plaque des Carolines
Plaque de Woodlark
Équateur

D. LE TSUNAMI D'ACEH (2004)
1 : 35 000 000

Plaque arabique
Aden
YÉMEN
Plaque eurasiatique
MYANMAR
Yangon
Plaque africaine
Xaafuun
INDE
Chennai
Cuddalore
Nagappattinam
Trincomalee
Plaque indienne
Bangkok
Îles Andaman
THAÏLANDE
Phangnga
Phi Phi
Phuket
Plaque birmane
Îles Nicobar
SOMALIE
Colombo
Amparai
Galle
SRI LANKA
MALDIVES
Banda Aceh
Meulaboh
Plaque de la Sonde
Medan
MALAYSIA
Kuala Lumpur
KENYA
Plaque somalienne
Simeulue
Singapour
Nias
Sibolga
Siberut
INDONÉSIE
Plaque indo-australienne
Mombasa
7 h   6 h   5 h   4 h   3 h   2 h   1 h 30 min   1 h   30 min   10 min
SEYCHELLES

Propagation du tsunami d'heure en heure
Zone fortement affectée
Épicentre du tremblement de terre (26 déc. 2004)
Forte(s) réplique(s) jusqu'en janvier 2005

Nombre de victimes par pays
50 000
25 000
10 000

Limite de plaque
Sens du déplacement de la plaque

© Noordhoff Uitgevers

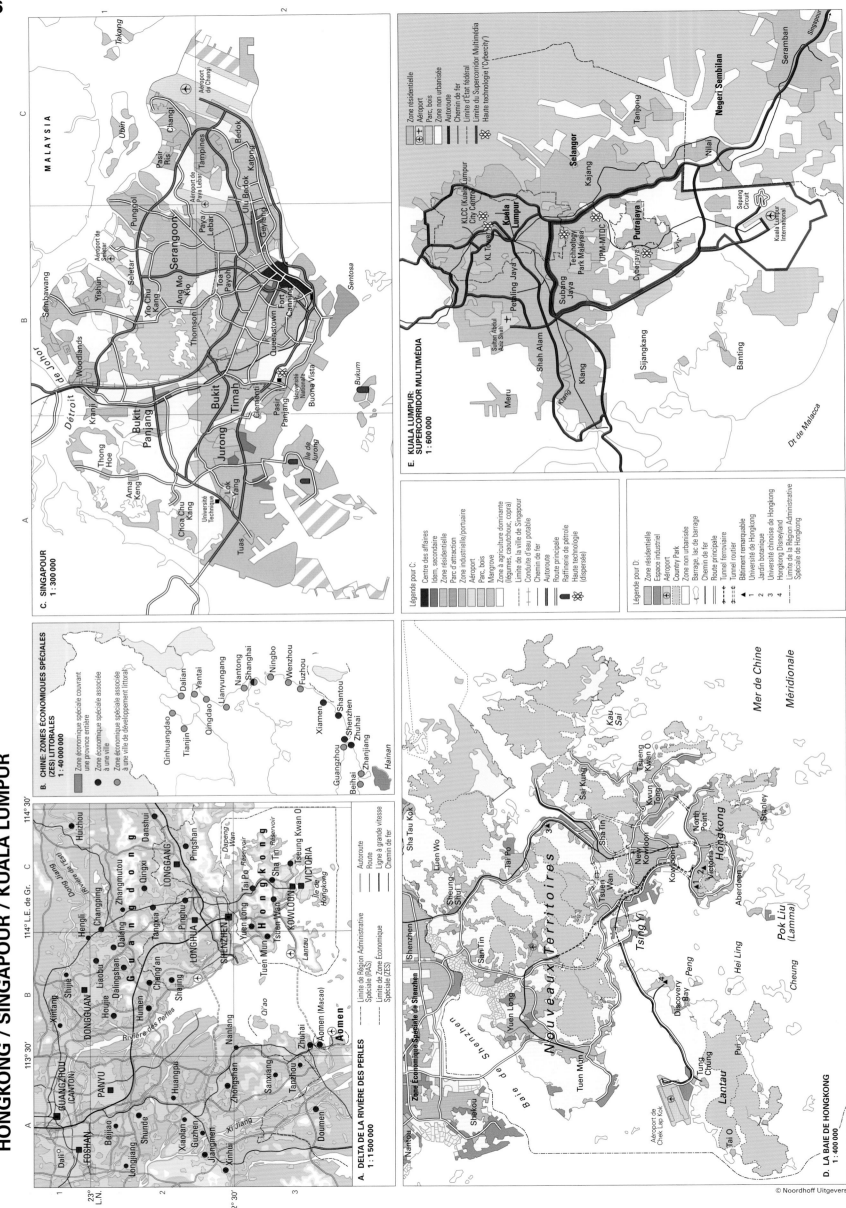

HONGKONG / SINGAPOUR / KUALA LUMPUR

© Noordhoff Uitgevers

CORÉE DU SUD / TAIWAN

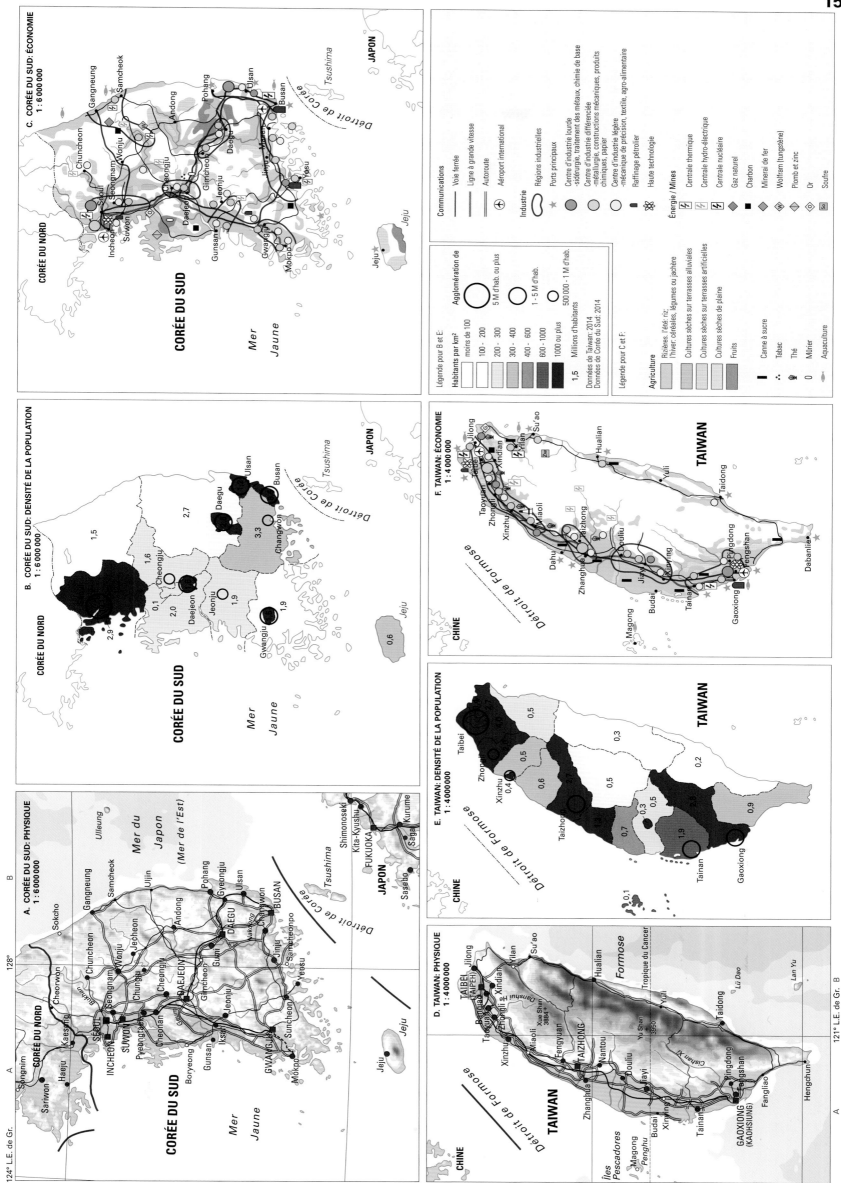

A. CORÉE DU SUD: PHYSIQUE
1 : 6 000 000

B. CORÉE DU SUD: DENSITÉ DE LA POPULATION
1 : 6 000 000

C. CORÉE DU SUD: ÉCONOMIE
1 : 6 000 000

D. TAIWAN: PHYSIQUE
1 : 4 000 000

E. TAIWAN: DENSITÉ DE LA POPULATION
1 : 4 000 000

F. TAIWAN: ÉCONOMIE
1 : 4 000 000

Communications
— Voie ferrée
— Ligne à grande vitesse
— Autoroute
⊕ Aéroport international

Industrie
Régions industrielles
★ Ports principaux
● Centre d'industrie lourde: sidérurgie, traitement des métaux, chimie de base
● Centre d'industrie différenciée: métallurgie, constructions mécaniques, produits chimiques, papier
○ Centre d'industrie légère: mécanique de précision, textile, agro-alimentaire
▬ Raffinage pétrolier
⚛ Haute technologie

Énergie / Mines
⚡ Centrale thermique
⚡ Centrale hydro-électrique
⚡ Centrale nucléaire
◆ Gaz naturel
■ Charbon
◆ Minerai de fer
◇ Wolfram (tungstène)
◇ Plomb et zinc
◇ Or
⬡ Soufre

Légende pour B et E:
Habitants par km²
moins de 100
100 - 200
200 - 300
300 - 400
400 - 600
600 - 1000
1000 ou plus

Millions d'habitants
1,5

Données de Taiwan: 2014
Données de Corée du Sud: 2014

Agglomération de
5 M d'hab. ou plus
1 - 5 M d'hab.
500 000 - 1 M d'hab.

Légende pour C et F:
Agriculture
Rizières: l'été: riz;
l'hiver: céréales, légumes ou jachère
Cultures sèches sur terrasses alluviales
Cultures sèches sur terrasses artificielles
Cultures sèches de plaine
Fruits

Canne à sucre
Tabac
Thé
Mûrier
Aquaculture

© Noordhoff Uitgevers

-8000 -6000 -4000 -2000 -200 0 100 200 500 1000 1500 2000 3000 5000 m
au-dessous du niveau de la mer

70° L.E. de Gr. A 75° B 80° C 85° D 90° E 95° F 100° G 105° H

45° L.N.

KAZAKHSTAN

Balkach
Lac Balkach
Chyganak
Jarma
Zyrian
Oust-Koksa
Tchadan
Kyzyl
Angarsk Irkoutsk
Oular
Lac Baïkal

Aïagöz
Beloukha 4506
Markakol
Altaï
Tannou Ola
Petit Iénissei
Zakamensk
Kiakhta

Balkach
Aktoghaï
Lac Zaisan
Altay
Ölgi
Khovd (Kobdo)
Uvs Nur 759
Ulaangom
Khiargas Nur
Erzin
Sükhbaatar

KIRGIZIE
Tian Shan

Bichkek
ALMATY (ALMA-ATA)

MONGOLIE
OULAN-BATOR
Mandalgovi

ÜRÜMQI

Xinjiang-Uygur
(Sinkiang-Uygurie)

Takla-Makan

TADJIKISTAN
PAKISTAN

Kashi (Kashgar)
Karakoram
K2 (Godwin Austen) 8611

Hotan He

Altun Shan
Monts Kunlun

Nan Shan
Désert d'Ala Shan

Xizang (Tibet)
Tanggula Shan
Qinghai
CHINE
Gansu
LANZHOU

Golmud
Lac Qinghai (Kuku Nor)
Xining

INDE

NEPAL
Mt Everest 8848
Kathmandou
LHASA
Sichuan
CHENGDU
CHONGQING

BHOUTAN
Thimphu
Brahmapoutre
Arunachal Pradesh
Yunnan
GUIYANG
KUNMING

BANGLADESH
DHAKA
KOLKATA (CALCUTTA)
CHITTAGONG

MYANMAR (BIRMANIE)
MANDALAY
Nay Pyi Taw
YANGON (RANGOON)

Golfe du Bengale

THAILANDE
LAOS
Vientiane
VIÊT-NAM
HANOI

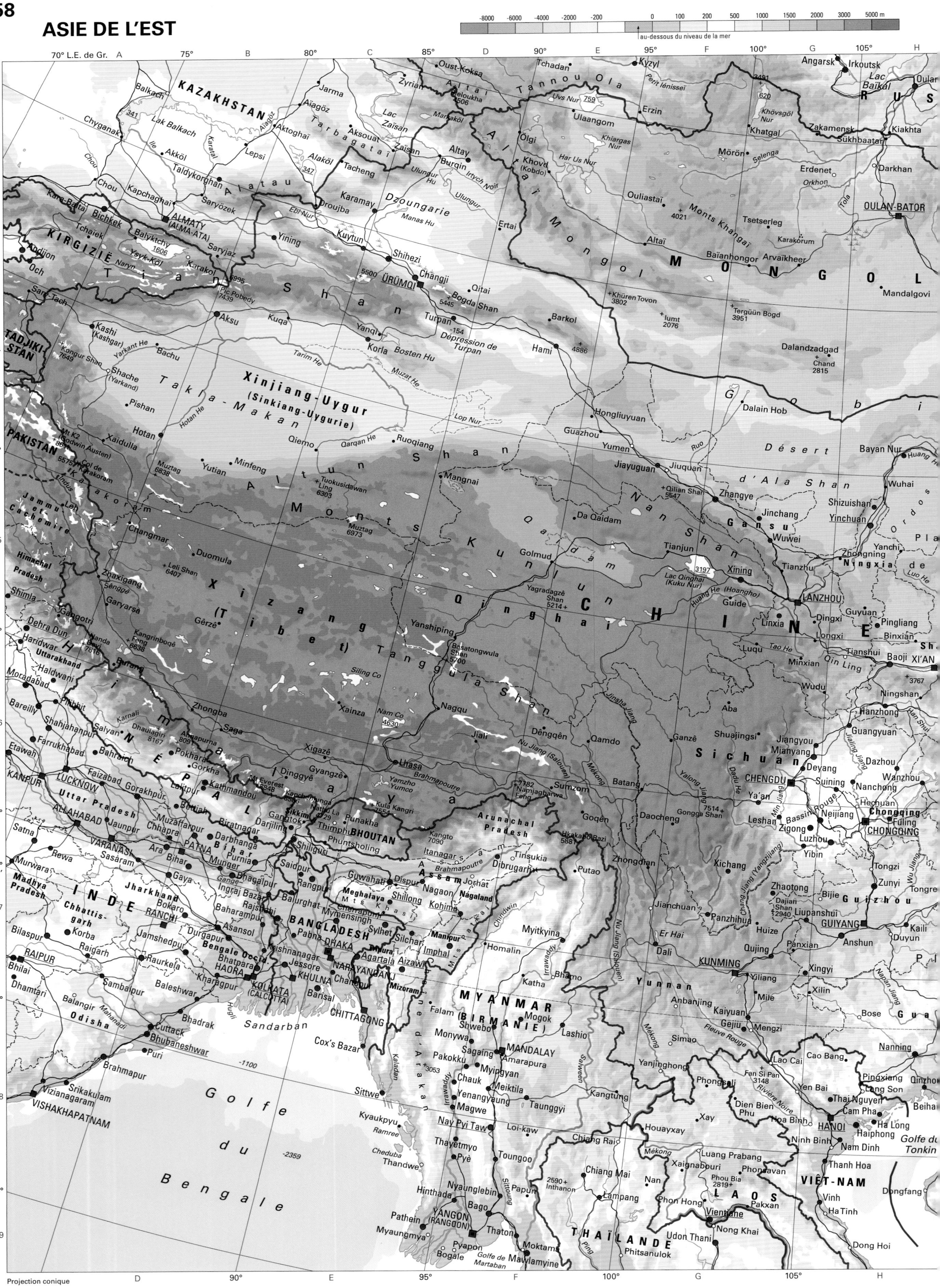

Projection conique

CHINE

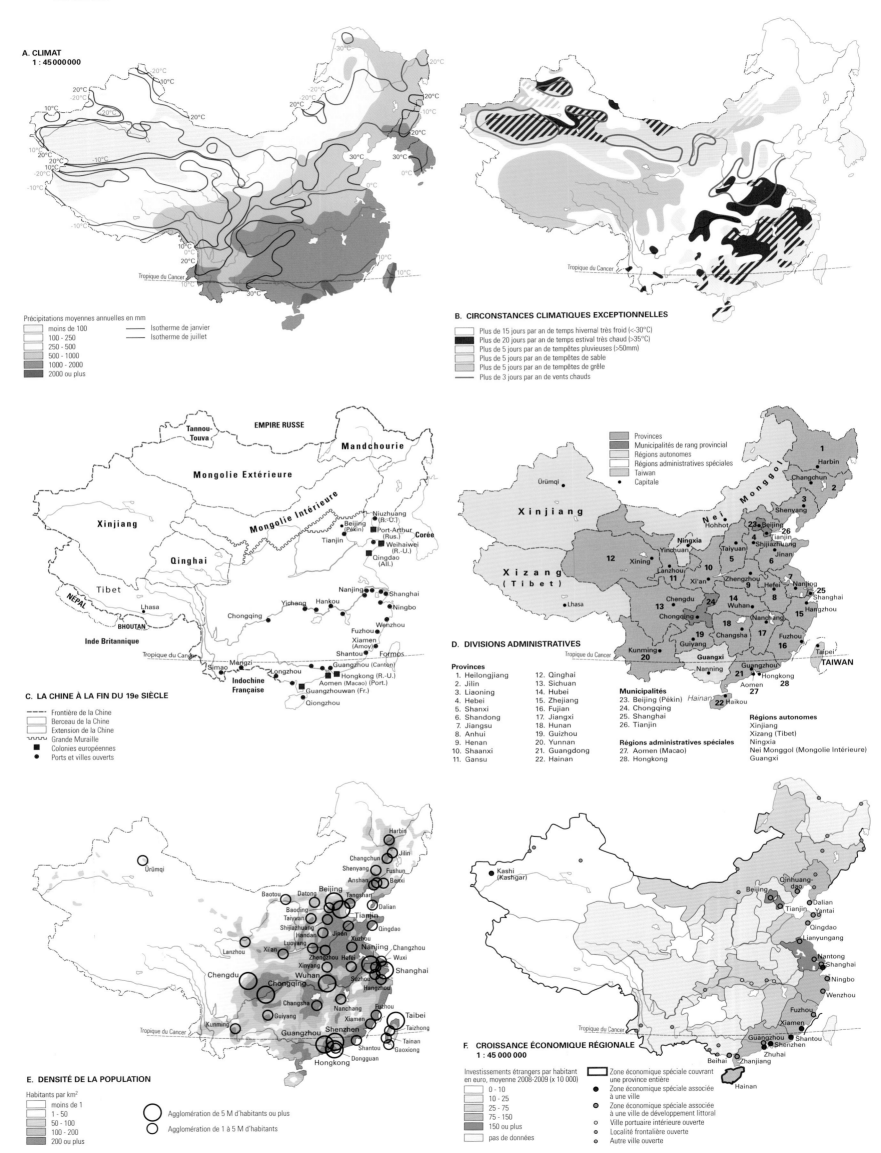

A. CLIMAT
1 : 45 000 000

Précipitations moyennes annuelles en mm
- moins de 100
- 100 - 250
- 250 - 500
- 500 - 1000
- 1000 - 2000
- 2000 ou plus

— Isotherme de janvier
— Isotherme de juillet

B. CIRCONSTANCES CLIMATIQUES EXCEPTIONNELLES

- Plus de 15 jours par an de temps hivernal très froid (<-30°C)
- Plus de 20 jours par an de temps estival très chaud (>35°C)
- Plus de 5 jours par an de tempêtes pluvieuses (>50mm)
- Plus de 5 jours par an de tempêtes de sable
- Plus de 5 jours par an de tempêtes de grêle
- Plus de 3 jours par an de vents chauds

C. LA CHINE À LA FIN DU 19e SIÈCLE

- –·–·– Frontière de la Chine
- Berceau de la Chine
- Extension de la Chine
- Grande Muraille
- ■ Colonies européennes
- ● Ports et villes ouverts

D. DIVISIONS ADMINISTRATIVES

- Provinces
- Municipalités de rang provincial
- Régions autonomes
- Régions administratives spéciales
- Taiwan
- ● Capitale

Provinces
1. Heilongjiang
2. Jilin
3. Liaoning
4. Hebei
5. Shanxi
6. Shandong
7. Jiangsu
8. Anhui
9. Henan
10. Shaanxi
11. Gansu
12. Qinghai
13. Sichuan
14. Hubei
15. Zhejiang
16. Fujian
17. Jiangxi
18. Hunan
19. Guizhou
20. Yunnan
21. Guangdong
22. Hainan

Municipalités
23. Beijing (Pékin)
24. Chongqing
25. Shanghai
26. Tianjin

Régions administratives spéciales
27. Aomen (Macao)
28. Hongkong

Régions autonomes
Xinjiang
Xizang (Tibet)
Ningxia
Nei Monggol (Mongolie Intérieure)
Guangxi

E. DENSITÉ DE LA POPULATION

Habitants par km²
- moins de 1
- 1 - 50
- 50 - 100
- 100 - 200
- 200 ou plus

○ Agglomération de 5 M d'habitants ou plus
○ Agglomération de 1 à 5 M d'habitants

F. CROISSANCE ÉCONOMIQUE RÉGIONALE
1 : 45 000 000

Investissements étrangers par habitant
en euro, moyenne 2008-2009 (x 10 000)
- 0 - 10
- 10 - 25
- 25 - 75
- 75 - 150
- 150 ou plus
- pas de données

- ☐ Zone économique spéciale couvrant une province entière
- ● Zone économique spéciale associée à une ville
- ◉ Zone économique spéciale associée à une ville de développement littoral
- ○ Ville portuaire intérieure ouverte
- ○ Localité frontalière ouverte
- ○ Autre ville ouverte

CHINE

Échelle 1 : 25 000 000

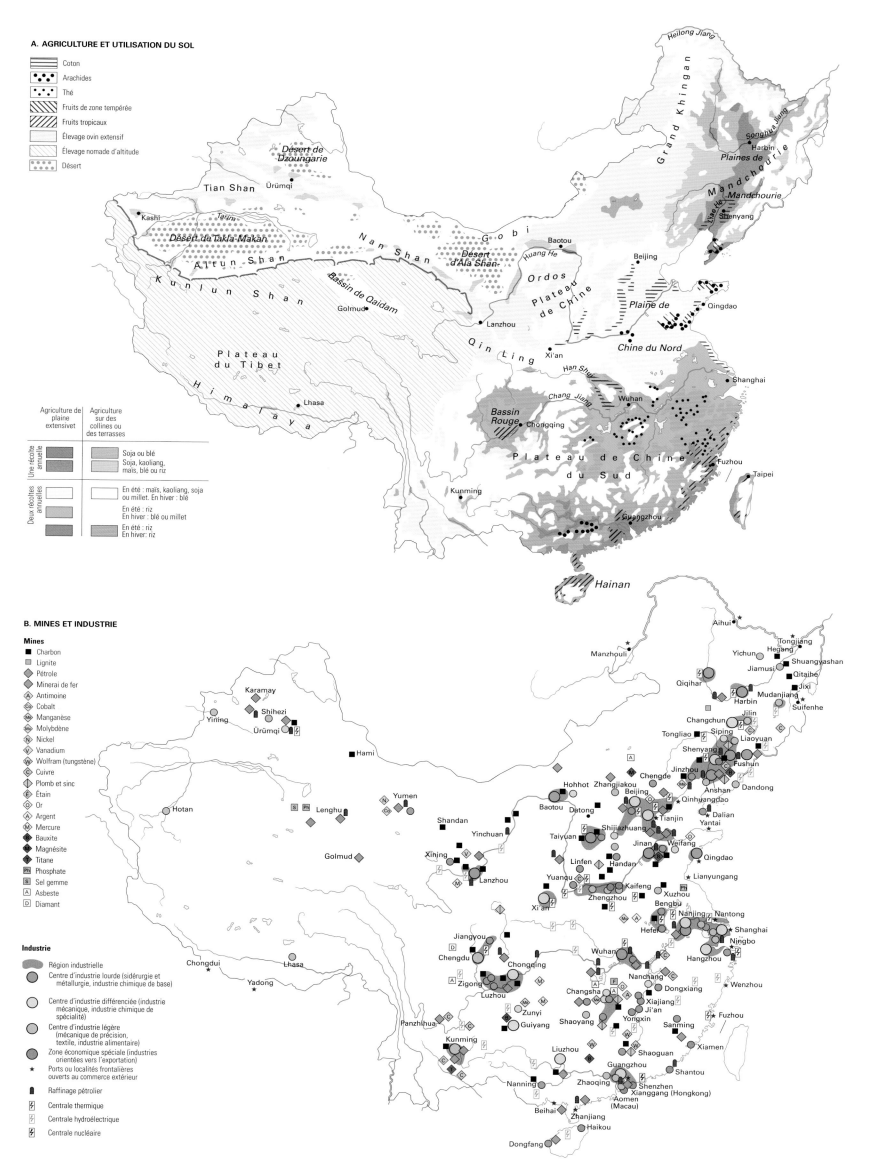

A. AGRICULTURE ET UTILISATION DU SOL

- Coton
- Arachides
- Thé
- Fruits de zone tempérée
- Fruits tropicaux
- Élevage ovin extensif
- Élevage nomade d'altitude
- Désert

	Agriculture de plaine extensive†	Agriculture sur des collines ou des terrasses
Une récolte annuelle		Soja ou blé
		Soja, kaoliang, maïs, blé ou riz
Deux récoltes annuelles		En été : maïs, kaoliang, soja ou millet. En hiver : blé
		En été : riz En hiver : blé ou millet
		En été : riz En hiver: riz

Tian Shan
Désert de Dzoungarie
Ürümqi
Kashi
Tarim
Désert de Takla-Makàn
Altun Shan
Nan Shan
Gobi
Désert d'Ala Shan
Baotou
Huang He
Beijing
Kunlun Shan
Bassin de Qaidam
Golmud
Lanzhou
Ordos
Plateau de Chine
Plaine de Chine du Nord
Qingdao
Qin Ling
Xi'an
Plateau du Tibet
Han Shui
Shanghai
Himalaya
Lhasa
Chang Jiang
Wuhan
Bassin Rouge
Chongqing
Plateau de Chine du Sud
Fuzhou
Kunming
Taipei
Guangzhou
Hainan
Grand Khingan
Heilong Jiang
Songhua Jiang
Plaines de Mandchourie
Harbin
Mandchourie
Shenyang

B. MINES ET INDUSTRIE

Mines

- Charbon
- Lignite
- Pétrole
- Minerai de fer
- Antimoine
- Cobalt
- Manganèse
- Molybdène
- Nickel
- Vanadium
- Wolfram (tungstène)
- Cuivre
- Plomb et sinc
- Étain
- Or
- Argent
- Mercure
- Bauxite
- Magnésite
- Titane
- Ph Phosphate
- S Sel gemme
- A Asbeste
- D Diamant

Industrie

- Région industrielle
- Centre d'industrie lourde (sidérurgie et métallurgie, industrie chimique de base)
- Centre d'industrie différenciée (industrie mécanique, industrie chimique de spécialité)
- Centre d'industrie légère (mécanique de précision, textile, industrie alimentaire)
- Zone économique spéciale (industries orientées vers l'exportation)
- ★ Ports ou localités frontalières ouverts au commerce extérieur
- Raffinage pétrolier
- Centrale thermique
- Centrale hydroélectrique
- Centrale nucléaire

Aihui
Manzhouli
Tongjiang
Yichun
Hegang
Shuangyashan
Qiqihar
Jiamusi
Qitaihe
Jixi
Karamay
Harbin
Mudanjiang
Suifenhe
Shihezi
Jilin
Yining
Changchun
Siping
Liaoyuan
Ürümqi
Tongliao
Shenyang
Fushun
Hami
Chengde
Jinzhou
Anshan
Dandong
Hohhot
Zhangjiakou
Beijing
Qinhuangdao
Yumen
Shandan
Baotou
Datong
Tianjin
Dalian
Lenghu
Tianjin
Yantai
Hotan
Yinchuan
Taiyuan
Shijiazhuang
Jinan
Weifang
Qingdao
Xining
Linfen
Handan
Golmud
Lanzhou
Yuanqu
Kaifeng
Lianyungang
Zhengzhou
Xuzhou
Xi'an
Bengbu
Nanjing
Nantong
Hefei
Shanghai
Jiangyou
Chengdu
Wuhan
Ningbo
Chongqing
Hangzhou
Chongdui
Lhasa
Zigong
Nanchang
Dongxiang
Yadong
Luzhou
Changsha
Xiajiang
Ji'an
Wenzhou
Panzhihua
Zunyi
Shaoyang
Yongxin
Sanming
Guiyang
Fuzhou
Kunming
Liuzhou
Shaoguan
Xiamen
Guangzhou
Shantou
Nanning
Zhaoqing
Shenzhen
Xianggang (Hongkong)
Aomen (Macau)
Beihai
Zhanjiang
Haikou
Dongfang

© Noordhoff Uitgevers

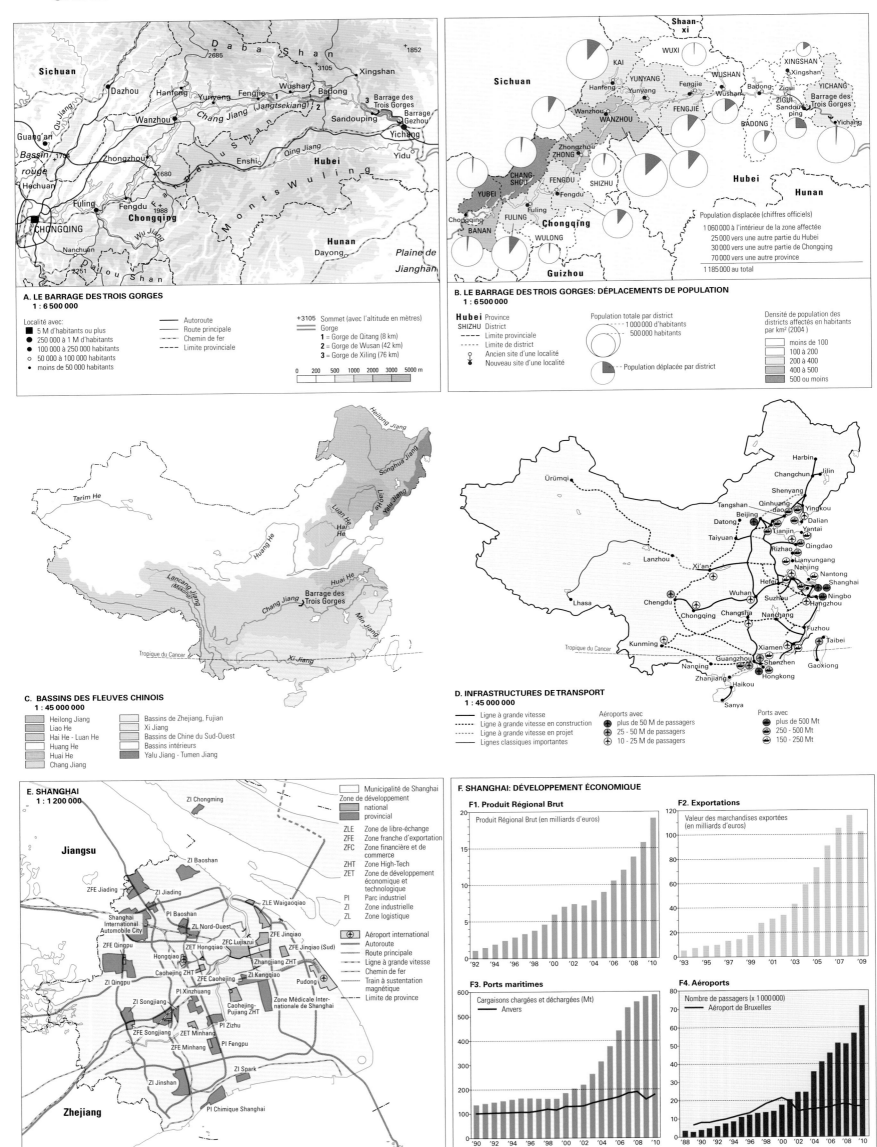

A. LE BARRAGE DES TROIS GORGES
1 : 6 500 000

Localité avec:
- ■ 5 M d'habitants ou plus
- ● 250 000 à 1 M d'habitants
- ● 100 000 à 250 000 habitants
- ○ 50 000 à 100 000 habitants
- • moins de 50 000 habitants

— Autoroute
— Route principale
— Chemin de fer
--- Limite provinciale

+3105 Sommet (avec l'altitude en mètres)
Gorge
1 = Gorge de Qitang (8 km)
2 = Gorge de Wusan (42 km)
3 = Gorge de Xiling (76 km)

0 200 500 1000 2000 3000 5000 m

B. LE BARRAGE DES TROIS GORGES: DÉPLACEMENTS DE POPULATION
1 : 6 500 000

Hubei Province
SHIZHU District
--- Limite provinciale
--- Limite de district
Ancien site d'une localité
Nouveau site d'une localité

Population totale par district
1 000 000 d'habitants
500 000 habitants

Population déplacée par district

Densité de population des districts affectés en habitants par km² (2004)
- moins de 100
- 100 à 200
- 200 à 400
- 400 à 500
- 500 ou moins

Population displacée (chiffres officiels)
1 060 000 à l'intérieur de la zone affectée
25 000 vers une autre partie du Hubei
30 000 vers une autre partie de Chongqing
70 000 vers une autre province
1 185 000 au total

C. BASSINS DES FLEUVES CHINOIS
1 : 45 000 000

- Heilong Jiang
- Liao He
- Hai He - Luan He
- Huang He
- Huai He
- Chang Jiang
- Bassins de Zhejiang, Fujian
- Xi Jiang
- Bassins de Chine du Sud-Ouest
- Bassins intérieurs
- Yalu Jiang - Tumen Jiang

D. INFRASTRUCTURES DE TRANSPORT
1 : 45 000 000

— Ligne à grande vitesse
--- Ligne à grande vitesse en construction
··· Ligne à grande vitesse en projet
— Lignes classiques importantes

Aéroports avec
- plus de 50 M de passagers
- 25 - 50 M de passagers
- 10 - 25 M de passagers

Ports avec
- plus de 500 Mt
- 250 - 500 Mt
- 150 - 250 Mt

E. SHANGHAI
1 : 1 200 000

- Municipalité de Shanghai
- Zone de développement
  - national
  - provincial
- ZLE Zone de libre-échange
- ZFE Zone franche d'exportation
- ZFC Zone financière et de commerce
- ZHT Zone High-Tech
- ZET Zone de développement économique et technologique
- PI Parc industriel
- ZI Zone industrielle
- ZL Zone logistique

- Aéroport international
- Autoroute
- Route principale
- Ligne à grande vitesse
- Chemin de fer
- Train à sustentation magnétique
- Limite de province

F. SHANGHAI: DÉVELOPPEMENT ÉCONOMIQUE

F1. Produit Régional Brut
Produit Régional Brut (en milliards d'euros)

F2. Exportations
Valeur des marchandises exportées (en milliards d'euros)

F3. Ports maritimes
Cargaisons chargées et déchargées (Mt)
— Anvers

F4. Aéroports
Nombre de passagers (x 1 000 000)
— Aéroport de Bruxelles

© Noordhoff Uitgevers

JAPON TERRE ACTIVE

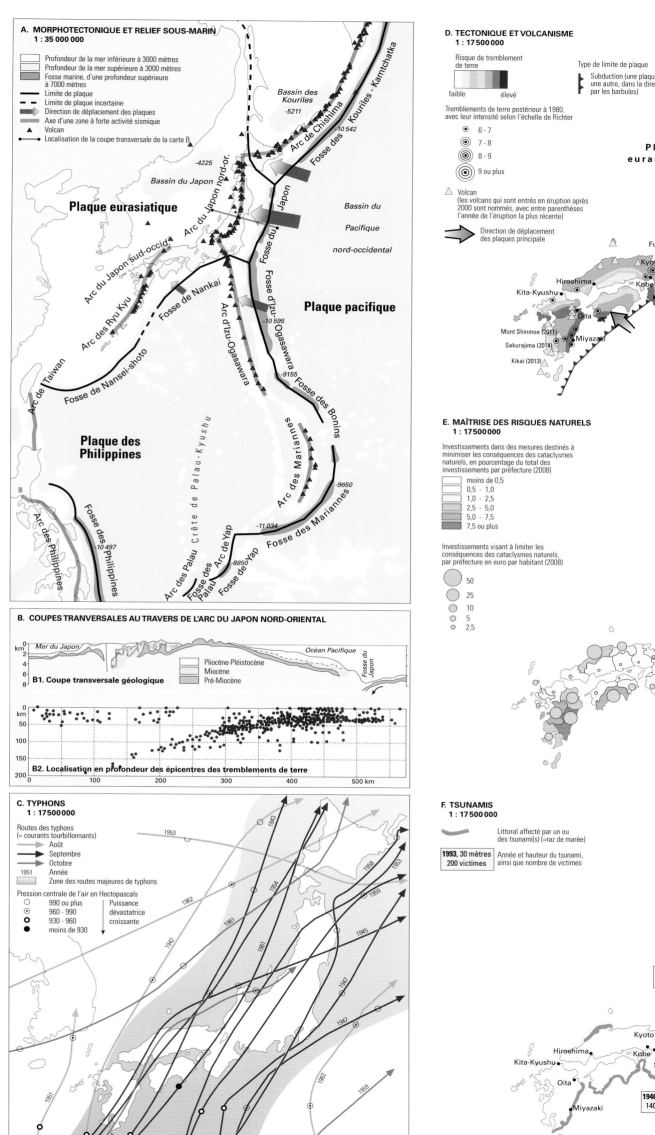

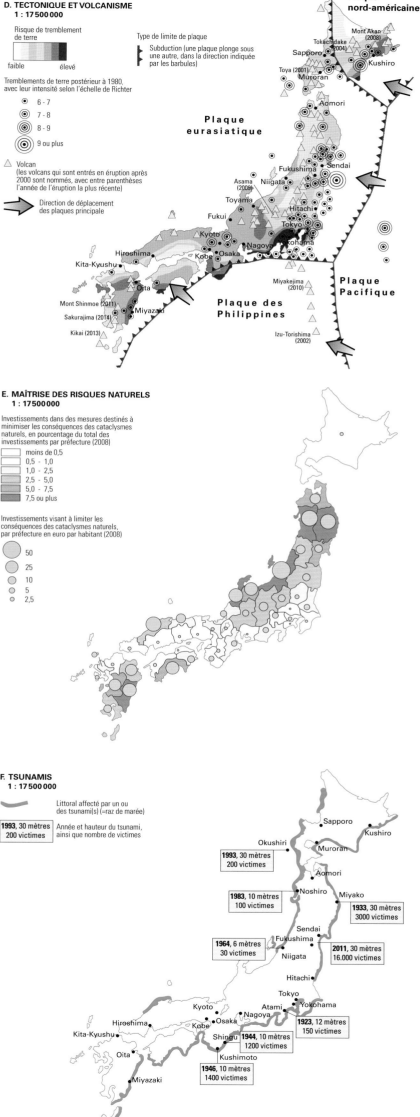

A. MORPHOTECTONIQUE ET RELIEF SOUS-MARIN
1 : 35 000 000

Profondeur de la mer inférieure à 3000 mètres
Profondeur de la mer supérieure à 3000 mètres
Fosse marine, d'une profondeur supérieure à 7000 mètres
Limite de plaque
Limite de plaque incertaine
Direction de déplacement des plaques
Axe d'une zone à forte activité sismique
Volcan
Localisation de la coupe transversale de la carte B

Bassin des Kouriles −5211
Arc de Chishima
Fosse des Kouriles - Kamtchatka
−10 542
Bassin du Japon nord-or. −4225
Bassin du Japon
Arc du Japon nord-or.
Japon
Plaque eurasiatique
Fosse du Japon
Bassin du Pacifique nord-occidental
Arc du Japon sud-occid.
Arc des Ryu Kyu
Fosse de Nankai
Fosse d'Izu-Ogasawara
Plaque pacifique
Arc de Taiwan
Fosse de Nansei-shoto
Arc d'Izu-Ogasawara
−10 595
Fosse des Bonins
Plaque des Philippines
Crête de Palau-Kyushu
Arc des Mariannes
−9155
Fosse des Mariannes
−9650
Arc des Palau
Fosse de Yap
Fosse des Philippines
−10 497
Arc de Yap
Arc des Palau
Fosse de Palau
−8850
−11 034

B. COUPES TRANSVERSALES AU TRAVERS DE L'ARC DU JAPON NORD-ORIENTAL

B1. Coupe transversale géologique
km
Mer du Japon
Océan Pacifique
Fosse du Japon
Pliocène-Pléistocène
Miocène
Pré-Miocène

B2. Localisation en profondeur des épicentres des tremblements de terre
km
0 100 200 300 400 500 km

C. TYPHONS
1 : 17 500 000

Routes des typhons (= courants tourbillonnants)
Août
Septembre
Octobre
1951 Année
Zone des routes majeures de typhons

Pression centrale de l'air en Hectopascals
990 ou plus
960 - 990
930 - 960
moins de 930
Puissance dévastatrice croissante

D. TECTONIQUE ET VOLCANISME
1 : 17 500 000

Risque de tremblement de terre
faible   élevé

Type de limite de plaque
Subduction (une plaque plonge sous une autre, dans la direction indiquée par les barbules)

Tremblements de terre postérieur à 1980, avec leur intensité selon l'échelle de Richter
6 - 7
7 - 8
8 - 9
9 ou plus

Volcan
(les volcans qui sont entrés en éruption après 2000 sont nommés, avec entre parenthèses l'année de l'éruption la plus récente)

Direction de déplacement des plaques principale

Plaque nord-américaine
Mont Akan (2008)
Tokachidake (2004)
Sapporo
Kushiro
Toya (2001)
Muroran
Aomori
Plaque eurasiatique
Fukushima
Sendai
Asama (2009)
Niigata
Toyama
Fukui
Hitachi
Tokyo
Kyoto
Nagoya
Yokohama
Hiroshima
Kobe
Osaka
Kita-Kyushu
Miyakejima (2010)
Plaque Pacifique
Oita
Mont Shinmoe (2011)
Miyazaki
Plaque des Philippines
Sakurajima (2014)
Kikai (2013)
Izu-Torishima (2002)

E. MAÎTRISE DES RISQUES NATURELS
1 : 17 500 000

Investissements dans des mesures destinés à minimiser les conséquences des cataclysmes naturels, en pourcentage du total des investissements par préfecture (2008)
moins de 0,5
0,5 - 1,0
1,0 - 2,5
2,5 - 5,0
5,0 - 7,5
7,5 ou plus

Investissements visant à limiter les conséquences des cataclysmes naturels, par préfecture en euro par habitant (2008)
50
25
10
5
2,5

F. TSUNAMIS
1 : 17 500 000

Littoral affecté par un ou des tsunami(s) (=raz de marée)
1993, 30 mètres 200 victimes Année et hauteur du tsunami, ainsi que nombre de victimes

Sapporo
Kushiro
Okushiri
Muroran
1993, 30 mètres 200 victimes
Aomori
1983, 10 mètres 100 victimes
Noshiro
Miyako
1933, 30 mètres 3000 victimes
Sendai
Fukushima
1964, 6 mètres 30 victimes
Niigata
2011, 30 mètres 16.000 victimes
Hitachi
Tokyo
Atami
Yokohama
Kyoto
Nagoya
1923, 12 mètres 150 victimes
Hiroshima
Kobe
Osaka
Shingu
1944, 10 mètres 1200 victimes
Kita-Kyushu
Kushimoto
Oita
1946, 10 mètres 1400 victimes
Miyazaki

© Noordhoff Uitgevers

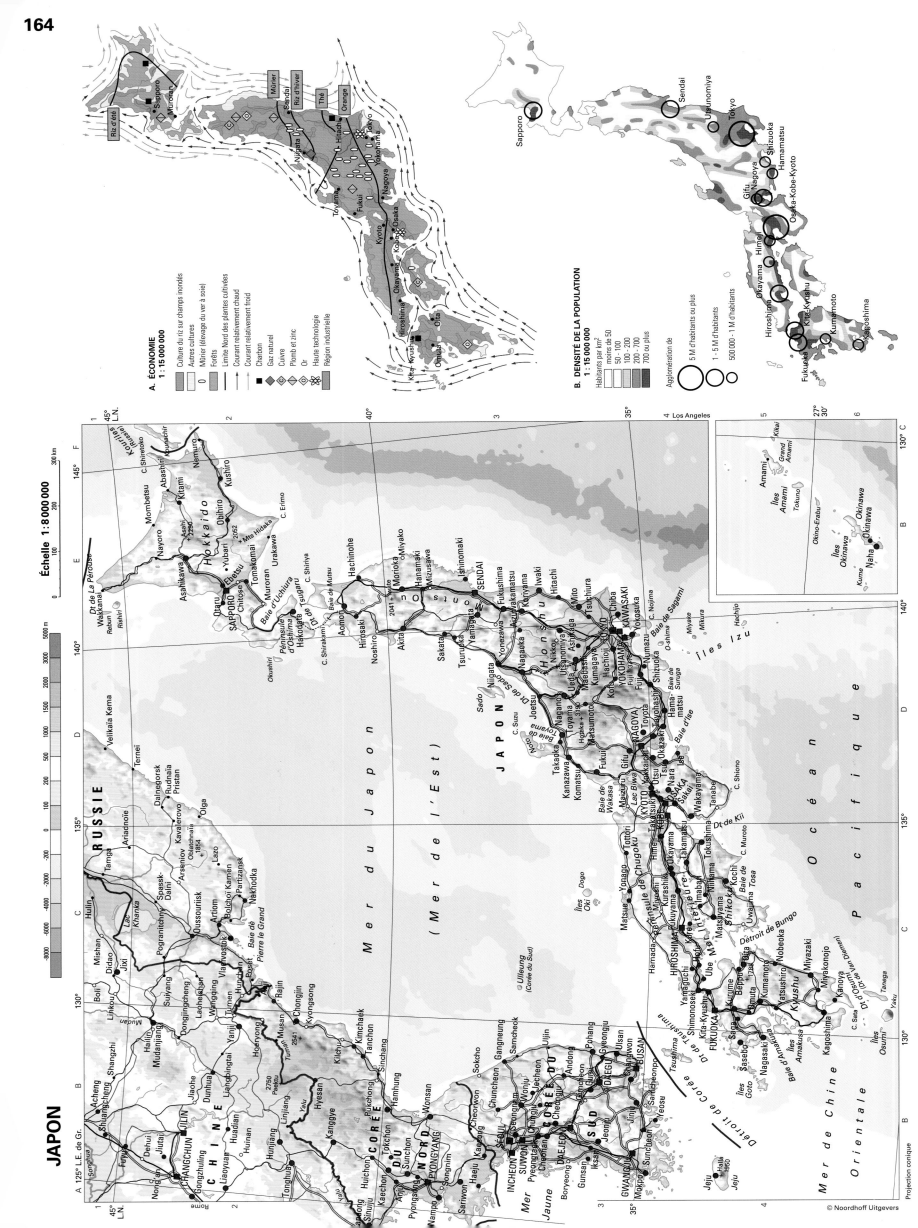

JAPON

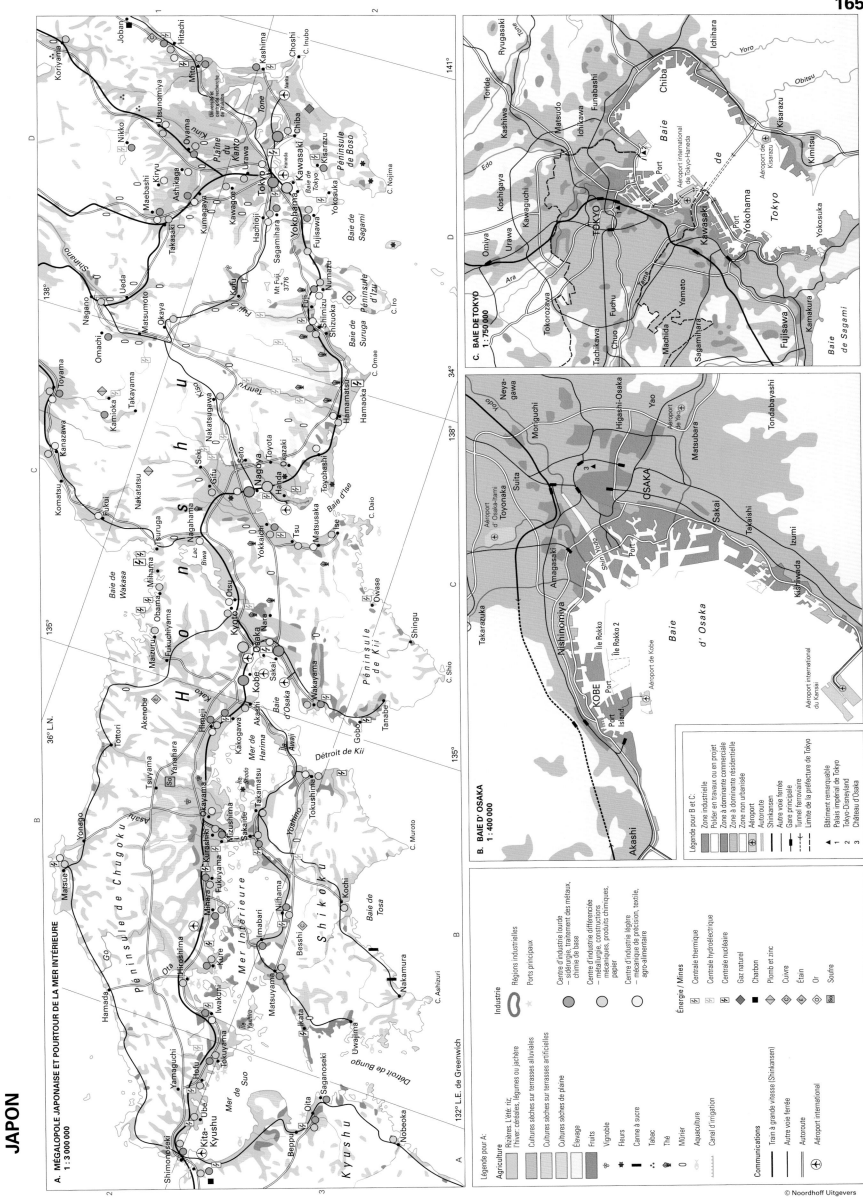

A. MÉGALOPOLE JAPONAISE ET POURTOUR DE LA MER INTÉRIEURE
1 : 3 000 000

B. BAIE D'OSAKA
1 : 400 000

C. BAIE DE TOKYO
1 : 750 000

Légende pour A:

Agriculture
- Rizières. L'été: riz; l'hiver: céréales, légumes ou jachère
- Cultures sèches sur terrasses alluviales
- Cultures sèches sur terrasses artificielles
- Cultures sèches de plaine
- Élevage
- Fruits
- Vignoble
- Fleurs
- Canne à sucre
- Tabac
- Thé
- Mûrier
- Aquaculture
- Canal d'irrigation

Communications
- Train à grande vitesse (Shinkansen)
- Autre voie ferrée
- Autoroute
- Aéroport international

Industrie
- Régions industrielles
- Ports principaux
- Centre d'industrie lourde – sidérurgie, traitement des métaux, chimie de base
- Centre d'industrie différenciée – métallurgie, constructions mécaniques, produits chimiques, papier
- Centre d'industrie légère – mécanique de précision, textile, agro-alimentaire

Énergie / Mines
- Centrale thermique
- Centrale hydroélectrique
- Centrale nucléaire
- Gaz naturel
- Charbon
- Plomb et zinc
- Cuivre
- Étain
- Or
- Soufre

Légende pour B et C:
- Zone industrielle
- Polder en travaux ou en projet
- Zone à dominante commerciale
- Zone à dominante résidentielle
- Zone non urbanisée
- Aéroport
- Autoroute
- Shinkansen
- Autre voie ferrée
- Gare principale
- Tunnel ferroviaire
- Limite de la préfecture de Tokyo
- Bâtiment remarquable
- 1 Palais impérial de Tokyo
- 2 Tokyo-Disneyland
- 3 Château d'Osaka

© Noordhoff Uitgevers

OCÉANIE

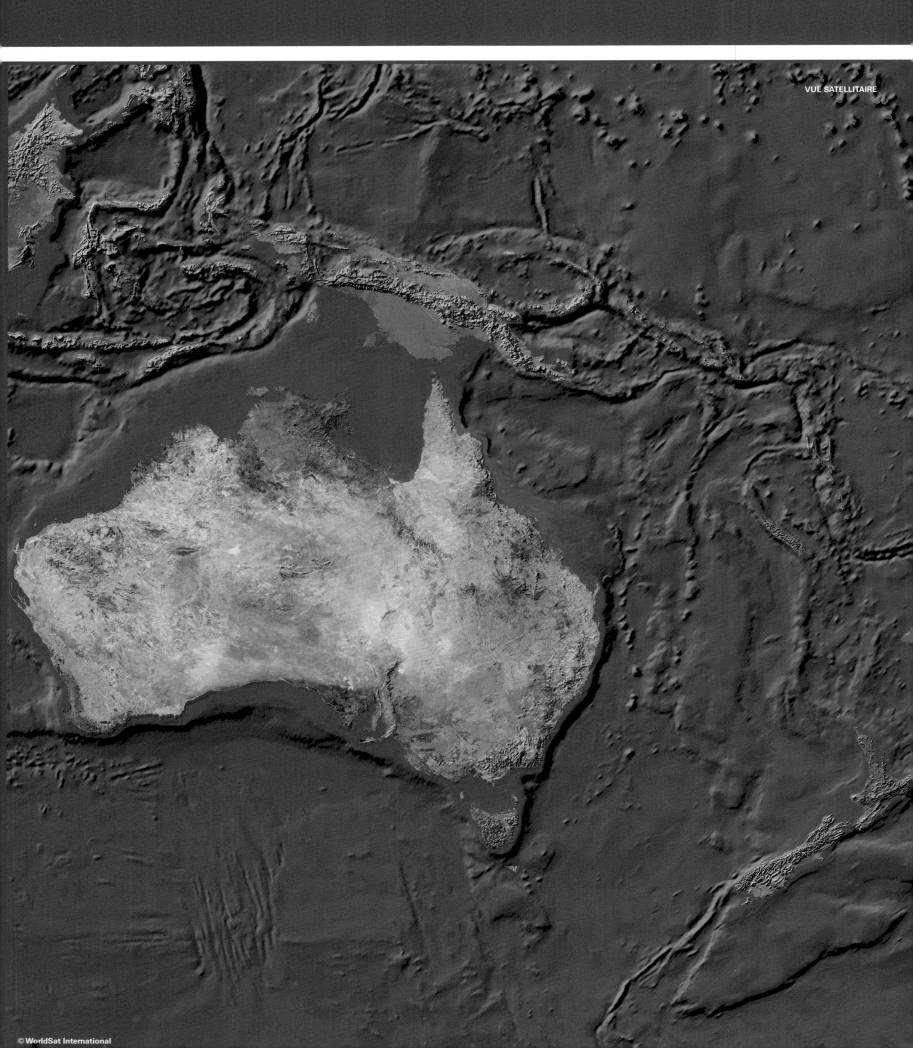

VUE SATELLITAIRE

PAYSAGES NATURELS ET AGRICOLES

Improductif	Savane herbeuse
Forêt tropicale humide	Savane arbustive
Forêt tropicale sèche	Désert et semi-désert
Autres forêts	Terres de culture
Herbages	Marécages et sols tourbeux
Savane arborée	Grands centres urbains

© Noordhoff Uitgevers

OCÉANS INDIEN ET PACIFIQUE

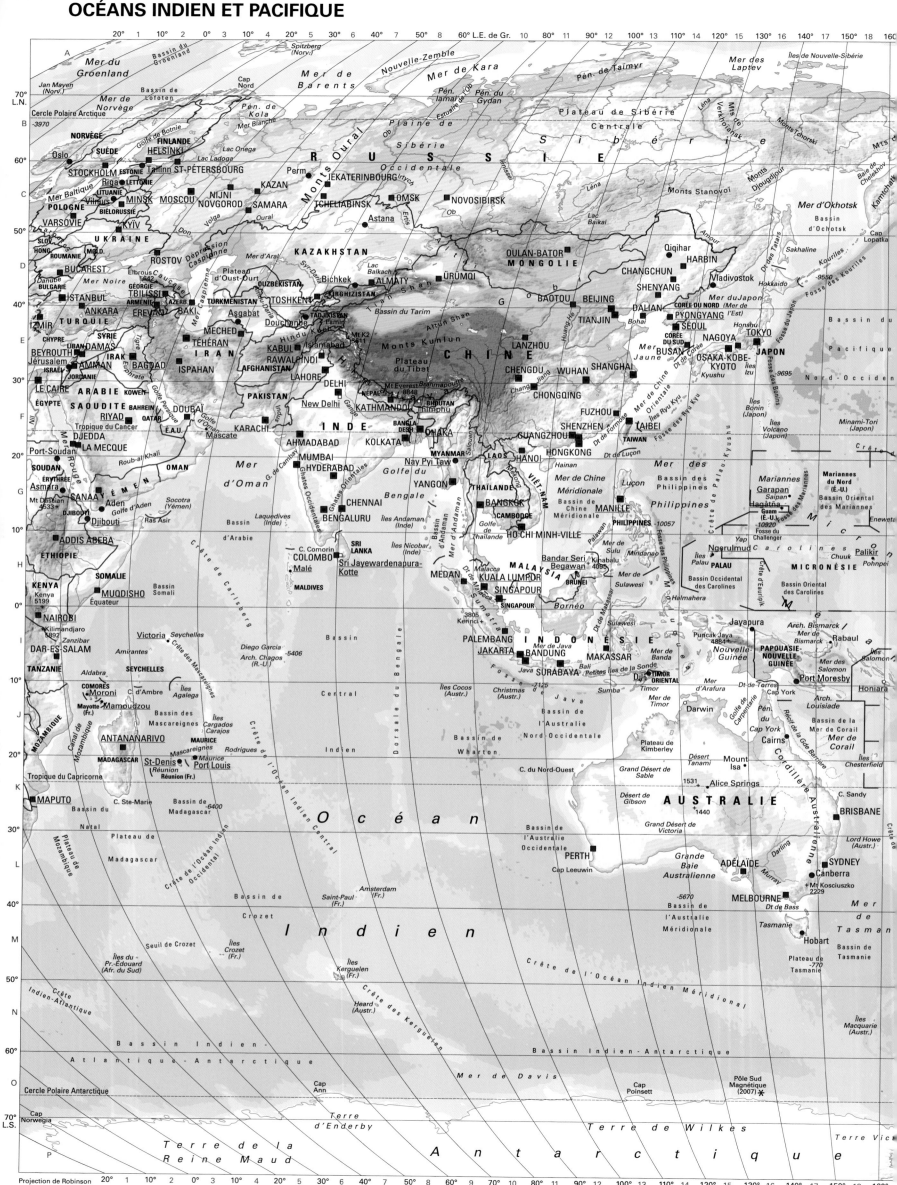

Projection de Robinson

Échelle 1 : 60 000 000

-8000 -6000 -4000 -2000 -200 0 100 200 500 1000 1500 2000 3000 5000 m
au-dessous du niveau de la mer

0 500 1000 1500 2000 2500 3000 km

Mer de Sibérie Orientale
Wrangel
Mts de l'Anadyr
Mer des Tchouktches
Chaîne de Brooks
C. du Pr. de Galles
Mer de Béring
Dt de Béring
Golfe d'Anadyr
Mer de Béring
Îles du Commandeur
Bassin des Aléoutiennes
Îles Aléoutiennes
Fosse des Aléoutiennes
Ligne de changement de date
Crête de l'Empereur
Kolyma

Alaska (É.-U.)
Mt McKinley (Denali) 6194
Mt Logan 5959
Anchorage
Chaîne d'Alaska
Kodiak
Golfe d'Alaska
Chaîne Côtière
Yukon
Mackenzie
Monts Mackenzie

Mer de Beaufort
Banks
Golfe d'Amundsen
Victoria
Îles Parry
Île du Pr. de Galles
Somerset
Devon
Îles de la Reine-Élisabeth

Groenland (Dan.)
Gunnbjørns Fjeld +3700
70° L.N.
Cercle Polaire Arctique

Bassin Canadien
Grand Lac de l'Ours
Grand Lac des Esclaves
Lac Athabasca
Lac Caribou
Bassin de Foxe
Southampton
Dt d'Hudson
Pén. d'Ungava
Baie d'Hudson
Bassin de Baffin
Île de Baffin
Dt de Davis
C. Farvel
Mer du Labrador
C. Cod
Bassin du Labrador

CANADA
Montagnes Rocheuses
Grandes Plaines
Lac Winnipeg
Nelson
Lac Supérieur
Lac Huron
Lac Michigan
Lac Ontario
Lac Érié
Saint-Laurent
Golfe du St-Laurent
Nouvelle-Écosse

Haida Gwaii
Mt Waddington 4042
VANCOUVER
SEATTLE
Chaîne des Cascades
Chaîne Côtière
Columbia
Grand Lac Salé
Grand Bassin
Mt Elbert 4398
DENVER
Missouri
Mississippi
Ohio
CHICAGO
DETROIT
TORONTO
Ottawa
MONTRÉAL
BOSTON
NEW YORK
PHILADELPHIE
WASHINGTON
KANSAS CITY
Appalaches
Cap Hatteras
Bermudes (R.-U.)
Océan Atlantique

ÉTATS-UNIS
SAN FRANCISCO
Mt Whitney +4420
Colorado
LOS ANGELES
SAN DIEGO
PHOENIX
DALLAS-FT WORTH
ATLANTA
Plateau de Blake
HOUSTON
MONTERREY
LA NOUVELLE-ORLÉANS
Sierra Madre Occidentale
Sierra Madre Orientale
Golfe de Californie
Basse Californie
Bassin du Mexique
Golfe du Mexique
MIAMI
Dt de Floride
Tropique du Cancer
Bassin d'Amérique du Nord
BAHAMAS

Zone Fracturée de Mendocino
C. Mendocino
Zone Fracturée de Murray
Zone Fracturée de Molokai
Zone Fracturée de Clarion
Zone Fracturée de Clipperton

Océan Pacifique
Monts des Musiciens
Crête d'Hawaii
Pacifique
Pacifique Central
Wake (É.-U.)
Îles Midway (É.-U.)
Johnston (É.-U.)
Kauai
Oahu
Honolulu
Maui
Hawaii (É.-U.)
Hawaii

Guadalupe (Mex.)
C. San Lucas
MEXIQUE
GUADALAJARA
MEXICO
Orizaba +5610
PUEBLA
Yucatán
Îles Revillagigedo (Mex.)
Sierra Madre Merid.
Fosse d'Amérique Centrale
Bassin du Guatemala
GUATEMALA
Belize
CUBA
HAÏTI
RÉP. DOM.
Grandes Antilles
JAMAÏQUE
Mer des Antilles

EL SALVADOR
TEGUCIGALPA
Honduras
Nicaragua
Lac Nicaragua
MANAGUA
SAN JOSÉ
COSTA RICA
Isthme de Panamá
PANAMÁ
Panamá
Crête des Cocos
Îles Cocos (C.R.)
Bassin de Malpelo (Col.)
BOGOTÁ
COLOMBIE
QUITO
Équateur
ÉQUATEUR
Chimborazo 6310
GUAYAQUIL

Nord-Oriental
Bassin du Pacifique Central
Crête de Christmas
Ligne
Kingman (É.-U.)
Palmyra (É.-U.)
Teraina
Tabuaeran
Howland (É.-U.)
Baker (É.-U.)
Jarvis (É.-U.)
Kiritimati (Christmas)
Malden
Starbuck
Vostok
Flint
Millennium
Nuku Hiva
Hiva Oa
Îles Marquises
Clipperton (Fr.)

ÎLES MARSHALL
Bikini
Kwajalein
Îles Ralik
Îles Ratak
Majuro
Majuro
Kosrae
Jaluit
Tarawa
Banaba
Nauru
South Tarawa
Yaren
NAURU
Îles Gilbert
Nanumea
Niutao
Vaitupu
Nukunonu
Atafu
Fakaofo
Tokelau (N.-Z.)
Penrhyn
Rakahanga
Manihiki
Pukapuka
Nassau
KIRIBATI
Abariringa
Enderbury
Îles Phoenix

ÎLES SALOMON
Santa Cruz
TUVALU
Funafuti
Funafuti
Rotuma
SAMOA
Savai'i
Apia
Samoa (É.-U.)
Tutuila
Pago Pago
Suwarrow
Îles Cook (N.-Z.)
Rangiroa
Bora-Bora
Huahine
Moorea
Tahiti
Papeete
Îles de la Société
Arch. des Tuamotu
Ride des Tuamotu
Polynésie Française

VANUATU
Nouvelles-Hébrides
Bassin Septentrional des Fidji
FIDJI
Vanua Levu
Suva
Viti Levu
TONGA
Wallis et Futuna (Fr.)
Uvéa
Mata'utu
Futuna
Alofi
Niue (N.-Z.)
Aitutaki
Palmerston
Avarua
Rarotonga
Mangaia
Tubuai
Tematangi
Mururoa
Mangareva
Pitcairn (R.-U.)
Oeno
Pitcairn
Duce
Îles Gambier
Rapa
Îles Tubuai
Sala-y-Gómez (Chili)
Dorsale de Sala-y-Gómez
Île de Pâques (Chili)
Îles Desventuradas (Chili)

Port-Vila
Nouvelle-Calédonie (Fr.)
Nouméa
Fosse des Nouvelles-Hébrides
Ride de Norfolk
Norfolk (Austr.)
Îles Kermadec (N.-Z.)
Ride des Kermadec
Fosse des Kermadec
Bassin Méridional des Fidji
Ligne de changement de date
Dorsale de Louisville
C. Maria van Diemen
Bassin de Norfolk
AUCKLAND
Île du Nord
Îles Chatham (N.-Z.)
Fosse de Bounty
Îles Bounty (N.-Z.)
NOUVELLE-ZÉLANDE
Aoraki/Mt Cook 3754
Île du Sud
Wellington
Plateau de Campbell
Îles Auckland (N.-Z.)
Campbell (N.-Z.)
Îles Antipodes (N.-Z.)

Océan Pacifique
Pacifique
Austral
Dorsale du Pacifique Oriental
Dorsale du Chili
Fosse du Pérou-Chili
Crête de Nazca
LIMA
Bassin du Pérou
PÉROU
Huascarán 6768
Îles Galápagos (Éq.)

PÉROU
CHILI
SANTIAGO
Aconcagua 6959
Valdivia
ARGENTINE
Îles Juan-Fernández (Chili)
Cordillère des Andes
Patagonie
Punta Arenas
Dt de Magellan
Terre de Feu
Îles Falkland (R.-U.)
Cap Horn
Dt de Drake
Océan Atlantique

Seuil du Pacifique Méridional
Bassin Pacifique-Antarctique
Îles Shetland du Sud
Îles Órcades du Sud
Cercle Polaire Antarctique
Bassin Atlantique-Indien

Scott
Mer de Ross
Cap Adare
Roosevelt
Terre Marie Byrd
Vinson + 5140
Mer d'Amundsen
Thurston
Mer de Bellingshausen
Île Alexandre
Péninsule Antarctique
Îles Berkner
Mer de Weddell
70° L.S.

© Noordhoff Uitgevers

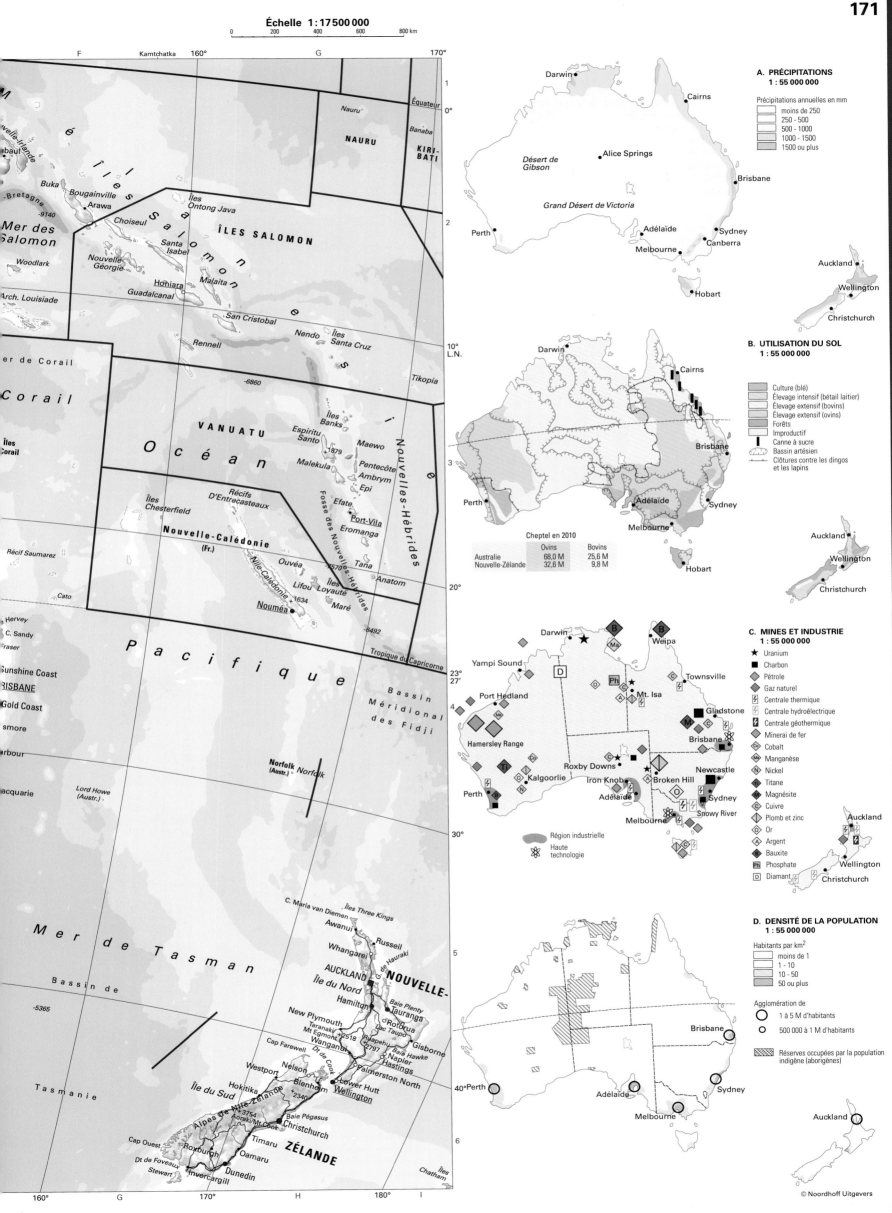

AFRIQUE

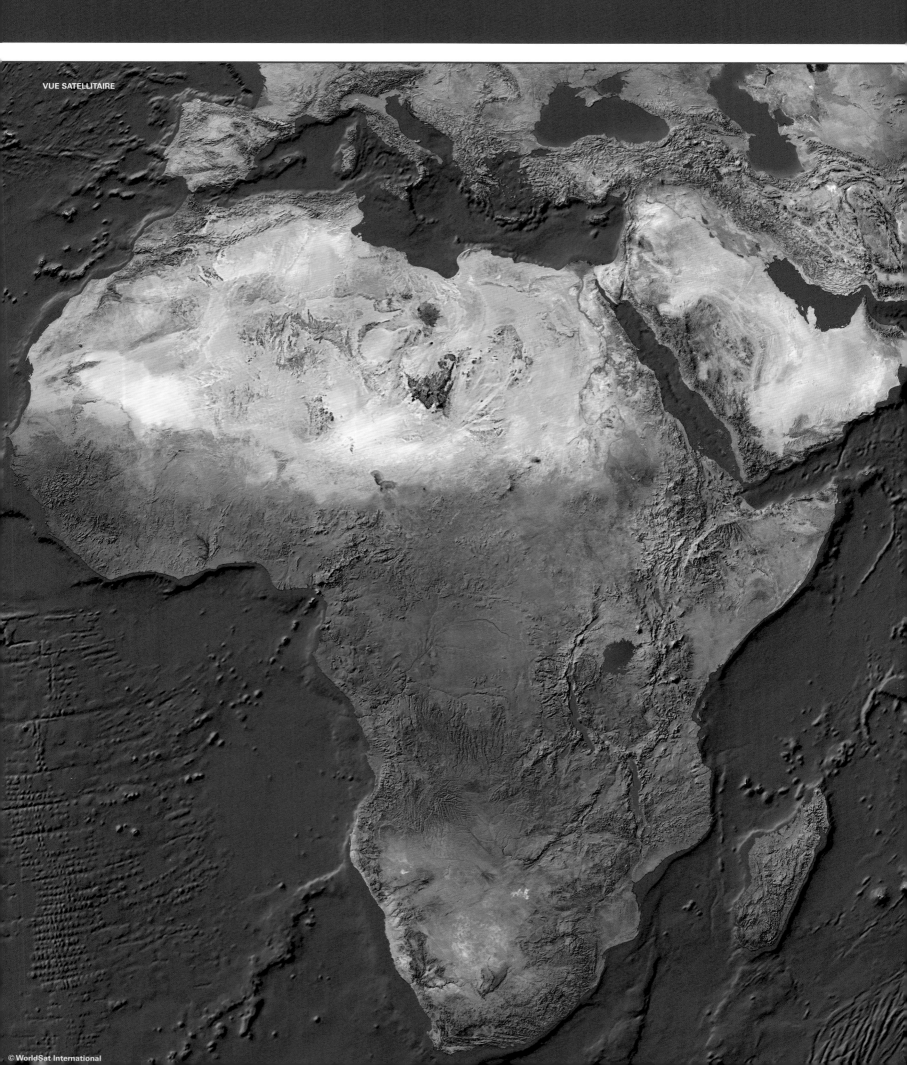

VUE SATELLITAIRE

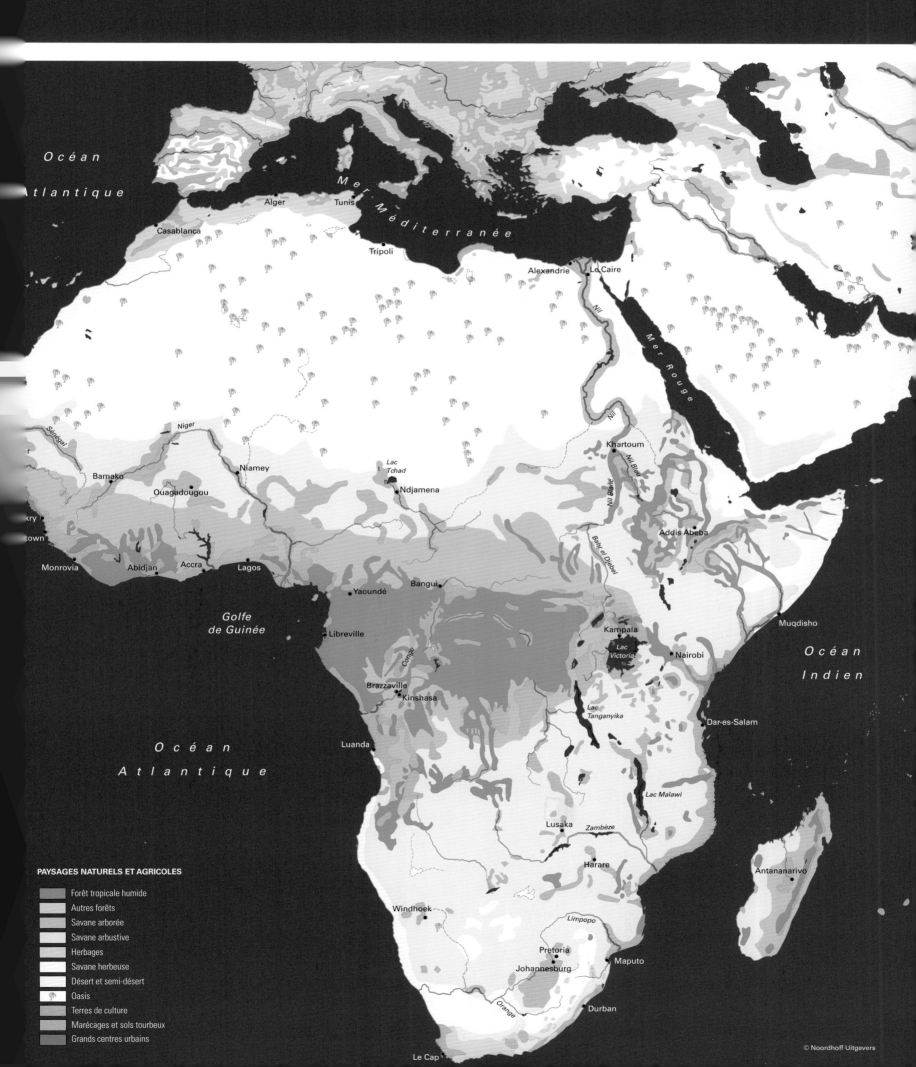

Océan

Atlantique

Alger

Tunis

Mer Méditerranée

Casablanca

Tripoli

Alexandrie

Le Caire

Nil

Mer Rouge

Khartoum

Niger

Niamey

Lac Tchad

Ndjamena

Nil Bleu

Bamako

Ouagadougou

Addis Abeba

Nil Blanc

Bahr el Djebel

Monrovia

Abidjan

Accra

Lagos

Bangui

Muqdisho

Yaoundé

Kampala

Océan Indien

Libreville

Golfe de Guinée

Congo

Lac Victoria

Nairobi

Brazzaville

Kinshasa

Lac Tanganyika

Dar-es-Salam

Luanda

Océan

Atlantique

Lac Malawi

Lusaka

Zambèze

Harare

Antananarivo

Windhoek

Limpopo

Pretoria

Maputo

Johannesburg

Orange

Durban

Le Cap

PAYSAGES NATURELS ET AGRICOLES

- Forêt tropicale humide
- Autres forêts
- Savane arborée
- Savane arbustive
- Herbages
- Savane herbeuse
- Désert et semi-désert
- Oasis
- Terres de culture
- Marécages et sols tourbeux
- Grands centres urbains

© Noordhoff Uitgevers

AFRIQUE

Échelle 1 : 25 000 000

0   200   400   600   800   1000 km

Map labels

30° L.O. de Gr.   A   20°   B   10°   C   0°   D   10°   E   20°   F

Dallas

Océan Atlantique

Madère · Porto Santo
Arch. de Madère

La Palma · Tenerife
Pico del Teide
3718
El Hierro · Gran Canaria
Îles Canaries
Lanzarote
Fuerteventura

Sidi-Ifni

Séville   Sa Nevada
Dt de Gibraltar
Oran   Alger
Rabat   Ch. du Rif   Atlas Tellien
Casablanca   2448   Atlas   Plateaux
Fès   Moulouya   Hauts   Atlas Saharien
Marrakech   Biskra   2326
Haut Atlas   -29
Toubkal   Chott   Golfe
4167   Djerid   de Gabès
Anti-Atlas   Djerba
-2600   Tafilalt   Ouargla
Drâa   Béchar   Ouargla   Tripoli
Hammada du Drâa   Ghadamès

Mer Méditerranée
C. Blanc
Tunis   Palerme   Etna
Cap   Sicile
Bon   Malte
-4300   Malta
-4791   Crète

Benghazi
G. de   Dj. el
La Grande   Akhdar
Syrte   Plateau
de Libye

Tropique du Cancer   23° 27'

Madère

El Ayoun
Saguia el Hamra
C. Boujdour

Erg Iguidi
El Eglab   In Salah   Edeyen   Oasis de
Awbari   Djalo
Erg Chech   Hammada du   Dj. es Soda
Tinrhert   Sebha   Oasis de
Plateau   Farafra
du Tademaït   Fezzan
Touat   Edeyen
Tidikelt   Mourzouk   Oasis de
Maktéïr   Tanezrouft   Massif du   Koufra
El Djouf   Hoggar   Ghat   Hammada Mangueni
(Ahaggar)   Tassili n'Ajjer   Tibesti   Désert de Libye
2918   2254   Pic Toussidé   Dj. Uweinat
Tamanrasset   3265   1893

20°

Ras Nouadhibou
(Cap Blanc)   -4200

Nouakchott   Adrar des   Plateau   +3415
Iforas   de Djado   Emi Koussi   + 1450
Aïr   Ténéré   Borkou   Ennedi
Tamgak   Bodélé   El Fasher
Îles du Cap Vert   Tagant   1988   -155   + Dj. Marra
Santo Antão   Agadez   Kanem   3088
São   Sal   Tombouctou   Bassin du   Quaddaï
Vicente São   Boa Vista   Lac Tchad   Darfur
Nicolau   Mts Hombori   249   1330
São Tiago   Maio   Niger   Ndjamena   Mts
Brava Fogo   Praia   Ségou   Niamey   Bornu   Tchad   Bongo
Dakar   Bamako   Sokoto   Hadejia   Baguirmi
Cap Vert   Niger   Sokoto   Kano   Logone   Bahr Salamat
Banjul   Banifing   Chari   Kotto
Gambie   Ouagadougou   Plateau   Bahr Aouk
Bissau   Fouta Djallon   de Jos   + 2042
Arch. des   1515   Kaduna   Plateau   Adamaoua
Bissagos   Abuja   de Bauchi   + 3011   Mbomou
Conakry   1948   1698   (Bomu)   Bangui
Freetown   Mts Loma +   Benue   Uélé
Mt Nimba   Côte des   Yaoundé   Ngoko   Congo
Sherbro   1752   Ibadan   Mt Cameroun   Sanaga   Chutes
Monrovia   Cotonou   Lagos   4100 +   Douala   Boyoma
St-Paul   Cavally   Lomé   Bioko   Kisangani
Côte des Graines   Accra   Côte des   Libreville   Mbandaka   Congo
Abidjan   Esclaves   Príncipe   Lac   Aruwimi
C. Palmas   Côte de l'Ivoire   Delta du   Golfe de Bonny   Tumba   Congo
Côte de l'Or   Niger   São Tomé   Ogooué   Lac Mai-Ndombe
C. des Trois Pointes   Côte des Palmiers   C. Lopez   Lukenie   Bujun
Annobón   Sanga   Lomami
Golfe de Guinée   Kwa   Kasai   Portes
Brazzaville   d'Enfer
-5036   Pool Malebo   Kwilu   Sankuru   Luku
Kinshasa   Kasai   Kananga   Lulua
Océan   Matadi   Chutes   Mbuji-Mayi
Mai Munene   Kwango   Katanga

Équateur   -7728   Bassin de Guinée   -5212   Lubumbashi
Dorsale Médio-Atlantique   -5759   Bassin d'Angola   Lac Kariba
Manaus   -5157   Lubumbashi
Ascension   Lobito   Plateau   Zambèze
2620   de   Livingstone
+ Mt Moco   Bihé   Chutes
Namibe   Victoria

C. Fria   Ovamboland   Okavango   Corridor de Caprivi
Etosha Pan   Marais de   Bulaway
l'Okavango   Makarikari
Pan

Tropique du Capricorne   23° 27'   Brandberg   Damaraland
2621   Windhoek   Kalahari   Gaborone
Crête de Walvis   + 2483   Pretoria
Mts Auas   Johannesburg
B. de la Baleine   Namaqualand   Molopo
-649   B. de Lüderitz   Mts Karas +   Bechuanaland   Bloemfontein
2202   Orange   Haut
Maseru

B. de Ste-Hélène   Bassin du Cap   Chute   Grand Karoo
Augrabies   Swartberg
Bosmanland   Vaal
Le Cap   Port Elizabeth
30° L.S.   Cap de Bonne-   C. des Aiguilles   C. Algoa
Espérance

Projection azimutale 0°   D   10°   E   20°   F

Inset map legend

A. STRUCTURE GÉOLOGIQUE
1 : 75 000 000

- Vieux boucliers (Précambrien)
- Boucliers recouverts de sédiments plus récents et non-plissés
- Roches volcaniques
- Domaine du plissement hercynien
- Domaine du plissement alpin (récent)
- Autres domaines, recouverts de sédiments peu ou pas plissés
- ▲ Volcan en activité
- Zone de fracture

Inset labels

TEIDE   MONTS ATLAS

Bassin du Tchad
Nil
Bouclier
MOUSSA ALI
MT. CAMEROUN   Grand rift africain
Bassin du   KENYA
Congo   VIRUNGA   KILIMANDJARO
Congo   MERU
africain   KARTALA
Zambèze
Orange

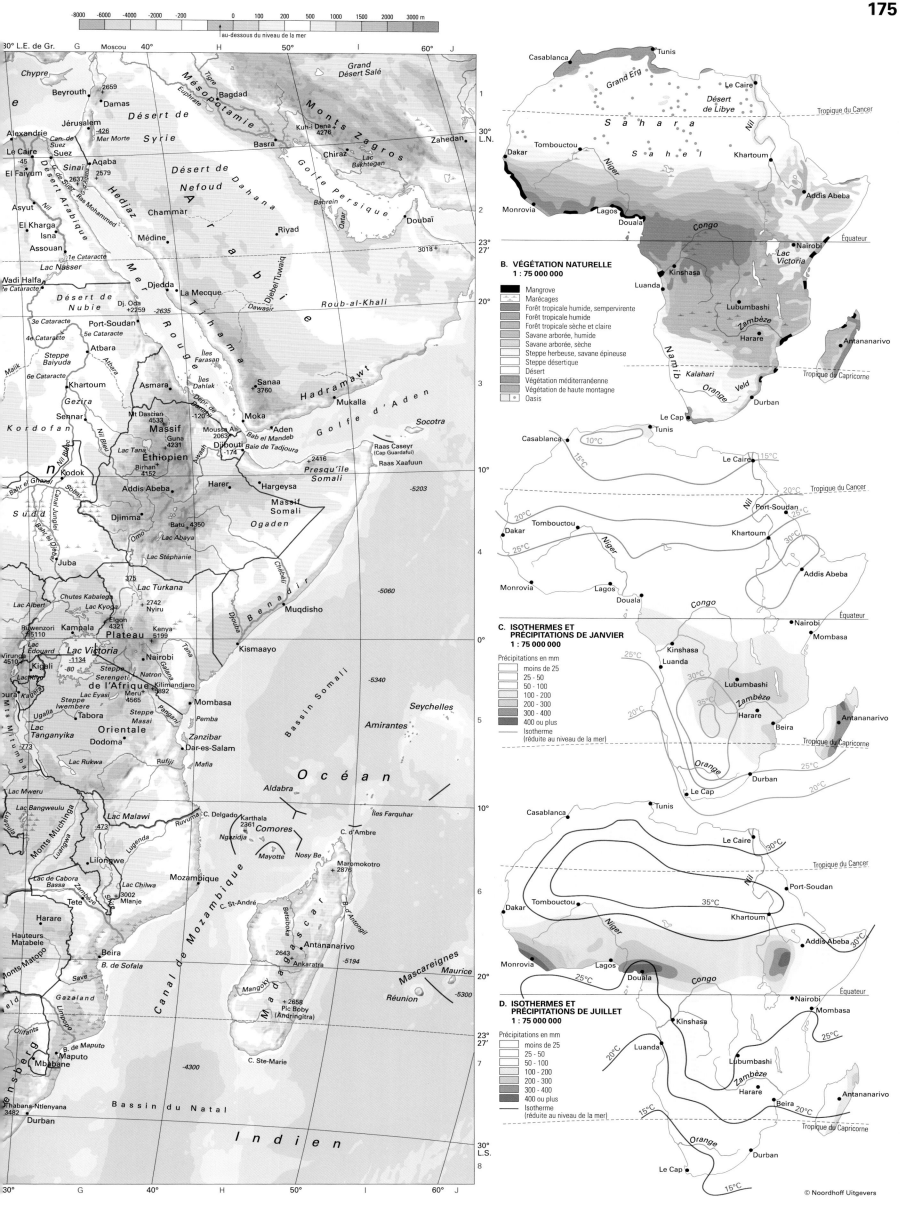

-8000 -6000 -4000 -2000 -200   0   100   200   500 1000 1500 2000 3000 m
au-dessous du niveau de la mer

30° L.E. de Gr.   G   Moscou   40°   H   50°   I   60°   J

Chypre
Beyrouth
+2659
Damas
Jérusalem   Bagdad
Désert de   -426
Mer Morte   Kuh-i Dena
Syrie   +4276
Basra   Zahedan
Alexandrie   Can. de   -45   30°
Le Caire   Suez   2579   L.N.
Suez   Aqaba   Chiraz   Lac
Sinai   2637   Bakhtegan
El Faiyum   +   Désert de
Asyut   Nil   Nefoud   Riyad   23°
El Kharga   Médine   27'
Isna   Bahrein
Assouan   Qatar   Doubaï
1e Cataracte
Lac Nasser   La Mecque   20°
Wadi Halfa   Djedda   Roub-al-Khali
2e Cataracte   Djebel/Tuwaiq
Désert de   -2635
Nubie   Dawasir   3018 +
Port-Soudan   Îles
3e Cataracte   Farasan
4e Cataracte   5e Cataracte
Steppe   Atbara   Îles   Hadramawt
Baiyuda   Dahlak   Sanaa
6e Cataracte   3760
Khartoum   Asmara   Mukalla
Gezira   Moka   Golfe d'Aden
Sennar   Aden   Socotra
Kordofan   Massif   Djibouti   Raas Caseyr
Éthiopien   -174   (Cap Guardafui)
Addis Abeba   +2416   Raas Xaafuun
Presqu'île
Harer   Hargeysa   Somali
Massif   -5203
Djimma   Somali
Ogaden
Muqdisho
Lac Turkana
Juba   Benadir
Chutes Kabalega   -5060
Lac Albert   +2742
Kampala   Nyiru
Plateau   Kismaayo
Lac Victoria   de l'Afrique
Nairobi   Bassin Somali   -5340
Kigali   Orientale
Serengeti   Kilimandjaro
Dodoma   +5892
Mombasa   Seychelles
Zanzibar
Dar-es-Salam   Amirantes
Océan
Aldabra   Îles Farquhar
Lac Malawi
Comores
Lilongwe   Indien
Mozambique   Maromokotro
+2876
Tete   C. d'Ambre
Harare   Antananarivo
Beira   +2643
Bassin du Natal
Maputo   -4300
Mbabane
Durban
30°
L.S.
8

30°   G   40°   H   50°   I   60°   J

© Noordhoff Uitgevers

B. VÉGÉTATION NATURELLE
1 : 75 000 000

- Mangrove
- Marécages
- Forêt tropicale humide, sempervirente
- Forêt tropicale humide
- Forêt tropicale sèche et claire
- Savane arborée, humide
- Savane arborée, sèche
- Steppe herbeuse, savane épineuse
- Steppe désertique
- Désert
- Végétation méditerranéenne
- Végétation de haute montagne
- Oasis

Casablanca   Tunis
Grand Erg   Le Caire
Désert
Sahara   de Libye   Tropique du Cancer
Dakar   Sahel
Tombouctou   Khartoum
Niger   Addis Abeba
Monrovia   Nairobi
Lagos   Équateur
Douala   Congo
Kinshasa   Lac Victoria
Luanda   Lubumbashi
Zambèze
Namib   Harare
Antananarivo
Kalahari   Tropique du Capricorne
Orange   Veld
Le Cap   Durban

C. ISOTHERMES ET PRÉCIPITATIONS DE JANVIER
1 : 75 000 000

Précipitations en mm
- moins de 25
- 25 - 50
- 50 - 100
- 100 - 200
- 200 - 300
- 300 - 400
- 400 ou plus
- Isotherme (réduite au niveau de la mer)

Casablanca   10°C
Tunis
Le Caire   15°C
20°C   Tropique du Cancer
Dakar   Nil   Port-Soudan
Tombouctou   25°C   Khartoum   30°C
20°C   Addis Abeba
Monrovia   25°C
Lagos
Douala   Congo   Nairobi
Équateur   Mombasa
25°C
Kinshasa
Luanda   30°C
35°C   Lubumbashi
20°C   Zambèze   Antananarivo
Harare   Beira
Orange   Tropique du Capricorne
Le Cap   25°C
Durban   20°C

D. ISOTHERMES ET PRÉCIPITATIONS DE JUILLET
1 : 75 000 000

Précipitations en mm
- moins de 25
- 25 - 50
- 50 - 100
- 100 - 200
- 200 - 300
- 300 - 400
- 400 ou plus
- Isotherme (réduite au niveau de la mer)

Casablanca   Tunis
Le Caire   30°C
Tropique du Cancer
Dakar   Nil   Port-Soudan
Tombouctou   35°C   Khartoum
Niger   Addis Abeba   30°C
Monrovia   25°C
Lagos   Douala   Congo
Équateur   Nairobi
20°C   Mombasa
Luanda   Kinshasa
Lubumbashi   25°C
Zambèze
15°C   Harare   Beira   Antananarivo
20°C
Orange   Tropique du Capricorne
Le Cap   Durban
15°C

AFRIQUE POLITIQUE

30° L.O. de Gr. | A | 20° | B | 10° | C | 0° | D | 10° | E | 20° | F

Dallas

Océan

Atlantique

Mer Méditerranée

Cadix · Séville · Grenade
Dt de Gibraltar · Malaga · Palerme · Sicile · Catane
Tanger · Ceuta (Esp.) · ALGER · Skikda · Annaba · Bizerte
C. Bon
Kénitra · Tétouan · Melilla (Esp.) · Oran · Constantine · TUNIS · Sousse
RABAT-SALÉ · Meknès · Tlemcen · Djelfa · Batna · Kairouan · Sfax · MALTE
CASABLANCA · FÈS · Oujda · Saïda · Laghouat · Biskra · G. de Gabès · Djerba
Safi · MAROC · Figuig · Aïn Sefra · El Oued · Gabès · Zuwara
Essaouira · 1956 · Béchar · Ghardaïa · Touggourt · Al Khums · Misourata
Agadir · Marrakech · Igli · Béni Abbès · Ouargla · Ghadames · Nalut · Bani Walid
Sidi-Ifni · Drâa · Timimoun · Hassi Messaoud · TRIPOLI
Tarfaya · Béni Abbès · El Goléa · 1956 · Surt · Benghazi · Derna · Tobrouk
El Ayoun · 1962 · In Amenas · LIBYE · Ajdabia · Salloum · ALEXAN
Boujdour · In Salah · Edjelé · Ras Lanouf · Marsá el-Brega
Bîr Mogreïn · Reggane · Sebha · Djarabub · Sioua
Dakhla · Ghat · Mourzouk · 1951 · Awjila
Sahara · Djanet · Al Qatrun · Koufra · Qasr Farafara
Occidental · Zouérat · Fdérik
Madère · Porto Santo · Funchal · Arch. de Madère (Port.)
La Palma · Sta. Cruz · Las Palmas · Gran Canaria · Lanzarote
El Hierro · Tenerife · Fuerteventura · Îles Canaries (Esp.) · C. Boujdour

ALGÉRIE

Tropique du Cancer

Nouadhibou · Ras Nouadhibou · Atar · Chinguetti · 1960 · Taoudenni · Bidon V · Tamanrasset · Toummo · Bardaï · ÉGY

Akjoujt · Tidjikdja · 1960 · Araouane · Arlit · Bilma · Faya

MAURITANIE · MALI · NIGER · TCHAD

Nouakchott · Kiffa · Néma · Tombouctou · Bambá · Agadez · 1960 · Lac Tchad

Rosso · Kaédi · Niger · Gao · 1960 · Nguigmi · Ati · Abéché · El Fasher
Saint-Louis · Louga · Bakel · Nioro · Mopti · Tahoua · Zinder · Diffa · Ndjamena · Mongo · El Geneina
DAKAR · Thiès · 1960 · Kayes · Ségou · Ouahigouya · Niamey · Maradi · Nguru · Massenya · Am Timan · Nyala
Mbour · Kaolack · Koulikoro · Kaya · Dossoʼ · Sokoto · Katsina · MAIDUGURI · Bongor · Sarh · Ed Du'ein
SÉNÉGAL · BAMAKO · Koutiala · OUAGADOUGOU · 1960 · KANO · Marqua · Kaélé · Doba · Ndélé · Aweil
Banjul · Bafoulabé · Siguiri · Sikasso · BURKINA FASO · Zaria · Bauchi · Garoua · Moundou · RÉPUBLIQUE CENTRAFRICAINE · Wau
GAMBIE · 1965 · Koudougou · Bobo · Bolgatanga · 1960 · KADUNA · Jos · Jimeta · 1960 · Ngaoundéré · 1960
GUINÉE-BISSAU · Labé · Kankan · Dioulasso · BÉNIN · Kandi · Bamenda · Bouar · Bambari · Bangassou
CONAKRY · Mamou · Faranah · Banfora · Djougou · Parakou · ILORIN · Minna · ABUJA · Makurdi · Carnot · Berbérati · Mbomou
SIERRA LEONE · Kissidougou · Korhogo · Wa · Tamale · Kara · Sokodé · Bida · NIGERIA · Benue · Kaga-Bandoro · Gbadolite · Uélé
Freetown · 1958 · CÔTE D'IVOIRE · Bouaké · Sunyani · Oshogbo · IBADAN · Oshobo · Enugu · CAMEROUN · Bertoua · Bangui · Gemena · Isiro
Makeni · Guéckédou · Nzérékoré · Man · GHANA · 1960 · Abeokuta · Okene · Onitsha · YAOUNDÉ · Gbadolite · Bumba · Buta
MONROVIA · Kenema · Daloa · KUMASI · LAGOS · BENIN · Aba · Calabar · Kribi · 1961 · DOUALA · Libreville · Lisala · Kisangani
LIBERIA · Gagnoa · Yamoussoukro · COTONOU · PORT HARCOURT · Kumba · Malabo · Bata · 1968 · Mbandaka · Ubundu
Buchanan · Zwedru · Obuasi · ABIDJAN · Porto-Novo · Bonny · GUINÉE ÉQUAT. · GABON · CONGO · RÉPUBLIQUE DÉMOCRATIQUE DU CONGO
Greenville · Divo · Tema · Lomé · Golfe de Bonny · São Tomé · 1975 · Libreville · 1960
Sassandra · Sekondi-Takoradi · Cape Coast · Bioko · Principe · São Tomé · Port-Gentil · Lambaréné · Masuku · Inongo

BÉNIN · CAMEROUN · GABON

Golfe de Guinée

Océan Atlantique

BRAZZAVILLE · KINSHASA · LUANDA

A. LANGUES
1 : 70 000 000

- Afrikaans/Anglais
- Langues chamitiques
- Langues sémitiques
- Langues couchitiques
- Langues soudanaises
- Langues bantoues
- Langues Khoisan
- Langues malayo-polynésiennes

Projection azimutale

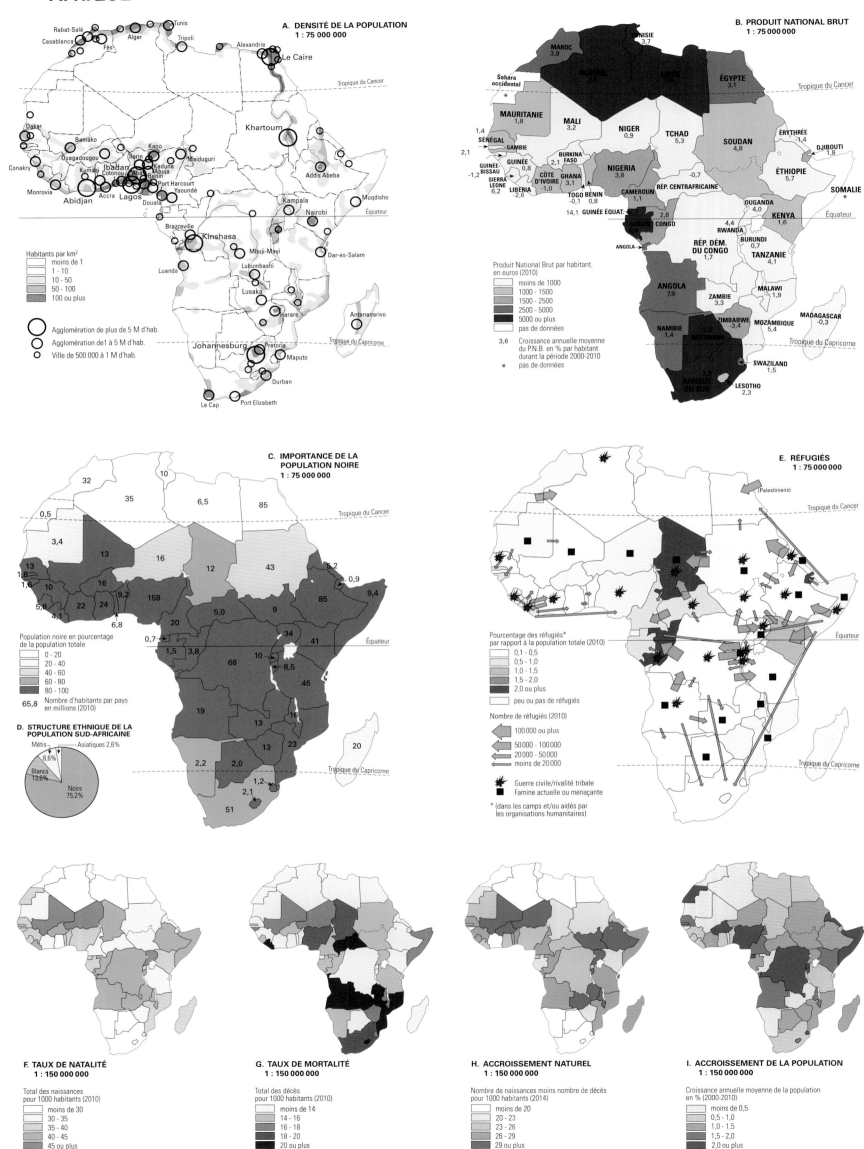

178

AFRIQUE

A. DENSITÉ DE LA POPULATION
1 : 75 000 000

Rabat-Salé · Tunis
Casablanca · Alger
Fès
Tripoli
Alexandrie
Le Caire
Khartoum
Dakar
Bamako · Kano · Maiduguri
Ouagadougou · Ilorin · Kaduna · Addis Abeba
Conakry · Kumasi · Ibadan · Abuja
Monrovia · Cotonou · Abidjan · Benin · Port Harcourt · Yaoundé
Accra · Lagos · Douala
Abidjan
Kampala
Nairobi · Muqdisho
Brazzaville · Kinshasa
Mbuji-Mayi · Dar-es-Salam
Luanda · Lubumbashi
Lusaka · Antananarivo
Harare
Johannesburg · Pretoria
Le Cap · Port Elizabeth · Maputo · Durban

Tropique du Cancer
Équateur
Tropique du Capricorne

Habitants par km²
- moins de 1
- 1 - 10
- 10 - 50
- 50 - 100
- 100 ou plus

○ Agglomération de plus de 5 M d'hab.
○ Agglomération de1 à 5 M d'hab.
○ Ville de 500 000 à 1 M d'hab.

B. PRODUIT NATIONAL BRUT
1 : 75 000 000

MAROC 3,9 · TUNISIE 3,7 · ALGÉRIE · LIBYE · ÉGYPTE 3,1
Sahara occidental *
MAURITANIE 1,8 · MALI 3,2 · NIGER 0,9 · TCHAD 5,3 · SOUDAN 4,8 · ÉRYTHRÉE -1,4 · DJIBOUTI 1,8
SÉNÉGAL 1,4 · GAMBIE 2,1 · GUINÉE 2,1 · BURKINA FASO 0,8 · NIGERIA 3,8 · -0,7 · ÉTHIOPIE 5,7 · SOMALIE *
GUINÉE-BISSAU -1,2 · CÔTE D'IVOIRE -1,0 · GHANA 3,1 · RÉP. CENTRAFRICAINE
SIERRA LEONE 6,2 · LIBÉRIA -2,6 · TOGO -0,1 · BÉNIN 0,8 · CAMEROUN 1,1 · OUGANDA 4,0 · KENYA 1,6
GUINÉE ÉQUAT. 14,1 · GABON · CONGO 2,8 · RWANDA 4,4 · BURUNDI 0,7
ANGOLA · RÉP. DÉM. DU CONGO 1,7 · TANZANIE 4,1
ANGOLA 7,9 · ZAMBIE 3,3 · MALAWI 1,9 · MADAGASCAR -0,3
NAMIBIE 1,4 · BOTSWANA 2,2 · ZIMBABWE -3,4 · MOZAMBIQUE 5,4
AFRIQUE DU SUD 2,3 · SWAZILAND 1,5 · LESOTHO 2,3

Produit National Brut par habitant, en euros (2010)
- moins de 1000
- 1000 - 1500
- 1500 - 2500
- 2500 - 5000
- 5000 ou plus
- pas de données

3,6 Croissance annuelle moyenne du P.N.B. en % par habitant durant la période 2000-2010
* pas de données

C. IMPORTANCE DE LA POPULATION NOIRE
1 : 75 000 000

32 · 10
35 · 6,5 · 85
0,5
3,4 · 13 · 16 · 12 · 43 · 5,2
13 · 0,9
1,8 · 9,4
1,6 · 10 · 16 · 158 · 85
5,8 · 22 · 24 · 9,2 · 5,0 · 9
4,1 · 6,8 · 20 · 34 · 41
0,7 · 1,5 · 3,8 · 10
68 · 8,5
19 · 45
16
13 · 23
13 · 20
2,2 · 2,0
1,2
2,1
51

Population noire en pourcentage de la population totale
- 0 - 20
- 20 - 40
- 40 - 60
- 60 - 80
- 80 - 100

65,8 Nombre d'habitants par pays en millions (2010)

D. STRUCTURE ETHNIQUE DE LA POPULATION SUD-AFRICAINE

Métis 8,6%
Asiatiques 2,6%
Blancs 13,6%
Noirs 75,2%

E. RÉFUGIÉS
1 : 75 000 000

(Palestiniens)

Pourcentage des réfugiés* par rapport à la population totale (2010)
- 0,1 - 0,5
- 0,5 - 1,0
- 1,0 - 1,5
- 1,5 - 2,0
- 2,0 ou plus
- peu ou pas de réfugiés

Nombre de réfugiés (2010)
- 100 000 ou plus
- 50 000 - 100 000
- 20 000 - 50 000
- moins de 20 000

✴ Guerre civile/rivalité tribale
■ Famine actuelle ou menaçante

* (dans les camps et/ou aidés par les organisations humanitaires)

F. TAUX DE NATALITÉ
1 : 150 000 000

Total des naissances pour 1000 habitants (2010)
- moins de 30
- 30 - 35
- 35 - 40
- 40 - 45
- 45 ou plus

G. TAUX DE MORTALITÉ
1 : 150 000 000

Total des décès pour 1000 habitants (2010)
- moins de 14
- 14 - 16
- 16 - 18
- 18 - 20
- 20 ou plus

H. ACCROISSEMENT NATUREL
1 : 150 000 000

Nombre de naissances moins nombre de décès pour 1000 habitants (2014)
- moins de 20
- 20 - 23
- 23 - 26
- 26 - 29
- 29 ou plus

I. ACCROISSEMENT DE LA POPULATION
1 : 150 000 000

Croissance annuelle moyenne de la population en % (2000-2010)
- moins de 0,5
- 0,5 - 1,0
- 1,0 - 1,5
- 1,5 - 2,0
- 2,0 ou plus

© Noordhoff Uitgevers

AFRIQUE

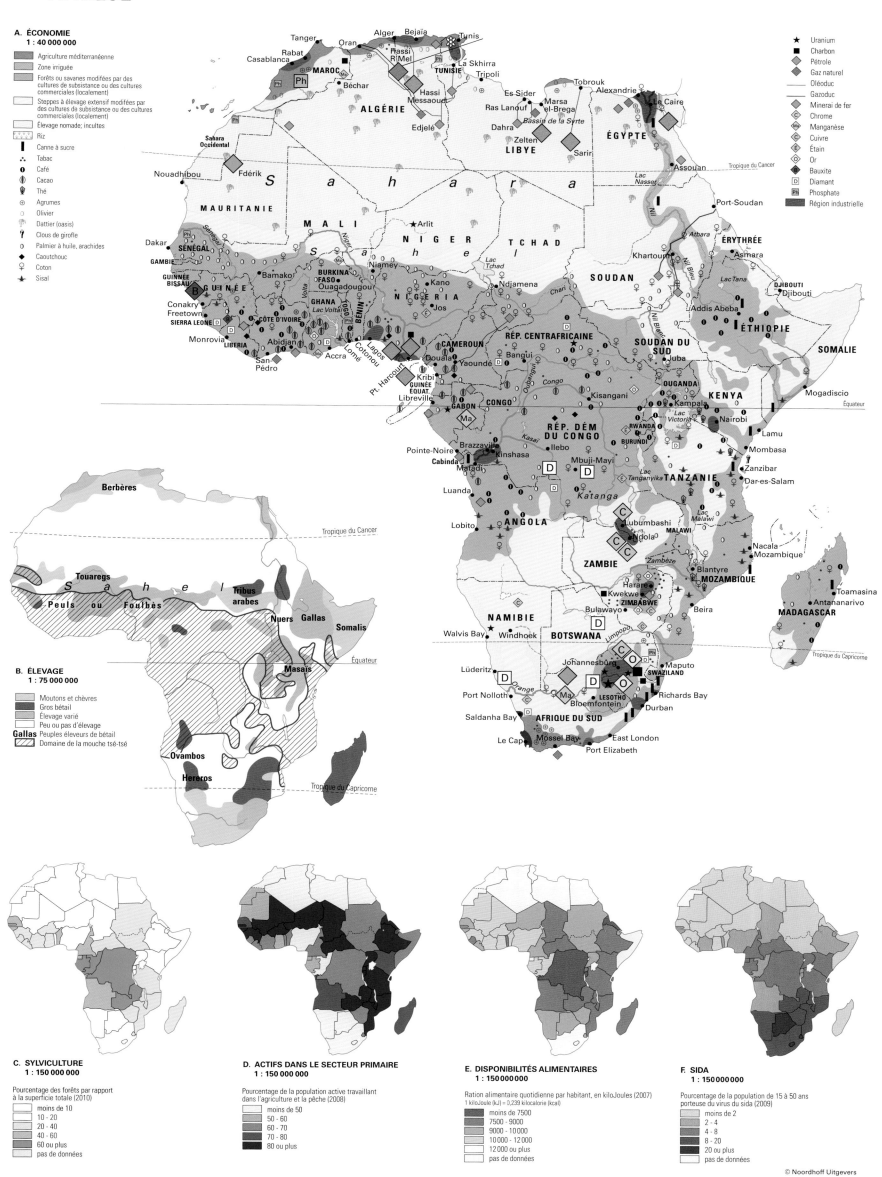

A. ÉCONOMIE
1 : 40 000 000

- Agriculture méditerranéenne
- Zone irriguée
- Forêts ou savanes modifiées par des cultures de subsistance ou des cultures commerciales (localement)
- Steppes à élevage extensif modifiées par des cultures de subsistance ou des cultures commerciales (localement)
- Élevage nomade; incultes
- Riz

- Canne à sucre
- Tabac
- Café
- Cacao
- Thé
- Agrumes
- Olivier
- Dattier (oasis)
- Clous de girofle
- Palmier à huile, arachides
- Caoutchouc
- Coton
- Sisal

- ★ Uranium
- ■ Charbon
- ◆ Pétrole
- ◇ Gaz naturel
- — Oléoduc
- — Gazoduc
- ◆ Minerai de fer
- ◇ Chrome
- Mn Manganèse
- C Cuivre
- É Étain
- O Or
- ◆ Bauxite
- D Diamant
- Ph Phosphate
- Région industrielle

B. ÉLEVAGE
1 : 75 000 000

- Moutons et chèvres
- Gros bétail
- Élevage varié
- Peu ou pas d'élevage
- **Gallas** Peuples éleveurs de bétail
- Domaine de la mouche tsé-tsé

C. SYLVICULTURE
1 : 150 000 000

Pourcentage des forêts par rapport à la superficie totale (2010)
- moins de 10
- 10 - 20
- 20 - 40
- 40 - 60
- 60 ou plus
- pas de données

D. ACTIFS DANS LE SECTEUR PRIMAIRE
1 : 150 000 000

Pourcentage de la population active travaillant dans l'agriculture et la pêche (2008)
- moins de 50
- 50 - 60
- 60 - 70
- 70 - 80
- 80 ou plus

E. DISPONIBILITÉS ALIMENTAIRES
1 : 150 000 000

Ration alimentaire quotidienne par habitant, en kiloJoules (2007)
1 kiloJoule (kJ) = 0,239 kilocalorie (kcal)
- moins de 7500
- 7500 - 9000
- 9000 - 10 000
- 10 000 - 12 000
- 12 000 ou plus
- pas de données

F. SIDA
1 : 150 000 000

Pourcentage de la population de 15 à 50 ans porteuse du virus du sida (2009)
- moins de 2
- 2 - 4
- 4 - 8
- 8 - 20
- 20 ou plus
- pas de données

© Noordhoff Uitgevers

MAROC

Échelle 1:7 500 000

-6000 -4000 -2000 -200 0 100 200 500 1000 1500 2000 3000 5000 m
au-dessous du niveau de la mer

0 50 100 150 200 250 km

Carte principale

16° L.O. de Gr. · 12° · Lisbonne · 8° · Dublin · 4° · 0°

PORTUGAL
C. Saint-Vincent
Faro
Algarve
ESPAGNE
Sierra Nevada
Almería
Cadix
Jerez de la Frontera
Málaga
Algésiras
Gibraltar (R.-U.)
Mer Méditerranée
Arzew
Oran
Beni Saf
Détroit de Gibraltar
Ceuta (Esp.)
Tanger
Tétouan
C. Tres Forcas
Melilla (Esp.)
Ghazaouet
Sidi bel Abbès
Larache
Chaouén
Al Hoceima
Nador
Ahfir
Tlemcen
Ksar el Kebir
Ouezzane
Taza
Taourirt
Guercif
Oujda
El Aricha
Souk el Arbaâ du Rharb
Taounate
Chaîne du Rif
2456
Kénitra
Sidi Kacem
FÈS
Sefrou
Aïn Beni Mathar
Salé
Moulay Idriss
Meknès
Ifrane
Hauts Plateaux
Rabat
Khemisset
Temara
Azrou
Aïn Sefra
Mohammedia
Ben Slimane
Boulemane
Bouârfa
CASABLANCA
Azemmour
Berrechid
Khenifra
Tendrara
Jorf Lasfar
El Jadida
Settat
Oued Zem
Midelt
Oualidia
Khouribga
Kasba Tadla
+3737 Ayachi
Boudenib
C. Beddouza
Sidi Bennour
Fkih ben Salah
Beni Mellal
Er Rachidia
Figuig
Safi
Benguerir
Youssoufia
El Kelaâ des Srarhna
Azilal
Kenadsa
Béchar
Essaouira
Tennsift
Demnate
Tinerhir
Erfoud
Abadla
Taghit
C. Sim
Marrakech
4071+ Irhil M'Goun
Dadès
Boumalne-Dadès
Rissani
Igli
Béni Abbès
Asni
Ouarzazate
C. Rhir
3555 Aoulime
Toubkal 4165
Tazenakht
Zagora
Grand Erg Occidental
Agadir
Aït Melloul
Sous
Taroudannt
Oulad Teïma
Tata
Tafraout
Anti-Atlas
Tagounite
Erg er Raoui
Tiznit
Djebel Bani
Sidi Ifni
Bou Izakarn
Cratère +d'Ouarkziz
Tabelbala
Timoudi
C. Draâ
Guelmime
Hammada du Drâa
Tan-Tan
Dráa
Hammada Tounassine
C. Juby
Tarfaya
Tindouf
Iguidi
ALGÉRIE
Laâyoune (El Ayoun)
Al Mahbas
El Eglab
Saguia el Hamra
Hawza
Lemsid
Es Semara
Chenachane
El Lat
C. Boujdour
Boujdour
Zemmour
Erg Chech
Chegga
Galtat Zemmour
Bîr Mogreïn
SAHARA OCCIDENTAL
SAHARA
El Hank
Dakhla
Baie de Rio de Oro
Bir Enzaran
Tropique du Capricorne
El Hammâmi
Taoudenni
MALI
C. Barbas
Zouérat
Fdérik
Azaffal
Choûm
MAURITANIE

Océan Atlantique

Arch. de Madère (Port.)
Porto Santo
Madère
Ilhas Desertas
Funchal

Ilhas Selvagens

Îles Canaries (Esp.)
La Palma
Santa Cruz de la Palma
Pto de la Cruz
La Gomera
Pico del Teide +3718
Tenerife
Valverde
El Hierro
Lanzarote
Arrecife
Fuerteventura
Puerto del Rosario
Santa Cruz de Tenerife
Arucas
Las Palmas
Telde
Gran Canaria
Maspalomas

A. PRÉCIPITATIONS
1 : 15 000 000

Tanger
Nador
Oran
Rabat
Fès
Oujda
Casablanca
Meknès
Safi
Figuig
Marrakech
Er Rachidia
Béchar
Agadir
Ouarzazate

Las Palmas

Laâyoune

Précipitations annuelles
moins de 200 mm
200 - 300 mm
300 - 500 mm
500 - 700 mm
700 - 900 mm
900 mm ou plus

B. ARIDITÉ
1 : 15 000 000

Indice d'aridité
1 1,5 2 3 4 5 10 20 50

L'indice d'aridité est le rapport précipitations/évaporation.
Si l'indice vaut 1, l'évaporation annuelle est égale au volume annuel des précipitations.
Pour un indice de 20, l'évaporation est 20 fois supérieure aux précipitations.

Source: U.N. Conference on Desertification 1977

Tanger
Nador
Oran
Rabat
Fès
Oujda
Casablanca
Meknès
Safi
Figuig
Marrakech
Er Rachidia
Béchar
Agadir
Ouarzazate

Las Palmas
(pas de données)

Laâyoune

© Noordhoff Uitgevers

MAROC

A. UTILISATION DU SOL ET IRRIGATION
1 : 10 000 000

Désert
(improductif ou nomadisme basé sur l'élevage)

Territoire montagnard
(improductif ou nomadisme basé sur l'élevage)

Forêts

Steppe avec élevage extensif
en alternance avec des cultures de subsistance

Cultures variées et élevage

Agriculture méditerranéenne
(blé, olive, citron)

Cultures maraîchères et fruitières

Périmètres irrigués
(irrigation généralisée ou
extension prévue à court terme)

Oasis

⚘ Vignoble

⊕ Citronniers

○ Oliviers

🌴 Dattiers

⚓ Port de pêche important

⌐ Barrage

B. MINES, INDUSTRIE ET TOURISME
1 : 10 000 000

■ Charbon
◆ Pétrole
◆ Gaz naturel
⚡ Centrale thermique
⚡ Centrale hydroélectrique
Oléoduc
Gazoduc
Raffinage pétrolier
○ Ville industrielle
○ Centre touristique

◆ Minerai de fer
Cobalt
Antimoine
Manganèse
Cuivre
Plomb et zinc
Zone phosphatière
Ph Phosphate
Bande transporteuse
de phosphate
Zone franche industrielle
et logistique associée au
port de transbordement de
conteneurs de Tanger Med

C. DENSITÉ DE LA POPULATION
1 : 15 000 000

Habitants par km² (2010)
moins de 10
10 - 50
50 - 100
100 - 200
200 ou plus

Agglomération de
○ 1 - 5 M d'habitants
○ 500 000 - 1 M d'habitants
○ 100 000 - 500 000 habitants

D. COMPOSITION ETHNIQUE DE LA POPULATION
1 : 15 000 000

Arabes
Berbères
Population mélangée
Tachelhit Dialecte berbère

E. CHÔMAGE
1 : 15 000 000

Pourcentage des personnes sans emploi par rapport
à la population active potentielle par région (2010)
moins de 7,5
7,5 - 9
9 - 12
12 - 15
15 ou plus

F. MARRAKECH
1 : 125 000

Médina = partie musulmane d'une ville
Mellah = quartier juif d'une ville
Kashba = place forte

Légende du cadre F:
Médina, mellah, kashba
Centre de la ville européenne
Quartier illégal (bidonville)
Périphérie de la ville européenne
Extension récente (habitat bas)
Ville satellite: (classes populaire et moyenne)
Espace militaire
Espace industriel
Important espace public ou monument
Mur d'enceinte de la ville
Route importance
Limite municipale
Zone du cadre G

Légende du cadre G:
Constructions arabes
Constructions européennes
Parc
Important espace public ou monument
Autre espace
Mur d'enceinte de la ville

G. MARRAKECH (plan urbain)
1 : 15 000

Souk = marché

© Noordhoff Uitgevers

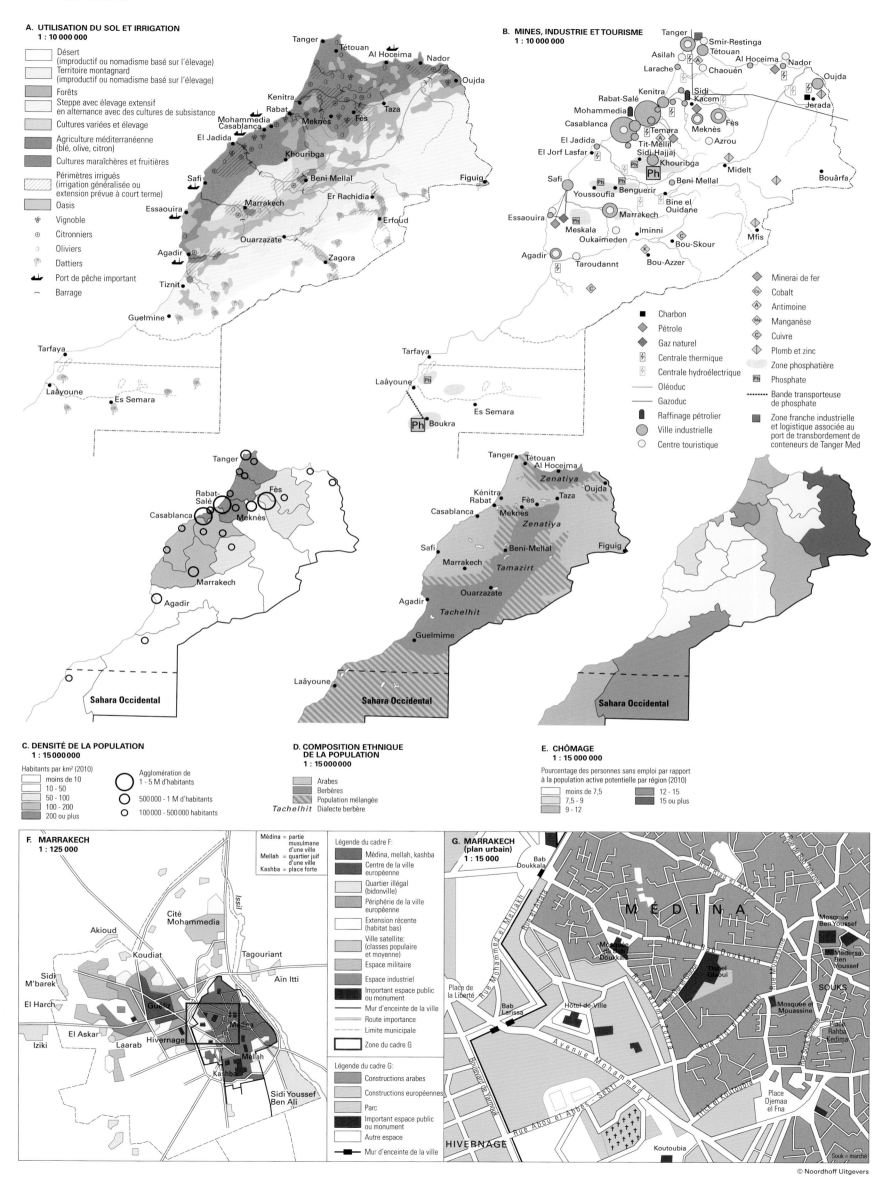

AFRIQUE DU NORD ET DE L'OUEST

A. AFRIQUE DU NORD ET DE L'OUEST - Économie

Légende

Zone méditerranéenne
- Forêt méditerranéenne (chêne-liège)
- Steppe (élevage extensif de chèvres et moutons)
- Cultures (céréales, oliviers, agrumes, vignobles)

Zone désertique
- Grand ensemble de dunes de sable (erg)
- Grand plateau pierreux (hammada, erg)
- Grand bassin de sel (sebkha)
- Désert de sable et de pierres
- Oasis (palmier-dattier, élevage de dromadaires)

Zone irriguée
- Cultures irriguées

Zone des savanes
- Savane sèche à herbes rases: élevage extensif de bovins, moutons et chèvres. Acacias gommiers
- Savane arborée à herbes hautes: élevage extensif de bovins
- Zones cultivées: maïs, millet, igname, manioc, patate douce; riz avec irrigation. Cultures commerciales: arachides, coton

Zone équatoriale
- Forêt dense toujours verte
- Mangrove
- Clairières cultivées: manioc, bananes. Cultures commerciales: palmiers à huile, café, cacao, fruits tropicaux (bananes, ananas, etc.)

Mines
- Minerai de fer
- Cobalt
- Manganèse
- Cuivre
- Plomb et zinc
- Étain
- Or
- Bauxite
- Ph Phosphate
- D Diamant

Industries
- Centres industriels

Énergie
- Uranium
- Charbon
- Champ pétrolier
- Exploitation de gaz
- Raffinage pétrolier
- Centrale hydro-électrique
- Haute technologie
- Oléoduc
- Gazoduc

© Noordhoff Uitgevers

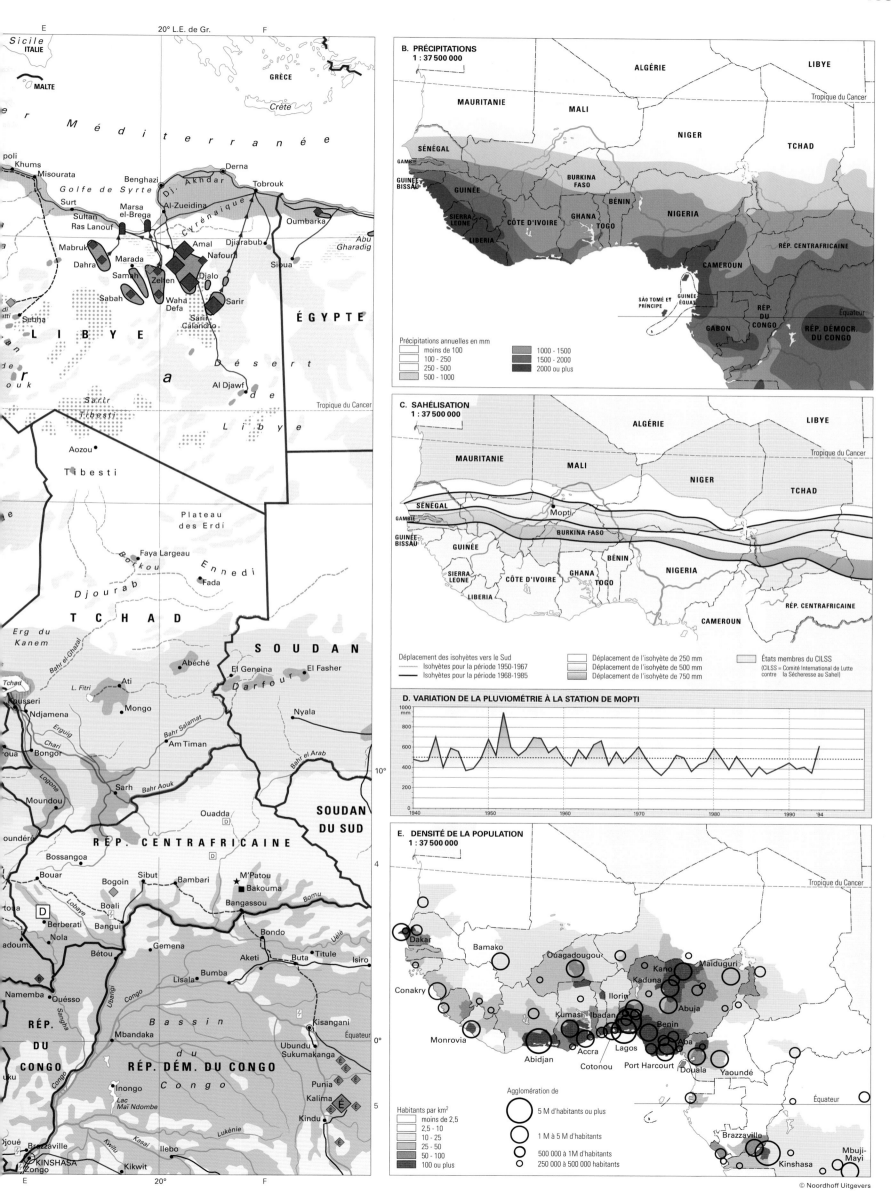

B. PRÉCIPITATIONS
1 : 37 500 000

Précipitations annuelles en mm

- moins de 100
- 100 - 250
- 250 - 500
- 500 - 1000
- 1000 - 1500
- 1500 - 2000
- 2000 ou plus

C. SAHÉLISATION
1 : 37 500 000

Déplacement des isohyètes vers le Sud
- Isohyètes pour la période 1950-1967
- Isohyètes pour la période 1968-1985

- Déplacement de l'isohyète de 250 mm
- Déplacement de l'isohyète de 500 mm
- Déplacement de l'isohyète de 750 mm

États membres du CILSS
(CILSS = Comité International de Lutte contre la Sécheresse au Sahel)

D. VARIATION DE LA PLUVIOMÉTRIE À LA STATION DE MOPTI

E. DENSITÉ DE LA POPULATION
1 : 37 500 000

Habitants par km²
- moins de 2,5
- 2,5 - 10
- 10 - 25
- 25 - 50
- 50 - 100
- 100 ou plus

Agglomération de
- 5 M d'habitants ou plus
- 1 M à 5 M d'habitants
- 500 000 à 1M d'habitants
- 250 000 à 500 000 habitants

© Noordhoff Uitgevers

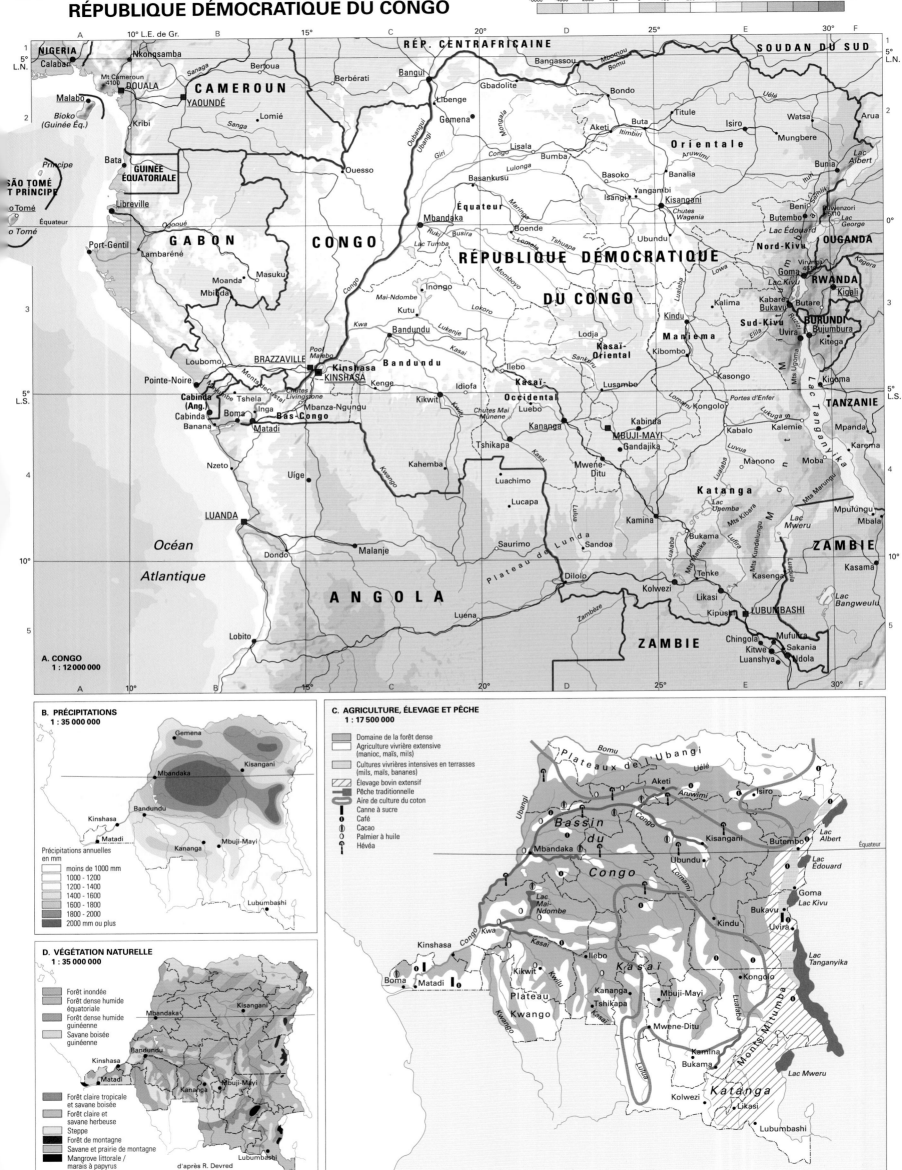

RÉPUBLIQUE DÉMOCRATIQUE DU CONGO

-6000 -4000 -2000 -200 0 100 200 500 1000 1500 2000 3000 5000 m

A. CONGO
1 : 12 000 000

B. PRÉCIPITATIONS
1 : 35 000 000

Précipitations annuelles en mm
- moins de 1000 mm
- 1000 - 1200
- 1200 - 1400
- 1400 - 1600
- 1600 - 1800
- 1800 - 2000
- 2000 mm ou plus

C. AGRICULTURE, ÉLEVAGE ET PÊCHE
1 : 17 500 000

- Domaine de la forêt dense
- Agriculture vivrière extensive (manioc, maïs, mils)
- Cultures vivrières intensives en terrasses (mils, maïs, bananes)
- Élevage bovin extensif
- Pêche traditionnelle
- Aire de culture du coton
- Canne à sucre
- Café
- Cacao
- Palmier à huile
- Hévéa

D. VÉGÉTATION NATURELLE
1 : 35 000 000

- Forêt inondée
- Forêt dense humide équatoriale
- Forêt dense humide guinéenne
- Savane boisée guinéenne
- Forêt claire tropicale et savane boisée
- Forêt claire et savane herbeuse
- Steppe
- Forêt de montagne
- Savane et prairie de montagne
- Mangrove littorale / marais à papyrus

d'après R. Devred

© Noordhoff Uitgevers

RÉPUBLIQUE DÉMOCRATIQUE DU CONGO

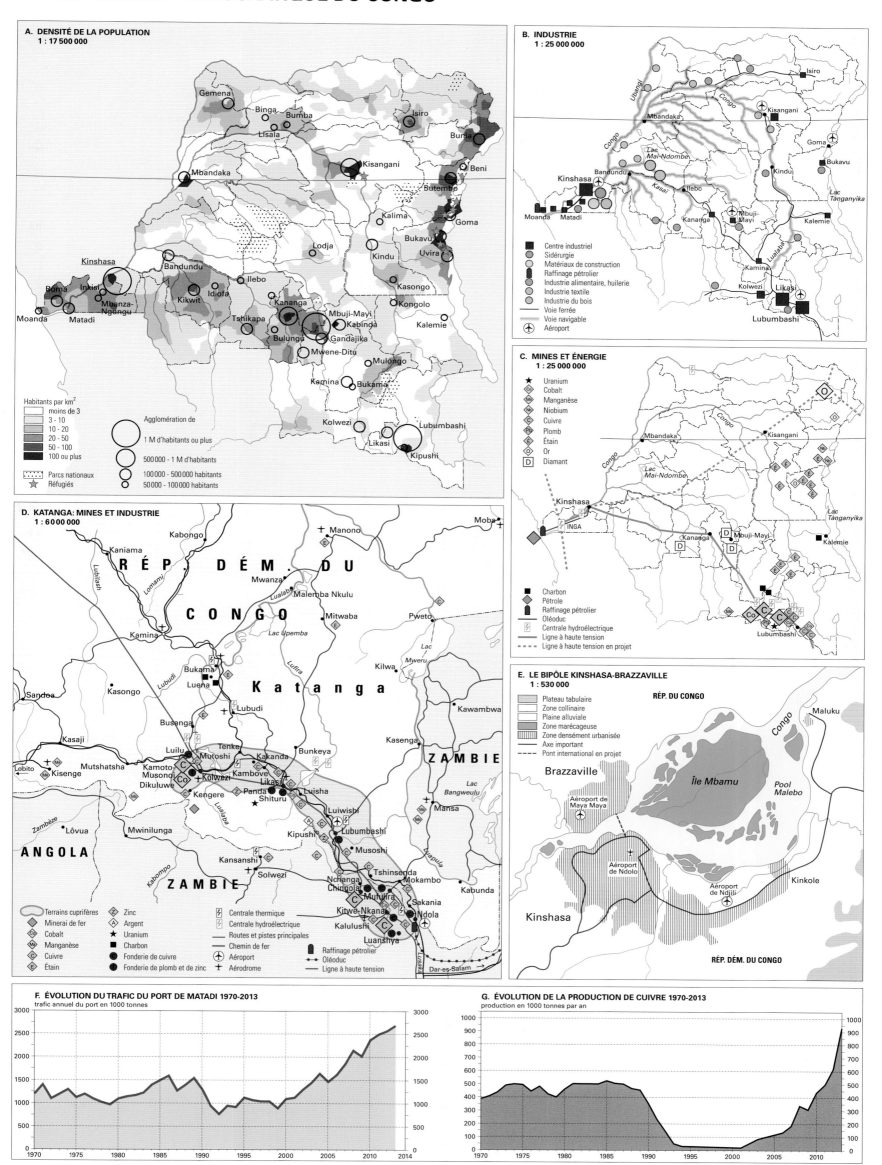

A. DENSITÉ DE LA POPULATION
1 : 17 500 000

Habitants par km²
- moins de 3
- 3 - 10
- 10 - 20
- 20 - 50
- 50 - 100
- 100 ou plus

Parcs nationaux
Réfugiés

Agglomération de
- 1 M d'habitants ou plus
- 500 000 - 1 M d'habitants
- 100 000 - 500 000 habitants
- 50 000 - 100 000 habitants

B. INDUSTRIE
1 : 25 000 000

- Centre industriel
- Sidérurgie
- Matériaux de construction
- Raffinage pétrolier
- Industrie alimentaire, huilerie
- Industrie textile
- Industrie du bois
- Voie ferrée
- Voie navigable
- Aéroport

C. MINES ET ÉNERGIE
1 : 25 000 000

- Uranium
- Cobalt
- Manganèse
- Niobium
- Cuivre
- Plomb
- Étain
- Or
- Diamant

- Charbon
- Pétrole
- Raffinage pétrolier
- Oléoduc
- Centrale hydroélectrique
- Ligne à haute tension
- Ligne à haute tension en projet

D. KATANGA: MINES ET INDUSTRIE
1 : 6 000 000

- Terrains cuprifères
- Minerai de fer
- Cobalt
- Manganèse
- Cuivre
- Étain
- Zinc
- Argent
- Uranium
- Charbon
- Fonderie de cuivre
- Fonderie de plomb et de zinc
- Centrale thermique
- Centrale hydroélectrique
- Routes et pistes principales
- Chemin de fer
- Aéroport
- Aérodrome
- Raffinage pétrolier
- Oléoduc
- Ligne à haute tension

E. LE BIPÔLE KINSHASA-BRAZZAVILLE
1 : 530 000

- Plateau tabulaire
- Zone collinaire
- Plaine alluviale
- Zone marécageuse
- Zone densément urbanisée
- Axe important
- Pont international en projet

F. ÉVOLUTION DU TRAFIC DU PORT DE MATADI 1970-2013
trafic annuel du port en 1000 tonnes

G. ÉVOLUTION DE LA PRODUCTION DE CUIVRE 1970-2013
production en 1000 tonnes par an

AFRIQUE DU SUD

Échelle 1 : 8 000 000

-6000 -4000 -2000 -200 0 100 200 500 1000 1500 2000 3000 5000 m

0 100 200 300 km

ZIMBABWE

BOTSWANA

NAMIBIE

MOÇAMBIQUE

SWAZILAND

LESOTHO

AFRIQUE DU SUD

Océan Atlantique

Océan Indien

20° L.E. de Gr.

Steinhausen
Okahandja
Witvlei
Gobabis
+2483 Windhoek
Rehoboth
Leonardville
Gobabis
Kang
Kalahari
Tshane
Mariental
Aranos
Molepolole
Jwaneng
Gaborone
Kanye
Lobatse
Mmabatho
Mahikeng
Morokweng
Tsabong
Lichtenburg
Nord-Ouest
Potchefstroom
Klerksdorp
Vryburg
Tswelelang
Hotazel
Bloemhof
Kuruman
Sishen
Maokeng
Kroonstad
Welkom
Thabong
Virginia
Theunissen
État-Libre
Ficksburg
Bloemfontein
Mangaung
Botshabelo
Maseru
Teyateyaneng
Mafeteng
Mohale's Hoek
Sotho

Serule
Bobonong
Thuli
Serowe
Palapye
Beitbridge
Musina
Mahalapye
Limpopo
Lephalale
Polokwane
Phalaborwa
Mokopane
Lebowakgomo
Modimolle
Bela-Bela
Soshanguve
Rustenburg
Pretoria
Mamelodi
Middelburg
Gauteng
Tembisa
eMalahleni
JOHANNESBURG
Daveyton
SOWETO
Katlehong
Mpumalanga
Evaton
Vereeniging
Embalenhle
Ermelo
Sasolburg
Standerton
eMkhondo
Frankfort
Volksrust
Vaal
Newcastle
Madadeni
Vryheid
Bethlehem
Bohlokong
Harrismith
Dundee
Ladysmith
Ulundi
Mont-aux-Sources
Ezakheni
Estcourt
KwaZulu-
Pietermaritzburg
Edendale
KwaMashu
Pinetown
Durban
Natal
Umlazi

Zimbabwe
Gonarezhou
Sango
Limpopo
Thohoyandou
Giyani
Chókwè
Xai-Xai
Chibuto
Lydenburg
Mbombela
Manhiça
Matola
MAPUTO
Mbabane
Swazini
Bela Vista
B. de Maputo
C. de Santa Maria

Oranjemund
Alexander Bay
Port Nolloth
Springbok
Pofadder
Kenhardt
Upington
Postmasburg
Warrenton
Kimberley
Galeshewe
Prieska
Hopetown
Petrusville
Cap-Nord
Britstown
De Aar
Colesberg
Springfontein
Aliwal North
Kokstad
Griqualand East
Port Shepstone
Scottburgh
Richards Bay
Lac St Lucia

Garies
Bitterfontein
Vanrhynsdorp
Calvinia
Carnarvon
Victoria West
Middelburg
Graaff-Reinet
Cradock
Cap-Est
Queenstown
Mthatha
Qunu
Port Saint Johns

Lambert's Bay
Citrusdal
Sutherland
Beaufort West
Aberdeen
Willowmore
Grahamstown
King William's Town
Bhisho
East London
Mdantsane
Port Alfred

Saldanha
Malmesbury
Atlantis
Paarl
Worcester
Le Cap
Bellville
Khayelitsha
Mitchells Plain
Somerset West
Swellendam
George
Knysna
Mossel Bay
Oudtshoorn
Uitenhage
Mhayi
KwaNobuhle
Port Elizabeth
Baie Algoa
Bredasdorp
Cap de Bonne-Espérance
C. des Aiguilles

Grand Karoo
Petit Karoo
Langeberg

A. L'AFRIQUE DU SUD À L'ÉPOQUE DE L'APARTHEID

1 : 16 000 000

Limite provinciale
Le Cap Capitale de province

Bantoustans:
Transkei (indépendant)
Bophuthatswana (indépendant)
Venda (indépendant)
Ciskei (indépendant)
Kwandbele
Lebowa
Gezankoulou
Kangwane
Kwazoulou
Owa Owa

ZIMBABWE
MOZAMBIQUE
BOTSWANA
Tropique du Capricorne
Pietersburg
Gaborone
Pretoria
Nelspruit
Mmabatho
Transvaal
Johannesburg
Maputo
SWAZILAND
NAMIBIE
Sishen
Orange
Natal
Kimberley
Bloemfontein
Pietermaritzburg
Richards Bay
LESOTHO
Durban
Province du Cap
Port Nolloth
Saldanha
Le Cap
East London
Port Elizabeth

B. PROVINCES ACTUELLES

1 : 16 000 000

Limite provinciale
Le Cap Capitale de province

ZIMBABWE
MOZAMBIQUE
BOTSWANA
Tropique du Capricorne
Polokwane
Limpopo
NAMIBIE
Mahikeng
Gauteng
Pretoria
Johannesburg
Mbombela
Mpumalanga
SWAZILAND
Nord-Ouest
État-Libre
Sishen
Orange
Kimberley
Bloemfontein
Ulundi
KwaZulu-Natal
Richards Bay
Pietermaritzburg
LESOTHO
Durban
Cap-Nord
Port Nolloth
Cap-Est
Bhisho
Saldanha
Cap-Ouest
Le Cap
East London
Port Elizabeth

© Noordhoff Uitgevers

AFRIQUE DU SUD

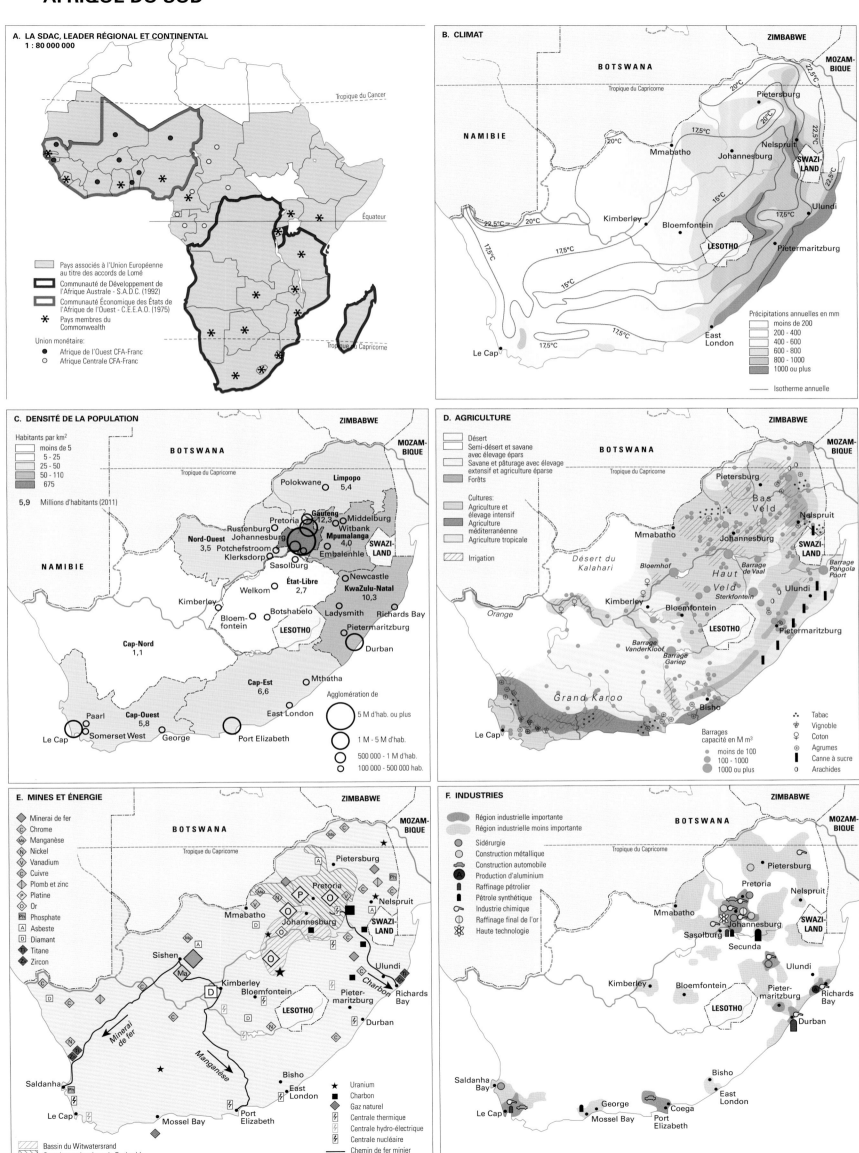

A. LA SDAC, LEADER RÉGIONAL ET CONTINENTAL
1 : 80 000 000

Tropique du Cancer

Équateur

Tropique du Capricorne

Pays associés à l'Union Européenne au titre des accords de Lomé
Communauté de Développement de l'Afrique Australe - S.A.D.C. (1992)
Communauté Économique des États de l'Afrique de l'Ouest - C.E.E.A.O. (1975)
* Pays membres du Commonwealth

Union monétaire:
● Afrique de l'Ouest CFA-Franc
○ Afrique Centrale CFA-Franc

B. CLIMAT

ZIMBABWE
MOZAMBIQUE
BOTSWANA
Tropique du Capricorne
NAMIBIE
SWAZI-LAND
Pietersburg
20°C
17,5°C
Mmabatho
Johannesburg
Nelspruit
22,5°C
15°C
Kimberley
Bloemfontein
Ulundi
17,5°C
LESOTHO
Pietermaritzburg
22,5°C
20°C
17,5°C
15°C
17,5°C
17,5°C
East London
Le Cap

Précipitations annuelles en mm
moins de 200
200 - 400
400 - 600
600 - 800
800 - 1000
1000 ou plus
Isotherme annuelle

C. DENSITÉ DE LA POPULATION

Habitants par km²
moins de 5
5 - 25
25 - 50
50 - 110
675

5,9 Millions d'habitants (2011)

ZIMBABWE
MOZAMBIQUE
BOTSWANA
Tropique du Capricorne
Limpopo 5,4
Polokwane
Gauteng 12,3
Pretoria
Middelburg
Witbank
Rustenburg
Nord-Ouest 3,5
Johannesburg
Mpumalanga 4,0
Potchefstroom
Klerksdorp
SWAZI-LAND
Sasolburg
Embalenhle
NAMIBIE
État-Libre 2,7
Newcastle
Welkom
KwaZulu-Natal 10,3
Kimberley
Botshabelo
Ladysmith
Richards Bay
Bloem-fontein
LESOTHO
Pietermaritzburg
Cap-Nord 1,1
Durban
Cap-Est 6,6
Mthatha
Paarl
Cap-Ouest 5,8
East London
Somerset West
George
Le Cap
Port Elizabeth

Agglomération de
5 M d'hab. ou plus
1 M - 5 M d'hab.
500 000 - 1 M d'hab.
100 000 - 500 000 hab.

D. AGRICULTURE

Désert
Semi-désert et savane avec élevage épars
Savane et pâturage avec élevage extensif et agriculture éparse
Forêts
Cultures:
Agriculture et élevage intensif
Agriculture méditerranéenne
Agriculture tropicale
Irrigation

ZIMBABWE
MOZAMBIQUE
BOTSWANA
Tropique du Capricorne
Pietersburg
Bas Veld
Nelspruit
Mmabatho
Johannesburg
SWAZI-LAND
Désert du Kalahari
Bloemhof
Barrage de Vaal
Barrage Pongola Poort
Haut Veld
Orange
Kimberley
Sterkfontein
Ulundi
Bloemfontein
Barrage VanderKloof
Pietermaritzburg
LESOTHO
Barrage Gariep
Grand Karoo
Bisho
Le Cap

Barrages capacité en M m³
moins de 100
100 - 1000
1000 ou plus

Tabac
Vignoble
Coton
Agrumes
Canne à sucre
Arachides

E. MINES ET ÉNERGIE

Minerai de fer
Chrome
Manganèse
Nickel
Vanadium
Cuivre
Plomb et zinc
Platine
Or
Phosphate
Asbeste
Diamant
Titane
Zircon

ZIMBABWE
MOZAMBIQUE
BOTSWANA
Tropique du Capricorne
Pietersburg
Pretoria
Nelspruit
Mmabatho
Johannesburg
SWAZI-LAND
Ulundi
Charbon
Sishen
Kimberley
Bloemfontein
Pietermaritzburg
Richards Bay
LESOTHO
Durban
Minerai de fer
Manganèse
Bisho
Saldanha
East London
Le Cap
Mossel Bay
Port Elizabeth

★ Uranium
Charbon
Gaz naturel
Centrale thermique
Centrale hydro-électrique
Centrale nucléaire
Chemin de fer minier

Bassin du Witwatersrand
Complexe volcanique du Bushveld

F. INDUSTRIES

Région industrielle importante
Région industrielle moins importante
Sidérurgie
Construction métallique
Construction automobile
Production d'aluminium
Raffinage pétrolier
Pétrole synthétique
Industrie chimique
Raffinage final de l'or
Haute technologie

ZIMBABWE
MOZAMBIQUE
BOTSWANA
Tropique du Capricorne
Pietersburg
Pretoria
Nelspruit
Mmabatho
Johannesburg
Sasolburg
SWAZI-LAND
Secunda
Ulundi
Kimberley
Bloemfontein
Pieter-maritzburg
Richards Bay
LESOTHO
Durban
Bisho
Saldanha Bay
East London
George
Le Cap
Mossel Bay
Coega
Port Elizabeth

© Noordhoff Uitgevers

PHOTOGRAPHIES AÉRIENNES

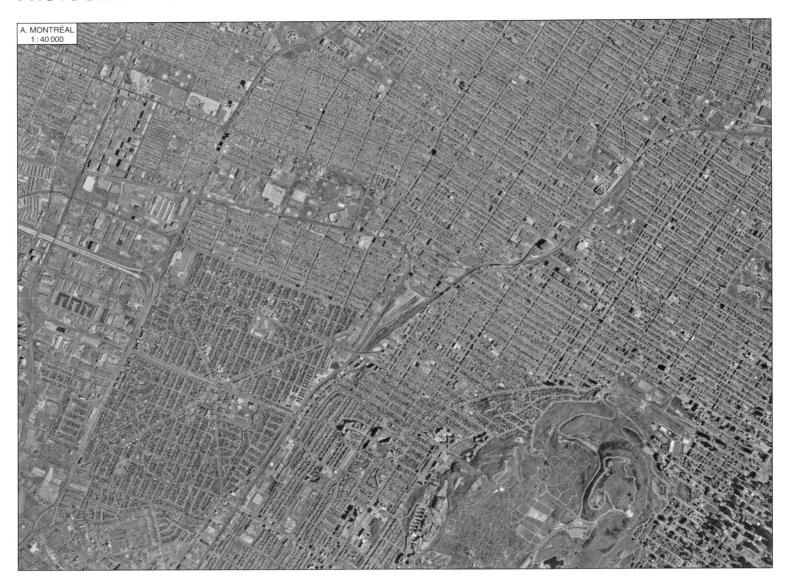

A. MONTRÉAL
1 : 40 000

B. QUÉBEC-BOISCHATEL
1 : 40 000

Source : Gouvernement du Québec. Ministère des Ressources naturelles. Photocartothèque québécoise.

CARTES TOPOGRAPHIQUES

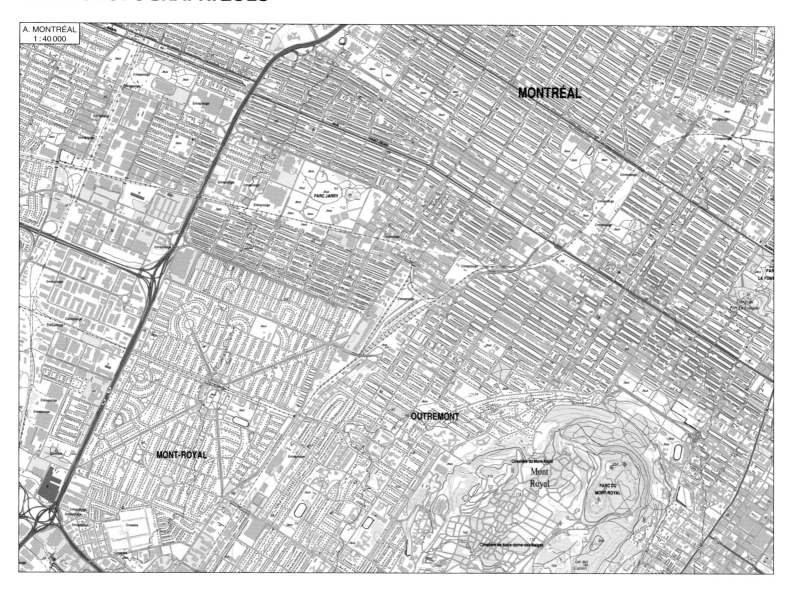

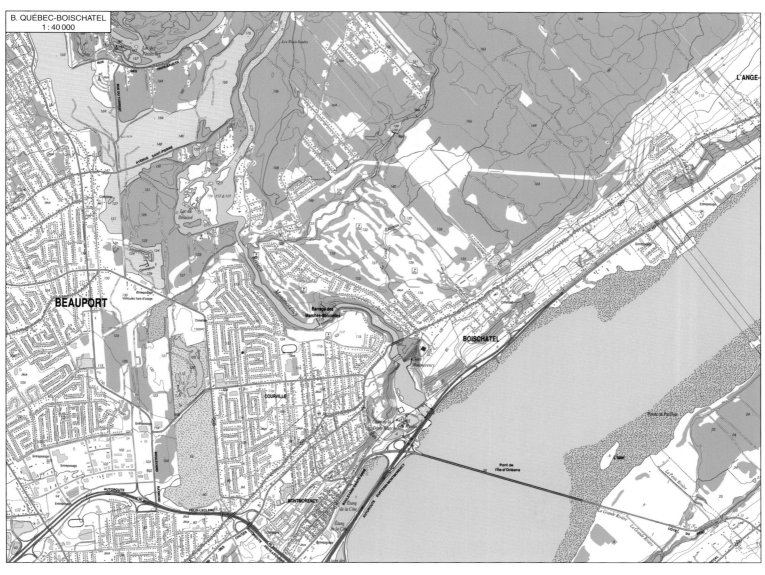

Source : Gouvernement du Québec. Ministère des Ressources naturelles. Photocartothèque québécoise.

ZONES POLAIRES / FUSEAUX HORAIRES

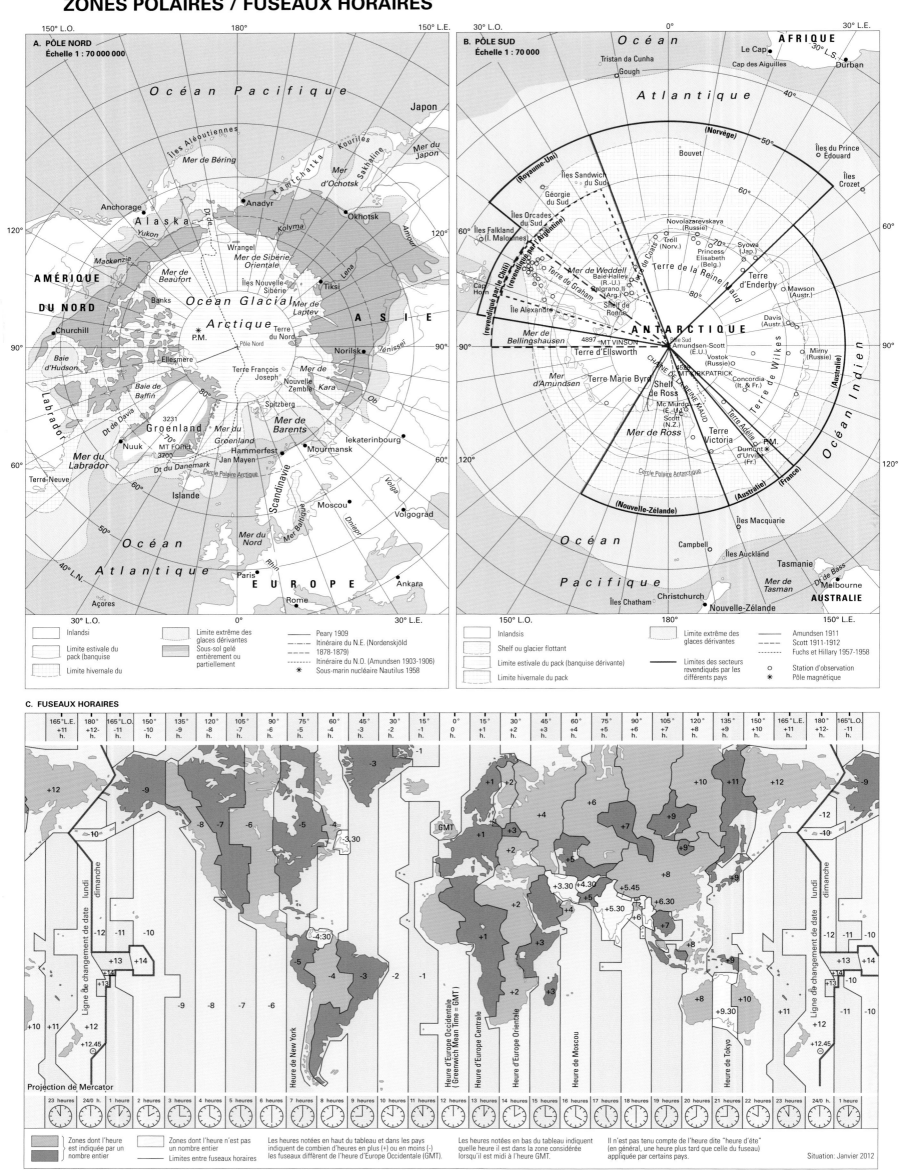

A. PÔLE NORD
Échelle 1 : 70 000 000

B. PÔLE SUD
Échelle 1 : 70 000 000

	Inlandsi		Limite extrême des glaces dérivantes		Peary 1909
	Limite estivale du pack (banquise		Sous-sol gelé entièrement ou partiellement		Itinéraire du N.E. (Nordenskjöld) 1878-1879)
	Limite hivernale du				Itinéraire du N.O. (Amundsen 1903-1906)
				*	Sous-marin nucléaire Nautilus 1958

	Inlandsis		Limite extrême des glaces dérivantes		Amundsen 1911
	Shelf ou glacier flottant				Scott 1911-1912
	Limite estivale du pack (banquise dérivante)		Limites des secteurs revendiqués par les différents pays		Fuchs et Hillary 1957-1958
	Limite hivernale du pack			o	Station d'observation
				*	Pôle magnétique

C. FUSEAUX HORAIRES

	Zones dont l'heure est indiquée par un nombre entier		Zones dont l'heure n'est pas un nombre entier	Les heures notées en haut du tableau et dans les pays indiquent de combien d'heures en plus (+) ou en moins (-) les fuseaux diffèrent de l'heure d'Europe Occidentale (GMT).	Les heures notées en bas du tableau indiquent quelle heure il est dans la zone considérée lorsqu'il est midi à l'heure GMT.	Il n'est pas tenu compte de l'heure dite "heure d'été" (en général, une heure plus tard que celle du fuseau) appliquée par certains pays.
			Limites entre fuseaux horaires			Situation : Janvier 2012

Projection de Mercator

PAYS ET CAPITALES

Afghanistan	Kaboul
Afrique du Sud	
(administrative)	Pretoria
(législative)	Le Cap
(judiciaire)	Bloemfontein
Albanie	Tirana
Algérie	Alger
Allemagne	Berlin
Andorre	Andorre
Angola	Luanda
Antigua et Barbuda	Saint John's
Arabie Saoudite	Riyad
Argentine	Buenos Aires
Arménie	Erevan
Australie	Canberra
Autriche	Vienne
Azerbaïdjan	Bakı (Bakou)
Bahamas	Nassau
Bahrein	Manamah
Bangladesh	Dhaka (Dacca)
Barbade	Bridgetown
Belgique	Bruxelles
Belize	Belmopan
Bénin	Porto-Novo
Bhoutan	Thimphu
Biélorussie	Minsk
Bolivie	
(officielle)	Sucre
(administrative)	La Paz
Bosnie-Herzégovine	Sarajevo
Botswana	Gaborone
Brésil	Brasília
Brunei	Bandar Seri Begawan
Bulgarie	Sofia
Burkina Faso	Ouagadougou
Burundi	Bujumbura
Cambodge	Phnom Penh
Cameroun	Yaoundé
Canada	Ottawa
Cap Vert	Praia
Chili	Santiago
Chine	Beijing
Chypre	Lefkosia
Colombie	Bogotá
Comores	Moroni
Congo (Rép. dém.)	Kinshasa
Congo (Rép. pop.)	Brazzaville
Corée du Nord (Rép. pop.)	Pyongyang
Corée du Sud	Séoul
Costa Rica	San José
Côte d'Ivoire	Yamoussoukro
Croatie	Zagreb
Cuba	La Havane
Danemark	Copenhague
Djibouti	Djibouti
Dominique	Roseau
Égypte	Le Caire
Émirats Arabes Unis	Abou Dhabi
Équateur	Quito
Érythrée	Asmara
Espagne	Madrid
Estonie	Tallinn
États-Unis	Washington
Éthiopie	Addis Abeba
Fidji	Suva
Finlande	Helsinki
France	Paris
Gabon	Libreville
Gambie	Banjul
Géorgie	Tbilissi
Ghana	Accra
Grèce	Athènes
Grenade	Saint George's
Guatemala	Guatemala
Guinée	Conakry
Guinée Équatoriale	Malabo
Guinée-Bissau	Bissau
Guyana	Georgetown
Haïti	Port-au-Prince
Honduras	Tegucigalpa
Hongrie	Budapest
Inde	New Delhi
Indonésie	Jakarta
Irak	Bagdad
Iran	Téhéran
Irlande	Dublin
Islande	Reykjavik
Israël	Jérusalem
Italie	Rome
Jamaïque	Kingston
Japon	Tokyo
Jordanie	Amman
Kazakhstan	Astana
Kenya	Nairobi
Kirghizistan	Bichkek
Kiribati	Bairiki
Kosovo	Prishtinë
Koweit	Koweit
Laos	Vientiane
Lesotho	Maseru
Lettonie	Riga
Liban	Beyrouth
Liberia	Monrovia
Liechtenstein	Vaduz
Lituanie	Vilnius
Luxembourg	Luxembourg
Libye	Tripoli
Macédoine	Skopje
Madagascar	Antananarivo
Malawi	Lilongwe
Maldives	Malé
Malaysia	Kuala Lumpur, Putraya
Mali	Bamako
Malte	La Valette
Maroc	Rabat
Marshall (Iles)	Majuro (Dalap-Uliga Darrit)
Maurice	Port Louis
Mauritanie	Nouakchott
Mexique	Mexico
Micronésie (États Féd.)	Palikir
Moldavie	Chişinău
Monaco	Monaco
Mongolie	Oulan-Bator
Monténégro	Podgorica
Mozambique	Maputo
Myanmar	Nay Pyi Taw
Namibie	Windhoek
Nauru	Yaren
Népal	Kathmandou
Nicaragua	Managua
Niger	Niamey
Nigéria	Abuja
Norvège	Oslo
Nouvelle-Zélande	Wellington
Oman	Mascate
Ouganda	Kampala
Ouzbékistan	Toshkent
Pakistan	Islamabad
Palau	Ngerulmud
Panama	Panamá
Papouasie-Nouvelle-Guinée	Port Moresby
Paraguay	Asunción
Pays-Bas	Amsterdam
Pérou	Lima
Philippines	Manille
Pologne	Varsovie
Portugal	Lisbonne
Qatar	Doha
Rép. Centrafricaine	Bangui
Rép. Dominicaine	Saint-Domingue
Rép. Tchèque	Prague
Roumanie	Bucarest
Royaume-Uni	Londres
Russie	Moscou
Rwanda	Kigali
Sainte-Lucie	Castries
Saint-Kitts-et-Nevis	Basseterre
Saint-Marin	Saint-Marin
Saint-Vincent	Kingstown
Salomon (Iles)	Honiara
Salvador (El)	San Salvador
Samoa	Apia
São Tomé et Principe	São Tomé
Sénégal	Dakar
Serbie	Belgrade
Seychelles	Victoria
Sierra Leone	Freetown
Singapour	Singapour
Slovaquie	Bratislava
Slovénie	Ljubljana
Somalie	Muqdisho
Soudan	Khartoum
Soudan du Sud	Juba
Sri Lanka	Sri Jayewardenapura Kotte
Suède	Stockholm
Suisse	Berne
Surinam	Paramaribo
Swaziland	Mbabane
Syrie	Damas
Tadjikistan	Douchanbe
Taiwan	*Taibei*
Tanzanie	Dodoma
Tchad	Ndjamena
Thaïlande	Bangkok
Timor Oriental	Dili
Togo	Lomé
Tonga	Nuku'Alofa
Trinidad et Tobago	Port of Spain
Tunisie	Tunis
Turkménistan	Aşgabat
Turquie	Ankara
Tuvalu	Funafuti
Ukraine	Kiev
Uruguay	Montevideo
Vanuatu	Port-Vila
Vatican	Cité du Vatican
Venezuela	Caracas
Viêt-Nam	Hanoi
Yémen	Sanaa
Zambie	Lusaka
Zimbabwe	Harare

ABBRÉVIATIONS

A.	Alpes
Afr. du S.	Afrique du Sud
Alb.	Albanie
Ang.	Angola
Arch.	Archipel
Austr.	Australie
B.	Baie, Bay
Belg.	Belgique
Bge	Barrage
Br.	Britannique
Bulg.	Bulgarie
C.	Cap, Cabo
C.	Col, Colle
Cd	Ciudad (ville)
CFC	Chlorofluorocarbones
Ch	Chaîne
Ch.	Chili
Cl	Canal
Col.	Colombie
Conn.	Connecticut
Cord.	Cordillère, Cordillera
C.R.	Costa Rica
Cy	City
Dan.	Danemark
D.C.	District of Columbia
Dépr.	Dépression
Dés.	Désert
Dj.	Djebel (montagne)
Dt.	Détroit
DU	Dobson-unité
E.	Est, East
E.A.U.	Émirats Arabes Unis
Eq.	Équateur
Esp.	Espagne
Ét.	Étang
É.-U.	États-Unis
Fj.	Fjord
Fr.	France
Ft	Fort
G.	Golfe
Gd	Grand, Gran, Great
Gde	Grande
G. Équ.	Guinée Équatoriale
G.F.	Guyane Française
GMT	Greenwich Mean Time
GNL	Gaz naturel liquéfié
Gr.	Gros
Gr.	Greenwich
Hond.	Honduras
Hong.	Hongrie
Hs	Hills (collines)
I.	Isle, Island
Î.	Île, Îles
INS	Institut National de Statistique
Isr.	Israël
Isth.	Isthme
It.	Italie
Jap.	Japon
Jord.	Jordanie
km	kilomètre
L.	Lac, Lago, Lake, Loch, Lough
Lag.	Lagune, Lagoa, Laguna
L.E.	Longitude Est
Lib.	Liban
L.N.	Latitude Nord
L.O.	Longitude Ouest
L.S.	Latitude Sud
M.	Millions
Mass.	Massachusetts
Md	Milliards
Mérid.	Méridional
Mex.	Mexique
Mgne	Montagne
Mgnes	Montagnes
M.N.	Monument National
Mt	Mont, Mount
Mte	Monte
Mti	Monti
Mts	Monts, Mountains
MW	Megawatt
N.	Nord, North
Nat.	National
N.H.	New Hampshire
Nlle	Nouvelle
Norv.	Norvège
Nth	North
N.-Z.	Nouvelle-Zélande
O.	Ouest
Occid.	Occidental
O.P.E.P.	Organisation des Pays Exporteurs de Pétrole
Or.	Oriental
Orient.	Oriental
P.-B.	Pays-Bas
Pco	Pico (pic)
Ple	Péninsule, Presqu'île
Pk.	Peak (pic)
Pl.	Plaine
Plat.	Plateau
P.M.	Pôle Magnétique
P.N.	Parc National
P.N.B.	Produit National Brut
Pnt	Point
Port.	Portugal
Pr.	Prince, Princesse
Pt	Petit
Pt	Port
Pta	Punta
Pte	Pointe
Pte	Porte
Pto	Porto, Puerto
Pzo	Pizzo
R.	Range
R.	Rio
Rép.	République
Rép. Dom.	République Dominicaine
Rés.	Réservoir
R.I.	Rhode Island
Riv.	Rivière, River
S.	San, São
S.	Sud, South, Sur
s/	sur
Sept.	Septentrional
Seych.	Seychelles
s/s	sous
St	Saint, Sankt
Sta	Santa
Ste	Sainte
Stes	Saintes
Sth	South
Sto	Santo
T.	Terre
Tec.	Tonne équivalent charbon
Terr.	Territoire
TGV	Train à Grande Vitesse
U.E.	Union Européenne
URSS	Union des Républiques Socialistes Soviétiques
Ven.	Venezuela
W.	West (Ouest)

TERMES GÉOGRAPHIQUES

Adrar [Ber.]	colline, montagne
Aïn [Ar.]	source
Alföld [Hong.]	plaine
Anger [Norv.]	baie étroite
Arena [Esp.]	sable, plage
Bab [Ar.]	détroit
Bad [Hin.]	ville
Bahia [Esp., Port.]	baie
Bahr [Ar.]	rivière, lac, baie
Balkan [Bl.]	montagne
Bandar [Per., Ar.]	port
Banja [Sc.]	bain
Banská [Tch.]	mont
Bărăgan [Roum.]	steppe, plaine
Beach [Angl.]	plage
Belt [Dan.]	détroit
Ben [Gaël.]	mont
Bir [Ar.]	source
Boca [Port., Esp.]	embouchure
Bog [Angl.]	marais
Bolsón [Esp.]	bassin
Börde [All.]	plaine fertile
Borough [Angl.]	village, ville
Bre [Norv.]	glacier
Buri [Th.]	ville
By [Dan., Norv., Su.]	ville, village
Caatinga [Bré.]	bois
Cabeza [Esp.]	montagne, sommet
Cabo [Port., Esp.]	cap
Campagna [It.]	champ, région, pays
Campo [Port., Esp., It.]	champ
Cañada [Esp.]	col, vallée
Cerro [Esp.]	colline, hauteur escarpée
Chaco [Esp.]	plaine
Channel [Angl.]	canal, bras de mer
Chapada [Port.]	plateau
Chatt [Ar.]	rivière
Chiang [Th.]	ville
Chott [Ar.]	lac salé
Cima [Port., Esp., It.]	sommet
Cîmp [Roum.]	plaine, champ
Città [It.]	ville
Ciudad [Esp.]	ville
Coast [Angl.]	côte
Colle [It.]	col, colline
Colorado [Esp.]	coloré
Cordillera [Esp.]	chaîne de montagne
Costa [Esp.]	côte, rivage
Cuchilla [Esp.]	chaîne de montagne
Dağ [Tu.]	montagne
Dar [Ar.]	région
Daria [Turk.]	rivière
Debra [Amh.]	colline
Desh [Hin., Ou.]	pays
Djebel [Ar.]	montagne
Edeyen [Ber.]	désert de sable
Embalse [Esp.]	lac de barrage
Erg [Ar.]	désert de sable
Fall [Angl.]	chute, cataracte
Fell [Isl.]	montagne
Firth [Angl.]	bras de mer, baie
Fjäll [Su.]	mont, montagne
Fjord [Dan., Norv., Su.]	bras de mer, baie
Fjördhur [Isl.]	bras de mer, baie
Fonn [Norv.]	glacier
Förde [All.]	golfe
Foreland [Angl.]	langue de terre, cap
Fors [Su.]	chute d'eau
Gaissa [Lapon]	sommet de montagne
Gate [Angl.]	porte
Gavan [Rs.]	port
Ghât [Hin., Ou.]	col
Ghor [Ar.]	dépression, plaine
Gobi [Mon.]	désert
Gora [Bl., Sc., Rs.]	montagne
Gorod [Rs.]	ville
Gorsk [Rs.]	ville
Góry [Pol.]	montagne
Grad [Bl., Sc., Rs.]	ville
Gunung [Ind.]	montagne
Hai [Ch.]	baie, golfe
Haff [All.]	lagune
Hammada [Ar.]	plateau (dans les déserts)
Hamn [Norv., Su.]	port
Harbour [Angl.]	port
Hassi [Ar.]	source
He [Ch.]	rivière
Heights [Angl.]	hauteurs
Hetta [Norv.]	mont
Highway [Angl.]	autoroute
Höfn [Isl.]	port
Holm [Dan., Norv.]	île
Horn [All.]	sommet
Huk [Dan., Norv., Su.]	point
Huta [Pol.]	haut-fourneau, fonderie
Inlet [Angl.]	anse, crique
Irmak [Tu.]	fleuve
Isla [Esp.]	île
Island [Angl.]	île
Isle [Angl.]	île
Järvi [Fin.]	lac
Jiang [Ch.]	rivière
Joki [Fin.]	rivière
Jökull [Isl.]	glacier
Kaise [Lapon]	mont
Kanat [Per.]	canal d'irrigation souterrain
Kaupunki [Fin.]	ville
Khangai [Mon.]	région boisée
Khoi [Rs.]	toundra
Kita [Jap.]	nord
Klint [Dan., Norv., Su.]	falaise
Köbing [Dan.]	petite localité
Koul [Tdj.]	lac
Koum [Turk.]	désert sableux
Koh [Hin., Ou.]	mont
Kong [Th.]	rivière
Koog [All.]	polder
Köping [Su.]	marché, village
Koski [Fin.]	chute d'eau
Kota [Ind., Ml.]	ville
Krasno [Rs.]	rouge
Kuala [Ind., Ml.]	embouchure
Kuh [Per.]	mont, montagne
Kumpu [Fin.]	colline
Lago [It., Port., Esp.]	lac
Lagoa [Port.]	lac
Ling [Ch.]	chaîne de montagne
Linna [Fin.]	château
Llano [Esp.]	plaine, steppe
Loch, Lough [Gaël.]	lac, baie
Mar [Esp., Port.]	mer
Mark [Dan., Norv., Su.]	région, pays
Marsa [Ar.]	baie, port
Marschen [All.]	marais
Mato [Port.]	bois, buissons épais
Monte[s] [Esp., Port.]	mont, montagne
Moor [Angl.]	lande, marais
Moos [Angl.]	marais, fagnes
Most [Tch.]	pont
Mount [Angl.]	sommet, mont
Nagar [Hin., Ou.]	ville
Nakhon [Th.]	ville
Nam [Th.]	rivière
Nefoud [Ar.]	désert de sable
Nes [Isl., Norv.]	langue de terre
Nevada [Esp.]	enneigé
Nur [Mon.]	lac
Nusa [Hin., Ou.]	île
Oust [Rs.]	embouchure
Oros [Gr.]	montagne
Ostrov [Bl., Tch., Rs.]	île
Otok [Sc.]	île
Øy [Norv.]	île
Øya [Norv.]	île
Pais [Port.]	pays, région
Pampa [Esp.]	plaine herbeuse
Pantanal [Port.]	marais
Pantano [Esp.]	marais, lac de barrage
Parbat [Hin., Ou.]	mont, montagne
Peak [Angl.]	sommet, pic
Peña [Esp.]	rocher, falaise
Phnom [Kh.]	mont
Pico [Esp., Port.]	mont, sommet
Piz [It.]	mont, sommet
Pizzo [It.]	mont, sommet
Plain [Angl.]	plaine
Planina [Sc., Bl.]	montagne
Plata [Esp.]	argent
Playa [Esp.]	côte, plage
Point [Angl.]	cap, langue de terre
Polis [Gr.]	ville
Polje [Sc.]	plaine, dépression, bassin
Pool [Angl.]	lac, étang
Porto [It.]	port
Pôrto [Port.]	port
Pradesh [Hin.]	État
Pueblo [Esp.]	village, ville
Puerto [Esp.]	port
Puig [Cat.]	sommet, pic
Punta [Esp., It.]	cap, isthme
Pur [Hin., Ou.]	ville
Range [Angl.]	chaîne de montagne
Ras [Ar., Per.]	cap
Reef [Angl.]	récif
Ria [Esp., Port.]	embouchure, golfe, baie
Rio [Esp., It., Port.]	rivière
Riviera [It.]	côte
Salar [Esp.]	marais salé, plaine salée
Salina [Esp.]	marais salé, plaine salée
Sap [Kh.]	eau douce, lac
Sasso [It.]	sommet, mont
Sebkra [Ar.]	marais salé
Sehir [Tu.]	ville
Selkä [Fin.]	montagne
Selva [Esp.]	forêt, bois
Serir [Ar.]	désert de cailloux
Serra [Port.]	chaîne de montagne
Serrania [Esp.]	chaîne de montagne
Shan [Ch.]	chaîne de montagne
Shima [Jap.]	île
Shire [Angl.]	comté
Shui [Ch.]	rivière
Sierra [Esp.]	mont, chaîne de montagne
Skog [Norv., Su.]	bois
Sông [Ann.]	rivière
Sound [Angl.]	détroit
Spitze [All.]	sommet, pic
Stadhur [Isl.]	ville
Sund [Dan., Norv., Su.]	détroit
Tag [Turk.]	mont, montagne
Tassili [Ber.]	plateau
Temir [Tu.]	fer
Tenggara [Ind.]	sud-est
Tierra [Esp.]	pays
Tirg [Roum.]	marché, ville
Tjåkko [Lapon]	mont
Tonlé [Kh.]	lac
Tsaidam [Mon.]	marais salé
Tunturi [Fin.]	mont
Ujung [Hin., Ml.]	cap
Umm [Ar.]	source
Vaara [Fin.]	colline, mont
Varos [Hong.]	ville
Vidda [Norv.]	plateau
Vik [Isl., Su.]	baie
Vila [Port.]	ville
Villa [It., Esp.]	ville, village
Wadi [Ar.]	lit de rivière à sec
Wald [All.]	forêt
Windward [Angl.]	côté du vent
Wold [Angl.]	lande, colline
Yama [Jap.]	mont
Zemlia [Rs.]	terre, région
Zhuang [Ch.]	village

Abréviations des langues

[All.]	Allemand
[Amh.]	Amharique
[Angl.]	Anglais
[Ann.]	Annamite
[Ar.]	Arabe
[Ber.]	Berbère
[Bl.]	Bulgare
[Bré.]	Brésilien
[Cat.]	Catalan
[Ch.]	Chinois
[Dan.]	Danois
[Esp.]	Espagnol
[Fin.]	Finnois
[Gaël.]	Gaélique
[Gr.]	Grec
[Hin.]	Hindou
[Hong.]	Hongrois
[Ind.]	Indonésien
[Isl.]	Islandais
[It.]	Italien
[Jap.]	Japonais
[Kh.]	Khmer
[Lapon]	Lapon
[Ml.]	Malais
[Mon.]	Mongol
[Norv.]	Norvégien
[Ou.]	Ourdou
[Per.]	Perse
[Pol.]	Polonais
[Port.]	Portugais
[Roum.]	Roumain
[Rs.]	Russe
[Sc.]	Serbo-croate
[Su.]	Suédois
[Tch.]	Tchèque/Slovaque
[Tdj.]	Tadjik
[Th.]	Thaï
[Turk.]	Turkmène
[Tu.]	Turc

Utilisation de l'index

Dans l'index figurent tous les noms géographiques inscrits sur les cartes d'ensemble physiques et politiques, ainsi que sur un certain nombre de cartons ou cartes-annexes. Le système de renvoi à un quadri-latère donné se trouve expliqué ci-dessous.

Ordre des noms géographiques

Les noms sont rangés par ordre alphabétique. L'alphabétisation se fait lettre par lettre, sans tenir compte de l'espace entre mots et traits d'union. Les articles et prépositions sont placés devant l'appellation principale. Exemples: La Panne, Le Havre, Los Angeles, The Wash. Des termes géographiques apparaissent après les noms géographiques; une vue d'ensemble de ces termes est donnée à la page 183. Exemples: Everest, mont; Mexique, golfe du; Ness, loch; Grande, rio; Nevada, sierra. Les noms de pays et localités qui contiennent une appellation géographique, sont inscrits en entier, tels qu'on les prononce. Exemples: Sierra Leone, Rio de Janeiro. Quant aux préfixes tels que Fort, Nouveau, Port, Saint, etc., ils subsistent devant le nom principal.

Quand un sujet possède deux noms différents, ces deux appellations figurent dans l'index. C'est le cas d'une traduction française existante, ou d'appellation traditionnelle, ou encore de graphies en plusieurs langues officielles. Exemples: Beijing - Pékin, Aachen - Aix-la-Chapelle, Helsinki - Helsingfors, Bolzano - Bozen.

Pagination

Le premier nombre après le nom géographique se rapporte à la page où apparaît ce nom. L'addition d'une lettre A, B, C, D se rapporte à un carton figurant sur la même page. Exemple: Cap-aux-Meules 59A.

Renvoi aux subdivisions cartographiques

Les cartes générales et un certain nombre de cartons présentent des subdivisions. Celles-ci sont déterminées par le canevas des méridiens et parallèles; et les parties de ce canevas sont identifiées par les lettres et chiffres indiqués en rouge autour du cadre de chacune des cartes. Ainsi on trouve Marseille sur la carte de France (pages 114-115) dans le quadrilatère F5.

Ces indications se trouvent donc dans l'index, après le numéro de page et éventuellement après la lettre identifiant un carton. Exemple: Greenwich 112C C3.

Pour les inscriptions longues, c'est-à-dire s'étendant sur plus d'un quadrilatère, on mentionne le premier et le dernier de ces quadrilatères. Exemple: Sahara 174-175 C2 F2. Sur différentes cartes-annexes, ne figure aucun canevas; dans ce cas, on ne mentionne dans l'index que le numéro de page et la lettre de la carte ou du carton. Exemple: Pôle Sud 190B.

B

U

V

COORDONNÉES GÉOGRAPHIQUES

INDEX DES CARTE

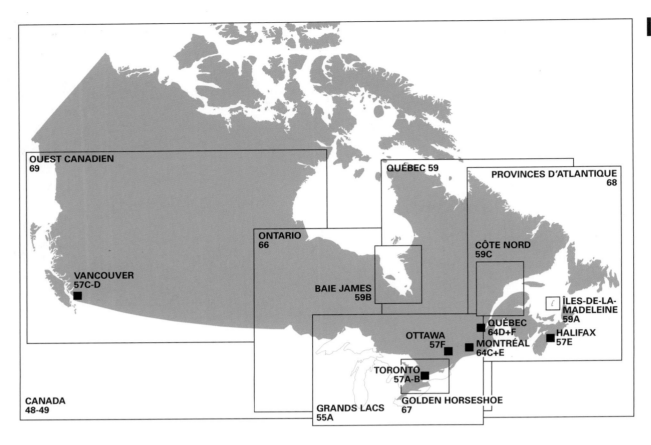

OUEST CANADIEN
69

VANCOUVER
57C-D

QUÉBEC 59

PROVINCES D'ATLANTIQUE
68

ONTARIO
66

CÔTE NORD
59C

BAIE JAMES
59B

ÎLES-DE-LA-MADELEINE
59A

QUÉBEC
64D+F

OTTAWA
57F

MONTRÉAL
64C+E

HALIFAX
57E

TORONTO
57A-B

GOLDEN HORSESHOE
67

CANADA
48-49

GRANDS LACS
55A

Les plans de ville et les cartes thématiques importantes sont aussi indiqués sur le signet des continents.

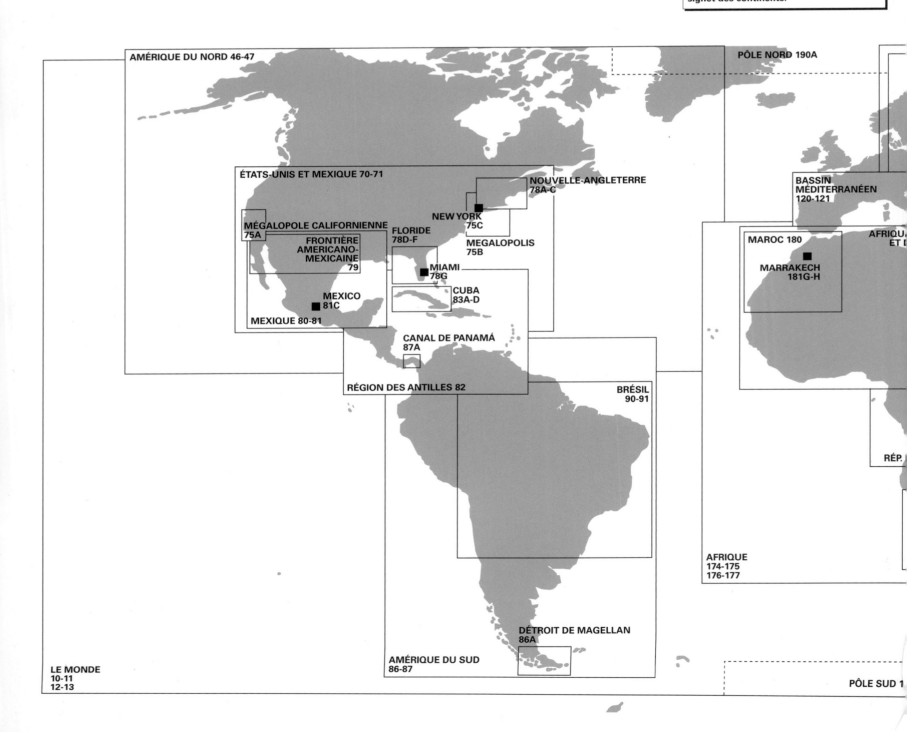

AMÉRIQUE DU NORD 46-47

PÔLE NORD 190A

ÉTATS-UNIS ET MEXIQUE 70-71

NOUVELLE-ANGLETERRE
78A-C

BASSIN MÉDITERRANÉEN
120-121

MÉGALOPOLE CALIFORNIENNE
75A

NEW YORK
75C

FLORIDE
78D-F

MAROC 180

AFRIQU ET I

FRONTIÈRE AMERICANO-MEXICAINE
79

MEGALOPOLIS
75B

MARRAKECH
181G-H

MIAMI
78G

MEXICO
81C

CUBA
83A-D

MEXIQUE 80-81

CANAL DE PANAMÁ
87A

RÉP.

RÉGION DES ANTILLES 82

BRÉSIL
90-91

AFRIQUE
174-175
176-177

DÉTROIT DE MAGELLAN
86A

LE MONDE
10-11
12-13

AMÉRIQUE DU SUD
86-87

PÔLE SUD 1